SCRÍBHINNÍ BÉALOIDIS

FOLKLORE STUDIES

8

Stiofán Ó hEalaoire—grianghraf le Frank Stevens, 1932.

LEABHAR STIOFÁIN UÍ EALAOIRE

SÉAMUS Ó DUILEARGA
a bhailigh agus a chuir in eagar

DÁITHÍ Ó hÓGÁIN
a chóirigh

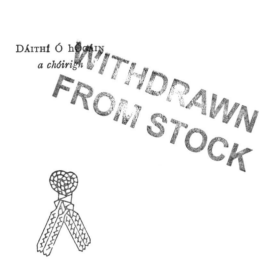

Comhairle Bhéaloideas Éireann
An Coláiste Ollscoile
Baile Átha Cliath
1981

© Comhairle Bhéaloideas Éireann
ISBN 0 906426 07 3

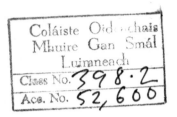
Printed in the Republic of Ireland by
The Dundalgan Press, Dundalk
for the publishers
Comhairle Bhéaloideas Éireann
University College
Belfield
Dublin 4

CLÁR AN ÁBHAIR

v

PICTIÚIR

BUÍOCHAS

Ós rud é nár mhair an tOllamh Ó Duilearga chun an clabhsúr a chur ar an obair seo, is deacair áireamh iomlán a dhéanamh orthu siúd go léir a thug cúnamh dó in ullmhú an tsaothair. Is cinnte, áfach, gur liosta le háireamh an méid daoine a roinn a gcuid go fial agus go fairsing leis le linn dó a bheith ag bailiú béaloidis i gCo. an Chláir. Tá roinnt de na daoine sin luaite sa Réamhrá, agus bhí buíochas an Duileargaigh ag dul ó chroí dóibh siúd atá luaite ansin.

Tá focal faoi leith buíochais tuillte ag Diarmaid Ó Gríofa agus ag Seán Ó Cearbhalláin, cainteoirí ó dhúchas Gaeilge ó cheantar Stiofáin Uí Ealaoire, ar léigh an tOllamh Ó Duilearga na téacsanna amach dóibh i nDúlainn agus i mBaile Átha Cliath sna blianta 1957-1959. D'éist an Gríofach agus an Cearbhallánach go cúramach le gach cor cainte dá bhfuil sna téacsanna, agus shoiléirigh siad cuid mhaith pointí a bhaineann le deilbhíocht na bhfocal agus le comhréir na cainte. Tá focal faoi leith buíochais ag dul, chomh maith, do Mháire Uí Dhiolúin a rinne an t-ábhar ar fad ó thús deireadh a chlóscríobh don Ollamh Ó Duilearga. Lorg an Duileargach comhairle faoin gcóras litrithe ó am go chéile ar an Ollamh Brian Ó Cuív, ar an Ollamh Donncha Ó Cróinín agus ar an Dr. Risteard B. Breathnach, comhairle a tugadh go fonnmhar. Bhí sé fíorbhuíoch, chomh maith, do Mháire Nic Néill as a cabhair agus a féile le linn dó a chuairt dheireanach a thabhairt ar Cho. an Chláir cúpla bliain ó shoin. Táimid faoi chomaoin ag eagarthóirí *Béaloideas* agus *Éigse* as cead a thabhairt téacsanna a foilsíodh cheana sna hirisí sin a athfhoilsiú anseo.

Maidir liom féin, is mian liom mo bhuíochas a ghabháil leis an Ollamh Bo Almqvist, eagarthóir ar an tsraith foilseachán seo do Chomhairle Bhéaloideas Éireann, as a chabhair i ndréachtadh na nótaí agus as a chomhairle maidir le crot an leabhair trí chéile; le Micheál Ó Curraoin, M.Litt., as na profaí a léamh agus as a lámh chúnta ar shlíte éagsúla eile; agus le Patricia Lysaght, Leabharlannaí Roinn Bhéaloideas Éireann, as a comhairle siúd faoi leabhair agus foinsí eile. Táimid go léir faoi chomaoin ag clann an Ollaimh Uí Dhuilearga, an tAthair Turlough agus Caitríona, as a chuid lámh-scríbhinní agus a chuid páipéar a bhronnadh ar Roinn Bhéaloideas Éireann chun go bhféadfaí an cnuasach seo a fhoilsiú.

DÁITHÍ Ó hÓGÁIN

RÉAMHRÁ

Cnuasach é seo de scéalta, d'eachtraí, agus de sheanchas a bhailigh an tOllamh Séamus Ó Duilearga ó uair go chéile idir 1930 agus 1943 ó bhéalinsint Stiofáin Uí Ealaoire, a bhí ina chónaí i mBaile Uí Choileáin in aice le Sráid na nIascairí, i dtuaisceart Cho. an Chláir.

AN SCÉALAÍ

I mBaile Uí Choileáin a rugadh Stiofán Ó hEalaoire i mí na Nollag 1858 sa teachín céanna ar chaith sé an chuid is mó dá shaol ann. Micheál an t-ainm a bhí ar a athair agus fuair sé sin bás ar an 14ú Aibreán 1862, nuair nach raibh Stiofán ach ina leanbh trí bliana d'aois. Bhí thart faoi dhaichead bliain slánaithe ag Micheál ag an am de réir thuairisc Stiofáin. Tomás Ó hEalaoire a bhí mar athair ag Micheál. Ba é a athair sin arís Micheál agus a athair sin Aindrias. Ní fhéadfadh Stiofán dul níos sia siar ar thaobh a athar. Bhreac Séamus Ó Duilearga an nóta seo a leanas ó Stiofán ar an 2/12/1937: ' Uch Dara—ba dh'shin é an chéad áit ar chónaíodar. Tháinig driotháir do dh'Aindrias go Poll na Cróine (in aice le Poll Cráimhín) agus sin é an áit a rabhadar ina gcónaí aimsir Chromail.' Mhínigh Stiofán, chomh maith, don Duileargach gurbh í Sráid na nIascairí ba láthair dhúchais dá athair agus dá sheanathair, rud a fhágann go mba fhada baint ag muintir Ealaoire leis an gceantar. Cáit Ní Dhanachair ba ea máthair Stiofáin. Iníon ba ea í siúd le Pádhraic mac Shéamais Uí Dhanachair. Ar an Leamhach, Dúlainn, a bhí cónaí orthu siúd ar fad. Bhí Cáit trí bliana déag is ceithre fichid nuair a cailleadh í ar an 22ú Lúnasa 1911. Cúigear páistí a bhí sa teaghlach.

I 1937 nó blianta beaga roimhe sin chuaigh Stiofán chun cónaithe go dtí teach a dhuine mhuinteartha, Pádraig Ó Dábhoireann, ag an seanchoiléar i nDún na gCór timpeall míle go leith óna shean-áitreabh, agus is ann a cailleadh é ar an 4ú Bealtaine 1944. Seo an cur síos a thug an Duileargach ar an ríscéalaí seo:

I mbothán beag leis féin a chaith Stiofán a shaol. Níor phós sé riamh. Bhí bó aige agus cat bradach bán, agus cúig nó sé cinn de chearca. Bhí radharc breá fairsing aige ón dtullán a raibh a thigín suite ar an bhfarraige mhóir, ar na

hOileáin Árann, agus trasna chuain na Gaillimhe ar Chona-
mara. Do théinnse chuige ar uairibh in éineacht le Seán Carún
nó le Seán bocht Ó Maoldhomhnaigh, comharsa dhó, agus ní
miste a rá go mb'fhearr liom oíche fhada fhómhair nó gheimh-
ridh i dteannta Sheáin ná an chuileachta b'ardnósaí ar
domhan. An té a bhfuil taithí aige ar obair den tsaghas so,
agus a raibh caidreamh aige leis an tsean-mhuintir, ní gá
dhom a insint dó an suairceas agus an t-aoibhneas do bhaininn
as an gcomhrá agus as an tseanchas a chuala chois tine sa
mbothán súigh úd. Seandaoine don tseanaimsir de shaghas
Stiofáin Uí Ealaoire, is iad san na hollúin léinn is fearr dá
bhfuil againn agus is lú atá fé mheas agus fé urraim ag lucht
na Gaeilge. Mo ghraidhn go brách iad na daoine breátha
Gaelacha úd an bhéil bhinn agus an mhórchroí. Sea, " dá
fhaid é an lá, is é dán na hoíche teacht." Do fuair Stiofán
aois mhór. Do bhuail an daille é roinnt de bhlianta ó shoin,[1]
agus níor fhan léas aige. Ach d'fhan an mheabhair aibidh
agus an chaint ghonta aige go dtí lá a bháis. Do chonac é don
uair dheiridh i mí Eanáir 1943. Do chaitheas oíche fhada ina
fhochair ag ceartú roinnt bheag nithe ina chuid seanchais
agus scéalta ar theastaigh feabhas a chur orthu, agus do
bhailíos uaidh roinnt eile scéalta. Is dóigh liom gur samh-
laíodh dó ná casfaí lena chéile go brách sinn, gurb é an cúrsa
deiridh é. Nuair d'éiríos chun imeachta agus chun slán a
fhágaint aige, do bheir sé barróg orm, agus d'fháisc sé mo
láimh dheas lena dhá láimh féin, do rith na deora faoina
leicne, agus do tháinig tocht ina scornaigh. Ní cúis náire
dhom a admháil go rabhas féin ar an slí gcéanna. Do thuig-
eamair féin a chéile. Níor ghá dhúinn labhairt. D'fhágas slán
aige fé mar d'fhágas slán ag a lán eile des na seanfhundúirí.
Ní fhaca ó shoin é, ach faid is beo mé, ní dhéanfad dear-
mhad air ![2]

---

[1] Sa bhliain 1944 a bhí Séamus Ó Duilearga ag scríobh.

[2] Seo cuid de chur síos a scríobh an Duileargach ar Stiofán in *Béaloideas* 14
(1944), 113-4.

Bhí ardmheas ag Séamus Ó Duilearga ar a fheabhas agus a bhí an Ghaeilge ag Stiofán:

Bhí Stiofán ar an gcainteoir Gaeilge is fearr a casadh riamh liom in aon áit in Éirinn. Is mór go léir an chailliúint do léann na Nua-Ghaeilge nár dheaghaidh aoinne chuige chun staidéir chruinn a dhéanamh ar an saibhreas iongantach ráiteachas agus focal a bhí aige. Do bhí na céadta agus na céadta focal agus sean-nathanna cainte aige ná raibh le fáil ó aoinne eile sa Mhumhain.[3]

Bhí an nóta suntasach seo ag an Duileargach ina chín lae faoi Stiofán:

Especially do I regret that two Irishmen had not met— Professor Tomás Ó Rathaille of Dublin and Stiofán Ó hEalaoire of Dubhlinn. What a magnificent Irish speaker Stiofán is, and how much valuable material would Tomás have got from him, and how glad Stiofán would be if only they could meet.[4]

Is léir as gach nóta a bhreac sé ina thaobh go raibh mórchion ag an Duileargach ar Stiofán. Cuir i gcás an nóta seo i nGaeilge sa chín lae:

Is fear gan bhean gan chlann, gan bhó ná eile é, é ina chónaí leis féin i seana-bhotháinín súigh ar an gcnoc ar leataoibh ós na daoine. Leis féin is mó a bhíonn sé ag caint, agus shílfeá go raibh lán an tí de dhaoine ag an gcaint d'aireofá istigh!

Cuireadh Stiofán i seanreilig Chill Aighleach an lá tar éis a bháis.

Ó Duilearga agus Béaloideas an Chláir

B'fhada é Séamus Ó Duilearga ag tnúth le cuairt a thabhairt ar Cho. an Chláir. Sna blianta 1923-1929 bhí sé tar éis bailiúchán mór béaloidis a dhéanamh in iarthar Uíbh Ráthaigh i gCo. Chiarraí,[5]

---

[3] Cf. nóta 2.

[4] Tá an cín lae seo i lámhscríbhinní Roinn Bhéaloideas Éireann, an Coláiste Ollscoile, Baile Átha Cliath.

[5] D'fhoilsigh sé dhá imleabhar iomlána den ábhar sin: *Leabhar Sheáin Í Chonaill* (Baile Átha Cliath, 1948), 492 lch.; agus *Cnuasach Andeas, Scéalta agus Seanchas Sheáin Í Shé ó Íbh Ráthach* (.i. *Béaloideas* 29, 1961), 153 lch. D'fhoilsigh sé a thuilleadh den ábhar in *Béaloideas, passim;* agus tá a thuilleadh fós i lámhscríbhinní Roinn Bhéaloideas Éireann.

agus bhí sé deimhneach go raibh saibhreas mór seanchais agus
scéalaíochta ar fáil mar an gcéanna i gCo. an Chláir.

Thuig sé go
raibh an Ghaeilge beo beathaíoch fós i gcúinní áirithe den chontae
sin, agus ghoill sé go mór air nach raibh aon léargas ceart le fáil i
bhfoinsí foilsithe ar an traidisiún béil sna baill sin. Seo mar a
scríobh sé ina chín lae:

> I had long wished to go to Clare, to learn something about
> Clare Irish and to attempt to collect the traditions which
> I guessed must be there, but about which I could get no
> information in Dublin. A tale called *Sceach Mhic an Chró* was
> about the only folk tale available in print from Co. Clare.
> T. J. Westropp, a Clare man, had published a ' Survey ' of
> Folklore of the County,[6] which contains much of value, but
> Westropp knew not a single word of Irish, and was quite
> unaware all through his life that his native county possessed
> an enormous wealth of tale and song and tradition preserved
> in the Irish language. He was a great man in his own way,
> and his name is today quite unjustly forgotten. He loved
> Clare and devoted many years whenever his leisure permitted
> to the study of hill-forts, and the other remains of antiquity
> in the county. But the barriers of birth—he was a landlord's
> son—and lack of the fundamental qualifications for anyone
> wishing to collect or to study the tradition of Ireland—
> a thorough knowledge of spoken Irish, some knowledge of
> the MS. literature, and the realization that outside the
> English-speaking world lay *real* knowledge and the fruit of
> solid endeavour in the science of Folklore—all these handicaps
> cut him off from the people of Clare and of the other parts of
> Gaelic-speaking Ireland.

I 1929 a chéadleag Séamus cos ar ithir an chontae sin, mar a
thuairiscigh sé ina chín lae:

> Saying good-bye to my mother and my brother, Jack,
> I left Dublin at 9.30 a.m. on Saturday, 3 August 1929, reaching
> Ennis at 4 and Ennistymon at 5. The day turned out very wet !

Ag triall ar mhuintir Fhlannagáin in Áth an Bhóthair, Dúlainn,
a bhí sé. Ba iad siúd Pádraig Ó Flannagáin agus a bhean, iar-

[6] ' County Clare folk-tales and myths ' in *Folk-lore* 24 (1913), 96-106,
201-12, 365-81, 490-504; 25 (1914), 377-8.

mhúinteoirí scoile, agus bhí cuireadh faighte aige chucu óna n-iníon, an Mháthair Teresa, d'Ord na nDoiminiceach i Sráid Eccles, Baile Átha Cliath. Fuair Séamus marcaíocht i ngluaisteán ó ' Mr. Curtin, proprietor of the Queen's Hotel, Lisdoonvarna ' chomh fada le tigh na bhFlannagánach i nDúlainn. Níorbh fhada gur chuir sé aithne ar scéalaithe de chuid an cheantair—orthu siúd Paitsín Ó Flannagáin, Seán Carún, Micheál Ó Tiarnaigh, Aguistín Ó Duilleáin, Pádraig Ó Dúill, Tomás Ó hIomhair, agus Tomás Ó Maoldhomhnaigh. Dhein sé béaloideas a thaifeadadh ar an eideafón uathu siúd agus óna thuilleadh. Rud eile, d'fhostaigh sé Seán Mac Mathúna, fear ó Dhúlainn a raibh léamh agus scríobh na Gaeilge aige, chun dul 1 mbun bailiúcháin don Chumann le Béaloideas Éireann.[7] D'fhan sé sa cheantar go dtí an 4ú Meán Fómhair, nuair a d'fhill sé ar Bhaile Átha Cliath. Chuaigh a chéad gheábh ar Cho. an Chláir i bhfeidhm go mór air—go háirithe flaithiúlacht mhuintir Charúin, a raibh na ceithre seachtaine caite aige ar lóistín ina dteach. Bhí air dul dian ar an scéal sula nglacfaidís siúd aon díolaíocht uaidh, ach mar a scríobh sé ina chín lae: ' That's the sort of people I met in Clare.'

D'fhill sé ar an gcontae ar an 20ú Nollaig 1929, agus fearadh fíorchaoin fáilte roimhe. Le muintir Charúin a chuir sé faoi arís, agus níorbh fhada go raibh sé i mbun bailiúcháin athuair. Bhailigh sé ábhar an turas seo ó Phaitsín Ó Flannagáin, Séamas Ó Danachair, Donncha Ó Maoldhomhnaigh, Seán Mac Mathúna, Pádraig Mac Mathúna, Dáithí Ó Conchúir, Seán Mac Déid, Austin Russell, Micheál Ó Flannagáin, agus Paddy Sherlock, fear scuab ó Inis Tiomáin[8]. Ba é an seisiún scéalaíochta ba mhó ar fad ar bhain sé taitneamh as, áfach, tráthnóna Dé hAoine an 3ú Eanáir 1930:

---

[7] Tá ar bhailigh Seán Mac Mathúna ar coimeád sa Chartlann i Roinn Bhéaloideas Éireann. Tá ábhar a bhailigh sé ó Stiofán Ó hEalaoire ar fáil sna lámhscríbhinní seo a leanas sa Chartlann sin: 38: 122-3; 39: 297, 423; 40: 142-5, 216, 271-9; 41: 87-8, 90-3, 441-2, 451-3; 118: 153-203, 307-17, 451; 133: 49-65, 193-5, 203-5; 445: 195; 519: 55; 609: 393-488 (passim); 616: 404-9; 695: 125; 811: 84, 111-3, 152, 155, 181, 220, 239-40; 842: 410 et seq.; 892: 179-82; 901: 77 et seq.; 1011: 141-2; 1042: 57, 66 et seq., 108; 1043: 183-4, 241-73; 1142: 65 et seq., 147 et seq.; 1143: 250, 352; 1144: 259-62; 1306: 223 et seq. Tá ábhar a bhailigh Brian Mac Lua ó Stiofán in 296: 57-91, 102-9, 200; agus ábhar a bhailigh an Br. P. T. Ó Riain uaidh in 359: 444-5.

[8] D'fhoilsigh an Duileargach cnuasach de bhéaloideas i mBéarla a bhailigh sé ó Paddy Sherlock in Béaloideas 30 (1962), 1-75. D'fhoilsigh sé a thuilleadh den ábhar a bhailigh sé i gCo. an Chláir in Béaloideas, passim. Tá lán dhá imleabhar eile ó Cho. an Chláir ina chuid lámhscríbhinní i Roinn Bhéaloideas Éireann, agus tá súil le n-é sin a fhoilsiú amach anseo.

B

In the evening John Carey, junr., and I went to Paitsín
Ó Flannagáin, and then all three of us walked down the hill
to Anthony Maloney's house, which was ablaze with light.
A huge fire was lighting in the room reserved for us, and a
large crowd of people had gathered. Anthony had selected
some eight singers and storytellers and these were brought
into what must be the doctor's room when he has his dispens-
ary. It was a small room, and the rest of those assembled
had to wait in a larger room outside, but the door to the small
room was open and the others could hear what was going on.
Anthony kept order, but the people themselves were so
interested that they listened with great attention and in
complete silence to the songs and stories which lasted for
five hours! This was the first time I had met Stiofán Ó
hEalaoire, who proved to be the best Irish speaker and story-
teller I was to meet in Clare, and he was the lion of the
evening!

Tá cuntas inspéise eile ag an Duileargach ar an seisiún seo ina
chuid nótaí:

Anthony Maloney had arranged for us to gather in order
to give me an opportunity of getting acquainted with some
of the old people whom he had specially selected as being
likely informants and of service to me in my work. I paid
for a bucketful of porter fetched from a local pub, there was
a good fire blazing on the hearth, the night was cold, the sky
covered with frosty stars, and the faint murmur of the sea
seeped in through the door. A memorable night of story-
telling followed, each old man giving of his best. In the outer
and larger room (used by the Medical Officer as a dispensary)
there were a number of local people gathered who listened
intently to the songs and stories by the select artistes in the
inner room, where I too had my place beside the ediphone
machine.

Tráthnóna an Domhnaigh a bhí chuige, ghabh sé trí shíon is trí
stoirm chun cuairt a thabhairt ar theach shean-Tomáis Uí Iomhair
ar an Leamhach. Le cuidiú an tSáirsint Uí Mheára de chuid na
nGardaí Síochána bhain sé an teach amach. Nuair a theip ar an
Meárach asal d'fháil le cur faoin gcairt chun an t-eideafón agus na

boscaí sorcóirí a thabhairt chun an tí, tharraing an sáirsint dea-
chroíoch úd an chairt thar na dumhacha gainimhe é féin! Bhailigh
an Duileargach lear mór ó Thomás Ó hIomhair, ach is ag sciobadh
ó bhéal na huaighe a bhí sé. Mar a scríobh sé ina chín lae:
    It should be remembered that what I got from him and
    also from Stiofán Ó hEalaoire was not the *mórchuid* but the
    caolchuid. Had I the *Handbook*[9] and time to go through it
    with both of these fine old tradition bearers I should have
    got a collection second to none in Europe.

Lean Séamus Ó Duilearga air go dian dúthrachtach ag bailiú ón
Iomharach, ón Ealaoireach agus ó sheanchaithe eile sa cheantar go
dtí an 15ú Eanáir nuair a bhí air filleadh arís ar Bhaile Átha Cliath
chun dul i mbun a dhualgais mar léachtóir le Gaeilge sa Choláiste
Ollscoile. Scríobh sé an méid seo a leanas le hiarracht de shásamh
ina chín lae tar éis an turais:
    I had had a most successful time in Clare. At last some-
    thing was being done to learn something about the oral
    literature of a county from which before I started to work in
    August 1929 only one folktale had come. Now we have a good
    collection—but there is still a vast amount to do—and so
    little time to do it.

Bhí sé thar n-ais i gCo. an Chláir ar an 2ú Lúnasa ina dhiaidh sin.
A dheartháir Jack a thug ann é ina ghluaisteán, agus bhailigh an
deartháir leis go Port Láirge ansin. Chuir sé faoi le muintir Charúin,
agus níorbh fhada go raibh sé i mbun saothair arís. Chomh maith
leis an mbailiú an turas seo thug sé faoi chuid mhór ábhair a bhí
taifeadta aige ar na sorcóirí céarach a scríobh amach. Bhí na
scéalaithe lánsásta cabhrú leis chun bearnaí a líonadh sna téacsanna.
Ar Stiofán Ó hEalaoire is mó a bhí sé ag díriú maidir le scéalta a
chnuasach.

Tá an nóta seo a leanas aige sa dréacht dá chín lae a scríobh sé i
bhfad ina dhiaidh sin:
    On 15th August Stiofán came to see me and told me the
    finest tale I have ever heard before or since—and I write
    these lines twenty-five years later. This was *Conall Gulban*.

---

⁹ Seán Ó Súilleabháin, *A Handbook of Irish Folklore* (Baile Átha Cliath,
1949), saothar atá mar chloch bhunaidh faoin staidéar cuimsitheach ar bhéal-
oideas na hÉireann.

It was not only an excellent version but Stiofán showed himself as a really first-rate artist—a magnificent story in inimitable style. It took nearly two hours to tell, and he spoke very fast.

Chuir sé an scéal seo ar an eideafón ó Stiofán ar an 26ú Lúnasa, agus is í sin an insint atá i gcló sa leabhar seo (Uimh. 5). ' It took him nearly 1½ hours to tell speaking very fast,' a deir Séamus ina chín lae. ' There were seventeen people present to-night including a tin-whistle player, Joe Burns (18) of Baile Salach, four miles away.'

Lean sé air ag bailiú. Le linn an ama seo, bhí Acadamh Ríoga na hÉireann i mbun samplaí a thaifeadadh de na canúintí éagsúla sa Ghaeilge faoi stiúir an Dr. Wilhelm Doegen. An tOll. Tomás Ó Máille agus Liam Ó Buachalla a bhí i mbun na hoibre i dtuaisceart an Chláir, agus ós rud é go raibh sé féin ar an bhfód roghnaigh Séamus Ó Duilearga ceathrar cainteoirí dóibh. Ba iad sin Seán Carún, Stiofán Ó hEalaoire, Séamas Ó Cilltsrutháin, agus Liam Ó Duilleáin.[10] Ar an 18ú Meán Fómhair, thóg sé gluaisteán amach ar cíos i Lios Dún Bhearna agus thug sé an ceathrar leis go Gaillimh, áit ar deineadh taifeadadh ar a gcuid cainte do scéim an Acadaimh. Bhreac sé an nóta seo an lá ina dhiaidh sin:

I made the last recordings of this visit, and all my storytellers were there. Stiofán told *Buachaill Bó Shliabh Luachra*.

An lá dar gcionn, tháinig a dheartháir Jack lena ghluaisteán agus d'fhan sé thar oíche. Lá arna mháireach arís, d'fhill siad beirt ar Bhaile Átha Cliath.

Ar an 29ú Lúnasa 1932 a thug an Duileargach an tríú turas ar an gceantar, agus chaith sé ón 7ú go dtí an 10ú Meán Fómhair i gCill Bheathaigh, in iardheisceart an chontae. Thart faoin 19ú Meán Fómhair a d'fhill sé ar Bhaile Átha Cliath. Ó Stiofán agus Tomás Ó hIomhair is mó a dhein sé béaloideas a bhailiú ar an turas seo. Mar ba ghnáthach leis, ní raibh aon leisce air dua a chur air féin chun a chuid oibre a chur i gcrích go baileach. Seo nóta óna chín lae faoin dáta 17ú Meán Fómhair:

[10] Tá ar taifeadadh ó Stiofán ar an ócáid sin ar Cheirníní Doegen 1161-1162 in Acadamh Ríoga na hÉireann—leaganacha de Uimh. 8 agus Uimh. 117 sa chnuasach seo atá i gceist.

I returned to Stiofán and wrote 17 pp. from his dictation. Got wet going back against south-west wind and thick fog, being hampered by my large note-book and the drawing-board on which I write.

Rud eile, d'iarr sé ar Mhicheál Ó Tiarnaigh macasamhail bhata scóir a dhéanamh dó, rud a dhein an Tiarnach. Bhí taithí phearsanta ag an Tiarnach ar an mbata scóir, mar gur fhreastail sé féin ar scoil scairte i mBaile Chotúin ina óige, agus bhíodh an Máistir Liddy ansiúd ag baint úsáide as an modh úd chun iachall a chur ar na páistí éirí as labhairt na Gaeilge.

Ar an 29ú Meitheamh 1937 bhí an Duileargach i gCill Chiaráin, thiar i gConamara, in éineacht leis an scoláire clúiteach Meiriceánach Stith Thompson agus a bhean siúd. Bhí na cuairteoirí á dtabhairt go Luimneach ina ghluaisteán ag Séamus, agus ní fhéadfadh sé gan an Leamhach a thaispeáint dóibh. Thug sé cuairt ar theach mhuintir Charúin ach níor éirigh leis fanacht ró-fhada mar go raibh air Luimneach a bhaint amach an oíche chéanna. Gheall sé dó féin, áfach, go bhfillfeadh sé faoi dheireadh na bliana—rud a dhein sé ar feadh seachtaine i Mí na Samhna agus gach dar thaifid sé i gCo. an Chláir idir 1929 agus 1932 scríofa amach i leabhair nótaí aige. Bhí radharc na súl caillte ag Stiofán faoin am seo agus é tar éis aistriú go teach a dhuine mhuinteartha, Pádhraic Ó Dábhoireann ag Dún na gCór. Seo an tuairisc a thug Séamus ar an turas:

The scenes familiar to me 1929-32 are repeated; the old friends gather at Careys and elsewhere to chat, tell tales and sing the songs I have heard so often but like to hear again. Paitsín Ó Flannagáin is there, now 75 and looking much older than formerly. Johnny Carey now 80 but still full of energy—unchanged as they all are really. Micheál Ó Tiarnaigh with his stick and storm lantern, and his moon-face full of smiles and alight with good humour. Seán Mac Mathúna, a mere lad of 60, is there too. The children of John Carey, junior, are there who were not there when I was here last, and they gaze open-mouthed at the " Irishman " as I am called locally who has come back from the big city of Dublin to collect old stories. The fire is as big as ever, and on top of the turf is the *cailleach giumhaise*, just as it used to be, and as it was when Sven Liljeblad of Lund was here in 1930. I feel that

I am privileged in knowing these Clare people, these last Irish speakers of Corca Morua. In a few years they will be gone and the old world will have gone with them.

Chuaigh sé i mbun oibre le dúthracht an té a thuigeann go bhfuil sé ag druidim i ngiorracht dá cheann scríbe:

Day after day from after breakfast to dinner and from that to late at night I checked the MSS. with the speakers, and especially with Stiofán. Every day I visited him, Carey Senr. coming with me in the car. I found it useless to employ the ediphone records, and having read passages before the part of text where the missing words or lines were the old man would give me what was required. It was a slow job, and a very tiring one, but I stuck at it until I was finished.

Agus, nuair a bhí an tseachtain istigh agus a shaothar déanta aige, thuig sé agus mhothaigh sé go raibh an aidhm a chuir sé roimhe naoi mbliana roimhe sin bainte amach faoi dheireadh:

I spent from Friday to Friday, leaving early in the morning and made the run to Dublin in record time, arriving about 3 p.m. with a car full of records and transcripts. And well pleased I was with my trip, with the worry long on my mind about the Clare collection at long last dispelled and done with.

Ní théann aon mhúchadh ar thart an léinn, áfach, agus bhí Séamus Ó Duilearga thar n-ais i gCo. an Chláir in Eanáir na bliana 1943, ag éisteacht le Stiofán Ó hEalaoire, Paitsín Ó Flannagáin, Seán Mac Mathúna, agus Seán Carún i mbun scéalaíochta. Agus b'shin í an uair dheiridh aige ag éisteacht le Stiofán.

STIOFÁN AGUS SÉAMUS

' Ní bheidh a leithéid arís i dTuamhain i gcúrsaíbh seanchais agus scéalta—b'é ab fhearr dár bhuail liom riamh in aon áit dár shiúlaíos ar thóir an tseana-léinn bhéil i nGaeilge bhinn na gCláiríneach,' a scríobh Séamus Ó Duilearga faoi Stiofán Ó hEalaoire.[11] Bhí an

[11] Cf. nóta 2.

Duileargach den tuairim láidir gurbh é an scéalaí seo sméar mhullaigh
an tseanchais i gCo. an Chláir lena linn, agus ba mhór an sásamh dó
gurbh é féin is túisce a d'aithin an bua mór a bhí ann. Mar a deir
sé féin:

Do bhí triúr nó ceathrar eile timpeall go raibh scéalta agus
seanchas acu, ach níor luaigh aoinne dem' lucht aitheantais
ainm Stiofáin Uí Ealaoire, ná níor chuimhnigh aoinne riamh
air. Ní fheadair aoinne go raibh scéal ná seanchas aige, ach
do bhí a fhios ag gach aoinne é a bheith ina chainteoir mhaith.
Do cuireadh fios air, agus do tháinig sé chun an tí chughainn.
Is gearr a bhíos leis nuair a thuigeas go raibh an té ab fhearr
díobh go léir agam. Má bhí iongnadh agus áthas ormsa, ba
mhó fé sheacht an t-iongnadh a bhí ar na comharsain scéalaí
agus "ránaí" chomh maith leis a bheith ina measc i ngan
fhios dóibh.[12]

Tá blas an iontais agus an áthais seo a chuireadh cuideachta
Stiofáin ar an Duileargach le brath ar na cuntais a scríobh sé ar na
seisiúin scéalaíochta. Bhí súil bheacht aeistéitiúil ag an Oll. Ó
Duilearga, agus fiú le linn dó bheith ar a dhícheall ag breacadh síos
béaloidis nó á chur ar an eideafón bhlaiseadh sé den ealaíon faoi
leith sa timpeallacht. Cuir i gcás an nóta seo ar an 11/9/'32:

As I write here beside the fire on S. Helery's table there
is a *braon anuas* from the roof which is dropping on this book.
In the house with Stiofán and myself are: Paitsín Ó
Flannagáin, Johnny Carey, Séamus Maloney of Doonagore
and an ex-soldier, Johnny Maloney, who comes nearly every
night to visit old Stiofán. The old man has been talking of
the fights he took part in in the old days of the cattle driving.
Stiofán is one of the finest Irish speakers I have ever known.
It will never be possible to bring back the language the way
he speaks it. And how little attention is now being paid to
these fine old Irish speakers by the stupid talkers of today—
nothing but high faluting talk and nonsense and a culture
disappearing. Stephen Helery's cat sees this book on the
table and comes over to sniff at it, not having seen such a
queer-looking object before.

[12] Cf. nóta 2.

Thugadh íomhá an chait thar n-ais chuige níos faide anonn cuimhní ar an gcomhluadar breá a raibh de phribhléid aige mar scoláire béaloidis agus mar dhuine tamall a chaitheamh ina bhfochair. Ba gheall le meafar aige an cat úd:

Right across the page are the marks of the paws of Stiofán Ó hEalaoire's cat, a half-wild animal of uncertain lineage whose curiosity induced it to come nearer than usual to inspect the curious white object—my note-book—which was lying open to my left hand on the table while my back was turned, as I listened to Stiofán telling stories and looked with wonder on the *maide an tsimné*, covered with soot, which drifted in from a strange world by the waters of the Gulf Stream to be bought for 8*d*. at Doolin shore by Stiofán 55 years before.

Agus an gliondar a chuireadh comhrá agus scéalaíocht Stiofáin air, níorbh aon iontas go raibh sé sásta gabháil trí uisce is trí thine chun seal a chaitheamh ina chuan. Tá an nóta seo aige, mar shampla, ar an Satharn, an 11/1/'30:

This was a cold day, North Wind, sleet, snow on ground. Across the sea from us the Connemara hills white with snow. When I left Tomás Ó hIomhair I had hoped to return to see him today with Seán Forde, D.J., of Galway, but a telegram came to say that his car could not move on account of the snow. Johnny Carey and I trudged through the snow to Stiofán Ó hEalaoire. His house a good way in from the road. He was in, for we could hear him moving about and talking to himself! He agreed readily to come, " raked " the fire, put out the hens and the cat, put on his coat and came along with us back to Carey's. The night was full of stars, but out to sea we could see the storm clouds massing over Aran, and the wind was hard and keen in our faces as we walked the snowy road which brought us home. Johnny Maloney, a friend of Stiofán, came with us. When we arrived we found Paitsín Ó Flannagáin and some others. Tonight was a really exciting one—story following story—and I was kept busy with my note-book and with the ediphone.

Bhí moladh mór ag an Duileargach, leis, ar an bhféile is ar an bhflaithiúlacht a bhí óna nádúr i Stiofán. Thug sé suntas faoi leith do ráiteas a thug an scéalaí uaidh ar an 12/9/'32, agus is léir gur ghlac sé leis mar ráiteas siombaileach a thug léargas ar thréithe Stiofáin. Le linn dó bheith ag socrú na tine, ar seisean le Séamus: ' Is olc an rud ceal na mná gan dabht! Dá mbeadh bean againn bheadh cupa té nó rud eicínt le fáil agat!' Ba mhó ag Séamus an dea-mhéin a bhí le n-aithint ar na focail sin ná a mbronnfaí de thogha gach bia agus rogha gach dí air i dteach saibhris. Ba den dea-mhéin chéanna sin a ndúirt Stiofán le Séamus ar an 11/9/'32 nuair a mhínigh Séamus don scéalaí go raibh lán chúig chéad leathanach de bhéaloideas scríofa síos aige uaidh: ' Go dtuga Dia a dtoradh agus a dtairbhe dhuit!' Tuairiscíonn an Duileargach i Mí na Samhna 1937 gur inis Paitsín Ó Flannagáin dó go raibh de nós ag an Ealaoireach fanacht ina dhúiseacht istoíche ag iarraidh scéalta a thabhairt thar n-ais chun a chuimhne chun go mbeidís aige le n-insint do Shéamus. Le croí maith mór a roinn Stiofán, mar aon le seanchaithe eile an cheantair, a gcuid ar an mbailitheoir, agus mhair gean ina chroí ag Séamus dóibh go lá a bháis. Thagadh tocht ina ghlór i gcónaí nuair a thagadh sé tharstu lena chairde agus lena chomhleacaithe. Ar thug ann den ghean faoi leith seo, chuir Stiofán féin i bhfocail é nuair a thairg sé do Shéamus ar an 29/3/'32 gach a raibh de scéalta agus de sheanchas sa saol aige. ' Má bhíonn i ndán agus go mbeidh tú anso agamsa an oíche a bheidh mé faoi thórramh,' a dúirt sé, ' más féidir liom in aon chor é ineosfaidh mé scéal duit!'

Bhuel, níor éirigh leis an Duileargach bheith i láthair ar thórramh Stiofáin. D'éag an scéalaí ar an 4/5/1944. Cuireadh é an lá dar gcionn, agus sheol Seán Mac Mathúna litir chun Séamuis an lá sin ag cur in iúl dó go raibh a sheanchara san úir. Coicíos ina dhiaidh sin fuair Séamus litir eile ón gceantar sin. Comharsa a raibh iarracht éigin de scríobh na Gaeilge aige a bhreac í thar ceann Phaitsín Uí Fhlannagáin. Bhí an méid seo ráite sa litir:

Is oth liom é a bheith le hinsint agam duit ár scéalaí Gaelach bog binn Stiofán Ó hEalaoire a bheith fé lic, go ndeine Dia trócaire ar a anam bocht! Ba fial fáiltiúil an duine bocht é ina bhotháinín féin. Is mó oíche ghreannmhar do chaitheas ina aice. An chéad fhocal ón duine bocht: " 'Bhfuil aon scéal nua agat ó *Delargy*? " " Chonaic mé ar an bpáipéar go bhfuil sé amuigh i San Francisco." " Hó, hó, tá deireadh againn leis, más mar sin atá an scéal! Ach go mbua Dia ina bhóthar dó is go dtuga Dia abhaile sábháilte é chun

a chúraim." Ba duine uasal ceart é, pé ar domhan saghas duine é.
Scríobh Séamus Ó Duilearga an méid seo a leanas mar fheartlaoi ar a chara:

Is mó uair a tharraiceofar anuas a ainm i dTuath Clae
chois cuain, a dtráchtfar ar a thréithe, ar a fheabhas mar
scéaltóir, ar chúrsaí grinn a bhain dó, ar na nathanna cainte
a thaithigh sé, ar chéad ní a bhain leis an tseana-shaol gur
bhéas leis bheith ag eachtraí orthu.[13]

Scríobh Séamus, chomh maith:

Do bhailíos leis an aimsir ó Stiofán Ó hEalaoire, le cúnamh
an eideafóin, oiread agus a dhéanfaidh leabhar breá mór má
cuirtear an cnuasach i gcló choíche.[14]

Cúis mhór áthais agus bhróid do Chomhairle Bhéaloideas Éireann an cnuasach mórthábhachta úd a bheith á chur i gcló faoi dheireadh. Tá súil go seasóidh sé mar bhuanleacht cuimhne ar scéalaí agus ar bhailitheoir. Tá sin tuillte go rí-mhaith acu. Mar fhocal scoir, ní miste ár nguth a chur le guth Shéamais agus a ghuí siúd a thagairt don bheirt acu araon: ' Tá súil agam an té a léifidh é amach anso go gcuimhneoidh sé ar an bhfear inste agus go ndéarfaidh sé paidir ar son a anama.'[15]

DÁITHÍ Ó hÓGÁIN

---

[13] Cf. nóta 2.
[14] Cf. nóta 2.
[15] Cf. nóta 2.

SCÉALTA AGUS SEANCHAS
STIOFÁIN UÍ EALAOIRE

An tOLLAMH SÉAMUS Ó DUILEARGA (1899-1980)
Pictiúr ola le Thomas Ryan i Roinn Bhéaloideas Éireann.

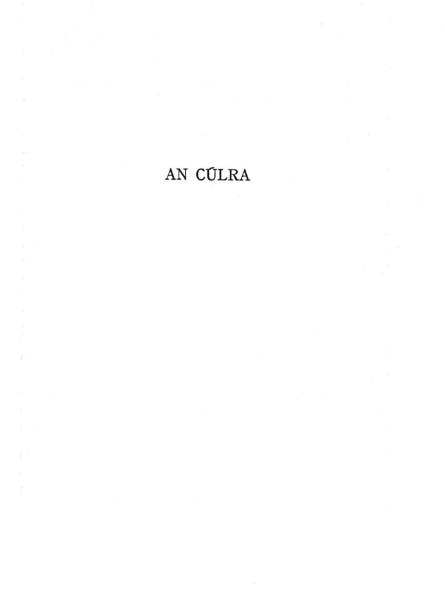

AN CÚLRA

1. BLÚIRE DE SCÉAL STIOFÁIN

Is ainim dó-sa Stiofán Ó Healaoire, Baile Í Choileáin. Is anso
a rugag agus tógag me. Tá me trí bliana déag agus trí fihid do
dh'aois anois, agus is sin é m'aois go siúireáilte. Do chaith me mo
shaol ar a' mbaile seo. Do bhí me óg nuair a cuireag m'athair, agus
d'fhág sé im dhílleachtaí me—ní raibh me ach trí bliana g'aois.
Do thóg mo mháthair im dhílleachtaí me, agus ní raibh aici ach
beagán maireachtáil chuig me thóigint. Do dhin sí a díheallt, agus
do cheannaig sí go math me héin agus creathar eil' aguinn insa chaoi
go raibh an cúigear le tógaint aici. Do thóg sí sinn nú go rabhamair
héin ábalta ar obair a dhéana. Do mhair sí lé haois mhóir i n-a dhia
sin. Do mhair sí le trí bliana déag agus ceithre fihid do dh'aois.

Do bhí go math. Insan am a choinnic mise ag eighrí suas dom
agus am thóigint, níorbh fhuiris beatha fháil do dhaoine bochta.
Do bhí an droch-shaol ann go siúireáilte. Ní raibh plúr ná tae ná
siúicre ann ach go fíor-bheagán. Bhí corra-dhuine a bheadh mór-
chúiseach, mór-chòdach; agus ba bheag a' mhaith sin do dhaoine
bochta; ní raibh aon bhlas de lé fáil acu. Is é a' rud a mairidíst air
an gró beag a dhinidíst féin, fataí a chur, arúr a chur, agus mara
mbeadh sin acu, an dream ná beadh aon áit acu a gcuirfidíst é, do
chathfaidíst maireachtáil ar mhin bhuí: ní bheadh aon phlúr le
teacht ná le fáil 'deir dhá cheann na blianan. Na tehanna a mbeadh
aon fheirmeóireacht le déan' acu—chuig Oíche Nollac, do thabhair-
fidíst tímpeall cloch phlúir leóthu, agus is sin í an Nollaic a bheadh
acu; agus cúpla coinneall. Maidir lé tae agus siúicre, ní bhíodh aon
bhlas de le fáil. Do bhíodh roinnt ime agus uibheacha dhá úsáid
acu, ach sin a mbíodh—go fíor-bheagán feóla ná bágúin—ní bhíodh
sé ann.

Bhí go math. Ansin, do chathamuist a bheith ag obair go dian
ó dhubh go dubh, nuair a d'eighri mise suas, agus gach dream a bhí
lem línn ann, agus feara mhuara láidire a bhí ábalta ar phá a
shaotharú go math, do chathaidíst obair a dhéana ar deih bpiginne
insa ló—sin é coróinn sa tseachtain—aon fhear a mbeadh obair thríd
a' mbliain aige le fáil ó n-a mhaighistear. Do chathfadh sae muirín
mór a thógaint as sin—b'fhéidir seisear nú mórsheisear páistí a
mbeadh cóir mhaireachtáil aige le hagha a chuid páistí a thógaint.

Ansin aríst do chathfadh sae cíos a dhíol ar c[h]eathrú thalún le n-a mhaighistear ar shon go mbeadh doran fataí aige le hagha na blianan.

Is cuín liom Bliain na bh*Fenians*—is cuín liom go math é sin, agus is math is cuín liom gur airi me trácht ar an oíhe a bhí na *barracks* go léir lé leaga ag na *Fenians*. Do thainic an oíhe chó dona agus nárbh fhéidir le héinne fanacht amuh le gaoch mhuar agus sneachta, insa chaoi nár leagag aon cheann dosna *barracks*, agus b'fhéidir go mba mhath a' scéal é; tríd a' gcúntae i n-ao'chor níor leagav aon cheann acu.

Mar sin a bhí. As sin amach d'eighrig na *Fenians* as, agus do stopadar an bhliain sin; ní raibh aon trácht orthu-sin riamh ansin aríst nú go dtainic an *Land League*. Do bhí aimsir a' *Land League* ann, agus do bhí sé go dian, ach ní fhaca me go raibh aon ghiob mathasa a' teacht ar Éirinn nú go bhfaca me an t-*Irish Party* a' dul isteach go Sasana, agus a' leaga na beárnan, a' brise lúba ar shlabhra Shasana, agus is iad a thug a' chéad *relief* go hÉirinn.

Do bhí Séarlas Páirnéal i n-a cheann-uirrimh orthu—ar an *Irish Party*. Do bhí Seán Ó Duilleáin, Liam Ó Briain, Mícheál 'ac Déid, agus cuid eile gosna fearaibh ar fónamh sin nach cuín liom a n-ainim anois, ach do bhí aithint mhath aghum ar a' gcuid seo gosna fearaibh, agus ba mhaith iad gan aon bhréig. Sin iad a thug a' chéad mhaith isteach go hÉirinn. Do bhí daoine bochta go gcathaidíst cíos a dhíol, agus cíos dúbailte, trí huaire, ceithre huaire, 'o bhreis a's mar athá anois ann. An fear a mbeadh píosa beag talún aige, agus ná beadh sae ar chumas dó an cíos a dhíol, ní raibh aon bhlais lé déan' ag a' dtiarna talún ach a bháille féin [a chur chuige] agus do bhí sé gàch uile lá insa mbliain aige á thiomáint; ní raibh *peeler* ná báille uaig ach a bháille féin.

Dá mbeadh bó agut, do thabhairfeadh [an báille] leis í isteach insa *yard* go dí n-a m[h]aighistear mar gheall ar a' gcíos, agus ní raibh aon fhocal lé labhairt aghut, ach lárnamháireach tu leaga amuh ar thaobh a' bhóthair, agus do bhotháinín tí a leaga. Agus 'á mbeadh bràbach ar bith tímpeall air do choinneódh [an tiarna talún] punainn uait i ngeall a chíosa. Is é a' rud a nglaofaidíst punainn air—dá mbeadh trí iomaire fataí curtha aghut do choinneódh sae iomaire uait, agus ní bheadh aon fháil agut a bhaint ach dhá iomaire eile dhe, insa chaoi go mbeadh iomaire ag a' dtiarna talún. Do thógfadh sae leis ansin tu, agus chathfadh sae amach ar thaobh an bhóthair tu—'Teighre sa *Workhouse* más maith leat é, nú soláthair do mhaireachtáil ar [fh]uaid na hÉireann!'

An píosa beag talún a bheadh aghut do thabhairfeadh sae go dh'fhear é a mbeadh sae i gcumas do an cíos a dhíol, agus is sin é a dhin feirimeóirithe muara ar fuaid na hÉireann, agus a d'fhág a' chuid eile acu ag imeacht ar bhárr na farraige nuair ná raibh sé i gcumas dóib an cíos a dhíol.

Ón uair a thainic an t-*Irish Party* isteach go hÉirinn agus a thosnaíodar ar bheith ag obair i gcoinne Shasana, ní raibh aon ghiob don tsórt sin ar bun, mar chuireadar stop leóthu agus smacht orthu.

Do bhí me lá, agus do bhí me im fhear óg; agus do bhí *meeting* mór i *Milltown Malbay* ag *Charles Stewart Parnell* agus *Harrington* agus *Father White*, go dtuga Dia na Flathais dá n-anam go léir! Agus do choinnic mé Parnell an lá sin ann. Do choinnic mé i n-a léine agus i n-a bhríste é striopáilte amach, agus é ag obair le n-a phiocóide, le n-a shluasaid agus le n-a bharra. Do choinnic me a' lá sin an cùrrach ag imeàcht ar fhaid a' bhóthair agus a' triúr fear ag iomara ínti, ach má bhí, do bhí capall agus cárr dá húmpar! Do choinnic me an gréasaí agus a mheanaithe a' teacht i n-a dhiaig. Do choinnic me an triufóir agus a chéachta a' teacht i n-a dhiaig. Do choinnic me gach sórt céirde dá raibh i gCúntae an Chláir a' teacht i ndia a chéile mar chomórtas i n-a ndiaig aniar, agus An Páirnéalach reómpa insa charáiste a' teacht nú go ndineadh sé an obair a leaga amach. Is sin é an lá a leag sé amach *station-house Mhilltown* agus a' *West Clare Railway* a' dul ó Chill Chaoi go hInis. Do bhí an oiread do mhathshlua daoine istig ar shráid *Mhilltown* a' lá sin agus ná raibh insa méid *meetings* agus cóluadair a bhí ar [fh]uaid na hÉireann ó choin i n-éineacht. Do bhíodar ó pharáiste na hAighní ar fhaid a' bhóthair agus i ngach uil' áit insa chaoi ná féadfá órlach don bhóthar fheiscint lé daoine; ní fhéadfá fear a chuir eatarthu nú go dtanadar isteach go sráid *Mhilltown*. Do bhíodar ó shráid a' Mhullaig; do bhíodar ó shráid Chill Mhihíl; do bhíodar ó shráid a' Leachta i ngach áit ar a' mbóthar, agus níorbh fhiú biorán é sin ach a' méid a bhí ar na talúintí insa chaoi go raibh daoine mar a bhrúfá iad lé cúl tua i ngach áit ar fiog dhá mhíle thurt tímpeall shráid *Mhilltown* a' lá sin. [Bhí] cuid mhór daoine ar shráid *Mhilltown* an lá sin ag éisteacht le *Charles Stewart Parnell*, agus ní fhacadar

é ná níorbh fhéidir leóthu é lé neart a' méid daoine a bhí ann nú
gur chasadar abhaile aríst. Do bhí go math. Insan oíhe a' teacht
abhaile dhóib is sin é an áit a raibh a' hólamtreó, gach fear ab fheárr
a' tabhairt a' bhóthair níos déine ná a chéile; an fear a bheadh lag
ní fhéadfadh sae a theacht suais leis a' bhfear a bheadh láidir—ní
raibh ann ach a' fear ba géire scian ligint do stiall a bheith aige!
Do bhíodar ar fad a' teacht abhaile insan oíhe nú gur thainic gach
nduine acu abhaile 'un a thí féin, agus b'fhada insan oíhe gur rángaig
cuid acu ag baile.

Do choinnic me uair ann a bhí go dona agus go suarach. Do bhí
peelers agus daoine a' troid agus a' buala, a' plé na talún lé chéile.
Do choinnic me a' t-eàllach dá thiomáint, agus do bhí me ar a'
bpáirc, me héin, an oíhe chéanna a bhfuil cuíne mhath air—agus is
féidir leis a' saol cuíne bheith go math air! Sin í an oíhe a maraíog an
fear a nglaeidís ' Pinsiner ' ag a' *Holy Cross* i gCúntae Chorcaí. Bhí
mise ar a' bpáirc an oíhe sin, me héin agus suas lé leath-chéad fear
i n-éindí liom. Do thainic trí pearsanacha déag don ghárdain isteach
ar a' bpáirc chúinn aramáilte, ach má thainic féin, ní raibh aon chás
aghuinn-ne úntu sin. Do dhineamair ár ngró go deas agus thiomáin-
eamair eallach chúig fheirim an oíhe sin do bha agus caoire amach ar
fhaid a' bhóthair. Lárnamháireach ansin do bailíog lé *peelers* an t-eal-
lach isteach aríst, ach má bailíog choíhint, do bhí fear math a dtugaidíst
organiser air, agus do bhí sé go tráthúil i Lios Dún Bheárna ar a
laethanta saoire. Ba fear math preàbach é, agus do bhí pointe an
fhir ann. Maireann sé fós, is dói liom, i n-áit istig fén n*Government*.
Is ainm dó Diarmuid Ó Briain, pé ar domhan áit a bhfuil sé, má
d'airíonn sé é seo, tuigfi sé agus creidfi sé é. Do thaini sé chúinn,
agus do dhin sé *organisin'* ar na fearaibh aríst tráthnóna eile insa
chaoi go dtanadar agus gur thiomáineadar an t-eallach gan bhaochas
don méid gárdan dá raibh istig i dTuath Clae agus a' méid a bhí ann
ó Luimineach aníos: do bhí cuid mhuar acu ann. Do thiomáineadar
iad nú gur chuireadar isteach ar na feirimeacha iad go díos na tiarnaí
talún agus go dí an ndream a dtugaidíst na *grazers* ortha, gach uile
shórt beithíoch acu. Do ghlanadar amach iad ansin.

Do bhí lá ansin pointeáilte chuig dlí a thabhairt dóib. [D'imig
an] gárda leóthu nú gur chua siad isteach go díos na tehanna, agus
tógav ainim gach fear a chuaig isteach a' tiomáint an eallaig. Do
thainic lá, coighcíos ón lá sin, gom éigean dóib seasamh ag cúirt

c

Inis Díomáin. Do bhí os ceann ceithre céad *peeler* ann, agus má bhí féin, do chuaig na daoine isteach gan 'faid saeil' dóib. Do bhí na bóithre dubh lé daoine, an méid a bhí insa chúntae, agus casag lé chéile iad amuh ag na crosairí. Do chuadar isteach go sráid Inis Díomáin; agus is ainim don lá sin ón lá sin go dí inniubh Lá an *Bhaton Charge*. Tá cuíne mhath ag a bhfuil anso ar a' lá sin [Stiofán ag féachaint tímpeall ar a lucht éisteachta]. Agus dhineadar gró maith. Do bhí go leór Éireann don dream a bhí ann an lá sin, do bhíodar i n-a mbuachaillí go suíte. Ach an mhuíntir a raibh éinne gosna *peelers* ann a bhí ábalta ar dearabhú orthu do fuaireadar cheithre lá dhéag príosúntacht', ach is sin é an méid. Do bhí an oiread eil' acu, agus níos mó ná an oiread eil' acu, ná raibh aon *pheeler* ann a bhí ábalta ar dearabhú orthu, mar na *peelers* a raibh a n-ainim tócaithe síos chuig dearabhú bhíodar buailte marabh leacaithe, agus iad istig i n-Óspuidéil Inis Díomáin fé láimh a' dochtúra!

Mar sin a bhí. Do cuireag na cheithre lá déag príosúntacht' ar na fearaibh sin, agus do thugadar é; ní raibh cás ná leisc' orthu. Faid a bhíodar insa phríosún do bhí an chúntae dhá mbeathú go math. An lá thanadar amach bhí an cóthalán céanna ag a' *station house* i n-Inis Díomáin, ach má bhí choíhe, 'deir iad a chuir isteach agus iad a theacht amach bhí an t-eallach tócaithe suas aríst, agus d'fhan a' t-eallach mar sin, ach má d'fhan féin, is sin é an lá a bhris a chroí insa tiarna talún! M'anam, nár thug sé aon lá ar n-agha ó choin. [D'fhan mar sin] nú go dtainic an *Sinn Féiner* agus gur chuir sé ar gcúl ar fad é, míle glóire lé Dia go bhfuil sé fiachta, ná fuil aon phioc dá thuairisc aghuinn!

2. AN SCÉALAÍOCHT

D'airínn na sean-daoine ag ínseacht na scéalta, agus me ag eighrí suas im gharsún óg. Do bhí an-fhonn oram a bheith ag éisteacht leóthu agus b'ait liom iad aireachtáil, agus is sin é an nós ar thit me isteach chuig iad fhoghlaim me héin. Nuair a bhínn-se ag obair ar a' ngarraí dhom héin is minic a bhínn a' cuíneamh ar na sean-scéalta seo agus dá n-ínseacht dom féin im' aigine féin insa chaoi go gcoinnínn im' aigin' iad. Bhí fonn oram a bheith dhá n-ínseacht, agus thaitníodar liom, mar b'ait liom a bheith ag éisteacht leis na sean-daoine, agus bhí sean-dámh leis na sean-daoine agum a bhíodh á n-ínseacht.

Nuair a bhíodh na hoíheanta fada ann, do bhailíodh na córsain isteach ag éisteacht leis na sean-fhearaibh seo a bhíodh ag ínseacht na scéalta, agus chaithidíst an oíhe go ceann i bhfad 'on oíhe ag éisteacht leóthu.

Faid a bheidíst a' caínt agus ag ínseacht na scéalta chathfadh gach aon fhear a bheadh thímpeall orthu [a bheith] i n-a thost, agus gan focal dá reá mar bheadh gach éinn' acu sásta a bheith ag éisteacht leis a' gcaínt.

Bhí sé ráite insa tseana-shaol fadó nár rathúil a' rud tráthadóir circe ná fiannaí mrá. Na mrá a bhíodh ag ínseacht na scéalta fiannaíocht' ní bhíodh aon fhonn orainn-ne a bheith ag éisteacht leóthu, mar bhíodh sae ráite ná raibh aon rathúnas muar thímpeall orthu. Agus b'olc a' rud cearc a' glaoch—sin é a' rud a dtugaidíst tráthadóir circ' uirthi.

Tá sé ráite ná fuil sé oiliúnach a bheith ag ínseacht scéalta insa lá. Ach nuair a chasfaí an bhean seo leat, ba chuma léithi ce hucu lá nú oíh' é—neósadh saí a scéal féin duit!

Insa sean-aimsir ba faisean leis na sean-fhearaibh go suídís i bhfochair a chéile insna hoíheanta fada Geíre a' ragairne. Bhí m'athair féin i n-a fhiannaí mhuar. B'ainim do Mícheál Ó Healaoire. Bhí fear eile córsan aige am ainim do Briartach Ó Flannagáin, agus ba fiannaí mór é. Do bhí fear eile insa chórsantacht—Dáith 'ac Mathúna—agus do bhí sé i n-a fhiannaí cho mór lé héinn' acu.

Is mó oíhe a chathadar go maidean i n-a suí chos na tine, gach lé scéal ag a' dtriúr acu a' fiannaíocht.

Do bhí fear eile insan áit seo aguinn i n-a ndiaig sin aniar—ní ba déanaí ná sin—am ainim do Seán 'ac Giolla Mhártain, agus ba fiannaí math é. Is é a d'inis dom i dtaobh " Seán na nGabhar," agus is é a d'inis go leór eile go na scéalta dhá bhfuil tabhartha síos agam i n-éindí leis. Agus do bhí fear eil' ann am ainim do Páraic Ó Caollaí; bhí sé i n-a chónaí i mBailí Mháire.

Do bhí fear eil' aguinn istig ar a' mbaile agum héin a dtugaidís Seán Ó Maolomhna air, agus bhí sé go math.

Ba dh-é an sórt cúntanós fir a bhí ag Seán 'ac Giolla Mhártain, sean-fhear críonna, cruaig, licithe. Chaitheadh sé bríste fada agus báinín agus ceann dosna seana-hataí gaelacha a dtugaidís na seana-*charolines* orthu. Agus do bheadh sé sin nuair a bheadh sé i n-a shuí síos ag oibiriú lé n-a lámha agus a' déana [córthaí] dhuit cuid é a' nós a mbíodh na seana-ghaiscíg ag obair agus a' cur díothub ó thosanódh sé go dí go gcríochanaíodh sé an scéal. Dá mbeadh sé ag ithe a chuid bíg, ba dh-é an scéal céanna a bheadh aige é. Is cuín liom lá a bhí sé ag ithe dínnéir i n-éindí liom ar a' mbórd, agus bhí sé a' deimhniú an scéil dom. Do bhí babhl leacaithe i n-a fhianaise a rai' bainne ann le hí a dhínnéir, agus lé deimhniú an scéil, agus lé cuir a lá[mha] anúnn agus anall, do bhuail sé buille dhá láimh ar a' mbabhl, agus leag sé ar a' dtalamh é, agus bhris sé é. *By dad* féin, bhí sé cho fírinneach a's go rai' sé a' dul a' díol ar son a' bhabhl, 'á nglacfadh mo mháthair a' t-airigead uaig.

I Sráid na n-Iascairí a bhí Páraic Ó Deanachair i n-a chónaí. Níorbh fhear an-tseannd' é, agus do thóg sé na scéalta ósna fearaibh ba seannda ná é féin. Ba dh-é a chéird bheatha a bheith ag iascaireacht.

An fear a bhfuair sé na scéalta uaig, amach as Ineas Iathar ba dh-ea é, i n-Oileáin na hÁrann. B'ainim do Tomás Ó Conaola. Nuair a thaini sé insan áit seo is é an t-ainim a thugamuist air Tomás Bàcach Ó Conaola.

Fear cruaig, licithe ba dh-ea Páraic Ó Caollaí. Ba dh-é a chéird bheatha a bheith ag imeacht i n-a shaor cloihe a' déana tehanna.

Bhí fear i n-a chónaí ar a' mbail' agum héin, insa doras ba goire dhom; bhí sé in-a fhear sheannda. Bhí sé suas lé trí bliana déag agus cheithre fihid nuair a fuair sé bás. Agus níor inis sé aon scéal riamh as a chéile ach i n-a thástálacha. Thosanódh sé, agus bheadh sé á ínseacht tamall anois duit agus tamall eile ar a' ball. Ní fhéadfadh sé seasamh leis a' scéal a chríochanú i n-éineacht. Fear a dtugamuist "*Hie Biddy* fir" é; [b'ainim do] "An Captaen"—Seán Ó Maolomhna.

Is é an sórt duine "*Hie Biddy* fir"—fear ná seasódh a' caínt i gcónaí leat i n-ao'chor. Thiocfadh sae chút anois, agus d'imeódh sae uait. Ní fhéadfadh sae aon scéal a chríochanú. B'fhéidir nuair a thiocfadh sae chút ar a' ball aríst go n-ínseódh sae smut eile dhe dhuit. Agus is sin é an sórt fear a dtugamuist "*Hie Biddy* fir" air!

Is cuín liom nuair a bhí mé ag eighrí suas im gharsún óg gu'b é an áit a dteighinn gach uile oíhe ag éisteacht lé scéalta fiannaíocht do bhíodh ag sean-fhearaibh. Do bhí me ag éisteacht lé Dáith 'ac Mathúna, bhí me ag éisteacht lé Páraic Ó Caollaí, do bhí mé ag éisteacht lé Diarmaid Ó Gríofa; agus is mó fear don sean-dream a mbínn ag éisteacht leóthu gach n-oíhe, go dtuga Dia na Flathais dá n-anam a's d'anam mairibh a' domhain.

D'airi me mo mháthair féin dá reá gur mó oíhe a chath Dath 'ac Mathúna agus Briartach Ó Flannagáin agus m'athair ó thiteam oíhe go heighrí lae ag a' dteh agum héin, agus ná beadh acu ach scéal a' duin' acu, agus ná beidís críochnaithe ar eighrí an lae ar maidin.

SCÉALTA GAISCE

3. BAISTE FHÍNN

Do bhí anso fadó insa tsean-tsaol le línn na Féinne fear a
nglaeidíst Cumhall air, agus ba dh-shin é Rí na Féinne insan am sin.
Bhí mar sin. Bhí sé lá a' dul chun catha; agus bhí rí eil' ann a
dtugaidíst air Coramac mac Airt. Do bhíodh Cumhall agus Coramac
mac Airt ag acharann i gcónaí le chéile, agus ní réidís le chéile ar
ghró ar bith. Do ránga lé Cumhall a' lá so go rai' sé a' góil ther theh
Choramaic mic Airt, agus é a' dul a' troid a' chatha. Bhí Coramac
mac Airt agus a chóluadar féin imìth' amach a' fiach agus a' fionna-
choscairt dóibh héin insna coillte.

Do bhí iníon ag Coramac mac Airt, agus bhí scáthán aici, agus
nuair a d'fhéachadh sí insa scáthán do bhaineadh sí fios as go mbeadh
fhios aici aon rud ba mhaith léithi. Do d'iúmpaig Cumhall isteach
chuici go mbeadh fhios aige cé a' nós a raghadh a' lá leis féin insa
troid. Má dhin choíhint, do bhí sé féin agus í féin insa tseanachas
istig. Do thaithin Cumhall léithi, agus thit sí i ngrá leis. Má dhin
choíhint, do d'iarr sé uirthi an scáthán úmpó agus féachaint tríd
go mbeadh fhios aige conas a gheódh a' troid sa lá inniubh.

" *Well*, a Chumhaill, buafa tu cath an lae inniubh, agus má
bhuair be tu féin caillte ann ! "

Do d'imi Cumhall, agus chua sé a' troid a' chath. Do bhua sé
cath a' lae sin, ach, má bhuaig féin, cailleag é féin insa chath.

Bhí go math. Nuair a chas Coramac mac Airt tráthnóna d'fhéach
sé isteach san agha ar an iníon:

" Bhí dhá shúil maighdine ag m'iníon a' góil amach dó-sa ar
maidin," ar seisean, " agus anois tá sí i n-a banartlain ! "

Bhí go math a's ní raibh go holc. Ní raibh fhios aige cad a
dhéanfadh sé. Do chua sé go dí sean-draoi a bhí aige, agus d'fhiafra
sé dhe cad é a' rud a dhéanfadh sé, mar go raibh a iníon i n-a
maighdin a' góil amach do ar maidin, agus ar a chas' isteach do
tráthnóna go rai' sí i n-a banartlain.

" *Well*," adúirt a' sean-draoi, " níl aon ghiob lé déan' aguinn
anois ach a' méid seo: scaoil ar n-agha a' scéal nú go dtagaig a'
c[h]lann ar a' saol. Má thá i ndán a's go mbeig iníon aici scaoil
suas í—ní féidir léithi aon díobháil a dhéana, ach má bhíonn mac
aici, 'á thúisce a dtiocfa sé ar a' saol cuir chuig báis é ! "

Bhí go math ansin. Scaoileag ar n-agha an scéal nú gur lé línn a' leanabh a theacht chuig a' tsaeil, agus laethanta thímpeall a' t-am a' leanabh a bheith a' teacht chuig a' tsaeil—bhí driofúr ag Cumhall, agus bhí sí i n-a cónaí thíos i gCúig' Ula. Do bhí fios ag muíntir Chúig' Ula ar fad go léir ansin insan am suin, agus bhain sí seo fios amach í féin go raibh a' leanabh le theacht agus lé cuir chuig báis 'á thúisce a dtiocfadh sé ar a' saol. Do chuir sí i gcóir í féin, agus thriall sí ar theh Choramaic mhic Airt, ag imeàcht i n-a bean bhocht ar a' mbóthar. Insan am ar tháini sí go teh Choramaic mhic Airt, do thóg sí lóistín amuh, taobh amuh don gheata, i dteh beag a bhí ag bean a bhíodh a' tabhairt aire go chearca insan *yard* ag teh Choramaic mhic Airt, agus mar sin a bhí insan oíhe.

Do bhí an strainnséir mrá ar leabain lé taobh na tine nuair a thainic triúr ban isteach a' glaoch ar bhean na gcearc, agus dúradar léithi go raibh an óigbhean amuh níb fheárr, agus a' chlann ar a' saol, ach go mba leanabh mic é, agus go gcathfaidíst a dhul go dí n-a lithéide seo poll talún agus é chathamh síos nú go mbáidíst é insa nós ná feicfaí go brách ná choíh' aríst é.

D'imig bean na gcearc agus iad féin lé chéile, agus ba mhath a' mhaise sin don tseana-bhean a bhí insa chúinne. Chuir sí i gcóir í féin, agus d'eighri sí i n-a suí, agus amach léithi. Bhí sí i n-a coisí math, agus ránga léithi go rai' sí ag a' bpoll reómpu. Nuair a bhí sí ansin chua sí síos ar bhínse nú go [mbeireadh sí ar] a' leanabh a' góil síos do i gcúinne a haparúin. Ach ránga léithi nuair a bhí sé a' góil théirste gur chaill sí é. Do chuaig a' leanabh síos insan uisce, agus chua sé go tóin a' phoíll don iarracht sin. Má chuaig choíhint, bhí dhá eascú thíos i dtóin a' phoill, agus cheapadar é láimhsiú agus é ithe. Do riug sé ar a' dá eascú[in] i n-a dhá dhoran, agus thug sé ar uachtar uisc' iad, agus nuair a ránga sé ar uachtar uisce leis a' dá eascúin, bhíodar tachtaithe aige.

" Goirim a's coisrimic (*sic*) tu, a mhic t'athar ! " adúirt a' tseana-bhean.

Bhí sí ar bhruach a' bhínse. Thug sí araic air, agus do thóg sí chuic' aníos i gcúinne a haparúin é, agus d'imi sí léith' abhaile síos go Cúig' Ula aríst agus é aici.

Nuair a chua sí síos go Cúig' Ula ansin agus a' leanabh aici, bhí faitíos uirthi go bhfaigheadh a' rí tuairisc ar chum' ar domhan thíos ná thuas gur rángaig go raibh a lithéid amhla. Do dh'órda sí dhá

fear, mar ba siúinéir é, a dhul amach insa choill agus a' crann is
mó a bhí insa choill a thollú agus a háit féin agus áit a' chliabháin a
dhéana ann isteach, agus a' doras i n-a fhochair ar a' gcrann aici
insan áit a mbeadh sí a' góil isteach a's amach ann, gan aon tsórt
fear beo aithneachtáil cad é an áit a ngeódh sí isteach ná amach ann,
ná gan aon rian dorais fhágaint ann.

Mar sin a bhí. Do bhí an fear i n-a shiúinéir chó math agus go
ndeagha sé amach agus gur dhin sé a háit féin agus áit an chliabháin
go fada farsain istig i lár a' chraínn. Nuair a bhí an crann socair
aige ansin, agus a' doras socair aige ar a' gcrann insa chaoi ná
haithneódh aon fhear a ghuibh a' bóthar riamh gur baineag leis a'
gcrann, do chuir sé an bhean agus an leanabh isteach ann, agus a'
cliabhán i n-éindí leóthu a bheadh sí a bhoga.

Nuair a chua sí isteach agus a' cliabhán aici:

" 'Bhfuil gach uile rud go math ansin anois agut ? " adúirt a' fear
leastamuh.

" Tá," adúirt sí, " ach aon rud amháin. Tá fadharcán anseo fé
chúinn' an chliabháin, agus ní féidir liom é bhoga. Sín chúm isteach
an tua," adúirt sí, " agus b'fhé' go mbainfinn féin é ! "

Do shín a fear an tua isteach go dí n-a bhean féin istig insa
chrann, agus, má shín choíhe, bhí sí a' crapadaíol leis a' dtua istig:
ach ní rai' fadharcán ar domhan ann ach is a' triceadóireacht ar a'
bhfear a bhí sí. Nuair a bhí dó nú trí bhuille buailt' istig aici ar an
adhmad, d'fhéach sé isteach.

" A' bhfuil sé socair anois agut ? " adúirt sé.

" Tá," adúirt sí, " ach faitíos nach bhfuil, cuir isteach do lámh
agus féach a' bhfuil sé socair ! "

Do chuir a fear a cheann isteach nuair a chua sé a' cuartach lé
n-a láimh, agus lé línn é an ceann a chuir isteach, do bhuail sí buill'
'on tua aniar i mbaic a mhuiníl air, agus d'fhág sí an ceann istig,
agus thit a' cholann amach.

Insa chaínt a bhí aige fad a mhair a' dé hann, sin é an uair
adúirt sé:

" Bain a' tua as láimh a' tsaoir," adúirt sé, " agus ná creid
choíhe na mrá ! "

Bhí go math ansin. Do mhair a' tseana-bhean agus a' leanabh
lé chéil' ansin ar fiog blianta nú go raibh a' leanabh a' dul i gcruas
agus i neart. Do bhíodh an tseana-bhean amach a' soláthar di féin

agus don leanabh gach uile lá, agus d'fhágadh saí an leanabh insa chrann, agus d'fhanadh sé ann go socair.

Oíhe dá hoíheanta, nuair a thaini sí isteach t'réis *journey* an lae a thabhairt, do bhí an garsún istig réimpi. " 'Bhfuil aon scéal nó agut, a mháthair ? " adúirt sé. Mar bhí sé suíte go mba dh-é a mháthair i gcónaí riamh í. " Níl, a ghrá," adúirt sí. " Níor airi me aon scéal." " Ní fhaca mé aon tseana-bhean riamh is measa ná tu ! " adúirt a' garsún. " Tá tu amuh gàch uile lá, agus níl tu a' tabhairt aon scéal nó aon lá leat ! " " Ó, cuid é an scéal athá uait, a ghrá," adúirt sí, " a' fànacht ansin mar athá tu ? " " Ó, muise, b'ait liom scéal nó fháil t'réis an lae uait, a mháthair ! " adúirt sé.

" Muis', a ghrá, níl aon scéal nó agum ach gur airi me go mbeadh báir' iomána i n-a lithéide seo dh'áit amáireach," adúirt a' tseana-bhean leis.

" *Well*, a mháthair, ba mhaith liom an iomáint fheiscint," adúirt sé. " Ní fhaca me a lithéid riamh."

" Éist, a ghrá," adúirt sí, " ná bí a' dul ann ! Shiúlfadh na fearaibh ort ! "

" M'anam ná siúlfaid," adúirt sé, " go raghamuid ann amáireach ! " Mar sin a bhí. Nuair a tháinic a' mhaidean amáireach:

" A mháthair, a' dtiocfa tu go dí an iomáint ? " adúirt a' garsún.

" Ó, ná bac leis, a ghrá ! Catha mis' a dhul agus soláthar a' lae a dhéana ! "

" Ní dhéanfa sé an gró ! " adúirt sé. " Raghaimíd go dí an iomáint inniubh ! "

" *All right*, mar sin, a ghrá ! " adúirt sí, " siúlamuid linn ! "

D'imigh a' tseana-bhean, agus bhuail sí thiar ar a droím an garsún, agus níor stop sí go ndeagha sí san áit a raibh a báir' iomána. Bhí an cóthalán ansin reómpu, agus má bhí choíhint, do d'imig a' tseana-bhean agus shui sí san áit a raibh na seana-mhrá, agus do scaoil sí an garsún i measc na ngarsún eile do bhí mar é féin ann. Mar sin a bhí. Chuaig an iomáint ar n-agha, agus crochav a' liathróid. Nuair a choinnic Fiúnn an liathróid crochta d'eighrig a chroí, agus d'eighri sé go léim amach ón gclaidhe san áit a rai' sí, agus chua sé amach ar cheart-lár na páirce. Bhí ógánach amuh a

raibh camán ar fónamh aige. Bhuail sé buille chúil bais' air, agus
chuir sé insan áit é ná facathas ó choin é! Do chua sé féin rimh an
liathróid nuair a bhí sí a' túirlint, agus bhuail sé poc uirthi. Chroch
sé insan aer í, agus, má chroch choíhint, ar a túirlint aríst do, bhí
sé fúithi, bhuail sé an tarna poc uirthi, agus chuir sé dhá dtrian
cúil í. An tríú babhta nuair a bhí an liathróid a' teacht chuig talún,
do bhí sé fúithi, do bhuail sé an tríú poc uirthi agus do chuir sé an
cúl amach. Do liúig a' mhuíntir a ndeaghaig a' cúl amach ar a
dtaobh, agus bhéiceadar, agus bhíodar a' déana glao muar mar
gheall ar go raibh a' lá buait' acu.

"Fóill, fóill!" adúirt sean-fhear a bhí insa chóchalán, "ní sib
a dhin i n-ao'chor é, ach tá gas do gharsún fhiúnn ansuin ar a' bpáirc
eadaraib," adúirt sé, "agus is díreach go gcomáinfi sé an méid athá
eadaraib lé chéile agus a' dá thaobh a chuir a' cúna lé chéile!"

"Goirim agus coisirimig tu, a linibh," adúirt a' tseana-bhean,
"is tu an garsún mac mhic Fínn it ainim agus it shloinne!"

Very well! Mar sin a bhí. Do chuaig a' tseana-bhean, agus
láimhsig sí an garsún, agus do bhuail sí dtao' thiar ar a droím é,
thug sí a cúl don chóchalán, agus d'imi sí léithi agus a' garsún aici
a' teithe léithi féin lé faitíos gom fhéidir go dtabharfaí fé ndeara i
n-ao'chor a lithéide.

Chuíníodar láithreach gurab í a lithéid a bhí ann, agus lean a'
cóchalán go léir í féin agus a' garsún. Do bhí an tseana-bhean a'
tabhairt a' bhóthair léithi ad iarraig imeàcht uathub; ach b'éigean
don chóchalán casa. Ní raibh aon fháil acu theacht suais leis.

Bhí go math. Chasadar agus chuireadar capaille agus marcaig
i n-a ndiaig. Do bhí an tseana-bhean a' tabhairt a hagha i gcoinne
na gcroc ar a díheallt, agus is é an áit a dtug sí a hagha aníos a'
teacht i gcoinne Chonamara agus Cúntae Mhuígheó nú go dtug sí
a hagha ar Chúntae an Chláir.

Do bhí an mathshlua a' teacht i n-a ndiaig—na marcaig.

"Féach id dhiaig, a ghrá," adúirt sí, "agus féach a' bhfuil aon
ghiob a' teacht a dhéanfadh aon anachain dúinn!"

"M'anam go bhfeicim toirt chúinn thoir i mbun an aeir!"
adúirt an garsún léithi.

"Bogamuid linn greas eile!" adúirt sí.

"Féach id dhiaig aríst," adúirt sí, "cuid é an sórt athá a'
teacht?"

" Tá," adúirt sé, " capaille donna."

" Níl aon mhath úntu," adúirt sí, " tá siad ró-bhog. Ní dhéanfa siad a' gró!"

Ghread sí léithi tamall eile, agus bhí sí a' tabhairt a bóthair léithi go dian. B'fhíor dhi é. Níor dhin na capaille donna an gró. B'éigean dóib casa.

Bhí go math a's ní raibh go holc. Nuair a chasadar sin aríst, cuireag amach capaille glasa i n-a ndiaig aniar a' ceapa go ndéan-faidíst a' gró. Do bhíodar sin a' teacht có dian agus b'fhéidir leóthu i n-a ndiaig aniar aríst.

" Féach id dhiaig, a ghrá," adúirt a' tseana-bhean, " agus féach cuid athá a' teacht anois!"

D'fhéach sé.

" Tá toirt mhór a' teacht anois!"

" Bogamuid linn go fóill!" adúirt sí.

Bhíodar a' boga leóthu ar a ndíheallt, agus a' leanabh *all the time* ar a droím ag a' [t]seana-bhean, nú gur dhineadar cuid mhuar eile siúil.

" Féach id dhiaig anois, a ghrá," adúirt sí, " agus féach a' bhfuil dad' a' teacht!"

" Ó, tá, capaille glasa a' teacht anois i n-ár ndiaig an-dian!"

" Níl aon mhath úntu," adúirt sí, " tá siad bog fós (agus) ní dhéanfa siad a' gró!"

B'fhíor don tseana-bhean é sin. Ní fada a chuadar nú gurbh éigean dosna capaille glasa tabhairt suas agus casa.

Bhí go math; agus bhí an tseana-bhean a' tabhairt a' bhóthair i gcónaí léithi.

'Á thúisc' gur chas na capaille glasa do cuireag amach aramálach' eile níb fheárr ná iad sin aríst—capaille ruacha. Do bhí na capaille ruacha a' teacht i n-a ndiaig có dian agus b'fhéidir leóthu, agus bhíodar a' teacht an-dian.

" Féach id dhiaig anois, a ghrá," adúirt sí, " agus féach cuid athá a' teacht id dhiaig!"

" M'anam go bhfuil, a mháthair," adúirt sé, " an-ghlac muar capaille ruacha a' teacht i n-ár ndiaig anois, agus tá an béalbhach siar go cúl a gcínn úntu agus a mbéal oscailte!"

" Támuid scuapaithe anois, a ghrá! Déanfa siad sin a' gró. Tá an cruas úntu," adúirt a' tseana-bhean.

"A mháthair," adúirt a' garsún, "an ligfá mise siúl dreas i n-éindí leat?"

"Fan mar a bhfuil tu, a ghrá!" adúirt sí. "Tá tu óg, agus níl aon mhath ionat chuig a' tsiúil!"

Le n-a línn sin d'eighrig Fiúnn amach do dhroím a mháthar, agus chua sé go léim dtao' thiar di ar a' dtalamh, agus do bhí an mháthair rimh' amach, agus í a' tabhairt a bóthair léithi. Dhin Fiúnn amach ná raibh a mháthair ábalta ar a bóthar a dhéana có tapa leis féin agus go rai' sí a' tuirsiú. Do thug sé uta reatha, agus do shái sé a cheann aniar 'der a dhá cois, chroch sé gon talamh í. Nuair a bhí sí crochta gon talamh aige, do riug sé ar dhá loragain uirthi, agus do choinni sé treasna ar a dhá ghualainn iad. Thug sé an bóthar air có dian i n-Éirinn agus dob fhéidir leis é nú go dtaini se amach aníos i dteóranta Chúntae Mhuígheó agus a' déan' amach ar Chonamara. Nuair a bhí sé a' déan' amach aníos ar Chonamara, d'fhéach sé i n-a dhiaig nuair a d'eighri sé ar na croic árda, agus ní fhaca sé aon ghiob i n-a dhiaig a raibh aon anachain do. Cheap sé suí síos agus a scíth a dhéana agus a mháthair a leaga dá ghualainn. Nuair a leag sé a mháthair anuas dá dhá ghualainn, ní raibh aon ghiob don tseana-bhean aige ach a' méid a bhí i n-a dhá dhoran dá dhá loragain! Shui sé síos agus leag sé chuige iad, agus ghoil sé a dhóchaint, agus chaoin sé a mháthair, mar shíl sé go mba dh-í a mháthair í. Nuair a bhí sé réig léith' ansin, agus é a' brath ar dhul chuig bóthair aríst, do chuir sé iad, agus is é a' nós ar chuir sé iad— chuir sé dhá leachtán cloch anuas orthu, agus tá siad-sin inniubh có muar leis a' Caiseal Connachtach athá thíos i gCille Seana!

Bhí go math. Do bhuail sé leis féin píosa bóthair ansin i n-a dhílleachtaí garsúin. Do bhí sé a' teacht leis riamh riamh aníos nú go raibh an oíh' a' teacht air, an lá ag imeàcht, an gearrán bán a' dul ar scáth na copóige, agus diaraíocht (sic) ar a' gcopóig dá bhfanadh sí leis. Do choinnic sé teh i bhfad uaig, dubh, doracha, uaigineach lé feiscint. Do dhin sé air, agus choinnic sé doras ar a thaobh, agus bhuail sé isteach. Sheasa sé lé taobh a' dorais, agus d'fhéach sé síos go dí an dtine. Do bhí fear thíos ag a' dtine agus brudán ar bior aige, agus é ag úntó an bhrudáin leis a' dtine. D'fhéach sé suas ar a' ndoras nuair a choinnic sé an garsún.

"Tar anuas chúm, a gharsúin," adúirt sé, "go dí an dtine!"

Thainic a' garsún anuas, agus do sheasa sé lé taobh na tine.

Well, bhí An Gaiscíoch Leath-Chaoch Rua ar fiog seach' mbliana ag iascaireacht ar a' mBrudán Feasa gan aon néal a cholla 'o ló ná g'oíhe ar fiog na seach' mbliana nú go bhfuair sé an Brudán Feasa a ghóil; agus ní raibh aon fhios lé beith as a' mbrudán ag éinne ach a' té a bhlaisfeadh a' chéad chuide dhe. Mar sin a bhí. Bhí An Gaiscíoch thíos, agus é a' rósta an bhrudáin leis a' dtine ar a' mbior.

" A' n-iúntófá an bior seo dhom, a gharsúin," adúirt sé, " nú go gcollaím sniog, mar nár chodail me aon néal lé seach' mbliana atáim ag iascaireacht ar a' mbrudán seo. Agus anois, a gharsúin, nuair a bhe tu ag iúntó an bhrudáin, má ligeann tú clog rua ná dóite air nú go ndúisí mise ní mhath a' bhail duit é ! "

Nuair a bhí an garsún a' dul ag úntó an bhrudáin ar a' mbior, agus An Gaiscíoch a' dul a' déan' an chollata, do bhain sé fáinne dhá mhéir, agus do chuir sé ar mhéir an gharsúin é.

" Tá go math anois ! " adúirt An Gaiscíoch. Do chua sé chuig na leapan agus chodail sé.

Bhí sé a' codailt agus a' sranntarnaig leis ansin, agus bhí an garsún a' déana iongantais de. Bhí [an garsún] ag úntó an bhrudáin, agus a' féachaint suas ar na froitheacha, agus a' féachaint ar gah aòn rud. Bhí scuaille muar gabhar thuas i dtóin a' tí ag A' nGaiscíoch. Do bhí an garsún a' féachaint orthu sin féin mar ná feaca sé a lithéidí riamh rimhe sin, ach *by gob*, dhin sé faillí gon bhrudán ! D'eighrig clog muar rua dóite ar thaobh a' bhrudáin, agus nuair d'fhéach a' garsún aríst air chuínig sé ar cad adúirt A' Gaiscíoch leis. Ní raibh fhios aige cuid é a' rud a dhéanfadh sé ná cé an nós a gcuirfeadh sé ar gcúl a' clog, ach mar sin féin do leag sé a úrdóg anuas ar a' gclog chuig é shocarú, agus do dhóig a' clog é. Do shái sé an mhéar i n-a bhéal, agus ansin bhí an chéad chuide gon bhrudán agus gon fhios aige. Is é an chéad fhios a bhain sé as amach nuair a dhúiseódh An Gaiscíoch go maireódh sé é mara gcuireadh sé an bior ní[mhe] a bhí a' róst' an bhrudáin síos tríd a' súil a bhí ar chlár a éadain go mbeadh sé marabh.

Bhí go math. D'eighrig a' garsún, agus ba mhath a' mhaise dho é. Do chua sé suas, agus tharrainn sé an bior as a' mbrudán, agus do shái sé síos tríd a' súil a bhí i gclár éadain A' Ghaiscíg é. Le n-a línn sin, nuair a chuaig a' bior ní[mhe] tríd a' súil a bhí i gclár éadain A' Ghaiscíg, do d'eighrig A' Gaiscíoch do léim, agus do bhuail sé an bior fésna froitheacha, agus pé ar domhan faid a chuir Fiúnn an bior i súil A' Ghaiscíg, chuir sé féin a dhá fhaid ann é nuair a bhuail sé i gcoinne na bhfroitheach' é.

D'eighrig A' Gaiscíoch do léim, agus a' chéad rud a dhin sé a dhul do léim ar a' ndoras, agus scair sé a dhá chois ar a' ndoras. Nuair a scair sé a dhá chois ar a' ndoras bhí na gabhair istig, bhí faitíos air go raghadh a' garsún i bhfólach i measc na ngabhar.

" Gabhar amach! " adúirt An Gaiscíoch.

Ruith gabhar amach.

" Gabhar amach! " adúirt sé aríst, agus ruith gabhar eil' amach. Bhí sé mar sin leóthu nú go raibh a' gabhar déanach amuh aige.

Nuair a bhí an gabhar déanach amuh aige, d'eighrig Fiúnn do léim, agus choinnic sé craiceann gabhair thuas ar na froitheacha crochta. Thug sé leis craiceann a' ghabhair, agus bhuail sé aniar ar a dhroím é. Do chua sé go léim amach 'der a dhá chois mar a chuaig a' chuid eile dosna gabhair, agus ar a ghóil amach do chimil [An Gaiscíoch Leath-Chaoch Rua] a bhas dá dhroím, agus fuair sé craiceann a' ghabhair air.

" Gabhar amach! " adúirt sé aríst, ach ní bhfuair sé aon fhreagra; bhí na gabhair ar fad imìth' amach. D'eighri sé go léim ansin, agus sheasa sé suas.

" Ca'il tu anois, a fháinne ? " adúirt A' Gaiscíoch leis a' bhfáinne a chuir sé ar mhéir Fhínn.

" Táim anso amuh ar a' sráid," adúirt [a' fáinne], " ar mhéir Fhínn ! "

D'eighrig A' Gaiscíoch go léim, agus do chua sé go léim insan áit ar airi sé an fáinne a' caínt. Bhí go math. Ba mhath a' mhaise sin do dh'Fhiúnn. Nuair a choinnic sé An Gaiscíoch a' teacht air d'eighri sé féin do léim agus do chua sé an fhaid chéanna uaig.

" Ca'il tu anois, a fháinne ? " adúirt A' Gaiscíoch aríst.

" Táim anso," adúirt sé, " ar mhéir Fhínn ! "

D'imig Fiúnn, agus chua sé an fad céanna uaig aríst nuair a thainig A' Gaiscíoch air.

Bhíodar ar súil lé chéile mar sin, gach 'le léim acu nú gur theanadar ar bhruach ruibhéir. Ní raibh dul níos sia ag Fiúnn; 'á dtagadh A' Gaiscíoch air bhí greim air. Do choinnic sé soitheach a' góil siar an fharraige. D'eighri sé go léim amach do bhruach na talún, agus do chua sé go léim isteach i gceart-lár a' tsoithig.

Do thainic A' Gaiscíoch ar bruach na farraige ansin insan áit ar labhair a' fáinne heana leis.

" Ca'il tu anois, a fháinne ? " adúirt sé.

" Táim anso ar bhórd a' tsoithig," adúirt a' fáinne, " ar mhéir Fhínn ! "

D'eighrig A' Gaiscíoch, agus chua sé go léim ar bhórd a' tsoithig. Do choinnic Fiúnn a' teacht é, agus dúirt sé ná rai' dul níos sia ná sin aige féin, nárbh fhéidir leis a dhul i n-aon áit eile. Do bhí tua agus bloc leacaithe ar bhórd a' tsoithig. Do leag Fiúnn a mhéar anuas ar a' mbloc, agus do bhain sé an mhéar do féin leis a' dtua. Do riug sé ar a' méir ansin, agus chaith sé an mhéar agus a' fáinne amach sa pholl—insa bhfarraige.

Bhí go math. Nuair a thúirlinn An Gaiscíoch ar bhórd an tsoithig: " Ca'il tu, a fháinne ? " adúirt sé.

" Táim anso amuh insa pholl," adúirt a' fáinne, " ar mhéir Fhínn ! "

Mar sin a bhí. D'eighrig A' Gaiscíoch, agus chua sé go ghlan-léim amach sa pholl ar thuairisc an fháinne. Bág a' fáinne agus méar Fhínn agus A' Gaiscíoch. Níor dheagha sé theiris sin.

Bhí go math. Nuair a thainic Fiúnn—pé cuma a dtaini sé ar tír—do thainic sé ar tír, agus bhuail sé leis a' bóthar mar a bhuail sé heana. Teacht an tráthnóna, do choinnic sé teh i bhfad uaig mar a choinnic sé an teh eile an oíhe rimhe sin, agus do bhuail sé ann isteach. Nuair a chua sé ansin isteach, bhí cistin deas glan istig rimhe ann. Do bhuail sé a chúil leis a' ndoras mar a dhin sé an chéad lá, agus sheasa sé thuas ag a' ndoras.

Do bhí seana-bhean i n-a seasamh thíos ag a' dtine.

" Dé bheatha, a ghrá," adúirt sí, " agus tar anuas go dí an dtine ! "

Thainic Fiúnn anuas go dí an dtine, agus sheasa sé lé taobh na tine. Bhí sí féin agus a' garsún a' caínt, agus iad i n-a seasamh lé taobh na tine, gach nduine gon bheirt acu. Do bhí seana-laoch thiar ar a leabain, agus d'airi sé an chaínt. Ghlao sé siar ar a' tseana-bhean chuige.

" Ce hé sin thíos athá a' caínt leat ? " adúirt sé.

" Garsún fiúnn a thainic isteach," adúirt a' tseana-bhean, " agus tá sé thíos ag a' dtine agus é a' caínt liom."

D

"Math mar thárla," adúirt a' fear a bhí thiar. "Tá sin ann go suíte, ach abair leis a theacht aníos nú go gcrotha mise lámh leis."

Thainic a' tseana-bhean aniar, agus dúirt sí lé Fiúnn: "Tá seana-laoch thiar ar a' leabain, agus do thug sé órdú dhuit a dhul siar nú go gcrotha sé lámh leat."

Do bhí an garsún a' dul siar insa seómra go dí an sean-laoch: "Ah, a gharsúin," adúirt a' tseana-bhean, "fan go fóill! Seo sparra iarainn anseo dhuit, agus tabhair leat in do láimh é, agus nuair a d'iarrfa sé do lámh ort, sín a' sparra iarainn chuige, nú mara ndinis, déanfa sé a' lámh a chuir amach trí n-a lagharacha leis a' bhfásca a thabhairfi sé dhuit!"

Is mar sin a bhí. Do riug Fiúnn ar a' sparra iarainn, agus do thug sé leis i n-a láimh é. Nuair a chua sé siar go dí an sean-fhear:

"Céad fáilte reót," adúirt a' sean-fhear.

"Go mairi tu!" adúirt Fiúnn.

"Taram do lámh!" adúirt sé.

Do shín [Fiúnn] an sparra iarainn chuige, agus do dhin sé praiseach don sparra iarainn amach trí n-a lagharacha.

"Mo chéad grá do lámh!" adúirt [an seana-laoch]. "Anois a d'aithním gur mac t'athar féin tu!"

Mar sin a bhí. "Anois," adúirt sé, "is fada mise 'ot aireachtáil mar tá me anso leis a' bhfaid seo aimsire. Agus níl aon rí ar a' bhFéinn ó cailleag t'athair, agus tá siad a' plé féachaint cé hé a bheadh mar rí [orthu]. Agus mise a ligeann teh an rí ar a' bhFéinn, mar bhí fhios agum go rai' tusa le theacht. Agus anois," adúirt sé, "tá siad a' déana chúirte, agus níl aon lá a bhe siad ag obair insa chúirt ná fuil a' chúirt leacaithe insan oíhe. Agus is é a' rud athá dhá leaga—tá tarabh a' teacht insan oíhe, agus buailfi sé a adharc fé chúinne na cúirte, agus leagfa sé cúinne, agus ragha sé ó chúinne go cúinne go leaga sé na cheithre chúinne. Tá obair a' lae leacaithe gah aon oíh' aige. Agus níl aon fhear a chuirfi siad a' tabhairt aire gon chúirt insan oíhe ná fuil marabh ar maidin. Agus anois," adúirt sé, "teighre tusa, agus din maraga leis a' bhFéinn—má d'fhaigheann tu féin a bheith in do rí ar a' bhFéinn go gcoinneó tu an chúirt suas nú go mbe sí críochanaithe, agus ar aon mharaga a dhéanfa siad leat ná tabhair aon mharaga dhóib ná aon *offer* ná go dtuga siad mar *offer* duit go lige siad mar rí ar a' bhFéinn tu! Agus anois," adúirt sé, "nuair a bhe tu a' tabhairt aire gon chúirt—tabhairfi mise

cána anseo dhuit, agus nuair a thiocfaig an tarabh bí in do sheasamh
ag cúinne na cúirte, buail buille gon chána ar a' dá adhairc air, agus
cuirfi tú ón gcúirt é, buail an tarna buille ag a' tarna cúinne agus din
a' rud céanna leis. Bí mar sin nú go gcuiri tú amach don cheithriú
cúinn' é, cas do lámh i n-a riuball, agus lean é, agus bíodh leang
don mhaid' agat air i ngàch uile áit go dteighe tu go dí an dtrá ! "
    Mar sin a bhí. Do d'imig Fiúnn, agus dhin sé maraga leis a'
bhFéinn, agus ní raibh aon mharaga lé déan' aige ach a' chúirt a
choinneáilt i n-a suí ar shon go bhfaigheadh sé bheith i n-a rí ar a'
bhFéinn ná go gcoinníodh sé an chúirt i n-a suí ar fiog trí oíhe.
    Bhí go math a's ní raibh go holc. Do dhineadar a' maraga leis
níos túisce ná bheadh a' chúirt dá leaga i gcónaí orthu agus an obair
dá meille.
    Do chua sé a' tabhairt aire gon chúirt insan oíhe, agus a chán'
i n-a láimh aige. Amach insa meán-oíhe, níorbh fhada gur airi sé
an tarabh a' teacht a' búirthig, agus bhí sé i gcóir do. Nuair a cheap
an tarabh a theacht fé chúinne na cúirte agus a adharc a chur fé
agus í leaga, do thainig Fiúnn do léim rimhe, agus do bhuail sé buille
don chán' air, agus chuir sé gon chúinne sin é. Nuair a chuir sé
gon chúinne sin é, chua sé go dí an tarna cúinne, agus dhin Fiúnn
an cleas céanna leis. Ach is mar sin a bhí sé gur chuir sé go dí an
gceithriú chúinne gon chúirt é. Nuair a chuir sé gon cheithriú
chúinne gon chúirt é, do chais sé a lámh i n-a riuball, agus do bhí
gah aon leang gon mhaide ar faid a d[h]roma nú go dtaini sé go
bruach na trá. Do chuaig a' tarabh insa tsrámh, agus do lig Fiúnn
uaig leis é.
    " Tag a' troid insa tsrámh ! " adúirt a' tarabh leis.
    " Ó, níl aon rath oram chuig trada insa tsrámh," adúirt [Fiúnn],
" ach tag ar a' dtalamh tirim agus troidfi me tu ! "
    Mar sin a bhí. Bhí an oíhe sin caite, agus do bhí an chúirt gan
chrith i n-a suí, agus d'imig an tarabh. Dob ainim don tarabh An
Tarabh Connrach.
    Do bhí go math. Do bhí an chúirt i n-a suí insan oíhe sin; agus
tháinig [Fiúnn] go dí lucht na Féinne ar maidin.
    Istoíhe larnamháireach, do chua sé go dí an gcúirt. Do thainig
a' tarabh, agus do dhin Fiúnn an rud céanna leis, agus do lean sé [é]
nú gur dheagha sé ther a' dtrá leis. Scaoil sé insa tsrámh é.

" Cé an chiall," adúirt a' tarabh leis, " ná tiocfá agus troid insa tsrámh ? "

" Níl aon raith oram chuig troid (sic) insa tsrámh," adúirt sé, " ach tag ar a' dtalamh tirim agus troidfi me tu ! "

Do bhí an tarna hoíhe cait' acu ansin, agus d'imig a' tarabh uaig, agus chas Fiúnn, agus do bhí an chúirt i n-a suí.

An tríú hoíhe—an oíhe dhéanach a bhí lé cathamh aige nú go mbeadh sé i n-a rí ar a' bhFéinn—do thaini sé, agus do sheasa sé ag cúinne na cúirte. Do thainig a' tarabh, agus cheap sé cúinne na cúirte a leaga. Do bhuail Fiúnn leis a' gcán' é, agus do chuir sé gon tarna cúinne é. Bhí sé a' góil thímpeall na cúirte nú gur chuir sé gon cheithriú chúinne gon chúirt é. Do thug an tarabh a agha ar a' bhfarraige aríst. Do lean Fiúnn é, agus a' lámh cast' i n-a riuball aige, nú gur chuir sé insa tsrámh é.

" Tag insa tsrámh ! " adúirt a' tarabh leis.

" Ní ragha me insa tsrámh ! " adúirt Fiúnn. " Ach tag ar a' dtalamh agus troidfi me tu ! "

Do chas Fiúnn ar a' bhFéinn ansin an tríú hoíhe; agus do bhí sé mar chead aige—buaite—go mbeadh sé i n-a rí ar a' bhFéinn. Agus is mar sin a fuair Fiúnn a bheith i n-a rí ar a' bhFéinn.

Nuair a chas Fiúnn go dí an sean-fhear a bhí ar a leabain:

" *Well*, anois, is fada athá tusa ceannaithe agum-sa a' fànacht leat nú go ndininn rí ar a' bhFéinn díot, agus tá tu do rí ar a' bhFéinn anois, agus tá tu istig i n-áit t'athar agum. Agus is mise t'úncail," adúirt sé, " driotháir t'athar, agus is mis' a bhí a' coinneáilt na moille ar a' gcúirt nú go dtiocfá, go mbeitheá mar rí ar a' bhFéinn ! "

Mar sin do bhí. Do bhí Fiúnn i n-a rí ar a' bhFéinn gach lá ón lá sin go dí an lá a fuair sé bás.

4. AN GIOLLA MAOL

Ba dh-é an sórt é An Giolla Maol fear gan aon ghaisce, agus ba dh-é an fear ba mí-ghraíúla gan aon dathúlacht a shiúil ar a' dtalamh é, ach do bhí an oiread draíocht' agus asarlaíocht' foghlaimt' aige agus go ndéanfadh sae cleas ar domhan ba mhaith leis. As a chuid draíocht agus asarlaíocht do thug sé an bhean ba bhreácha a bhí le fáil leis.

An chéad leanabh a bhí ag a' mbean do bhí sé i gcosúlacht leis a' nGiolla Maol mar a thitfeadh sé amach as a bhéal uaig.

Do bhí an bhean amuh cois a' tí, lá breá, agus í n-a suí síos ann, agus do choinnic sí an Fhéinn a' góil théirsti. Do choinnic sí Fiúnn agus lui sé ró-mhór i n-a haigine. Cheap sí gurab é an fear ba bhreácha a choinnic sí riamh é. An chéad leanabh a bhí aríst aici— ba dh-shin é an tarna leanabh—do bhí sé a' dul i gcosúlacht le Fiúnn insa chaoi go ndéarfadh fear ar domhan a d'fheicfeadh é go mba dh-é Fiúnn a athair.

Do bhuail éad An Giolla Maol, agus ní chreidfeadh sé ón saol go mba leis féin a' leanabh. Do bhí sé ag éad i gcónaí leis a' mbean ansin mar nár ghéill sé ná go mba lé Fiúnn an leanabh. Ní raibh fhios aige i n-ao'chor ar thalamh a' domhain ansin cad é an nós a bhfaigheadh sé amach cé mba leis a' leanabh.

Do chuíni sé ar phlean ansin. Do chuir sé cuire dínnéir ar a' bhFéinn le chéile a theacht chuige a lithéide sin do lá. Is é an áit a raibh cónaí air ar a' dtaobh ó dheas do Shliabh Chollán, agus a' teh a rai' sé i n-a chónaí ann, lé féachaint leastamuh air, ní cheapfadh éinne go bhfaigheadh triúr slí istig. Nuair a chuaig an Fhéinn go léir có fada leis, do bhí [An Giolla Maol] amuih reómpu. D'fháilti sé reómpu, agus d'iarr sé orthu theacht isteach.

" Cé raghamuid isteach ? " adúirt Fiúnn. " Ar nó, ní bhfaigheadh triúr aguinn slí istig ! "

" Tagaí isteach," adúirt sé, " i n-'úr nduine a's i n-'úr nduine, i n-'úr mbeirt a's i n-'úr mbeirt, i n-'úr dtriúr a's i n-'úr dtriúr, i n-'úr gcreathar a's i n-'úr gcreathar nú go mbeig 'úr ndeir' istig ! "

Mar sin a chuadar isteach, agus dá mbeadh an oiread eile insa bhFéinn do bhí an oiread do shlí istig a's ná feicfaí i gcúinne dhon teh iad.

Ní raibh tine ná teas ann ná aon tsórt cuma bí.

" Cá rabhamuid a' teacht," adúirt Fiúnn, " gan bia gan beatha ? "

" Tá a' bia agus a' beatha ann," adúirt An Giolla Maol, " ach cuirigí féin i gcóir é ! "

Chuaig fear don Fhéinn a' cur síos na tine, agus dá mbeadh sae léith' ó choin ní fhéadfadh sae í chuir síos.

" Ní fhéadfainn a' tin' a chur síos," adúirt sé, " dá mbeinn léithi choíhint ! "

Do bhí An Giolla Maol Beag i n-a shuí insa chúinne.

" A Ghiolla Mhaol Beag," adúirt An Giolla leis, " cuir síos a' tine ! "

Do d'eighrig a' páiste, agus d'ada sé an tine, agus ní rai' sí báileach adaithe aige nuair a lais sí i n-a caor !

" Tá an tin' aguinn anois," adúirt Fiúnn, " ach ca'il a' bia a bheireómuid uirthi ? "

" Tá torc thiar insa choill," adúirt An Giolla Maol leóthu, " agus téadh a' bheirt fhear is feárr aguib siar agus tugaidíst aniar é ! "

D'imíodar san, a' bheirt ab fheárr a bhí insa bhFéinn, agus dá mbeidís a' fiach ar a' dtorc ó choin, ní fhéadfadaís breith air. Do chasadar isteach aríst agus dúradar ná féadfadh a ndíheallt a' torc a thabhairt leóthu.

" Is mór a' náire dhíb é sin ! " adúirt An Giolla Maol. " Gabh amach, a Ghiolla Maol Beag, agus tabhair leat a' torc ! "

Do d'imig a' páiste, agus chua sé siar sa choill, agus ní rai' sé imìthe nuair a bhí sé cast' aríst agus a' torc ar greim cluais' aige.

" Tá an torc ar fáil anois," adúirt An Giolla Maol Críonna, " agus maraígí é ! "

Do d'eighrig an fear is feárr insa bhFéinn suas, agus cheap sé an torc a mharú, agus do chlis air a' torc a mharú. Dúirt sé ná féadfadh sae é mharú.

" Eighrig, a Ghiolla Maol Beag," adúirt An Giolla Críonna, " agus maraig a' torc ! "

D'eighrig An Giolla Maol Beag, agus níor dhin sé ach aon bhuill' amháin a bhual' ar a' dtorc, agus mhara sé an torc.

" Tá an torc marabh anois," adúirt An Giolla Maol, " agus glanaigí féin é ! "

Chuaig an Fhéinn i bhfeighil a' torc a ghlana, agus ní fhéadfadh a ndíheallt ribe clúimh a bhaint de.

" Ní fhéadfamuist é ghlana ! " adúirt an Fhéinn.

" A Ghiolla Maol Beag," adúirt An Giolla Críonna, " glan a' torc ! "

D'eighrig A' Giolla Maol Beag, agus níor dhin sé ach bas a chimilt ar ghach taobh de, agus bhí an torc glan. Nuair a bhí sé glan i gcóir ansin lé beiriú, cuireag síos é, agus dá mbeadh sé thíos ó choin ní bheireódh sé !

" *Well,*" adúirt An Giolla Maol Críonna, " níl a' torc seo lé beiriú choíhint ach le trí scéal fírinneach fiannaíocht. Is oram-sa a theigheann an chéad scéal," adúirt sé, " agus neósa me é."

" Nuair a phós mis' anseo," adúirt sé, " an chéad leanabh a bhí ag mo bhean, do bhí sé mar me héin, agus an tarna leanabh a bhí aici, do bhí sé i gcosúlacht le Fiúnn, agus bhí mé dhá cheap' i gcónaí gurab amhl' a casag mo bhean agus Fiúnn le chéile, agus dá chórthaí sin féin," adúirt sé, " bíodh oram go bhfuil a' chéad cheathrú dhon torc beirife ! "

Féachag a' raibh, agus do bhí.

" Is fíor sin," adúirt a' bhean. " Do bhí fhios agum-sa go raibh sin i gcónaí insa tsróin agut dom, agus anois," adúirt sí, " ínseó mise mo scéal féin ! "

" Do bhí mise lá breá," adúirt sí, " im shuí amuh ag taobh a' tí, agus choinnic me Fiúnn a' góil theram, agus do thaithin sé ró-mhór im aigine liom. Shíl mé go mba bh-é an fear ba bhreácha a choinnic me riamh é. An tarna leanabh a bhí agam, do bhí sé a' dul i gcosúlacht le Fiúnn, agus dá chórthaí sin féin, féachaigí an torc, agus bíodh oram go bhfuil mo cheathrú-sa dhe beirife ! " adúirt sí.

D'fhéachadar ar a' dtorc, agus do bhí an cheathrú beirife.

Nuair a choinnic A' Giolla Maol ansin go raibh a bhean a' déana na fírinne, do d'imig a' t-éad de.

" Tógaí suas a' torc anois," adúirt sé, " agus tá sé le chéile beirife ! "

D'uaig An Fhéinn agus An Giolla Maol agus a bhean an dínnéar go súch sámh, agus ní raibh éad ná cuthach air. Nuair a bhí an dínnéar cait' ansin do thosnaíodar ar ól, agus d'ól an Fhéinn go léir nú gur thiteadar ar fad ar meisce, agus thiteadar i n-a gcolla. Do chuir A' Giolla Maol colla draíocht' orthu.

Do bhí faitíos ar A' nGiolla Maol ansin mar gheall ar an éad go mbeadh an Fhéinn go léir a' maga fé. Do dúirt sé go gcuirfeadh sé le draíocht iad amach ós ceann na farraige fé ndúisídíst as a' gcolla draíocht' a bhí orthu.

Bhí driofúr do bhean An Ghiolla Mhaol i n-a bean óg insa teh, agus do bhí an draíocht foghlaimith' aici ón nGiolla Maol. Dúirt sí go mba mhuar a' trua feara breácha mar a' bhFéinn go léir a bhá le draíocht. Bhí fhios aici cé an bóthar a gcuirfeadh sé iad; agus d'imíodar amach as a' dteh aige i n-a scata druide. Do d'imi sí seo

reómpu, mar thit sí i ngrá lé Fiúnn. Agus thíos ag Gleann na
Sealaí, sin é an áit a dtaini sí reómpu, agus ghui[bh] sí An Fhéinn
go léir i gcúinn' a haprúin.

Nuair a ghui[bh] sí i gcúinn' a haprúin iad, do thiteadar anuas
ar a' dtalamh, agus d'fhanadar ansin nú gur imig a' colla draíochta
dhíothub. Do shui sise síos i n-éindí leóthu, agus nuair a dhúisíodar
do bhíodar ag imeàcht a' teacht abhaile, agus do bhíodar có tu ̀rseach
có tráite agus ná raibh éinn' acu ábalt' ar shiúl. Cheap Fiúnn
baochas a ghóil léithi-se, agus slán fhágaint aici, agus ní ligfeadh
sí uaith' é nú go bhfágadh sé bronntanas eil' aici.

Well, d'eitig Fiúnn í, agus d'iarr sé cead uirthi fanacht go gcastaí
lé chéil' aríst iad.

" Á," adúirt sí, " ní móide go gcasfaí lé chéile go brách arís sinn ! "

Well, ansin, níor eitig Fiúnn í, agus ní le fonn a chua sé léith' i
n-ao'chor, ach le fíor-neart.

" *Well*, anois," adúirt sé, " más mac a bhíonn dom bhárr agat,
is é an t-ainim a ghlaofa tu air—Neart Mhic Fínn—mar is le fíor-
neart a dhineamair gró, agus ní le fonn i n-ao'chor é ! "

5. CONALL GULABAN

Insa tsean-tsaol a bhí anso fadó bhí rí cúige a dtugaidíst air
Conall Gulaban, agus ní raibh aige ach aon mhac amháin, i ruith a
shaeil riamh, agus ghlaodh sé a ainim héin air—Conall Óg.

Bhí go math agus ní raibh go holc. Bhí an garsún ag eighrí suas
i n-a óigfhear bhreá go léir, ach ní raibh éinn' aige a ndéanfadh sé aon
imirt ghaisce i n-éindí leis. Bhí driotháir dá athair insan Domhan
Thiar; agus do chuir sé chuige siar é ag foghlaim easarlaíocht, agus
ag foghlaim gach uile phoínte gaisce dá raibh riamh ann. D'imi sé
siar, agus nuair a bhí sé thiar tamall math, bhí sé ag eighrí suas i n-a
óganach óg bhreá go léir. *By dad*, má bhí choíhint, thug na síofaraí
fé ndear' é, agus cheapadar é thabhairt leóthu. Bhí an oiread
easarlaíocht ag an úncail a bhí thiar agus nár lig sé leóthu é; ach,
mar sin féin, is annamh duine riamh a mbuailfi siad crúc' ann mara
bhfága siad báll nú sliocht éicínt air—sin rud a d'airíomair riamh
roimhe sin. Nuair a thug sé leis aniar é ansin ósna síofaraí, d'fhágadar
colla nae lá agus nae n-oíh' air gach uile uair a bhuailfeadh sé é gan
dúiseacht.

Bhí go math. Thug [an t-athair] leis aniar abhail' ansin é, mar ní choinneódh an t-úncail níos sia é faitíos go mbuailfidís fé aríst. Bhí sé abhus ag bail' ansin, agus bhí sé ag eighrí suas i n-a fhear óg. Ach, má bhí choíhint, do bhí sé lá amuh ag iomáint, agus liathróid óir aige agus comán airigid. Chaith sé an lá sin amuh ag iomáint leis có math agus b'fhéidir leis é nú go dtáinic an oíhe. Nuair a thaini sé isteach, bhí sé roinnt tuìrseach ó ghaisc' an lae.

Bhí go math. Chua sé a cholla insan oíhe, agus, má chuaig choíhint, do chath óigbhean taibhreamh chuige am ainim di An Bhas Bharra-Gheal ón nGréig.

Well, níor thug sé aon ghéille do thaibhreamh na hoíhe sin. D'eighrig ar maidin, agus d'uaig a bhricfeast, agus d'imig leis amach, thug leis a liathróid agus a chomán airigid, agus bhí ag iomáint leis go dtáinic an oíh' aríst. Nuair a táini sé isteach aríst, d'ua sé a shuipéar, agus chua sé a cholla. Ba mhath a' mhaise sin don óigbhean é—chaith sí an tarna taibhre' chuige.

Níor thug sé aon ghéille don tarna taibhreamh ar maidin larnamháireach nuair a d'eighri sé. D'imi sé agus chua sé ag iomáint leis aríst ar fhaid a' lae nú go dtáini sé abhaile, an tríú hoíhe, agus chua sé ar a leabain. Agus nuair a chua sé ar a leabain, an tríú hoíhe, do chaith sí an tríú taibhreamh chuige, agus insa tríú taibhreamh dúirt sí leis ná raibh aon fháil aici aon taibhreamh do chatha chuige i gcathamh an domhain aríst mara dtugadh sé tora ar thaibhreamh na hoíh' anocht, agus ná raibh aon bhean fae'n ndomhan go léir a dhéanfadh *matching* air ach í, ná aon fhear fae'n ndomhan go léir a dhéanfadh *matching* uirthi féin ach eisean.

Bhí go math. D'eighri sé ar maidin; agus do bhí sé ana-mhíshásta, agus ní rai' sé in *humour* i n-ao'chor. Níor ghui' sé amach ag iomáint ná pioc ar domhan. D'fhiafraig a athair de cad a bhí air, nú an tinn a bhí sé. Dúirt sé nár dh-ea, ná rai' sé tínn.

" Tá rud eicínt ort," adúirt a' t-athair.

" Tá," adúirt sé. " Níl aon oíhe lé trí oíhe nár chaith óigbhean taibhre' chúm, agus dúirt sí liom araeir ná raibh aon taibhreamh lé catha' chúm go brách aríst ach taibhreamh na hoíhe sin. Well, níl aon bhean sa domhan a dhéanfadh *matching* oram ach í, agus níl aon fhear sa domhan a dhéanfadh *matching* uirthi ach me."

" Cé hí féin ? " adúirt a' t-athair.

"Iníon do Rí na Gréige is ea í," adúirt sé, "agus is ainim di An Bhas Bharra-Gheal ón nGréig."

"Tá tú rud beag óg," adúirt an t-athair, "agus màrach sin ní bheadh aon deifir liom tu ligint fae n-a déin, ach i gceann beagán aimsire nuair a neartófá agus bheitheá it fhear, ní bheadh cás ar bith orum tu ligint fae n-a déint."

"Níl aon mhath ann," adúirt an mac. "Ní íosa mé aon dá bhéile ar aon bhórd, is ní cholló mé aon dá oíhe ar aon leabain nú go dteighim ar a tuairisc cé hucu beó nú marabh a chasfa mé!"

"Mar sin féin," adúirt a' t-athair, "ó thá tú sásta ar ghóil amach, bíodh do bhóthar agut! Ní chuirfi mis' aon stop leat, ach tá mé a' rá an méid seo leat, agus tu ag imeacht: Ná hiarr choíhint í nú go bhfaighi tú le tora claímh í!"

Mar sin a bhí. Chuir a' garsún i gcóir é féin. Ag imeàcht do ar maidin, do thug a' t-athair leis amach go dí n-a stór é, agus nuair a thug sé amach go dí n-a stór é, do bhí ansin amuh sa stór claíomh agus seach' bhfihid claíomh crochta suas ar thaobh an bhalla.

"Tabhair do rogha gosna cluite sin leat ag imeàcht duit, a mhic!" adúirt an t-athair leis.

D'fhéach sé thímpeall air, agus riug sé ar chlaíomh, agus bhain sé croth' as, agus dhin sé dhá leath dhe. Riug sé ar chlaíomh eile, agus dhin sé an cleas céanna leis. Bhí sé a' breith orthu ó chlaíomh go claíomh nú go raibh an chuid is mó ar fad caite, briste i n-a dhá leath aige. Nuair a bhaineadh sae croth' as ceann acu i gcónaí bhriseadh sae é. D'fhéach sé thurt tímpeall a' tí, agus choinnic sé thuas ar na froitheacha seana-chlaíomh sáite isteach fé chúl na gaibhle. Riug sé air, agus tharrainn sé chuig' anuas é; agus bhí sé sin lán lé meirig. Má bhí sé choíhint lán lé meirig, do riug sé air, agus bhain sé croth' as, agus bhain sé cioth muar meirige dhe amach. Bhain sé an tarna croth' as, agus bhain sé an tarna cioth meirig' as. An tríú croth' a bhain sé as, do bhain sé an tríú cioth meirige dhe, agus do bhuail a' dá cheann ar a chéile. *Spring*áil sé amach. Bhí go math ansin.

"Déanfa sé seo an gró," adúirt sé.

"Tá go math," adúirt a' sean-fhear. "Ba dh-é mo chlaíomh féin é," adúirt sé, "agus tá sé chó math dhuit é thabhairt leat, a mhic."

Bhí go math. D'fhág sé slán a's beànnacht age n-a athair agus age n-a mháthair, agus d'imi sé leis. Do bhuail sé síos go cé an athar, agus do thoi[gh] sé an lúng ab fheárr a bhí thíos i gcé an athar.

Nuair a thoi sé an lúng ab fheárr a bhí thíos i gcé an athar, d'iúmpa sé amach, agus thug sé a túis do mhuir, a deire go thoínn, bhuail sé cic sa chúl, agus do chuir sé seach' léig i bhfarraig' í. D'eighri sé go hú, há, go neart a chrá[mh], agus do chua sé go glanléim isteach i n-a ceart-lár. Thóg sé a seólta boga bogóideacha bán-dearaga i mbarra na gcrann, mar a mbíodh lupadáin, lapadáin, bioradáin, baradáin, éisce, róinte, míolta móra, beithíg óga a' teacht fé ó bhéiríolta na farraige a' déana ceóil, spóirt, agus oireachtas do. Bhí sé a' cuir coip' i n-íochtar agus grean i n-uachtar. Bhí an lámh láidir á claíochaint agus an cábala á shíne go dtáinig gaoth bheag íseal uasal a sheóil isteach i gcuan agus i gcalaithe na Gréig' é.

Bhí sé istig ansin i gcuan agus i gcalaithe na Gréige, agus do bhí sé déanach tráthnóna nuair a ránga sé istig i gcuan agus i gcalaithe na Gréige, agus má bhí choíhint, dúirt sé go rai' sé ró-dhéanach chuig dul i bhfeighil aon trad' anois. Chua sé agus chodail sé i n-a shoitheach an oíhe sin.

Ar maidin larnamháireach, d'eighri sé, agus leag sé a chos deas ar a' dtársaig, ní[gh] sé a agha 's a lá[mha], agus d'iarr sé ar Dhia é chuir ar a leas. Shocara sé air a léine bhreá cheavain shíoda fé n-a cíocha-mhiona criosa, a lamhainne agus a lochanacha géara a bhí mór-sciortíneach breá, barúil, deas; a dhá bhróig mhiona dhú-dhaite Ghaelacha do leathar óg-bhó nár luig ar aon taobh dá déana féin riamh; a dhá spor ghreanta gon airigead cheáirbheáilte—an dá bhall is breácha a bhí fae'n saol go léir ar lia agus ar chloch fhuíortha; a lann ladartha líofa a rai' sé scríofa ar ghualainn a scéithe go mba dh-é féin cleití lútha meátha, an fear ar am catha nú crua-chóraic a mharódh céad 'on (sic) struise, fihe míle gan tarrainnt, a bheárrfadh agus ná geárrfadh agus a thabhairfeadh leis don tarna tarraic !

Bhí go math ansuin. Do bhuail sé suas a's níor stop riamh go ndeagha sé suas go cuaille córaic Rí na Gréige, agus bhuail sé iarracht air. Chuir sé an méid a bhí istig sa teh muar trí n-a chéile i ngeach uile shórt cuma, mar bhain an iarracht a bhuail sé ar a' gcuaille córaic—bhain sé geit ast' ar fad.

" Amach leat go diail," adúirt Rí na Gréige leis a' [n]gaiscíoch a bhí aige féin, " agus féach cé fuair ann [féin] chuig mo chuaille córaic a bhuala ! "

Chua sé sin amach, agus chais sé go hobann aríst.

" Tá gaiscíoch óg nár fhás aon ruibe féasóig' ar a ghiall riamh," adúirt a' gaiscíoch.

" Teighir amach agus féach cad athá uaig," adúirt sean-laoch na Gréige leis.

Chua sé amach.

" Amach a chuir mo mhaighistear mé," adúirt sé, '' a ghaiscíg óig, féachaint cuid é a' rud athá uait."

" Tá," adúirt sé, " seach' gcéad ar mh'agha amach, seach' gcéad ar gah aon taobh dom héin, seach' gcéad i ndia mo chúil, agus iad ar fad a theacht i n-aonacht orm ! "

Mar sin a bhí. Bhíodar a' teacht air, agus bhí sé a' góil tríothub mar a bheadh seabhac a' góil trí scata mion-éan, spealadóir trí mhóinéar, nú buanaí trí ghort. Bhí sé a' góil tríothub, fúthub, agus tórsta go rai' sé déanach tráthnóna, a's ní rai' fear ar a' láthair ná rai' sínt' aige. Dhin sé tré carain dhíothub, caran dá gcinn is dá muiníl, caran dá gcolainneacha agus [caran] dá gcosa, nár fhág sé aon fhear amháin beó ach aon fhear amháin, agus ní fhágfadh sae é sin beó ach le hí cúntas a thabhairt ar chath a' lae.

Do thitfeadh sé [féin] i n-a mhillthín glaeithín dá mbaineadh sé dhe a chulaithe córaic ná gaisce. Do tháini sé abhaile, agus do lui sé i n-a shoitheach aríst, agus chodail sé an oíhe sin go maidean ann. Chua [sé] síos i n-a dhabhach slán-aidhnce, agus do bhí sé có sleamhain, có slán a's bhí sé riamh.

Ba mhath a' mhaise sin do. Ar maidin amáireach arís, do d'eighri sé, agus do dhin sé an rud céanna, bhuail sé suas, agus níorbh fhada dho gur bhuail sé an cuaille córaic aríst.

" Teighir amach go diail arís," adúirt sean-laoch na Gréige, " agus féach cé an fear a bhuail an cuaille córaic inniubh oruinn."

Chuaig an teachtaire amach, agus choinnic sé cé bhí amuh, agus chais sé ar s[h]ean-laoch na Gréige.

" An gaiscíoch céann' a bhí inné ann," adúirt sé.

" Teighir amach agus fiafraig cad athá uaig inniubh," adúirt sé.

Chuaig an teachtaire amach aríst.

" Amach a chuir mo mhaighistear me," adúirt sé, " féachaint cad é a' rud athá uait inniubh."

" An *number* céanna a fuair mé inné," adúirt [Conall], " cuir chúm inniubh aríst iad ! "

Mar sin a bhí. Do chuaig an teachtaire isteach go dí an sean-laoch, agus d'inis sé a scéal don tsean-laoch istig.

Mar sin a bhí. Bhíodar a' teacht air sa nós chéanna mar a rabhadar a' teacht air inné rimhe sin nú go dtáinic deire an tráth-nóna; a's bhí sé a' teacht déanach go math nuair a bhí an fear déanach acu críochnaithe aríst aige.

Bhí go math. Tháini sé abhaile i n-a shoitheach, agus chodail sé an oíhe sin ínti. Chua sé síos i n-a dhabhach slán-aidhnce, agus tháini sé aníos có sleamhain có slán agus tháinic sé riamh aríst aisti. Thug sé an oíhe sin i n-a shoitheach, agus ba mhath a' mhaise sin do.

Ar maidin, an tríú lá, d'eighri sé ar maidin, agus do d'imi sé leis, agus, má d'imig choíhint, do chua sé go dí cuaille córaic Rí na Gréige an tríú lá, agus bhuail sé iarracht uirthi níosa mhilltí ná bhuail sé aon lá dosna laethanta eile.

" Gabh amach," adúirt sean-laoch na Gréige, " agus féach an é seo an gaiscíoch a bhí amuh leis an dá lá so ghuibh thurainn, nú cad athá uaig inniubh."

Chuaig a' teachtaire amach, agus choinnic sé cé bhí amuh, agus chais sé isteach ar a' sean-laoch aríst go diail, agus, má chas choíhint d'fhiafraig a' sean-laoch de an é a bhí amuh.

" Is é go díreach," adúirt sé.

" Teighir amach, agus fiafraig dhe cad athá uaig ! "

[Chuaig a' teachtaire amach.]

" Amach a chuir mo mhaighistear me," adúirt sé leis, " féachaint cad athá uait inniubh."

" Cuireadh sae an méid aramála 'on domhan athá aige chúm inniubh," adúirt sé, " insa nós ná beig a' ceirthiú lá agum orthu ! "

Chas a' teachtaire isteach go dí an sean-laoch, agus d'inis sé a scéal do.

" Teighir amach," adúirt sé, " agus abair leis ná fuil aon tsórt duine beó ar thalamh a' domhain agum a chuirfinn chuig' inniubh mara dteighinn féin chuige," adúirt sé, " agus táim an fad seo aimsir' ar mo leabain."

Mar sin a bhí. Do chuaig an teachtair' amach aríst go dí Conall Óg.

"Amach a chuir mo mhaighistear me," adúirt sé, "chút dá rá leat ná raibh aon tsórt duine beó aige a chuirfeadh sé chút inniubh mara gcuireadh sae é féin chút."

Bhí go math. "Sin é féin athá uaim," adúirt Conall. "Bíodh sé amuh go diail chúm!"

D'eighrig a' sean-laoch i n-a shuí.

"Teighir amach, agus iarr ceathrú uair' a' chloig air nú go gcuiri me i gcóir me héin."

Chuaig an teachtaire amach aríst.

"Amach a chuir mo mhaighistear me ad iarra ceathrú uair' a' chloig ort nú go gcuireadh sé i gcóir é féin."

"Ó, tabhairfi mise sin do agus trí ceathrúna uair' a' chloig, má's math leis é," adúirt Conall Óg.

Bhí go math ansin aríst. D'fhan mar sin nú gur chuir an fear aosta i gcóir é féin istig, nú go rai' sé i gcóir chuig góil amach. Bhuail sé chuig' amach, agus nuair a chua sé amach i n-a láthair agus choinnic sé é, chaith sé ar a dhá ghlúin é féin.

"Gabhaim párdún chút, a ghaiscíg óig," adúirt sé, "tá mé ró-aosta chuig trada, agus níl mé ábalta ar dhul a' troid it' éadan anois insan aois a bhfuil mé ann."

Dhird sé leis, agus chuir sé lámh fé n-a oscail, agus thóg sé suas i n-a sheasamh é.

"Eighrig," adúirt sé, "a dhuin' aosta! Is gaiscíoch tu go suíte," adúirt sé, "agus ní baol duit!"

"Well," adúirt an gaiscíoch críonna leis ansin, "inis dom cad athá uait," adúirt sé.

"Níl aon tsórt giob uaim ort ach t'uiníon," adúirt sé, "arb ainim di An Bhas Bharra-Gheal."

"Dún dobhrthain coll' agus cúntaracht go dí an gcailín sin," adúirt [Rí na Gréige], "is mó triobalóid ar chuir sí mis' ann ón lá a rugag í, agus níor chuir sí go dí aon triobalóid riamh me go dí seo. Ach cad é an réasún nár iarr tu í fér mhara tú mo chuid fear go léir?"

"Ní hé sin órdú a fuair mé óm' athair," adúirt Conall, "ach gan í iarra choíhint nú go bhfaighinn lé tora an chlaímh í."

"Gaiscíoch is ea tu!" adúirt a' sean-fhear. "Ach an dtiocfa tú isteach go dí an dteh liom?"

Chuadar araon isteach go dí an bpálás ansin, agus chathadar tamall a' caínt.

" *Well*, anois ! " adúirt Conall Óg, " an n-ínseó tu dhom cá'il An Bhas Bharra-Gheal ? "

" Tá sí i n-a lithéide seo 'raidhleán," adúirt sé, " ar bhruach na farraige; agus Dia Mór nár ligig dom choíhint í ! "

Bhí go math. D'eighri Conall, agus d'imi sé fae dhéint an raidhleáin a raibh An Bhas Bharra-Gheal ón nGréig ann; agus do choinnic sí a' déana uirthi é. D'oscail sí an fhuinneóg, agus do chuaig Conall do léim isteach tríd an bhfuinneóig i mbárr a' tí pé ar domhan aoird' a bhí ann. Chathadar tamall math ansin lé chéile a' cur síos agus a' seanachas agus a' caínt. Do bhuail sé lámh fé n-a hoscail, agus cheap sé í árdú leis abhaile nú go dtugadh sae abhaile go dí ríocht a athar í.

Thug sé leis abhaile go dí ríocht a athar í; agus fé dtéadh sé abhaile go cúirt a athar léithi—tá croc i n-Éirinn a nglaonn siad Croc Mín Éadain air—sé an croc is aeirde i n-Éirinn é, is dóch ! Do thug sé suas ar bhárr a' chroic í nú go 'sáineadh sae ríocht a athar di. Nuair a chua sé suas ar bhárr a' chroic, agus a bhí ríocht a athar 'sáint' aige dhi, cad a bhuailfeadh é ach a' colla ! Do bhuail colla nae lá agus nae n-oíh' é gan dúiseacht.

" Be mis' anso," adúirt sé, " go ceann nae lá agus nae n-oíhe, agus, más math leat é, fan a' tabhairt aire dhom, nú mara bhfanair, teighir in do rogha áit. Níl aon leigheas agum-s' air, cathfa me fanacht anseo an fad sin."

" Á," adúirt sí, " nuair a d'aireó na gaiscíg ar chaith mise taibh-reamh chucu go bhfuil mé imíth' agut-sa, leanfa siad me, agus bainfi siad díot me, agus nuair ná fuil tu anois ach in do cholla ní bhe me reót nuair a d'eighreó tu !"

" Níl aon leigheas air," adúirt Conall. Do thit sé i n-a chrap láithreach.

Do bhí sí ansin, agus í a' tabhairt aire dho.

Do bhí thíos i mbun a' chroic i gcúinne garraí cailín beag agus garsún, agus iad a' tabhairt aire go bheithíg insa nós a nglaomuid air foìseacha. *Well*, do chua sí síos, agus do bhain sí an sean-éadach don chailín mbeag; do bhí culaithe lásaí óir uirthi féin, agus chuir sé ar a' gcailín beag é. Do bhain sí an tseana-chulaith' a bhí ar a' ngarsún de, agus do chuir sí culaith' Chonaill air.

Do bhí sí féin ansin, agus í a' tabhairt aire dosna beithíg, 'á mb'fhíor í féin. Cé gheódh théirsti a' croc, ag imeàcht có dian agus b'fhéidir leis, ach gaiscíoch a dtugaidís Lúth-Éadarom air. *Well*, d'fhéach sé uirthi, agus ba dhói leis insna córthaí sóirt feiscint a bhí aici go mba dh-í a bhí ann.

" Cad athá tu a' dhéan' ansin ? " adúirt sé.

" Tá me héin is mo dhriotháir a' tabhairt aire dosna beithíg anseo," adúirt sí, " agus tá sé i n-a cholla. Caithfi me fanacht a' tabhairt aire dho nú go n-eighrí sé."

" Dún dobhrthain coll' agus cúntaracht chúm-sa," adúirt an gaiscíoch, " má dhéanaim aon ionad mrá ná céile do dh'aon bhean go brách ach díot-sa ! "

" Á, cathfa me fanacht ag mo dhriotháir," adúirt sí, " agus aire a thabhairt do."

"Ní dhéanfa sé an gró," adúirt sé, "cathfa tu theacht liom-s' anois."

" *Well*, dúisig mo dhriotháir mar sin," adúirt sí, " insa chaoi go dtabhairfi sé aire dosna beithíg."

" Cé a' nós a ndúiseó me é ? " adúirt sé léithi.

" Bain straic as a chluais deis ! " adúirt sí.

Bhain. Níor dhúisi sé é.

" Bain straic anois as a chluais chlé ! " adúirt sí.

Bhain, agus níor dhúisi sé é.

" Caith síos leis an aill anois é ! " adúirt sí.

Chaith.

" Teighre síos anois agus caith aníos aríst é ! " adúirt sí.

Chua sé síos, agus chaith sé aníos aríst é.

" Fág ansin mar sin é," adúirt an óigbhean leis. " Níl aon mhath dhom a' plé leis."

Do dhin [Lúth-Éadarom] amach gu'b é Conall a bhí ann, agus níor mhuinín leis é fhágaint ann lé faitíos go ndúiseódh sé agus go leanfadh sé é. Do riug sé air, agus do bhain sé fad a riuchair as amach insa bhfarraige.

Do bhí sé ansin amuh sa bhfarraige, agus é istig san uisce, agus é i n-a cholla ar fiog nae lá agus nae n-oíhe. Do bhí an gaiscíoch imìthe agus An Bhas Bharra-Gheal aige. Fágamuid Conall amuh insan áit a rai' sé ar fiog na nae lá agus na nae n-oíhe.

Do d'imig a' gaiscíoch, agus do bhí An Bhas Bharra-Gheal ag imeàcht aige; agus cé bhuailfeadh le n-a línn ag imeacht do ach fear a dtugaidís Sciathán Dú-Ghlas air, agus bhain sé dhe An Bhas Bharra-Gheal.

Bhí go math. Bhí sé sin ag imeacht, agus A' Bhas Bharra-Gheal aige t'réis í bhaint do Lúth-Éadarom, agus cé chasfaí leis-sin insa bhóthar a' teacht fae dhéint A' Bhas Bharra-Gheal ach Sciathán Sciath-Ghlas. Do bhí sé-sin, agus do bhain sé dhe-sin í, agus d'árda sé leis í do féin.

Bhí sé ag imeacht ar bórd soithig, agus í aige ar bórd soithig; agus do choinnic sé mar a d'fheicfeá inniubh slam cheó thiar ar bhun an aeir a' déan' air aniar, agus níor stop sé choíhint nú gur thúirlinn sé ar bórd soithig chuige, agus gur bhuail sé crúc' insa Bhas Bharra-Gheal, agus go dtug sé amach leis do bhórd a' tsoithig í. Ce hé a bhí ansin ach a' fear a nglaeidís Seán Feille-Bhéasach air. Bhí sí imithe ag Seán Feille-Bhéasach ansin, agus ní raibh aon tuairisc ag éinn' acu uirthi.

Mar sin a bhí. Casamuid ar Chonall arís. Do bhí sé insa taoille i gcónaí. Do thainig lá breá gréine, agus lán-rabharta. Do bhí trá mhuar ann; agus do bhí colla na nae lá agus na nae n-oíhe caite ag Conall. Do dhúisi sé amuh ar lán trá, agus d'eighri sé i n-a sheasamh, agus d'fhéach sé thímpeall air. Nuair a d'eighri sé i n-a sheasamh, chroith sé é féin, agus do bhain sé seach' dtonna portán do bhí ceangailte dhe—chaith sé dhe amach iad. Do bhuail sé aníos ansin, agus do bhí sé a' góil aníos agus amach ar fhaid na talún do féin i ngah aon áit, agus gan chuíneamh aige go bhfaca sé An Bhas Bharra-Gheal riamh rimhe sin.

Mar sin a bhí. Do bhuail sé aníos, agus nuair a bhí sé a' góil aníos tamall do choinnic sé cóthalán daoine tamall uaig isteach sa talamh, agus do dhin sé orthu. Cad é a' rud a bhí ansin ná rí cúige (sic) agus báire gill acu féachaint cé an taobh a bhuaifeadh—go mbeadh *majority* an lae acu. Do bhí Rí na Halamuaire agus Rí na Soracha—do bhíodar ansin, agus a gcuid féin fear ag gach duin' acu, agus báire iomána acu. An fear a bhuaifeadh an báire iomána is aige a bheadh an lá.

Do bhuail Conall chucu suas, agus ar a ghóil suas do, do bhí go leór Éireann sean-fhearaibh agus daoine agus a gcúil lé balla a' féachaint ar na fearaibh a bhí a' dul ag iomáint. *By gob*, cé bhuailfeadh chuige anuas ach sean-fhirín beag broiseánta, críonna, do bhí scofa, éasca, tapa go math.

E

"Ara, mhuise," adúirt sé, "céad míle fáilte rót, a Chonaill Ghulaban ó Éirinn, a mhac Mhóir Ní Loidín agus Líofa Cholagan!"

"Ara, cé bhfuair tusa aithint orum-sa?" adúirt Conall.

"Ó," adúirt sé, "bhí aithint mhath agum-sa ort, agus bhí ceart math agum leis, mar bhí me im mháirnéalach ag t'athair ar fiog i bhfad aimsire, agus is é a thabhairfeadh mo dhóchaint lé n-ithe dhom!"

"Well, tá go math," adúirt Conall, "ach cad é a dhéanfamuid anois?"

"Ara, a Chonaill," adúirt sé, "tá fhios agum-sa cad a dhéanfa tú go math. Ar a' ball nuair a bhe siad-sin ag iomáint, druidfi tusa lé duine acu, agus buailfi tu cúl baise air, bainfi tú an comán a bheig aige dhe, agus buailfi tu an liathróid!"

"Ar ndó," adúirt Conall, "níl cuire agam-sa le haon taobh díothub lé go raghainn a' buala liathróide le haon taobh, agus níl aithint ar bith ar éinn' acu agum."

"Á, ní tu an Conall athá mise a reá!" adúirt sé. "Dá mba tu do bhuailfeá buille go chúl baise ar dhuine 'osna lads sin a mbainfeá an comán de, agus do raghfá ag iomáint tu féin."

"Dá mbeinn go math chuig é sin féin a dhéana cuid é an taobh a mbuailfinn leis?"

"Á, buail lé Rí na Soracha," adúirt sé, "mar is é a thabhairfeadh mo dhóchaint lé n-ithe dhó-sa!"

"Very well," adúirt Conall, "déanfa sin an gró go fóill."

Chuaig an iomáint ar bun, agus amàiste, bhí Rí na Halamuaire agus a chuid fear a' tabhairt na liathróide leóthu go dian.

"Fóill, fóill, a Chonaill," adúirt Dúilimín, "stop a' liathróid!"

Mar sin do bhí. Do riug Conall ar gharsún a raibh comán deas aige, agus do bhain sé an comán de. Lean sé an liathróid, do bhuail sé iarracht uirthi, agus do chuir sé trian don chúl í. Do bhí sé réimpi aríst a' teacht chun na talún di, agus chuir sé dhá dtrian don chúl í; an tríú poc a bhuail sé ar an liathróid do chuir sé an liathróid an cúl amach.

Sin é an áit a raibh an obair ag an méid a bhí i ngach uil' áit a bhain le Rí na Soracha, agus iad go léir a' cryáil agus a' boastáil, agus a' déana gàch uile rud go raibh a' lá buait' acu.

Bhí go math. Do bhuail fear lé Rí na Soracha chucu, agus do bhaili sé gach uile shórt duine gá thionóntaithe agus dá chuid fear leis nú go dtugadh sae cuire dínnéir age n-a theh muair insan oíhe dhóib. D'imíodar ar fad leis, agus, ar mh'anam, nár bhac éinn' acu lé Dúilimín ná lé Conall!

Bhí Conall agus Dúilimín istig agus a gcúil lé claidhe.

" Anois, a Dhúilimín," adúirt Conall, " feiceann tú anois cad athá déanta linne! "

" Á, ní tu an Conall athá mis' a' reá i n-ao'chor! Tá go leór Éireann sléiteánaig ansin istig anois, agus iad ag alpa na feóla, agus níor riug cuid acu ar scian ná ar forc riamh, agus níl fhios acu cé a' rud é. Dá dteightheá-sa isteach go dí an gcuaille córaic athá ag a' mbuachaill sin agus iarracht a bhual' air, mhaireófá a leath sin le scannra, chuirfeá a' chuid eil' acu thar fóir air, agus bheadh a' chuid eil' acu caite thrí n-a chéile."

" Very well, mar sin," adúirt Conall. " Siúlamuid, a Dhúilimín! "

Do chua sé suas go dí an gcuaille córaic, agus bhuail sé iarracht air, agus, má bhuail choíhint, do chuir sé an méid búird a's plátaí a's corcáin agus gach ní eile gá raibh ar fhuaid a' tí—do chuir sé a' feadaíol iad. Bhí fear ann, agus bhí sé a' cur greim feóla lé forc chuige n-a bhéal, agus cuid é an áit ar chuir sé an forc isteach i bpoincín a shrón. Do bhí fear eil', agus bhí cráimh treasn' ar a bhéal aige, agus thacht sí é. Do bhí cuid eil' acu, agus is é an áit go rabhadar fésna búird agus iad go ró-b[h]riste.

" Amach leat go diail," adúirt [a' rí], " agus féach ce hé fuair ann féin an cuaille córaic a bhuala! "

Chuaig an teachtaire amach, [agus tháinig sé isteach aríst chuig a' rí].

" Tá," adúirt sé, " gaiscíoch óg nár fhás aon ruibe féasóig' ar a ghiall riamh roimhe sin."

" Teighr' amach, agus fiafraig de cad athá uaig," adúirt a' sean-laoch.

Chuaig an teachtaire amach. " Amach a chuir mo mhaighistear me, a ghaiscíg óig," adúirt sé, " féachaint cad a bhí uait."

Níor fhan Dúilimín leis a' ngaiscíoch labhairt.

" Haha, a reascail, " adúirt sé, " agus a dhearag-reascail, is sinn a chuir a' cúl amach díb-se inniubh, agus ní héinne gá bhfuil istig aguib, agus màrach sinne bheadh sib buailte! Thug sib cuire dínnéir do ghach fear, agus d'fhág sib sinne amuh anseo cois a' chlaidhe."

Mar sin a bhí. Do chas a' teachtaire isteach, agus d'inis sé an scéal istig don sean-laoch a bhí istig ar a leabain.

" *Very well*," adúirt a' sean-laoch, " is díreach gur fíor sin. D'aithin mise go raibh duin' eicínt a chuir a' cúl amach, agus màrach gur chuir ná beadh a' lá buait' aguinn. Teighir amach," adúirt sé lé n-a mhac, " agus siúil ar do ghlúin' amach go dí a' ngaiscíoch óg a chuir a' cúl amach, agus tabhair cuir' isteach do agus guibh míle párdún chuige ! "

Mar sin a bhí. Chuaig mac a' tsean-laeig amach, agus do ghui' sé míle párdún go dí an bhfear a bhí amuh, agus do thug sé cuir' isteach do. Dúirt sé leis 'á mbeadh fhios aige a lithéid a bheith insa tír gom é an chéad fhear a mbeadh cuir' aige é.

" Siúil leat," adúirt Dúilimín, " tá sé luath ár ndóchaint fós ! "

Isteach lé Dúilimín i n-a ndiaig. Tugav Conall siar insa phálás agus insan áit a raibh an chuid ab fheárr dosna daoine. Do bhí Dúilimín i n-a dhiaig, agus shui sé tao' 'muh gon doras. Bhí sé a' féachaint isteach i n-a ndiaig, agus a' féachaint isteach i n-a ndiaig, agus bhí sé a' druideam isteach i gcónaí. Bhí búird agus feóil agus gach uile rud ar a' mbóthar rimhe.

" A Chonaill," adúirt sé, " ní féidir liom dul isteach. Tá iomurca rudaí ar a' mbóthar reóm. Féach a' ndéanfá bóthar dom ! "

Le n-a línn sin bhuail Conall cic ar bhórd, agus chuir sé treasn' ar seach' mbórd é, agus do dhin sé bóthar isteach do Dhúilimín.

Nuair a chua Dúilimín isteach, bhí sé ag ithe agus ag ithe leis ar a dhíheallt nú go raibh a leór-dhóchaint it' aige. Níorbh fhada eile dhúinn nú gur buaileag a' cuaille córaic aríst.

" Amach leat go diail," adúirt an sean-laoch le n-a sheiribhíseach, " agus féach cé fuair ann féin an cuaille córaic a bhual' aríst ! "

Chuaig a' teachtaire amach [agus tháinig sé isteach aríst] !

" Árd-ghaiscíoch athá amuh," adúirt sé, " agus tá sé a' lorag párdún ar Chonall Ghulaban."

Cé bheadh ansin amuh ach an fear a nglaeidíst Lúth-Éadarom air ! Thaini sé isteach, agus do thug Conall isteach é. Nuair a thaini sé isteach, chua sé ar a dhá ghlúin i láthair Chonaill.

" Gabhaim míle párdún chút, a Chonaill ! " adúirt sé. " Agus ní le hí bean ná céile a thug mise liom í ach le hí [í] a chuir ar sábháilt duit nú go dtacfá chút féin. Shíl me gur feárr an fhuil agus an

fheóil a bhí im dhriféaracha féin le hí a choinneáil i n-a bhfochair
ná ag (sic) éinn' eile."

"Tá sin go math," adúirt Dúilimín, á fhreagairt, "ach cá'il A'
Bhas Bharra-Gheal ón nGréig anois ? "

"Níl fhios agam," adúirt sé. "Do bhí mé gá tabhairt abhaile,
agus do thainic gaiscíoch treasna dhom, agus do bhain sé dhíom í;
agus b'ainim do Sciathán Dú-Ghlas."

"Bímuid ag ithe linn go fóill," adúirt Dúilimín, "agus beig dhá
scéal ar a' ball againn ! "

Mar sin a bhí. Níorbh fhada gur buaileag a' cuaille córaic aríst.

"Amach leat go diail," adúirt a' sean-laoch le n-a theachtaire
féin, "agus féach cé bhuail a' cuaille córaic aríst ! "

Chua sé sin amach, agus do chais sé isteach.

"Tá gaiscíoch eil' amuh," adúirt sé, " a bhuail a' cuaille córaic."

"Amach leat," adúirt sé, " agus tabhair isteach ar ghreim cluaise
é sin chúm ! "

Chuaig a' teachtaire amach, agus do thug sé an gaiscíoch a bhí
amuh isteach ar ghreim cluaise leis. Chua sé-sin siar insan áit a
raibh Dúilimín agus a' sean-laoch, agus nuair a chua sé siar insan
áit a rabhadar, do chaith sé é féin ar a ghlúine.

"Gabhaim míle párdún chút, a Chonaill Ghulabain ! " adúirt sé.
"Ní le hí bean ná céile a dhéana gon Bhas Bharra-Gheal ón nGréig
a thug mise liom í, ach shíl mé gom fheárr a bhí me ábalta ar aire a
thabhairt di ná mar a bhí Lúth-Éadarom nú go dtactá chút féin."

"Tá sin go hana-mhath," adúirt Dúilimín aríst, "ach cá'il A'
Bhas Bharra-Gheal ón nGréig anois ? "

"Níl fhios agum," adúirt sé. "Bhí mé a' teacht, agus í agum,
a' dul abhaile. Do tháinic fear treasna dhom a bhain díom í am
ainim do Sciathán Sciath-Ghlas."

"Very well," adúirt Dúilimín, "bímuid ag obair linn go fóill,"
adúirt sé, "agus beig dhá scéal ar a' ball aguinn ! "

Mar sin a bhí. B'fhíor do Dhúilimín aríst. Níorbh fhada an
aimsir nú go dtáinic an gaiscíoch amuh aríst, agus do bhuail sé an
cuaille córaic.

"Amach leat go diail," adúirt a' sean-laoch aríst le n-a theacht-
aire féin, "agus tabhair isteach leat pé ar domhan fear a bhuail
an cuaille córaic ar ghreim cluaise ! "

Amach leis sin, agus riug sé ar chluais ar a' ngaiscíoch a bhí amuh, agus níor stop sé riamh nú go dtug sé isteach san áit a raibh a' chuid eil' acu é. Nuair a thaini sé sin isteach, do chua sé ar a ghlúine, é féin, aríst.

"Gabhaim míle párdún chút, a Chonaill," adúirt sé. "Ní le hí bean ná céile a dhéana gon Bhas Bharra-Gheal ón nGréig a thug mise liom í, ach shíl me gom fheárr an fhuil agus an fheóil a bhí ionam héin ná mar a bhí i n-éinn' eile gon mhuíntir a raibh sí ucu, agus go dtabhairfeadh mo dhriféaracha agus me héin aire dhi nú go dtactá chút féin!"

"Tá sin go math," adúirt Dúilimín aríst, a' freagairt a' scéil, "ach cá'il A' Bhas Bharra-Gheal ón nGréig anois?"

"Níl fhios agam," adúirt sé. "Bhí me a' dul abhaile agus í ar bórd soithig agam. Lá dosna laethanta, do bhuail slam cheó aniar an fharraige chúm, agus níor stop riamh nú gur thúirlinn sé ar bhórd a' tsoithig chugam, agus do thóg sé uaim í lé crúca a bhuail sé ínti."

"Ach a' bhfuil tuairisc ar bith agut ce hé i n-ao'chor?" adúirt Dúilimín leis aríst.

"Níl fhios, ach 'o réir mo thuairime gurab é Seán Feille-Bhéasach é," adúirt sé, "an gaiscíoch."

"*Very well*, anois, cad athá lé déan' aguinn?" adúirt Dúilimín aríst.

"Níl aon ghiob," adúirt Conall, "ach dul ar a tuairisc aríst; agus dún dobhrthain colla agus cúntaracht chúm nú go bhfaighi me An Bhas Bharra-Gheal amach aríst!"

Mar sin a bhí. "Ragha mise leat," adúirt Lúth-Éadarom, "agus tabhairfi mé an méid cúna a dh'fhéadfa me dhuit!"

"Raghaig agus mise," adúirt Sciath-Ghlas, "agus tabhairfi me cúna dhuit; agus déanfamuid ar fad ár ndíheallt!"

Mar sin a bhí. D'imig a' creathar le chéile, agus Dúilimín le n-a sáil aniar. "Ach a' bhfuil aon tuairisc i n-ao'chor aguib ca'il ríocht Sheáin Feille-Bhéasach?" adúirt Dúilimín leóthu.

"'O réir mar is dói liom," adúirt duin' 'osna gaiscíg, "'s é an áit a bhfuil sé insa Domhan Thiar; agus níl aon fháil ag éinne *land*áil ansin, mar tá claidhe le balla na ríocht' aige athá a' casa tuaifeal, agus níor mhuar 'uit a bhe' id ghaiscíoch math chuig eighrí os a cheann sin. Dá mbuailfeadh sé tu dhéanfadh sé millthín glaeithín díot."

D'imíodar leóthu, agus níor stopadar choíhe nú gur chuadar siar insan áit a raibh ríocht Sheáin Feille-Bhéasach. Nuair a chuadar siar, chonnaiceadar a' claidhe, agus é a' déan' orthu, agus é a' casa tuaifeal.

"Eighrig, a Lúth-Éadarom!" adúirt Dúilimín, "agus stop a' claidhe!"

D'eighrig Lúth-Éadarom, agus bhuail a' claidhe é, agus dhin sé millthín glaeithín de.

"Eighrig, a Sciatháin Dú-Ghlas," adúirt sé, "agus stop a' claidhe!"

D'eighrig Sciathán Dú-Ghlas, agus dhin sé an cleas céanna leis.

"Eighrig, a Sciatháin Sciath-Ghlas," adúirt sé, "agus stop a' claidhe!"

D'eighrig Sciathán Sciath-Ghlas, agus is é an scéal céanna a bhain amach do.

"Well," adúirt sé, "níl éinn' aguinn anois ach sinn féin," adúirt sé. "Cuínig, [a Chonaill], ar a' mBas Bharra-Gheal ón nGréig, agus eighrig, agus stop a' claidhe!"

Le n-a línn sin, d'eighrig Conall os ceann a' chlaidhe, agus do bhuail sé cic ar a' gclaidhe a bhí a' casa tuaifeal, agus leag sé seach' bpéarsa ar ghah aon taobh de; agus chuadar araon isteach. Do bhí teh muair ansin istig, agus ghabhadar tríd a' dteh muair nú go ndeaghadar isteach go dí an gcistean. Nuair a chuadar isteach go dí an gcistean, bhí tine mhuar thíos ar ghráta na cistean, agus ní raibh éinne beó insa teh ach cat a bhí istig cois na tine agus a hagha suas orthu. Nuair a chuadar isteach, agus d'fhéach sí suas ar Chonall do bhain sí searr' aisti féin, agus do dhin sí dhá oiread a chuir ínti féin. An tarna searra a bhain sí aisti féin dhin sí có mór le searrach asail í féin.

"Seisire córaic ort," adúirt Conall, "mar 'á mbainteá an tríú searr' asat féin, ní gráthach gur liom a chuirfeá!"

"Á, donn dobhrthain coll' agus cúntaracht go dí t'oide múinte!" adúirt a' cat. "Dá bhfaighinn-se an tríú searr' a bhaint asam héin," adúirt sé, "is beag áil a bheadh agut a bheith a' caínt liom!"

Le n-a línn sin chua Conall agus a' cat insan acharann le chéile, agus do bhí troid mhuar eatarthu. Fé dheire, insa troid dóib, chuir Conall an claíomh thíos fén gcat, agus d'oscail sé suas go dí [a] bárr í. Má d'oscail choíhin, nuair a bhí an cat a' fáil bháis, do bhí ionga i n-a riuball, agus do chuir sí thíos fé Chonall é, agus do dhin sí an ascailte chéanna a thabhairt do. Thiteadar araon lé chéile ar lic a' teallaig.

Ní raibh éinn' eatarth' araon ansin ach Dúilimín, agus, *by dad*, d'fhéach sé theiris, agus choinnic sé dabhach i gcúinne na cistean a' seasa.

" Do ráingeódh dá lithéide bhe'," adúirt sé, " i n-a dabhach slán-aidhnce, agus tástálfa mé é."

Do riug sé ar chroí Chonaill, agus cheap sé gurb é a bhí aige, agus chuir sé isteach i gConall é, agus nuair a bhí an croí istig ann ansin, do chimil sé braon don tslán-aidhnce do, agus d'eighri sé suas chó sleamhain chó slán a's bhí sé riamh.

Bhí an cat marabh ar lic na tine. Níor bhac Dúilimín lé n-é thógaint. D'imíodar ar fuaid a' tí ansin, agus bhíodar a' féachaint ar ghah aon rud dá raibh ann. Ach, *by dad*, do ránga dhóib i n-áit eicínt dá rabhadar a' góil—cad a gheódh thórstu ach luch, agus do lean Conall í. Do riug sé ar an luich, agus do chuir sé treasn' i n-a bhéal í.

" Tá go math," adúirt Dúilimín. " Tá an méid sin *mistake* déant' agum-s' ort-sa, a Chonaill ! "

Thug sé leis aríst é, [agus do mhara sé é], agus d'oscail sé an [cliabharach] aríst, agus do bhain sé croí an chuit as amach, agus chuir sé a chroí féin ann isteach. Nuair a dhin choíhint, do chimil sé an tslán-aidhnc' aríst do, agus d'eighri sé suas chó sleamhain chó slán agus do bhí sé riamh, agus a chroí féin ann istig. Bhí go math ansin.

D'imíodar leóthu, agus do bhíodar ag imeacht ar thuairisc An Bhas Bharra-Gheal, agus ní raibh aon bhlas dá tuairisc lé fáil acu. D'imíodar leóthu ansin nú go ndeaghadar mar a raghaidíst siar i dteh tamall ó bhaile ón dteh muair. Chuadar isteach ansin, agus do bhí seana-bhean ansin istig.

" 'Bhfuil aon tuairisc agat i n-ao'chor," adúirt sé leis an seana-bhean, " cé an áit a bhfuil Seán Feille-Bhéasach ? "

" Ó," adúirt a' tseana-bhean, " níl aon fháil agum-sa inseacht duit cá'il Seán Feille-Bhéasach."

" M'anam," adúirt Dúilimín, " dá mbeadh i ndán agus go mbeadh cuma ar domhan ar an scéal," adúirt sé, " agus go bhféadfainn-se Seán Feille-Bhéasach a chuir chuig báis—agus gur agum athá an

fear a dhéanfadh é anseo anois—go mbeinn-se agus tusa go hana-
mhath as anseo, mar phósfamuíst, agus bheadh ríocht Sheáin
Feille-Bhéasach ar fad lé chéile aguinn!"

" Á," adúirt an tseana-bhean, " ba bheag a' mhath dhúinn a
bhe' ad iarra Seán Feille-Bhéasach a chuir chuig báis, mar tá iomurca
easarlaíochta aige, agus ní dhéanfadh ár ndíheallt é."

" Ná bac leis sin!" adúirt Dúilimín. " Bhemuíst go math as dá
ndineamuíst é sin."

" *Well*, anois," adúirt sí, " tá Seán Feille-Bhéasach," adúirt sí,
" agus bíonn sé imithe gach uile lá, agus ní thagann sé go mbíonn
sé i gceann i bhfad san oíhe, agus caithim a shuipéar a bhe' i gcóir
agum-sa dhó ansin. Is é an áit a gcollaíonn sé ar sean-*gharret* athá
ansin anáirde," adúirt sí, " agus ón uair amháin a luífi sé ar a
leabain nú go n-eighrí sé, pé ar domhan rud a bheig lé titeam amach,
níl aon fháilt an leaba fhágaint aige go dtagaig an lá larnamháireach
air. Agus anois," adúirt sí, " is sean-fhear beag, sioscanta go math
tusa. Tá *garret* eile ansin thuas," adúirt sí, " agus tá an oiread seo
do gach aon tsórt troscáin agus do sean-*tin cans* agus sean-chorcáin,
agus gach uile rud ann. Teighre suas, agus nuair is dói lé Seán a
bhe' ag titeam i n-a cholla, beir ar cheann acu, agus buail fén gceann
eil' é, agus bí ag déana *rattle*ála go maidean; mar má chuireann tusa
Seán ó cholla trí oíhe, níl aon mhath ann ach an oiread le haon fhear."

" Tá go math!" adúirt Dúilimín. " Mise an buachaill a dhéan-
faig é sin!"

Bhí go math. Chaith Dúilimín agus Conall an lá go math nú go
dtainic cúntrá dubh dorcha na hoíhe, nú go raibh Seán Feille-Bhéasach
le línn theacht. Chuir an tseana-bhean Conall amach, agus chuir sí
Dúilimín suas ar an n*garret*. Thaini Seán Feille-Bhéasach, agus d'ua
sé a shuipéar, agus chua sé a cholla. Bhí go math. An chéad tsrann
a d'airig Dúilimín uaig, do bhuail sé *rap* do chorcán fé chorcán eile,
agus dhin sé torann a chroth a' teh. Do dhúisig Seán Feille-Bhéasach
ansin. D'airi sé srann eile uaig, agus nuair a d'airi sé an tara srann
uaig, dhin sé an cleas céanna aríst. Ach chuig a' scéil a dhéana
gairid, bhí sé ag góil do chorcáin fé chéile go maidean; agus níor
chodail Seán aon néal.

Nuair a d'eighri Seán ar maidin, agus bhí sé a' dul ag imeacht
aríst: " Cuid é a' rud é siúd a bhí ar fhuaid a' tí araeir a choinnig ó
cholla me, nú cad a bhí ann?" adúirt sé leis an mbean tí.

" Á, a ghrá," adúirt an bhean tí, " is dócha gur ceann dosna cuit a d'fhág me istig araeir, agus bhí sé thuas ar a' n*garret*, agus bhí sé a' déana gleó a's riogáile i gcathamh na hoíhe, agus d'airi me héin é sin."

" Má d'fhágann tú anocht ann é," adúirt sé, " ní íosa tú aon ghreim let' shaol ! " adúirt sé.

" Ní fhágfad, a ghrá, má d'fhéadaim é ! " adúirt sí.

Bhí go math. D'imig Seán ansin; agus bhí lá math ag Dúilimín agus ag an gcaillig faid a bhí sé ìmithe. M'anam, pé ar domhan meas a bhí ag a' gcaillig ar Dhúilimín an lá roimhe sin, ach gur mó an meas a bhí larnamháireach aici air. Do bhíodar a' déana suas lé chéile ar fhaid a' lae.

D'fhan mar sin go dtainic an oíhe airíst, agus, ar mh'anam, nuair a bhí Seán Feille-Bhéasach lé línn theacht, gur chuaig Dúilimín ar an lota; agus, má chuaig choíhe, nuair a d'airi sé an chéad tsrann ó Sheán, gur bhuail sé *rap* ar chiotal nú rud eicínt eile agus gur dhin sé torann. Dhúisi sé Seán. Nuair a bhí Seán lé línn titeam aríst, dhin sé an cleas céanna; ach do chaith Seán an tarna hoíhe gan aon néal a cholla.

Do bhí Seán go tuìrseach tnáite ansin. D'eighri sé [ar maidin] agus dhearabha sé lé mionnaí muara dá bhfágadh saí aon ghleó istig an tríú hoíhe, ná faigheadh sé colla an tríú hoíhe a dhéana, go ndéanfadh sé millthín glaeithín di.

" Ní fhagfad, a ghrá," adúirt an tseana-bhean, " agus cuairteó me an teh i ngach uile nós lé faitíos go mbeadh aon tsórt ní anocht ann, insa chaoi go bhfaighi tú an oíhe a cholla go math."

Bhí go math. D'imig Seán ansin; agus do bhí an lá níos feárr ag Dúilimín as sin go dí an oíhe. Bhí sé féin agus an tseana-bhean go hana-mhath lé chéile.

Bhí go math. Nuair a bhí an tríú hoíhe le teacht, do thainic Dúilimín, agus chua sé ar an lota; agus do bhí an tseana-bhean a' cuir i gcóir do, agus do bhí a shuipéar i gcóir aici do Sheán Feille-Bhéasach. D'uaig Seán a shuipéar, agus chuaig do choll' aríst; agus, má chuaig choíhe, níor dhada an trúmpléasc riamh go dí an tríú hoíhe.

D'eighri Seán Feille-Bhéasach ar maidin, agus ní raibh sé ábalta ar a bhéal ascailt. Bhí colla na trí oíhe caillte aige, agus bhí a chuid draíochta caillte ar fad aige.

Mar sin a bhí. D'eighrig Dúilimín, agus thaini sé anuas, agus chua sé agus thug sé leis Conall.

" Siúil anois," adúirt sé, " a Chonaill. Tá Seán Feille-Bhéasach duit féin agut ! " adúirt sé.

Mar sin a bhí. Ar mh'anam go ndeagha Seán Feille-Bhéasach agus Conall—go ndeaghadar fé chéile, agus, má chuadar choíhint, do bhíodar a' troid ar an dtalamh i gcathamh a' lae, agus, má bhíodar a' troid ar an dtalamh i gcathamh an lae, nuair a bhíodar tuìrseach do throid ar an dtalamh, d'eighríodar san aer. Bhíodar insan aer; agus ba dh-é an rud a bhí ann uair seaca. Bhí Dúilimín ar a' dtalamh a' féachaint suas i n-a gcoinne. Do bhíodar seach' lá agus seach' n-oíhe a' troid insan aer fér thúirlinníodar. Bhí aimsir sheaca ann, agus bhí coínnle braighneáin a' fás as gruaig fhada a bhí ar Dhúilimín ó bhe' a' féachaint suas i gcoinn' an aeir, cé an uair a bheadh Conall Gulaban a' teacht anuas chuige. Thiteadar anuas ar a' dtalamh chéanna a rabhadar. Bhí Dúilimín ceangailte gon talamh ag na coínnle braighneáin, agus níorbh fhéidir leis aon chor a chuir de. Do thosanaig a' troid aríst eatarthu ar a' dtalamh mar a bhíodar riamh; agus níorbh fhéidir lé Dúilimín corraí chuig aon chún' a thabhairt uaig. Pé scéal é, do fuair Conall strac' a thabhairt do nú go dtug sé na coínnle braighneáin as a' dtalamh, agus d'eighrig leis breith ar Dhúilimín. Do bhí an lámh i n-uachtar a' dul ar Chonall Gulaban. Má bhí choíhint, do tháinic a' sprideóigín ó Éire:

" Comaraí m'anam ort, a Chonaill Ghulaban," adúirt sé, " a mhac Mhóir Ní Loidín agus Líofa Cholagan ! Níl éinn' anseo chuig tu chaoine ná do shíne ach mise, agus is fad' an lá go mbeitheá foilithe agam lé soipín cúnaig a thabhairfinn in mo ghob ón nDomhan Thoir. Níl agut anois," adúirt sí, " ach trí cearthúna uair' a' chloig nú go mbeig Seán Feille-Bhéasach chó láidir agus bhí sé aon lá riamh. Agus tá seana-bhean ansin thoir insa tsean-teh sin thoir athá a' crua an (sic) draíochta do Sheán Feille-Bhéasach. Cuir an sean-fhear beag sin tháll atá i n-éindí leat—cuir soir go dí an seana-bhean é, agus druideadh sae síos léithi; b'fhéidir go bhféadfadh sae an luintheán athá aici a' crua an draíochta a scioba uaithi i gcum' eicínt. Tabhair leat a' luintheán, agus túm i gcoinne na habhann athá ansin thoir é, i n-ainim an Athar 's a' Mhic, trí huaire, agus buail i n-agh' an chroí ar Sheán Feille-Bhéasach é, agus be sé marabh ansin agut ! "

Ba mhath a' mhaise sin do Dhúilimín. Seo leis có dian a's b'fhéidir leis go dí an seana-bhean, agus do bhí sí ansin, agus í a' crua an draíochta thíos ar a' dtine insa chorcán có dian a's b'fhéidir léith' é. "Agus anois," adúirt [an sprideóigín] leis, "nuair a bhe sí a' crua an draíochta, beir ar lán do dhoirin gon draíocht athá insa gcorcán aici nuair a dhruidfi tú síos léithi, agus caith ar a' dtin' é, agus spréachfa sí-sin suas mar a spréachfadh a' púdar. Buailfi sé suas insna súile uirthi, agus ní fhágfa tú aon léas radhairc aici, agus cathfa sí an luintheán leat. Cas ar an luintheán, agus sciob leat é ansin! "

Mar sin a bhí. Chuaig Dúilimín soir, agus do dhird sé síos go dí an seana-bhean. Bhí sí-sin ar a díheallt agus í i n-a suí síos a' crua an draíochta. Dhruid Dúilimín léithi síos, agus bhain sé prioc aisti. Chrom sé ar bhe' a' baitsiléireacht léithi. Bhuaileadh sí cúl doirin air, agus ruitheadh sé uaithi. Ach fé dheire bhí sé a' góil fúithi a's theirsti nú go bhfuair sé druideam leis a' gcorcán agus lán a dhoirine gon draíocht sa chorcán [a thógaint]. Chrom sé agus chaith sé síos ar a' dtin' é. Phléasc sé suas [idir] a' dá shúil uirthi, is níor fhág sé léas aici. Do ruith Dúilimín amach a' doras; agus cheap sí buille gon luintheán a bhual' air, agus lá[mha]i sí an luintheán leis. Chas Dúilimín ar a' luintheán, agus *away* leis, agus a' luintheán aige.

Nuair a chas Dúilimín agus a' luintheán aige, cheap sé féin a' marú a dhéana. Cad a dhin sé ach déan' ar Sheán Feille-Bhéasach chó dian a's b'fhéidir leis é, agus níor dheagha sé go dí an sruthán dá thum' ann. Do bhuail sé snaídhm don luintheán aniar sa droim air go ndineadh sé féin é mharú. Le n-a línn sin d'eighri Seán Feille-Bhéasach aniar ar a thóin, agus bhí sé a' teacht chuige féin.

"Á, comaraí m'anam' ort, " adúirt a' sprideóigín, "níor dhin tú do ghró ceart! Nár 'úirt me leat an luintheán a thum' insan abhainn agus tu féin an gró a dhéana ? "

Do chua Conall Gulaban, agus do bhain sé an luintheán do Dhúilimín, agus, má bhain choíhe, chua sé, agus thúm sé trí huaire i n-ainim an Athar agus a' Mhic insa sruthán é, agus thaini sé , agus bhuail sé Seán Feille-Bhéasach aniar insa drom leis, agus shín sé siar. Do bhuail sé an tarna pléasc air, agus do chuir sé a cheann san aer. Nuair a bhí an ceann a' teacht ar a' gcolainn chéann' aríst, riug sé i

n-a dheas-láimh air, agus do bhuail sé snaídhm de i gcoinne balla a
bhí gairid do, agus do dhin sé millthín glaeithín de.

" Níor mhuar 'uit ! " adúirt a' glór caínte a bhí ag a' gcloigeann.
" 'Á dtagainn-se ar a' gcolainn chéann' aríst, ní mharódh a' saol go
léir me ! "

Mar sin a bhí. Ach ní raibh aon tuairisc ar A' mBas Bharra-Gheal
ón nGréig acu.

" Ach," adúirt sé leis a' gcloigeann shar ar cailleag é, " cá bhfuil
An Bhas Bharra-Gheal ón nGréig ? "

" Tá sí i n-a lithéide seo 'raidhleán, i n-a lithéide seo g'áit, agus
is ann athá sí anois."

Mar sin a bhí. D'imig Dúilimín agus Conall nú go ndeaghadar
go dí an raidhleán, an áit a raibh An Bhas Bharra-Gheal. Do bhí sí
ansin sleamhain slán. Do thug Conall leis í; agus, má thug choíhe,
do phós sé Dúilimín agus a' tseana-bhean a bhí insa teh muair le
chéile, agus nuair a bhíodar pósta ansin, agus a' ríocht fuite acu, do
thug sé An Bhas Bharra-Gheal leis aniar abhaile go teh a athar agus
a mháthar féin aríst.

Bhí go math. Nuair a thaini sé abhail' ansin, agus A' Bhas
Bharra-Gheal aige—do ghuibh triúr gaiscíoch a' bóthar idir é theacht
agus imeacht, agus chuireadar ríocht a athar fé dhraíocht insa chaoi
ná raibh fear a' treabha, fear a' fuirse, ná fear a' tiomáint ann, ach a'
t'athair a's a' mháthair ar gach taobh don tine i n-a dhá sintheóir
críonna liath. Tháinig Conall agus An Bhas Bharra-Gheal isteach
chucu, agus d'iarradar lóistín orthu.

" Well," adúirt an sean-fhear a bhí istig, " níl aon áit lóistín
againn d'úr lithéidí insa nós a bhfuileamuid, mar níl aguinn ach sinn
féin araon, agus támuid caite críonna, agus ní fhéadfamuist aon chóir
a chuir oraib ! "

" Ó," adúirt Conall Óg, " déanfamuid héin é sin," adúirt sé,
" ach níl uainn ach lóistín na hoíhe."

" Tá sin le fáil aguib agus céad fáilte ! "

D'eighrig an seana-bhean, agus bhí sí a' cuir i gcóir geach uile
rud chó math agus d'fhéad sí chuig lóistín math a bheith aici [dhóib].

" Well," adúirt Conall Óg leis an sean-fhear, " cuid é a' rud a
bhain duit-se anseo ó ghui' mise an bóthar heana ? "

" Ó, a ghrá, níl fhios agum ! " adúirt sé.

" A' raibh éinne riamh agut ach tu féin ? "

" Bhí aon mhac amháin," adúirt sé, " agus d'imi sé uaim, agus
ní fhaca mé beó ná marabh é ó chaith An Bhas Bharra-Gheal ón
nGréig taibhre[amh] chuige. D'imi sé fé n-a déin sin," adúirt sé,
" agus ní fhaca mé beó ná marabh, istig ná amuh, ó choin é, agus is
dóch ná maireann sé."

" Is dóch go bhfuil a dhóchaint lé déana aige ! " adúirt a' fear a
bhí a' caínt leis. " Cé a' rud a bhain don chúirt agus don áit ó
choin ? "

" Ghuibh triúr gaiscíoch anso an bóthar lé linn é bheith imithe,"
adúirt sé, " agus chuireadar an chúirt fé dhraíocht; agus tá mise
agus mo sheana-bhean ó choin gan aon tsórt ní ach mar athámuid."

" Donn dobhrthain colla agus cúntaracht chúm-sa," adúirt
Conall Óg, " má cholló mise aon dá oíhe ar aon leabain, agus má
d'íosa mé aon dá bhéile bí ar aon bhórd, nú go dtuga me ceann na trí
ghaiscíoch sin chút-sa ar trí ghad ! "

Mar sin a bhí. Chodail sé féin agus An Bhas Bharra-Gheal an
oíhe sin ag teh an athar; agus do bhí fáilte mhuar ag an athair
rimhe nuair a bhí fhios aige gurab é bhí ann.

Ar maidin larnamháireach níor throm suan do. D'eighri sé agus
do chuir sé i gcóir é féin, agus níor stad leis [riamh ná] choíhe nú
gur imig leis, agus go raibh sé a' siúl leis ar fhaid a' lae. A' siúl leis
ar fhaid an lae dho, do bhuail sé isteach árd-tráthnóna, agus é
tùrsach tnáite, ag seana-chúirt mhuar, fhada, fholamh, ná raibh aon
tsórt duine beó istig ínti, ach sórt áit tine thíos; agus bhí càthaoir
óir leacaithe lé taobh na tine, agus cathaoir airigid ar a' dtaobh eile.
Do chuaig Conall Gulaban isteach, agus do shui sé ar a' gcathaoir óir.
Mar sin a bhí. Dhá thúisce ar shui sé ar a' gcathaoir óir, do bhuail
colla na nae lá agus na nae n-oíh' aríst é.

Bhí go math. Do bhí na triúr fathach a bhí insa chúirt sin—is é
an áit a rabhadar insa Domhan Thoir le n-a gcuid gabhar. Do
theanadar abhaile tráthnóna agus a gcuid gabhar acu. Choinnic-
eadar an gaiscíoch i n-a shuí ar a' gcathaoir óir, agus ar mh'anam
gur bhuail faitíos iad. Do riug duine acu air, agus bhain sé cor as.
" B'fheárr 'úinn é thabhairt linn," adúirt sé, " agus é chatha i n-a
leithéide seo 'o pholl," a' cuir ainim ar pholl talún a bhí gairid don
teh. Do riugadar air, agus do bhaineadar dhe a chulaithe ghaisce
agus do bhaineadar dhe a chlaíomh, agus do chathadar nochtaithe

síos insa pholl é mar a bheadh sé caite síos i bPoll na nGolam. D'fhain mar sin.

Theanadar abhaile; agus bhí Conall thíos; agus do bhí sé chó fada thíos agus gur imi sé ar fhuaid na dtor agus ar fhuaid a' ríocht a bhí thíos ar fiog seach' mbliana. Do bhí sé ar fiog seach' mbliana ag imeàcht ansin, agus an méid a bhí air caite, stróicithe, agus gruaig a' fás amach trí n-a chraiceann mar a bheadh beithíoch.

Mar sin a bhí. Casamuid siar ar Dhúilimín aríst!

Do bhí Dúilimín sa Domhan Thiar, é féin agus a sheana-bhean; agus do bhuail *invasion* eicínt isteach ar a' ríocht. Thainig na fathaig isteach, agus do bhaineadar a' ríocht do Dhúilimín.

"Fan ansuin," adúirt Dúilimín leis a' seana-bhean, "agus tá fhios agum-sa cé bhfaighi me fear a chuirfig na fathaig amach arís agus a bhuafaig a' ríocht dom!"

Away leis, agus níor stop a chos riamh riamh go dtaini sé abhaile insan áit a mba cheart do Chonall a bheith. Bhuail sé isteach teh athar Chonaill, agus ní raibh éinne ann ach A' Bhas Bharra-Gheal agus a' tsean-lánú. Do bhuail Dúilimín chucu isteach, agus ar mh'anam gur aithin An Bhas Bharra-Gheal é, agus do bhí fáilt' an domhain rimh Dhúilimín aici.

"Ara, a Dhúilimín," adúirt sí, "cad a chuir chúinn aríst tu?"

"Tá," adúirt Dúilimín, "ar nó, tháini mé ar thuairisc Chonaill."

"Ó, ó," adúirt sí, "ní fhaca mise Conall ón oíhe d'fhág sé anseo me, tá seach' mblian' ó choin. D'imig sé ar thuairisc fathaig a chuir draíocht ar a' ríocht seo mar athá sé anois," adúirt sí, "agus ní fhaca me beó nú marabh [ó choin é], agus is dócha ná fuil sé beó!"

"Donn dobhrthain colla agus cúntaracht chúm-sa," adúirt Dúilimín, "má chollo mise aon dá oíhe ar aon leabain, agus má d'íosa mé aon dá bhéile bí ar aon bhórd, nú go bhfaighi mé amach Conall pé ucu beó nú marabh athá sé!"

Chodail sé an oíhe sin sa teh i n-éindí leóthu, agus ar maidin larnamháireach d'eighri sé agus bhuail chuig a' tsiúil, agus lean sé an *track* céanna a lean Conall. Árd-tráthnóna, bhuail sé isteach insa tseana-chúirt chéanna ar bhuail Conall ann; agus do bhí an dá chàthaoir leacaithe ar ghach taobh [don teallach]. Ní raibh aon tine thíos, ná ní raibh ceart ná cóir ar fhuaid a' tí, agus bhí gach uile shórt salachair ar fhuaid a' tí. D'iúmpa Dúilimín thímpeall, agus do fuair sé scuab, agus ghlain sé an teh, agus níor fhág sé blas salachair

ínti (*sic*) nú gur dhin sé chó glan lé criostal í. Riug sé thuas ar a chuid
brosna, nú ar pé ar domhan cóir tine a bhí ann, agus chuir sé tine
chó breá agus choinnic tu riamh síos. Shui sé síos ar a chathaoir do
féin ansin, agus do bhí sé ansin nuair a thainic na fathaig abhaile.

Thainic duine 'osna fathaig isteach féachaint a' raibh éinne istig,
agus cé bheadh istig ach mo bhuachaill chó lách, chó deas agus
choinnic tu riamh. Ní fhaca tu aon áibhéis riamh mar a bhí ar an
bhfathach. Chua sé amach aríst go dí an chuid eile dosna fathaig,
agus na gabhair amuh insa tsráid acu.

" A' bhfuil éinne istig ? " adúirt an fathach críonna a bhí amuh.

" Ó, tá," adúirt sé. " Tá sean-fhear istig," adúirt sé, " agus is é
an duine is laohaí agus is deise a choinnic éinne riamh é. Tá tine
bhreá thíos dúinn, agus ní aithneófá an teh i n-ao'chor, tá sé i gcóir
chó deas san aige."

Chuadar isteach. Ní fhaca tú aon áibhéis riamh mar a bhí orthu.
Bhí fáilte an domhain acu roimh an sean-fhear beag, chó fáiltiúil
agus choinnic tú riamh i ngach uile shórt nós. Shuíodar síos, agus
bhíodar breá cúmpórdach. Chuireadar síos feóil, agus bhí suipéar
mór acu. Nuair a bhí an suipéar beirife acu, bhí a scian agus a fhorc
féin ag gach aon fhathach ; agus ní raibh insa teh ach an méid a bhí
acu féin. Ní raibh scian ná forc ann le hagha Dhúilimín, agus é i n-a
shuí ag a' mbórd i n-éindí leóthu. Bhí sé a' féachaint orthu sin ag
ithe, agus níorbh fhéidir leis féin aon ghreim ithe.

" Cùma ná fuil tú a' ithe ? " adúirt an fathach críonna leis.

" Ní féidir liom aon ghiob ithe," adúirt Dúilimín ; " ar ndó, níl
scian ná forc agum ! "

" Fan go fóill ! " adúirt an gaiscíoch óg. " B'fhéidir go bhfaigh-
inn-se scian duit."

D'eighri sé go léim, agus chua sé suas ar a' lota, agus céard a
thabhairfeadh sé chuige anuas ach claíomh Chonaill ! Nuair a
choinnic Dúilimín claíomh Chonaill, d'aithin sé láithreach é.

" Déanfa sé sin an gró ! " adúirt Dúilimín.

Chrom sé ar bheith a' gearra feóla agus ag ithe nú go raibh a
dhóchaint muar (*sic*) i ndáil le bhe' it' aige ; agus nuair a bhí a
dhóchain i ndáil le bhe' it' aige, dheamhain blas a dhin sé ach scor
don chlaíomh a chimil do cheann do mhéaracha a lá[mh] nú gur

gheárr sé é. Riug sé ar a' gclaíomh, agus chaith sé ar an úrlár é.
Liúi sé, agus bhéic sé, agus mhurdar sé. Chuir sé a mhéar suas i
n-a bhéal.

"Ó, cad athá ort?" adúirt na fathaig leis.

"Ó, m'anam 'on chliar!" adúirt sé, "go bhfuil an mhéar bainte
dhíom, agus dá mbeadh fhios agum cé hé go raibh an tseana-scian
sin aige," adúirt sé, "ná stopfainn choíhe go mbeadh a anam agum!"

"Ó, ná bac leis!" adúirt duin' 'osna fathaig.

"Ní dhéanfa sé an gró," adúirt Dúilimín. "Cathfa mé sásamh
fháil ón bhfear a raibh an scian aige!"

"Fan leat go dí amáireach," adúirt a' gaiscíoch óg, "agus
spáinfi mise dhuit cá'il a' fear a raibh an scian sin aige, agus cér
chathamair é."

"Tá sin go math!" adúirt Dúilimín. Bhí sé siúireáilte ansin go
bhfaigheadh sé amach an áit ar chuireadar Conall.

Cheangalaíodar suas a mhéar ansin, agus bhí sé sásta go leór.

Ar maidin larnamháireach níor throm suan do Dhúilimín. Chua
sé go dí an bhfathach, agus d'fhiafra sé dhe cár chaith sé an bithiún-
ach ar gheárr an scian a bhí aige an mhéar de.

"Siúil leat," adúirt sé, "agus 'spáinfi mise dhuit é!"

Thiosáin sé an poll do ansin ar chaith sé síos Conall Gulaban ann.
D'fhan mar sin.

"Tá sé-sin go math ansin," adúirt Dúilimín, "anois; dheamhan
a gcasfaig choíhint dhe. Tá sé thíos anois. Tá mé sásta!"

Mar sin a bhí. Tháini sé abhaile, agus bhí sé a' tabhairt aire gon
teh chó math céanna nú gur imig na fathaig, agus níor fhág sé rópa
ná córda i n-aon tsórt áit ar fhuaid a' tí nú gur dhin sé cábala muar a
raghadh síos go tóin a' phoill do. Chuir sé as a chéile é, agus chean-
gail sé thuas é. Chua sé ar liobarna as a' gcórda nú go ndeagha sé
síos go tóin a' phoill, agus ní raibh tóin a' phoill i bhfad síos i
n-ao'chor. Nuair a chua sé síos, do bhí tala' breá agus craínn agus
gach uile shórt a bhain don talamh thíos; agus do d'imi sé ar a
fhuaid abhus a's tall i ngach uile shórt áit, agus é a' cuartach
Chonaill Ghulabain. *By gor*, amach san uair, d'airi sé an trustar ag
imeàcht as na toir, agus cad a d'fheicfeadh sé ach samhailt mhuar ag
imeàcht i n-a bheithíoch fiain; agus insa chúntanós a bhí air d'aithin
sé go mba dh-é Conall é. Do bhí sé imithe fiain, agus bhí sé i n-a
gheilt gan aon chuíne aige go bhfaca sé An Bhas Bharra-Gheal riamh.

" Ara, a Chonaillin deas, cé an chiall ná fanann tú le Dúilimín, nú an gcuíníonn tú ar' A' mBas Bharra-Gheal anois i n-ao'chor ? "

Ar mh'anam go rai' sé a' leanúint Chonaill, agus Conall ag imeàcht uaig fiain. Níor chuíni sé ar fhear ná ar dhuine nú gur thug sé An Bhas Bharra-Gheal i n-a chuíne agus i n-a aigine aríst. Do sheasa sé, agus d'fhan sé lé Dúilimín. D'inis Dúilimín gach cor do [thríd] síos [thríd] suas, agus gach uile nós 'ár ghui' sé, agus na fathaig a chaith síos é. " Agus anois, a Chonaill." adúirt sé, " siúil leat liom-sa, agus deirim-se leat go [dtabhairfidh] tu ceann na dtrí fhathach sin leat abhaile gan aon bhréag i gcúrsaí beagáin."

Do thug Dúilimín go dí bruach a' phoill é, agus do bhí na córdaí síos ann.

" Siúil leat, a Chonaill," adúirt sé, " agus raghamuid suas na córdaí seo ! "

Riug Conall fé n-a oscail ar Dhúilimín, agus d'eighri sé go léim thíos, agus is gairid a' mhoill a bhí air a theacht aníos ar uachtar. Thaini sé aníos ar uachtar poirt.

" Siúil leat anois, a Chonaill," adúirt Dúilimín, " agus tá fhios agum-sa cé bhfaigheam iad ! "

Thug Dúilimín isteach go cúirt na bhfathach é. Do chuaig Conall suas ar a' lota, agus chuarta sé, agus do fuair sé ann thuas a chulaithe ghaisce.

Well, do chuir Conall Gulaban suas aríst a chulaithe ghaisce. Do shocara sé air a léine bhreá cheavainn shíoda fé n-a chíocha-bhinne criosa, a lamhainne agus a lochannacha géara a bhí mór-scirtíneach breá, barúil deas; a dhá bhróig mhionadhír dhaite Ghaelacha do leathar óg-bhó nár luig ar aon taobh dá dtao'nna féin riamh; a dhá spor ghreanta gon airigead chearbháilte, an dá bhall ba bhreácha a bhí faen saol go léir, a lia agus a chloch fhuíortha, a lann ladartha líofa go rai' sé scríofa ar ghualainn a scéithe go mba dh-é féin cleití lútha meátha, a' fear ar am catha nú crua-chóraic a mharódh céad gan struise, fihe míle gan tarrainnt, a bheárrfadh agus ná geárrfadh agus a thabhairfeadh leis don tarna tarrainnt é.

Mar sin a bhí. Do chuir Dúilimín Conall i n-a shuí ar a' gcàthaoir, agus a chulaithe ghaisc' air [agus d'fhan ansin] nú go dtáinic na fathaig tráthnóna. Nuair a thainic na fathaig tráthnóna, agus a

choinnic Dúilimín a' teacht iad, do bhí na gabhair reómp' amach.
Do chuaig Dúilimín amach, agus do thug sé leis isteach gabhál
clocha, agus leag sé i gcúinn' a' tí iad. A' chéad ghabhar a cheap a
theacht isteach sa chistin, do chaith Dúilimín ruchar do chloih léithi.
Do ruith sí sin amach, agus d'imig na gabhair ar fad trí n-a chéile.

"Teighr' isteach," adúirt a' gaiscíoch críonna, "agus féach
cuid éard athá ar an seana-chearthainín athá istig anseo anocht ná
raibh air aon oíhe riamh fós aghuinn!"

Chuaig a' gaiscíoch óg isteach, agus choinnic Dúilimín a' teacht
isteach é.

"Anois, a Chonaill," adúirt sé, "tá duin' acu a' teacht, agus ná
bí i bhfad go mbeig an ceann agut de!"

Le n-a línn sin do bhí Conall i gcóir istig, agus do bhuail sé
snaídhm dá chlaíomh i mbaic a mhuiníl air, agus chuir sé an ceann
a' rínce ar fhuaid na seana-chistean.

"Tá ceann ast' aghut!" adúirt Dúilimín.

Do bhailig an bheirt eil' a bhí amuh—do bhailíodar na gabhair
aríst, agus cheapadar iad a chuir isteach. Le n-a línn sin, ar mh'anam
gur chaith Dúilimín carraig eile! D'imig na gabhair aríst.

"Á, bheirim 'o Dhia 's do Mhuire é," adúirt an bheirt a bhí
amuh, "tá an fear a chuaig isteach chó dona leis a' bhfear a bhí istig!
Teighre tus' isteach," adúirt a' fathach críonna leis an dtarna
fathach, "agus féach cad athá ar a' bhfear athá istig ach an oiread
leis an gcearthainín!"

Mar sin a bhí. Isteach leis a' dtarna fear; agus do bhí Dúilimín
ag àireachas.

"Seo anois, a Chonaill," adúirt sé, "tá an tarna fear a' teacht,
agus ná bí i bhfad nú go mbeig an ceann leis a' gceann eil' agut!"

Le n-a línn sin, nuair a thaini sé-sin isteach, do bhuail Conall
snaídhm dá chlaíomh i mbaic na muiníl' air, agus chuir sé an ceann
i bhfochair an chínn eile. Bhí an dá cheann anuas ansin aige.

"Seo leat, a Chonaill," adúirt Dúilimín, "bí amuh, níl ann ach
é féin, agus is gairid a' mhoill [ort] é leaga agus é a chur síos!"

Nuair a choinnic an fathach gurbh é Conall a bhí a' góil amach
aríst n-a choinne, as go brách leis insna tréanta, agus ní rai' i bhfad
ar siúl nuair a thainic Conall suais leis, agus do bhain sé an tríú
ceann de.

Do d'imig sé féin agus Dúilimín, agus chuireadar trí ghad ar na trí chloigeann leis na trí fhathach, agus níor stopadar ariamh nú go dteanadar go dí cúirt sheana-Chonaill; agus nuair a theanadar go cúirt sheana-Chonaill do bhí na trí cheann acu. Do bhí an draíocht imithe gon chúirt. Do bhí fear a' treabha, fear a' fursa, fear a' tiomáint ann; agus níl aon tsórt ní a bhí ar n-agha i dtúis a' tsaeil riamh ann ná raibh ann istig.

Mar sin a bhí. Bhí fáilte mhuar roimh Chonall Óg agus roimh Dhúilimín ag A' mBas Bharra-Gheal agus ag a' sean-lánú. Chathadar an oíhe sin i bhfochair a chéile, agus ar maidin larnamháireach, d'imi Dúilimín agus Conall nú go ndeaghadar go dí an [n]Domhan Siar aríst; agus nuair a chuadar go dí an nDomhan Siar aríst, do d'fhiach Conall na fathaig a bhain seilibh thiar do Dhúilimín; chuir sé amach as a' ríocht iad, agus do ghlan sé an ríocht do Dhúilimín aríst, agus d'fhág sé thiar age n-a sheana-bhean é.

Bhí sé réig ansin. Thaini sé aniar abhaile, agus chaith sé a shaol ó choin riamh, é féin agus A' Bhas Bharra-Gheal ón nGréig, i n-éindí le chéile.

Níor thugadar dó-sa ach bróga páipéir agus stocaí bainne reamhair, agus níl fhios agam cé an nós a ghabhadar ó choin !

6. CÍNN ARTÚIR

Well—do bhí anso fadó agus is fadó bhí. Bhí beirt driothár ann, agus dúirt duin' acu leis a' nduin' eile go n-imeódh sé féin.

" Ná himig," adúirt sé, " ach imeó mise. Is tusa an fear is seannda, agus is dom is córa imeacht."

" Ó, fan tusa a' tabhairt aire gon áit seo, agus imeó mise ! "

" Tá go math, " adúirt sé sin, " má thá tu sásta, ach tá fhios agut cé gcasfa tu aon lá a d'oilfi sé dhuit ! "

" Déanfa sin a' gró ! " adúirt sé.

D'eighri sé ar maidin, agus d'ua sé a bhricfeast, d'iarr sé ar Dhia é chuir ar a leas. D'imi sé leis agus chua sé chuig bóthair. Nuair a bhí sé ag imeàcht chuig bóthair, bhí sé ag imeacht ar fhaid a' bhóthair, agus é a' siúl leis ar fhaid a' lae go hárd-tráthnóna. Árd-tráthnóna, agus é a' siúl trí chúinne slé[ibhe] casag fear leis, agus é i n-a shuí ar thaobh claidhe an bhóthair, agus gunna leacaithe le

n-a thaobh, agus a ghadhar ar a' dtaobh eile, agus é a' catha tobac.
Thaini sé suais leis, agus bheannaíodar féin dá chéile.

" Cé an faid a ragha tu ? " adúirt a' duin' uasal a bhí i n-a shuí
cois a' chlaidhe leis.

" Raghad," adúirt sé, " a' lorag maighistir athá me ! " adúirt sé.

" Is math mar thárla ! " adúirt a' fear eile. " Is maighistir mise
athá a' lorag buachaill ! "

[Shui sé] síos, agus dhineadar caínt lé chéile, agus dhineadar
maraga, agus, má dhineadar choíhint, do chuadar lé chéil' abhaile.

" Cé a' rud a bhe me a dhéana ? " adúirt sé.

" Gofa tu i n-éindí liom héin gach uile lá," adúirt sé. " 'Bhfuil
aon rath chuig a' ghunna ort ? "

" Hohó ! Is leis a chaith mé mo shaol riamh ! " adúirt Cínn
Artúir.

[B'ainim dó Cínn Artúir.]

Do bhí go math. Do chuadar lé chéil' abhaile, agus, má chuadar
choíhe, d'uadar a suipéar agus chuadar a cholla, agus chathadar an
oíhe go math le chéile.

Ar maidin lárnamháireach d'eighríodar.

D'eighrig a' maighistear, agus fuair sé a ghunna agus a mhála
agus a ghadhar. Fuair sé mála agus gunna agus gadhar do Chínn
Artúir. D'imíodar a' foghlaeireacht as sin go dí an oíhe. Níl aon
éan a mharaíodh a' maighistear ná maraíodh Cínn Artúir éan i n-a
choinne. Nuair a tháinig a' tráthnóna chasadar abhaile, agus bhí dhá
mhála mhór' éan marabh acu.

D'fhan mar sin go dí lárnamháireach. D'imíodar, agus ba dh-é
an cleas céanna acu é. Níl aon éan a d'eighríodh agus a mharaíodh
a' maigistear ná maraíodh Cínn Artúir éan i n-a choinne.

Mar sin a bhí. Do bhíodar ar siúl leóthu. An tríú lá, nuair a
bhíodar le hí imeàcht, d'eighrig Cínn Artúir ar maidin.

" Cé raghamuid inniubh, a mhaigistir ? " adúirt sé.

" Ó, 'uise, fanfamuid ag bail' inniubh," adúirt a' maighistear,
" támuid tuìrseach ó bheith a' foghlaeireacht. Déanfamuid ár
scíth ! "

Bhí go math. D'fhanadar mar sin go dí tráthnóna—agus árd-
tráthnóna, t'réis a ndínneir, agus bhí an tráthnóna go breá—do
bhuaileadar amach ar a' gcroc ag aeraíocht dóib héin. Agus is é an
áit a rabhadar ar bhruach na farraige mar a bhuailfidís síos go cúinne

Nead an Fhia. Bhíodar a' féachaint siar ar fhaid na farraige, agus choinniceadar a' chùrrach a' góil chucu aniar go dian ar fhaid na farraige. Má choinniceadar choíhint, do bhíodar a' féachaint air a' góil aniar dóib. Nuair a [tháinig a' churrach] isteach ar a' dtrá, do bhí triúr fear ag obair inti. Thárrnaíodar suas a gcurrach, agus fuaireadar trí shluasad, agus chuadar a' déana poll. Do bhí bean i n-éindí leóthu insa churrach, agus chuireadar i n-a suí ar mhóta í lé n-a dtaobh. Do bhí Cínn Artúir agus a mhaighistir a' féachaint orthu síos. Nuair a bhíodh poll déant' acu, theighidíst agus dhinidíst poll eile. Do bhíodar mar sin a' déana poll.

"Cad athá siad a dhéana ? " adúirt Cínn Artúir.

"Níl fhios agum ! " adúirt a' maighistir.

"A' raghfá síos," adúirt Cínn Artúir, " agus a' bhean a bhaint díothub ? "

"Díreach ná déanfa mé é sin," adúirt a' maighistir, " agus ná bacfa me leóthu ! "

"Ragha mise síos," adúirt sé, " agus bainfi mé dhíothub í ! "

"Is cuma liom ! " adúirt a' maighistir. " Teighre, más maith leat é ! "

Do chuaig Cínn Artúir síos chucu, agus d'fhéach sé orthu.

"Bail ó Dhia oraib ! " adúirt sé.

D'fhéach gah éinn' acu air, agus níor labhaireadar aon fhocal.

"Cad athá sib a dhéana ? " adúirt Cínn Artúir.

Níor labhaireadar aon fhocal.

"Cad lé n-agha a bhfuil sibh a' déana na bpoll ? " adúirt sé.

"Le hagha tus' a chuir síos ann ! " adúirt duin' acu.

"B'fhé' gur tú féin a raghadh ann ! " adúirt Cínn Artúir.

Mar sin a bhí. D'eighrig a' t-acharann eatarthu nó gur bhuail Cínn Artúir agus gur mhara sé an triúr, agus chuir sé síos insa pholl iad.

Bhí go math. Do riug sé ar an óigbhean, agus do thug leis aníos ansin í; agus do bhí an maighistear abhus ar a' gcroc a' féachaint air i gcónaí.

"Siúil leat anois," adúirt sé leis a' maighistear, " tá bean agam duit ! "

"Ó, coinni duit féin í," adúirt a' maighistear. " Is duit is córa í ! "

"Ó, níl aon 'nó agam di ! " adúirt sé. " Is tusa mo mhaighistear, agus is duit athá me ag obair ! "

Mar sin a bhí. Do bhí an maighistear lán-fháiltiúil réimpi agus do chua sé agus do thugadar isteach abhaile chuig a' tí í.

Thainig an oíhe, agus nuair a thainig an oíhe, do chuaig an óigbhean chuig leapan, agus do chuaig an maighistir i n-éindí léithi. Bhí go math. Nuair a cheap an maighistear amach san oíhe úntó theiris agus a lámh a chuir fae n-a ceann agus a bhe' a' caínt léithi:

" Úntaig uaim," adúirt sí, " do cheann agus do lámh! "

Mar sin a bhí. D'únta sé uaithi a cheann agus a lámh.

San oíhe lárnamháireach ba dh-é an scéal céann' é. Nuair a chuaig a' maighistear chuig leapan léithi agus cheap sé úntó theiris agus a lámh a chuir fé n-a ceann, dúirt sí an scéal céanna.

" Úntaig uaim," adúirt sí, " do cheann agus do lámh! "

Mar sin a bhí. D'úmpa sé uaithi, agus níor bhac sé léithi ní ba mhó.

" Well," adúirt Cínn Artúir larnamháireach, " tá scéal nó eicínt agut-sa anois! " adúirt sé.

" Níl," adúirt a' maighistear, " aon scéal! "

" Cé a' nós a chuaig an oíhe dhuit ? " adúirt sé.

" Ó," adúirt sé, " nuair a cheap me iúmpó thímpeall agus mo lámh a chur fé n-a ceann, dúirt sí liom úntó uaithi, nách é mo cheann agus mo lámh ab fheárr léithi! "

" Well," adúirt Cínn Artúir, " cé an ceann agus an lámh ab fheárr léithi ? "

" Níl fhios agum! " adúirt sé.

" Nuair a ragha tu léithi anocht agus déarfa sí é," adúirt Cínn Artúir, " fiafraig di cé an ceann agus an lámh ab fheárr léithi."

Bhí go math. Nuair a chua sé léithi agus dúirt sí leis úntó uaithi, nách é a cheann ná a lámh ab fheárr léithi:

" Cuid é an ceann ná an lámh ab fheárr leat ? " adúirt sé léithi.

" Ceann agus lámh Fathach Mór na mBuillí! " adúirt sí.

Mar sin a bhí. Ar maidin, nuair a thaini sé anuas, d'fhiafraig Cínn Artúir de cé an scéal a bhí aige, agus d'inis sé dhó gurb é ceann agus lámh Fathach Mór na mBuillí ab fheárr léithi.

" Dún dorbhthain colla agus cúntaracht chúm-sa " adúirt Cínn Artúir, " má dh'íosa mé an dá bhéile bí ar aon bhórd ná má chollo mé an dá oíhe ar aon leabain nú go dtuga me chút ceann agus lámh Fathach Mór na mBuillí, má thugann tusa mo dhóchaint costais dom! "

" Tabhairfead," adúirt an maighistear, " an méid is maith leat ! "

Do thug sé leis Cínn Artúir ansin, agus do líon sé a phócaí lé hairigead agus le hór. Do d'imi sé leis, agus do thug sé síos go dí n-a chuan é. Do fuair sé an soitheach ab fheárr a bhí sa chuan.

Do thug [Cínn Artúir] a tús do mhuir agus a deire go thír. Do bhuail sé cic i n-a cúl agus chuir sé seach' léig i bhfarraig' í. D'eighri sé go hú, há, go neart a chrá[mh], agus do chua sé go ghlan-léim isteach i n-a ceart-lár. Thóg sé a seólta boga bogóideacha bán-dearaga i mbarra na gcrann, mar a mbíodh lupadáin, lapadáin, bioradáin, baradáin, éisce, róinte, míolta móra, beithíg óga a' teacht fé ó bhéiríolta na farraige a' déana ceóil, spóirt, agus oireachtas do Chínn Artúir.

Do bhí sé a' seóltóireacht agus a' bórdóireacht leis a' góil siar i gcoinne na farraige gach uile lá ar fiog trí nú ceathair do laethanta, agus má bhí, do chua sé siar nú go ndeagha sé siar insan áit a raibh slám mór ceó a thainic rimhe. Do bhí sé istig sa cheó ansin, agus ní raibh fhios aige cé ngeódh sé, a' dul anúnn agus anall. Bhí sé ansin ar fiog tamall laethanta.

Do bhí sé ann lá ghá laethanta, agus d'fhéach sé i gcoinn' an aeir, féachaint cé raibh a' ceó a' glana, agus do choinnic sé a' déana chuige toirt a' duine, agus níorbh fhada gur thúirlinn sé chuige ar bórd.

" Céad fáilte reót, a Chínn Artúir ! " adúirt sé.

" Go mairi tu ! " adúirt Cínn Artúir. " Ná' math athá fhios agut cé an t-ainim athá orum ! "

" Ó, tá fhios go math," adúirt a' fear a thainic chuige, " mar bhí sé insa taraingireacht go ngeófá an bóthar ! "

" Ó, má bhí, déanfa sin ! " adúirt Cínn Artúir.

" *Well*, anois," adúirt sé, " tá fhios agum-sa ce hé tu go math ! "

" *Well*, níl fhios agum-sa ce hé tusa ! " adúirt Cínn Artúir.

" Mise Cearrúch na Craoibhe," adúirt sé, " agus má thugann tú tuistiún dom le hagha na himeartha, tá fhios agum cé ragha tu, agus stiúireó me tu ! "

" Tabhairfead," adúirt Cínn Artúir, " agus níos mó ná tuistiún ! "

Do chuir sé lámh i n-a phóca, agus do thug sé lán a dhoirine gh'airigead do. "Seo anois," adúirt sé, "agus tá níos mó ná tuistiún aghut!"

"Tá," adúirt sé, "agus tá fhios agam cá'il tus' a' dul anois. Agus féach," adúirt sé, "an croc úd thiar. Sin é an áit a bhfuil tus' a' dul."

"Tá sin go math!" adúirt Cínn Artúir.

"Tabhairfi mise cúna dhuit!" adúirt sé.

Chua sé sin ar a' halamadóir agus stiúra sé leis siar é, agus ní rai' sé i bhfad nú gur bhuail sé a shrón ar a' gcloih thiar.

"Anois, a Chínn Artúir," adúirt sé, "nuair a bhuailfi tusa suas sa talamh, buail isteach thíos insa choill, agus bí a' bhácaeireacht thímpeall na coille, agus ní bhe tú aon fhaid ar a' bhféar nuair a d'fheicfi tú an ceann agus a' lámh a' déan' ort. Tabhair aire mhath dhuit féin, nú déanfa sé tu a mheille!"

"Déanfa sin a' gró!" adúirt Cínn Artúir.

Do bhuail sé siar, agus do bhí sé thiar a' siúl thímpeall na coille. Ní rai' sé i bhfad ann i n-ao'chor nuair a choinnic sé an ceann agus a' lámh agus gah aon léim a' teacht fé n-a dhéint.

"Fut, fat, féasóg!" adúirt sé. "Faighim balaithe an Éireannaig bhréin anso! Is beag liom do ghreim é, agus is mór liom do dhá ghreim é. Níl fhios agam cad a dhéanfa me dhe mara ndéana mé *pinch* snaoisín do chuirfi me im phóincín, agus go mbeadh an póincín eile a' maga fé!"

"Fóill! Fóill!" adúirt Cínn Artúir. "B'fhéidir nach mbeadh sé mar sin aghut! Fan go socair!" adúirt sé.

Le n-a línn sin d'eighrig a' ceann agus bhuail sé iarracht air.

"Beir bog ort féin!" adúirt Cínn Artúir.

Ní raibh a' focal as a bhéal nuair a bhí an lámh eighrithe.

"Tá sin go math," adúirt Cínn Artúir. "Is fearra dhuit breith bog ort féin!"

D'eighrig a' ceann aríst, agus bhuail sé iarracht eil' air féin.

"Ná din níos mó é!" adúirt Cínn Artúir.

Bhuail a' lámh leang eil' air. An tríú leang a bhuail a' ceann ar Chínn Artúir do riug sé i n-a dheas-láimh air, agus bhuail sé buille dhe i gcoinne na cúirte, agus dhin sé millthín glaeithín de. Do riug sé ar a' láimh agus thug sé leis é ansin, agus chuir sé an ceann agus a' lámh fé n-a ascail, agus do thug sé leis aniar iad i n-a shoitheach nú go dtaini sé aniar aríst isteach abhaile go dí an maighistear.

"Seo anois," adúirt sé, "tá ceann agus lámh Fathach Mór na mBuillí agum-sa le n-a hagha!" adúirt sé.

Do chua sé suas, agus do leag sé thuas ar a' mbórd i mbárr a' tí chuic' iad, agus dá thúisce a's leag do chuir sí liú i bhfianaise Dé aisti, agus do chua sí féin agus a' ceann agus a' lámh amach tríd a' bhfuinneóig, agus ní fhacathas ó choin í nú gur imi sí siar insa mbail' aríst insan áit a mba cheart di a bheith.

Do bhí go math ansin. Ar maidin larnamháireach:

"Well, dún dobhrthain colla agus cúntaracht chúm-sa," adúirt Cínn Artúir, "má dh'íosa me aon bhéile bí ar aon bhórd ná má cholló mé an dá oíhe ar aon leabain nú go bhfaighi mé amach aríst iad, agus is feárr athá an t-eólas anois agum ná mar a bhí hean' agum," adúirt sé, "nú go dtuga me chút aríst iad."

Do d'imig Cínn Artúir aríst: agus fuair sé a dhóchaint costais ón maighistear. Bhuail siar a' beàlach céanna nú go ndeagha sé amach siar i gcoinne na farraige go léir, agus chuaig insa cheó aríst. Nuair a chuaig aríst insa cheó, do bhí sé a' góil anúnn a's anall ar fuaid a' cheó síos agus suas i ngah aon áit a dtabhairfeadh a' ghaoch é, é féin agus a shoitheach, leis. D'fhéach sé i gcoinne na gréine aríst a' tarna lá, agus, má d'fhéach choíhint do choinnic sé an toirt a' déan' air, agus níorbh fhada gur thúirlinn sé ar bórd air.

"Ara, mo chéad grá tu!" adúirt Cínn Artúir.

"Go maire tu!" adúirt sé. "Ara," adúirt sé, "a' bhfuil tú a' teacht aríst chúinn?"

"Táim!" adúirt Cínn Artúir.

"Ó, tá fhios agam go bhfuilis, agus go bhfuil fhios agum cá'il tú a' dul chó math céanna," adúirt sé, "agus anois, má thugann tú tuistiún eile dhó-sa le hagha na himeartha tabhairfi me cúna dhuit!"

"M'anam go dtabhairfead," adúirt Cínn Artúir, "agus go bhfuil sé luath agut an méid a fuair tú heana a bheith cait' agat!"

"Ó, tá sé cait' agum!" adúirt sé.

D'imíodar leóthu siar, agus nuair a chuadar leóthu siar, do bhuaileadar a srón (i.e. srón an tsoithig) ar a' gcloih.

"Well, anois, a Chínn Artúir," adúirt sé, "ní hé an bóthar a thug tú heana ort a thabhairfi tu aríst!" adúirt sé. "Gui' siar go

dí an dteh muair, agus tabhair t'agha isteach ar a' gcistin," adúirt
sé. " Feicfi tu ansin mar a bheadh pátrún dorais amach ón gcistin.
Buail do chúl leis sin, agus tois nae gcoiscéim amach ó dhoras na
cistean. Tá cloch ansin, agus tóg í, agus geó tú bóthar isteach go dí
an gcistin ann. Nuair a bhuailfi tú isteach go dí an gcistin, bí a'
góil tríd anúnn a's anall i ngach uil' áit nú go bhfaighi tú áit a
thaithneóig leat! "
    Mar sin a bhí. Do chuaig Cínn Artúir agus dhin sé a chóirle.
Do thois sé na nae gcoiscéim amach ó dhoras na cúirte nú gur leag
sé a chosa ar an áit a raibh a' lic agus thóg sé an leac, agus do bhí
bóthar isteach go dí an gcistin. Do bhuail sé isteach go dí an gcistin
do féin, agus do bhí sé a' dul abhus agus tall, thoir agus tiar, thíos
agus tuas, nú go ndeagha sé isteach an áit a raibh a' tine. Do bhí
càthaoir leacaithe le taobh na tine, agus do shui sé síos, agus do bhí
sé i n-a shui ansin chos na tine. Ní rai' sé an-fhada go léir i n-a
shui ansin chos na tine nuair a choinnic sé an ceann agus a' lámh a'
léimirig chuige aniar, agus, má choinnic choíhint, do dhineadar air.
    " Ara, a Chínn Artúir, a' dtaini tú ? " adúirt sé.
    " Thaineas," adúirt Cínn Artúir.
    " *Well*, a' n-imireófá cluihe ? " adúirt a' ceann agus a' lámh leis.
    " Ní rabhas riamh ná déanfainn! " adúirt Cínn Artúir.
    Do chuadar ag imirt, agus, má chuadar choíhint, do bhuaig an
ceann agus a' lámh air.
    " Cé aige a bhfuil a' cluih' anois ? " adúirt an ceann agus a' lámh.
    " Tá sé agum-sa! " adúirt Cínn Artúir.
    " Níl! " adúirt a' ceann agus a' lámh.
    " Tá! " adúirt Cínn Artúir.
    " Níl! " adúirt a' ceann agus a' lámh.
    " Deirim-se go bhfuil! " adúirt Cínn Artúir. " *Well*, imiríomuid
aríst! " adúirt sé.
    D'imiríodar a' tarna babhta, agus do bhuaig a' ceann agus a'
lámh air.
    " Cé aige a bhfuil an cluih' anois ? " adúirt a' ceann agus a' lámh.
    " Tá sé agum-sa! " adúirt Cínn Artúir.
    " Níl! "
    " Deirim-se go bhfuil! " adúirt Cínn Artúir.
    Chuadar ag imirt an tríú huair, agus nuair a chuadar insan imirt
an tríú huair, do bhuaig a' ceann agus a' lámh air.

" Cé aige a bhfuil buaite anois ? " adúirt a' ceann agus a' lámh.

" Tá sé buait' agum-sa! " adúirt Cínn Artúir.

" Níl! " adúirt a' ceann agus a' lámh.

" Deirim-se go bhfuil! " adúirt Cínn Artúir.

Le na línn sin d'eighrig a' ceann agus do bhuail sé snaídhm air.

" Úmpair thu féin! " adúirt Cínn Artúir.

Do bhuail a' lámh snaídhm eil' air.

" Úmparaig sib féin ar mhaithe lib! "

Do riug sé i n-a dheas-láimh ar a' gceann, agus riug sé insa láimh eile ar a' láimh, agus do bhí sé a' dul á ndó thíos ar chúl na tine nuair a tháinig an óigbhean aniar.

" Comaraí m'anam' ort, a Chínn Artúir! " adúirt sí. " Dhin tu mo dhóchaint hean' orum, agus ná din níos mó orum! " adúirt sí.

" Ó, níl aon leigheas agum orthu," adúirt sé, " ná licfaí dom héin! "

" *Well*, ligfi siad duit héin feastaint! " adúirt sí. " Agus anois dinigí suas lé chéile, agus bígí n-úr ndaoine muínteara! Do dhin tusa cuid mhath orum heana nuair a mhara tu mo thriúr driothár! "

" *Well*, ba dh-iad féin ba chiúntach! " adúirt sé.

" *Well*, tá fhios agum go mba dh-iad! " adúirt sí.

" Agus is iad seo is ciúntach! " adúirt Cínn Artúir.

" Is iad," adúirt sí, " ach dinigí suas le chéile anois, agus fanaigí le chéile, agus fan tusa anso agum-sa, agus bemuid i bhfad níos feárr as," adúirt sí. " Agus níl me liom héin ar fad fós. Tá fear agus fihe driothár agum fós," adúirt sí, " agus tá siad a' teacht chúm, agus be tu féin agus iad féin i n-aon mhuíntir le chéile, agus be sib ar fad i gcóirle a chéile."

" Tá mé sásta," adúirt Cínn Artúir, " ach go lige siad dhom héineach! "

" Ligfig! " adúirt sí.

Mar sin a bhí. Do chaith sé féin agus í féin an lá agus an oíhe le chéile, agus [do bhí] an ceann agus an lámh go hana-mhuínteara. Do bhíodar mar sin le chéile nú go dtainic a' tráthnóna.

" Teighre siar insa tseómara anois," adúirt sí, " nú go dtaga na fearaibh isteach, agus ná feice siad tu, agus fan ansin nú go mbeig a mbéile it' acu! "

Do thainig a' fear a's fih' isteach, agus do bhí an béile i gcóir dóib; agus dúradar focaile ansin nuair a shuíodar ag a' mbórd: " Nára slán fear mairife ár gcúna! "

   .   .   .   .

   .   .   .   .

[gan chríoch—cf. NÕTAÍ]

SEANSCÉALTA IONTAIS

7. SEACHT SLÉITE AN ÓIR

Do bhí sean-lánú anso fadó agus do bhíodar i n-a gcónaí istig i dtrínse portaig. Ní raibh éinne cluinne riamh acu ach aon mhac amháin, agus do bhí sé ag eighrí suas leis féin nú go raibh sé eighrithe suas i gcruth a bheith i n-a fhear. Nuair a bhí sé eighrithe suas i gcruth a bheith i n-a fhear, do bhuail náir' é a bheith thímpeall ar a' sean-lánú i gcónaí, agus iad a bheith dhá bheathú féin. Do bhuail sé amach ar fhuaid a' phortaig, lá, agus do bhí sé a' cuíneamh air féin agus a' féachaint thímpeall air féin.

" Tá sé i n-am agam a dhul a' *try*áil m'fhoirtiúin i n-áit eicínt pé ar domhan nós a gcathfa mé an chuid eile dhom shaol. Do thóg a' tsean-lánú seo tamall math mé," adúirt sé, " agus tá siad a' dul i gcríonnacht anois, agus níl aon mhath dhó-sa a bheith a' fitheamh níos sia orthu ! "

Bhí go math. Do bhuail sé isteach go dí n-a athair tráthnóna.

" 'Athair," adúirt sé, " is dói liom go ragha mé a' *try*áil m'fhoirtiúin anois," adúirt sé.

" Muise, cud é an gróth athá agat-sa, a ghrá ? " adúirt sé. " Tá an teh mór a dhóchaint, agus níl againn ach tu, agus is é is luath linn go n-imeó tu uainn ! "

" *Well*, ragha mé a' *try*áil m'fhoirtiúin amáireach i n-ainim Dé," adúirt sé, " pé ar domhan áit a dtabhairfig Dia m'agha."

" *Very well*, a ghrá," adúirt a' sean-fhear, " má thá fonn ort imeacht ! "

D'eighri sé ar maidin amáireach, d'fhág sé slán age n-a athair agus age n-a mháthair, agus d'imi sé leis. Do bhí sé a' siúl leis ar fhaid a' lae go léir nú go dtainic déanacht an tráthnón' air, agus nuair a bhí déanachas a' tráthnóna a' teacht air dob ait leis cuir suas chuig lóistín fháilt i n-áit eicínt. Do bhí sé a' góil ther choill, agus casag geata leis a bheadh a' góil isteach go dí teh muair, a cheap sé.

" *By dad*," adúirt sé, " is dóch, b'fhéidir, go bhfuil sórt eicínt teh istig anso agus gom fhéidir go bhfaighinn mo shuipéar agus lóistín na hoíh' anocht ann pé a' nós a dtabhairfig Dia mo shaol dom."

Do chais sé isteach, agus nuair a chua sé tamall isteach do choinnic sé cúirt mhuar, fhada, uaigineach istig le feiscint. Do bhuail sé suas nú go bhfuair sé a dhul insa doras, agus nuair a chua sé isteach sa doras do chais sé síos nú go bhfuair sé áit a raibh rian cistin agus tine. Do bhí an tin' ansin agus tine mhath, agus càthaoir leacaithe le taobh na tine, agus do shui sé síos ar a' gcàthaoir. Ní fhaca sé duine ná daoine ná aon tsórt ní ach go bhfaca sé cat i n-a shuí insa chúinn' eile. Níor chuir sé féin ná an cat aon tóir ar a chéile. I gceann beagán aimsire ní rai' sé i bhfad i n-a shuí nuair a choinnic sé an bórd a' déana air agus dá leag' i n-a láthair. Do leagav bia agus gach cóir dá raibh ó fhear ar bith, do leagav ar a' mbórd é, agus d'ua sé a leór-dhóchaint de. Nuair a bhí a dhóchaint don bhia ite, tógav an bórd sa nós chéann' aríst, agus d'imi uaig.

Mar sin a bhí. Amach insan uair do labhair a' cat leis:

" *Well*, anois,'' adúirt a' cat, " cé huc' is feárr leat-sa mise bheith in mo bhean insan oíh' agat agus in mo chat insa lá, nú in mo bhean insa lá agus in mo chat insan oíhe ? ''

" Muise, *by gor*, beig solas an lae againn, agus is feárr liom tu bheith in do bhean insan oíhe agus in do chat insa lá.''

" *Very well*,'' adúirt sí, " ach seachain ar do chluais deis ná clé a' labhairfeá aon fhocal liom-sa ó thitfeadh an oíhe go n-eighríodh a' lá! Agus 'á dtagadh éinn' anso a' cuir aon tóir ort anocht, seachain a' labhairfeá aon fhocal amháin amach as do bhéal pé ar domhan úsáid a dhéanfaí dhíot ! ''

" Ní labhairfead ! '' adúirt sé.

Bhí go math. Do chua sé suas, agus do chua sé a cholla ar a leabain insan oíhe nuair a bhí sé i n-am aige, agus do bhí sé i n-a choll' insa leabain, agus d'airi sé mar a bheadh meáchaint duine i n-a luighe tao' 'muh dhe ar an éadach. Insa tsean-tsaol an uair sin do bhíodh cóir thine déanta ag gach uile dhuine a nglaeidíst *flint* agus adharc air. Do bhí *flint* agus adharc aige seo, agus do bhí sé [ag iarra solas a dhéana] nú go bhfeiceadh sé cud é an sórt a bhí i n-a luighe anuas air. Do bhí fhios aige go math gurab í an bhean í, ach b'ait leis í fheiscint. Ar shon gan aon chomaraí air gan aon tóir a chur uirthi, ná aon triobalóid a chur uirthi, ní ligfeadh a' mhí-fhoighne dho gan féachaint cad a bhí ann. Do bhain sé tine leis a' bh*flint*, agus do las sé solas, agus dá thúisce ar las sé-sin an solas do chuir sí liú i bhfianaise Dé [aisti] agus d'imi' sí as a radharc.

Do bhí go math ansin. Níorbh fhad' amach anúnn san oíhe [nuair] do bhuail chuige triúr fear thíos insa chistin, agus bhíodar i n-a suí síos.

"Ba mhath an oíh' í," adúirt duin' acu, "chuig *rubber* cártaí imirt dá mbeadh a' ceithriú fear againn!"

"Á gcuartaíodh sibh," adúirt an sean-fhear a bhí leóthu, "ar fhuaid a' tí, is dói liom go mba cheart go mbeadh strainnséir fir ann, agus bheadh beirt agus beirt ansin againn, agus d'imireódh a' ceatharar againn!"

D'eighríodar agus chuartaíodar, agus fuaireadar thuas é. Do riugadar air, agus stracadar é, agus stróiceadar é, agus thugadar anuas é. Do chua sé féin agus iad féin ag imirt an *rubber* cártaí, agus ó thosna sé nú go raibh sé stopaithe níor labhair sé aon fhocal amháin pé ar domhan droch-úsáid a fuair sé.

Bhí go maith. D'imíodar-sin nuair a bhí sé i n-am acu, agus chua seisean suas a cholla; agus do fuair sé stróca agus straca muar uathub.

D'fhan mar sin go dí maidean Iarnamháireach, agus nuair a d'eighri sé anuas ar maidin Iarnamháireach i n-a shuí, agus thaini sé isteach sa chistin, do bhí bia agus a' bórd leacaithe anuas rimhe có math agus d'fhéadfadh a bheith roimh fhear ar bith, agus ba dhói' leis go bhfaca sé mar a bheadh scáile—go bhfeiceadh sé scáile lámh na mná a' cócaireacht an bia (*sic*) dho, agus ní fhaca rimhe sin.

D'fhan mar sin; agus do bhí an cat i n-a suí insa gcúinne aige as sin go dí an oíhe, agus é féin agus í féin ann, agus níor chuireadar aon tóir ar a chéile. Mar sin a bhí go tráthnón' aríst. Nuair a bhí sé i n-am aige, do leagav a shuipéar chuige, agus d'ua sé é; agus nuair a bhí sé lé línn dul a cholla:

"*Well*, anois," adúirt sí, an tarna hoíhe, "má thagann éinne anso isteach anocht," adúirt sí, "seachain ar do chluais a' labhairfeá aon fhocal ach mar a dhin tu araeir, nú is duit féin is measa," adúirt sí, "agus seachain, ná din mar a dhin tu araeir, ná cuir aon chaduaic oram-sa i n-aon chuma," adúirt sí, "agus ná las do chuid solais!"

"Ní dhéanfad!" adúirt sé.

Mar sin a bhí. Nuair a chua sé a cholla ar a leabain d'airi sé an meáchaint a' luighe anuas air. *Well*, níor throm suain do, ar nó, ní fhéadfadh sae aon stuidéar a dhéana. Do bhuail sé an *flint* aríst, agus nuair a las a' solas pé ar domhan liú a dhin sí an chéad oíhe do dhin sí liú níos dá mhó an tarna hoíhe, agus do d'imi sí as a radharc insa chaoi ná fuair sé aon radharc súl uirthi.

Níorbh fhad' ansin gur bhuail an triúr céann' isteach aríst an tarna hoíhe chuige, agus nuair a thanadar isteach an tarna hoíhe chuige:

" *By dad*," adúirt a' sean-fhear a bhí i n-a measc, " ba mhath an oíh' í chuig *round* bocsála a dhéana ar fhuaid a' tí! " adúirt sé.

" Cé a' nós a ndéanfamuist é ? "

" Bheadh beirt i gcoinne duine," adúirt a' fear eile. " Cuartaígí," adúirt sé, " agus a' fear a bhí araeir ann, b'fhéidir go bhfuil sé anocht aríst ann, agus bhemuist beirt a's beirt ansin ! "

Chuadar suas agus riugadar air, agus stracadar amach as a' leabain é, agus stróiceadar é, agus thugadar leóth' anuas é. Thosanaig a' troid agus a' bhocsáil ar fhuaid a' tí i gcathamh na hoíhe nú go rai' sé i n-am acu sin imeàcht; agus pé ar domhan buala fuair sé riamh do fuair sé a dhá oiread an oíhe sin; agus níor labhair focal amach as a bhéal.

Do bhí go math. Nuair a bhí sé i n-am acu-sin imeacht, b'éigean dóibh imeacht, agus d'imíodar leóthu. Nuair a d'imíodar-sin do chua seisean suas a cholla, agus bhí sé tuìrseach, agus do chodail sé go ceann tamaill mhaith insa maidin ar maidin larnamháireach. Nuair a d'eighri sé ar maidin larnamháireach do choinnic sé mar a d'fheicfeadh sé scáile na mrá 'der é agus a' solas. Do bhí a bhricfeast leacaithe ar bórd rimhe go slachtmhar sólásach, agus d'ua sé a dhóchaint. D'fhan sé féin agus a' cat go dí an oíhe ar fhuaid a' tí ansin do féin isteach a's amach i ngach uil' áit ba mhaith leis a bheith a' góil. D'fhan mar sin nú go dtáinig a' tríú hoíhe.

" *Well*, anois," adúirt a' cat leis aríst, an tríú hoíhe, " ná din tusa mar a dhin tu araeir, ná las aon tsolas, agus ná cuir aon chaínt oram-sa," adúirt sí, " ar mhaithe leat héin, agus pé ar domhan cor a chuirfi tu dhíot," adúirt sí, " má thagann a' triúr fear a bhí araeir isteach anso, seachain ar do chluais, pé ar domhan úsáid a thabhairfidíst duit, a' ndéarfá aon fhocal ach mar a dhin tu leis an dá oíh' eile ! "

Mar sin a bhí. Nuair a [chua sé] a cholla aríst, an tríú hoíhe, níorbh fhada nú gur luig an meáchaint anuas air taobh amuh gon éadach, agus ní ligfeadh an mhí-fhoighne dho gan a' *flint* a lasa, agus pé ar domhan liú a dhin sí an dá chéad oíhe ach is dá mhó an liú a dhin sí an tríú hoíhe, agus do d'imi sí as gan aon radharc a bheith aige uirthi. Ní raibh i bhfad aimsir' ansin nú go dtainic a' triúr isteach aríst.

" Ba mhaith an oíh' í chuig *round football* a bhuala! " adúirt duin' 'osna fearaibh.

" Á, cé a' nós a mbuailfimuist é, " adúirt a' tarna fear, " nuair ná beadh againn ach a' triúr, agus bheadh beirt i gcoinne duine? "

" Cuartaígí," adúirt sé, " agus féachaigí a' bhfaigheadh sibh a' fear a bhí anso araeir aríst, agus bhemuist cothrom! "

Chuartaíodar agus fuaireadar é, agus do stracadar agus do stróiceadar é, agus do thugadar leóth' amach ar a' bpáirc é. Do chuadar beirt agus beirt a' ciceáil *football* i gcoinn' a chéile ar fhaid na hoíhe. Do bhíodar a' góil rúsca ar a chéile amuh ar a' bpáirc ansin, agus iad a' ciceáil a' *football* i gcathamh na hoíhe, ach do thainic duin' acu, agus do bhuail sé guala *foul*sta air, agus do chuir sé fearag air.

" Má níonn tú é sin aríst," adúirt sé, " be mise i gcóir dhuit! "

" Ó, mo chéad grá tu," adúirt a' fear a bhí amuh, " cad é an chiall nár labhair tu le dhá oíhe mar sin agus bhemuist níos muínteara le n-a chéile! Anois," adúirt sé, " ní chuirfimuid aon triobalóid ort i gcathamh a' domhain aríst, agus támuid a' tabhairt suas an teh agus an áit seo dhuit," adúirt sé, " i ngach uile shórt cuma gá bhfuil sé, agus ní fheicfi tu agus ní aireó tu aon triobalóid i gcath' an tsaeil uainn-ne aríst i n-aon tsórt áit' ar fhuaid a' tí! "

Bhí go math. D'imíodar sin leóthu pé ar domhan áit a raibh ceart acu a dhul, agus do chais sé seo isteach, agus do chua sé a choll' ar a leabain aríst mar a chua sé an dá oíhe rimhe sin. Do chodail sé an mhaidean mar do bhí sé tuìrseach tnáite. Nuair a d'eighri sé ar maidin, nuair a thaini sé anuas insa chistin agus d'fhéach sé, do choinnic sé an bhean is breácha ar las gaoch ná grian uirthi, agus a cúl leis a' dtine, agus a bhricfeast leacaithe ar a' mbórd aici.

" Mo chéad grá tu," adúirt sí, " is tu an fear is feárr a choinnic me riamh! Tá mise saor óm chorthaibh héin anois agat," adúirt sí, " agus ní [bheig] draíocht ná asarlaíocht oram go brách aríst, agus mairfi me héin agus tusa anso pé ar domhan fad a mhairfimíd, agus beig [togha] saeil againn! "

" Táim sásta," adúirt Seán – b'ainim do Seán.

Bhí go math. Do bhíodar a' maireachtáil le chéile go math ansin ar fiog beagán math aimsire, agus do bhíodar a' góil isteach agus amach, anúnn agus anall.

" *Well*, anois," adúirt sí, " ní dhéanfamuid aon bhlas pósta go ceann lá a's bliain, agus bemuid chó math chó muínteara céanna as."

" Táim an-tsásta," adúirt Seán, " mar níl aon deabha muar a' pós' oram-sa ! "

Bhíodar a' góil isteach a's amach le chéile, agus bhíodh saol breá muínteara acu ansin, agus seiribhísig agus gach rud ba cheart a bheith ar fhuaid aon tí, do bhí sé ann acu.

Oíhe dhá oíheanta nuair a thaini Seán iseach, do shui sé síos, agus do bhuail sé a bhas fé n-a cheann, agus chrom sé ar bheith a' cuíneamh ar a athair agus ar a mháthair. Thóg sé a cheann, agus labhair sé léithi:

" *Well*, anois," adúirt sé, " is dói liom go ragha mé a' traibhil-éaracht amáireach."

" Cá ragha tu ? " adúirt sí.

" Ragha me a' féachaint m'athar agus mo mháthar," adúirt sé, " go mbe fhios agam cé an chor athá orthu ! "

" Is muar a' dícéille é," adúirt sí. " Tá siad-sin san áit chéanna ar fhág tu iad, agus tá siad có math céanna agus bhíodar nuair a fhág tu iad ! "

" Is cuma liom," adúirt sé, " anois," adúirt sé, " ó chuir mé im' cheann é, agus cathfa me dhul agus iad fheiscint."

" Bíodh do thoil agat," adúirt sí, " ó thá tú sást' ar é dhéana," adúirt sí, " ach dá ndinteá mo chóirle ní bhacfá leóthu ! "

" Imeó me amáireach," adúirt sé, " agus feicfi me m'athair agus mo mháthair."

Bhí go math. Ar maidin larnamháireach, nuair a d'eighri sé agus d'ua sé a bhricfeast, chuir sé i gcóir é féin go dtagadh sé a' féachaint a athar agus a mháthar. D'fhág sé slán ag an óigbhean a bhí insa teh i n-a dhiaig agus ag a' méid seiribhíseach a bhí ann. Nuair a bhí sé a' boga bóthair a' braith ar imeacht fé dhéint a athar agus a mháthar, mar a bhí ráite aige, do ghlaeig an óigbhean i n-a dhiaig:

" Seo anois," adúirt sí, " tá mis' a' tabhairt fáinne dhuit, agus cuir ar do mhéir é, agus aon uair a d'iarrfa tu aon achanaí dá mbeig uait gheó tu í, ach seachain ar do chluais dheis ná clé a' n-iarrfá aon

achanaí uaim-se ná ó éinne dhá bhfuil insa teh seo, nú, má iarrann
tu, is duit héin is dona! "

" Ní iarrfad," adúirt sé.

D'imi sé leis ansin agus do bhuail sé an fáinn' ar a mhéir, agus
ní dheagha sé i bhfad nuair a chuíni sé air héin. Do d'fhéach sé ar
a' bhfáinne, agus d'fhéach sé tríd, agus d'iarr sé ar Dhia agus ar bhrí
a fháinne a bheith ag baile teh a athar agus a mháthar i gceann
beagán aimsire. Ní raibh a' focal as a bhéal nuair a bhí sé i n-a
sheasamh anáirde os ceann a' bhotháinín. Nuair a bhí sé i n-a
sheasamh os ceann a' bhotháinín anáirde, do bhuail sé síos agus
isteach insa trínse insa nós chéanna ar fhág sé i n-a dhiaig é. Do
bhuail sé chucu isteach, agus bhí sé i n-a dhuin' uasal bhreá le
feiscint, agus níor aithníodar i n-ao'chor é. Chuireadar fáilte rimhe,
agus chrom sé féin agus iad féin ar bheith a' caínt agus ar a' seanachas.

" A' raibh éinne riamh agaib ach sib héin ? " adúirt a' fear
strainnséartha leóthub.

" Ní raibh ach aon mhac amháin," adúirt a' sean-fhear, " agus
do d'imi sé uainn, agus níl fhios againn cér ghui' sé."

" Ní aithneódh sib é ? " adúirt Seán leis an athair.

" Ó, d'aithneómuist é dá bhfeicimuist é, ach ní fhacamair ó
choin lé feiscint é."

Bhí go math agus ní raibh go holc.

" *Well*, anois," adúirt sé, " is mis' an fear sin a d'imig uait insan
am sin, agus is me 'úr mac! "

" Ó, a Sheáin, a ghrá," adúirt a' t-athair, " cuid é a' nós ar thuill
tusa an saibhireas go léir nú go bhfuair tu bheith in do dhuin' uasal
mar athá tu anois ? "

" Ó, bíonn coraíocha ar a' saol go math! " adúirt Seán.

Mar sin a bhí—an t-athair agus é féin agus a' tseana-bhean a'
strac' a chéile agus a' póg' a chéile ar fiog tamaill muar go rabhadar
lán-tsásta dhá chéile. Do shuíodar síos ansin, agus bhíodar a' caínt
agus a' seanachas nú go rabhadar tuirseach.

Ar maidin lárnamháireach do d'eighri Seán amach, agus ba
suarach leis an bothán a bhí age n-a athair agus age n-a mháthair,
agus a' sliabh a bhí tímpeall air i ngách uil' áit. Do chuíni sé air
féin, agus d'fhéach tríd a' bhfáinne. D'iarr sé ar Dhia agus ar bhrí
a fháinne teh agus áit a bheith age n-a athair agus age n-a mháthair
có math agus bhí ag baile insan áit [a fhág sé]. Ní raibh a' focal as

a bhéal nuair a bhí gach rud 'á raibh a' teastáilt uaig ann, teh chó breá agus ar las gaoch ná grian riamh air, do bhí sé ansuin. Do bhí an tseana-bhean i n-a suí ar chàthaoir óir, agus a' sean-fhear i n-a shuí ar chàthaoir airgid ar ghach taobh do ghráta math istig. Bhí go math. Ní fios cé an áibhéis a bhí orthu-sin, agus níor aithníodar beag ná muar iad féin.

Ghuibh duin' eicínt a' bóthar insan áit a raibh a' sliabh agus a' bothán, agus thainic faitíos a chroí air nuair a choinnic sé an obair bhreá a bhí i ngach uile shórt áit' ann; cheap sé go mba teh síthiúil é. Do ruith sé-sin chó dian agus b'fhéidir leis é nú gur casag a' chéad fhear eile leis:

" Ó," adúirt sé, " ar ghui' tu a lithéide seo 'o bhóthar le haon aga ? " adúirt sé.

" Níor ghabhas," adúirt a' fear a casag leis.

" Tá an teh is breácha ar las gaoch ná grian riamh air, tá sé age n-a lithéide seo 'chrosaire," adúirt sé, a' cuir ainim' ar a' gcrosaire a raibh an botháinín beag suarach ann.

" Aidhe 'ra, cad a thabhairfeadh ansin é sin ? " adúirt a' fear eile.

" Ó, tá sé ann," adúirt sé, " agus is dóch gom fhé' gur síthiúlacht é."

Do chuaig a' fear eile' a' féachaint air, agus do ruith sé insa nós chéanna ón dteh síthiúil mar bhí an áilleacht chó muar sin ann. Do bhí an scéal ag imeàcht ó dhuine go duine nú gur airig sagart a' ph'ráiste go raibh a lithéid amhla.

" Ní chreidim-se sib," adúirt sagart a' ph'ráiste. " Níl aon fháil aige-sin a bheith mar sin, ná níl aon fháil aige a bheith amhla."

" Ó, teighre a's féach air," adúirt a' fear a bhí a' caínt leis, " agus be fhios agat é sin ! "

" Well, ní fada raghad," adúirt a' sagart.

D'eighrig a' sagart, agus d'imi sé amach, agus níor stop sé choíhe nú go dtaini sé insan áit a raibh a' seana-bhotháinín portaig. Nuair a tháinig do choinnic sé gach ní dhá áilleacht insa nós chéanna ar 'úrag leis.

" Well, by gob," adúirt a' sagart, " is fíor sin," adúirt sé, " tá a lithéide sin amhla, ach cé a' nós i n-ao'chor a dtaini sé ann ? "

Do choinniceadar a' duin' uasal ag imeàcht ar fhuaid na ngáirdíní agus an avenue do bhí ann, agus ní raibh fhios acu cé mba dh-é mar nár aithníodar Seán a raibh aithint mhaith rimhe sin acu air.

"Be fhios agam-sa cé a' nós a dtaini sé ann," adúirt a' sagart. "Suíte glan níl éinn' ann ach Seán, agus cuirfi mise fios ar Sheán go dí an dteh chúm héin," adúirt sé, "agus cuirfi me cuire dínnéir bhreá air, agus geó me cúntas cé a' nós a bhfuair sé teh mar sin."

Do bhí go math. Do chuir an sagart cuire dínnéir ar Sheán, agus chua sé fé n-a dhéint. Do bhíodar a' catha dínnéir, agus d'fhiafraig a' sagart de:

"Cad é a' nós, a Sheáin, ar dhin tú an saibhireas nú go bhfuair tu theacht suas le n-a lithéide sin do theh breá go léir a bheith agat insan áit ná raibh blas ar bith ach a' fraoch agus a' sliabh ? Is é an teh is breách' é a choinnic mise riamh ! "

"Ó," adúirt Seán, "cad é an bhaint athá aige gon teh a bhfuil mis' im' chónaí ag bail' ann agus mo theh féin ? "

"Á, ní chreidfinn, a Sheáin," adúirt a' sagart, "go bhfuil a lithéide sin do theh i n-ao'chor ag baile ansan it dhiaig mar athá ! "

"Tá," adúirt sé.

Do thainic a' cócaire aníos a' leag' an dínnéir go dí an sagart agus go dí Seán, agus do bhí sí i n-a bean ba bhreácha, ba dhói leat, ar las gaoch ná grian riamh uirthi; do cheap a' sagart go raibh.

"A Sheáin, a' bhfaca tu aon bhean níos breácha ná í sin ? " adúirt a' sagart.

"Ó, go bhféacha Dia ort," adúirt Seán, "do choinniceas ! "

"Níorbh fhéidir 'uit í fheiscint," adúirt a' sagart, "anois, a Sheáin, agus ná din éthach, mar ná fuil sé ann níos breácha ná í ! "

"Tá bean chearc im dhiaig ag baile insa teh agam héin," adúirt Seán, "agus is breácha an méid athá síos fé n-a dhá glúin di ná do bhean ar fad le chéile ! "

"Well, anois, a Sheáin," adúirt a' sagart leis, "níor mhuar liom go bprúbhálfá é sin dom ! "

"Gheóinn é sin féin a dhéana dhá mba mhaith liom é," adúirt Seán.

"Ní chreidfinn go bhféadfá é dhéana mar ná fuil a lithéid do bhean le fáil ! " adúirt a' sagart.

"Ó, prúbhálfa mise é sin duit," adúirt Seán, mar tháinic sórt feirig' air.

Do chua sé amach, agus sheasa sé ar lic na társaí amuh. D'fhéach sé tríd a' bhfáinne, agus d'iarr sé an bhean chearc a bhí ag baile age n-a theh féin—do d'iarr sé uirthi bheith ann láithreach 'uige. Ní raibh a' focal as a bhéal nuair a bhí, agus do bhí sí ar a' mbean ba bhreácha a bhí le fáil go léir, ba dhói leis. Níor fhág sí meas ar domhan ar a' mbean a bhí ag teh an tsagairt.

" *Well*, is fíor 'uit é, a Sheáin," adúirt a' sagart, " insa méid athá ráit' agat, ach níl aon bhean eile fén ndomhan go léir is breácha ná an bhean sin athá anois ar a' láthair agat ! "

" Ó, deirim-sa leat-sa go bhfuil an bhean athá agam-sa—ná fuil aon bhlas ínti-sin ach í n-a cailín aimsire le n-a hais ! "

" Ní chreidim tu, a Sheáin," adúirt a' sagart, " mar tá tu a' déana bóisteáil anois ! "

" Nílim," adúirt Seán, " agus dá chórthaí ná fuilim-se tabhairfi mé lé rá dhuit go bhfuil ! "

Do chuir sé bean na gcearc abhaile, agus do chua sé ansin agus sheasa sé amuih aríst, agus do ghlao sé i n-a hainim ar a' n*Golden Rose;* agus do bhí sé-sin crosta ag an n*Golden Rose* air glaoch uirthi féin ná ar éinne a bhain leis a' dteh. Ní raibh a' focal as a bhéal nuair a thainic an *Golden Rose* ar a' láthair, agus ní raibh ann ach nár thit a' sagart féin i ngrá léithi ach go raibh fhios aige ná raibh aon mhath dho ann !

Mar sin a bhí. Do chaith sí dínnéar leóthu, agus do bhí Seán agus í féin go han-tsásta le chéil' ansin. Do thug sé abhail' í go teh a athar agus a mháthar, mar cheap sé go raibh áit agus teh math aige ann. Do d'imi sí leis, agus níor lig sí aon tsórt blas feirige uirthi féin ná go raibh aon triobalóid uirthi nú go dtaini sí i n-éindí leis, agus do bhí sé féin agus í féin a' siúl na ngáirdíní amuh nú go rabhadar sáraithe ó bheith a' siúl ann. Do shuíodar síos ar chàthaoir do bhí leacaithe le taobh claidhe ann ansin, agus do bhíodar a' caínt agus a' seanachas le chéile. Lé neart rímhéid do leag Seán a cheann isteach i n-a hucht, agus do thit sé i n-a cholla.

Do bhí go math. Dá thúisce a bhfuair sise Seán i n-a cholla do sciob sí an fáinne dhá mhéar agus do chuir sí ar a méar féin é. Scrí sí leitir, agus chuir sí síos i bpóca Sheáin é. Do riug sí ar pheidhre bróga miotalach ná raibh fios cé an meáchaint a bhí úntu, agus leag sí le n-a ais ansin é, leag sí a cheann anuas ar thor luachara, agus d'fhág sí ansin é, agus d'imi sí léithi abhaile ar n-ais insa chaoi ná raibh aon fháltas fheiscint aige uirthi feastaint.

Mar sin a bhí. Nuair a dhúisig Seán agus a bhí a ghreas codailt' aige, d'fhéach sé thímpeall air, agus shíl sé go raibh gach aon

rud ann mar a bhí nuair a thit sé i n-a cholla. Ní raibh aon bhlas le
feiscint aige ach a' trínse portaig, an tor luachara, agus a cheann
leacaithe anuas ar a' móta. Do thóg sé suas é féin, agus d'fhéach
sé thímpeall air féin, agus do choinnic sé go raibh breall muar déant'
aige. Do choinnic sé a pheidhre bróga miotalach leacaithe le n-a
thaobh. Do chuir sé lámh i n-a phóca, agus fuair sé an leitir. Do
lé sé [í], agus is é a' rud a bhí insa leitir ná raibh aon fháil aige an
Golden Rose fheiscint go brách aríst mara leanadh sé í go dí Seach'
Sléite an Óir, agus go bhfanfadh sí leis go ceann seach' mbliana ach
ná fanfadh thairis sin.

Do dhubh agus do ghoramaig ar Sheán ansin, agus ba chuma
leis cé ngeódh sé. Ní ligfeadh a' searús ná an ghráin do féachaint
isteach ar theh an athar ná na máthar mar ní raibh ann ach a' seana-
bhotháinín suarach mar a bhí riamh rimhe sin.

Mar sin a bhí. Do riug sé ar a pheidhre bróga miotalach, agus do
bhuail sé treasn' ar a ghualainn iad, ceann thiar agus ceann abhus,
agus ba mhuar a' t-ualach do iad úmpar.

" Cuirim-se fé mhuar-dheasa me héin," adúirt sé, " gan a' tarna
hoíh' a cholla ar aon leabain ná an tarna béile bí ithe ar aon bhórd,
pé ar domhan fad choíhint," adúirt sé, " nú go ndini me Seach'
Sléite an Óir agus a' *Golden Rose* amach ! "

Do d'imi sé leis, agus do bhí sé a' siúl leis ar fiog a' lae nú go
dtainic dubh déanach doracha tráthnón' air, agus ní raibh aon áit
aige a raghadh sé, agus do bhí ocaras air.

Mar sin a bhí. Do bhí sé a' góil a' bóthar, agus do bhí sé a' góil
trí choill, agus do choinnic sé mar a bheadh strapa a' góil isteach a
mbeadh bóithrín isteach aige a dtabhairfeá sórt cosán *avenue* air.

" Suíte glan," adúirt sé, " tá sórt eicínt tí anso, agus b'fhé' go
bhfaighinn lóistín na hoíh' ann agus greim lé n-ithe."

Mar sin a bhí. Do bhuail sé isteach, agus ní dheagha sé i bhfad
nuair a casag leis istig insa choill teh beag, deas, cluthair, ceann-íseal,
fáiscithe, agus do bhuail sé isteach. Do sheasa sé thuas ag a' doras,
agus do bhí bean mhuar láidir i n-a seasamh thíos ar lic na tine, agus
tine mhath aici ann.

" Cad a thug anso tusa ? " adúirt sí leis.

" Muise," adúirt sé, " tá sé déanach oram," adúirt sé, " agus tá
me a' traibhiléireacht, agus cheap me go bhfaighinn lóistín na hoíhe
uait agus greim lé n-ithe."

" *Well*, tá cead agam do dhóchaint a thabhairt lé n-ithe dhuit,"
adúirt sí, " ach má thá, níl cead agam aon lóistín na hoíhe a thabhairt
duit. Is seo teh a bhfuil triúr mac liom-sa agus séard iad triúr
bithiúnach, agus dá dtagaidíst isteach agus tusa bheith anso istig
is amhla a mharóidíst tu, agus b'fhéidir go maróidíst me héin as
los tu fhágaint istig."

" Hohó," adúirt Seán, " is math mar thárlas: is bithiúnach orthu
me héin."

" Ó, *well*, más ea, sui síos," adúirt sí. " Ní dhéanfa siad aon
ghiob ort-sa."

Do bhí go math. Shuig sé síos ansin, agus do bhí sé féin agus a'
tseana-bhean a' caínt le chéile, agus níorbh fhada an aimsir gur
bhuail an triúr fear isteach i ndia a chéile. An chéad fhear a thainic
isteach, sheasa sé ar an úrlár, agus d'fhéach sé anuas, agus choinnic
sé Seán i n-a shuí ar a' gcathaoir.

" Shíl me," adúirt sé lé n-a mháthair, " gur 'úirt me leat gan aon
strainnséir fhágaint insa teh seo ! "

" Á, ná bac leis sin," adúirt an mháthair, " is seo fear eile dh'úr
gcéird féin, agus ní miste dhom é fhágaint istig ! "

" Á, más mar sin é," adúirt sé, " tá céad fáilt' againn rimhe ! "

Do chromadar ar chaínt agus ar sheanachas lé chéil' ansin, agus
ní raibh mórán caínte déant' acu nuair a d'eighrig a' tseana-bhean,
agus do tharrainn sí bórd muar anuas i lár an úrláir eatarthu, do
thóg sí corcán muar fataí suas, agus do leag sí ar a' mbórd é. Do
thóg sí aníos blúire feóla, agus leag sí i láthair gach duin' acu é, agus
do bhí gach duin' acu lán-ábalta ar a' bhfeóil ithe ! Do bhíodar ag
ithe leóthu ansin, an creathar fear ar a ndíheallt nú go raibh siad
ionann agus a bheith réig.

" *Well*, anois," adúirt a' fear críonna go lucht a' tí, " cuiream i
gcás," adúirt sé, " cuid é an chóir bithiúntais athá agut-sa nuair a
bheitheá a' bithiúntas ? "

" Ó," adúirt Seán, " is agum-sa athá an chóir bithiúntais !
A' bhfeiceann tu an dá bhróig sin i n-a seasamh leis a' mballa athá
leacaithe agum díom ? "

" Feicim," adúirt fear a' tí.

" Nuair a chuirfi mis' iad sin oram agus a ragha me a' déana
bithiúntais, níl aon fháil ag aon sórt duine theacht suais liom, mar
níl aon choiscéim 'á dtabhairfi me ná ragha me dahad míle ! "

"Is maith í do chóir bithiúntais," adúirt a' bithiúnach a bhí insa teh leis.

"Agus anois," adúirt Seán leis-sin, "an inseó tu dhom cuid é an sórt cóir bithiúntais athá agut-sa, á dtagadh a' scéal dian ort, agus go mbeadh greim a' dul dá bhreith ort ? "

"Ó, níl aon fháil acu breith oram-sa," adúirt sé. "A' bhfeiceann tú an clóca sin thuas crochta ar a' bpionna ? "

"Tá mé a' féachaint air-sin," adúirt Seán.

"Nuair a chuirfi mis' é sin oram," adúirt sé, "—is é an clóca dorachadais é—níl aon sórt *call* ag aon tsórt duine m'fheiscint dá ngabhainn amach trí chamtha an Rí mara n-airíonn siad a' caínt me, agus cé an mhath dhóib é sin ? "

"Tá do chóir go hana-mhath," adúirt Seán. "Níl locht ar bith uirthi."

Bhí an tarna fear i n-a shuí ag a' mbórd, agus gan é a' labhairt aon fhocail, ach é ag éisteacht leóthu.

"Anois," adúirt Seán leis an tarna fear: "Cuid é an chóir bithiúntais athá agat-sa, cuiream i gcás agus go raghfá i n-éindí linn, 'á mbeadh an cath a' teacht orainn ? "

"Ó," adúirt sé-sin, "tá cóir mhath bithiúntais agam-sa chó maith lé héinn' aguib. A' bhfeiceann tú an caipín sin thuas athá crochta ar a' bpionna ? "

"Feicim," adúirt Seán.

"Sin é a' caipín draíochta," adúirt sé, "agus nuair a chuirfi mise oram é níl aon fháil ag éinne m'fheiscint ná a theacht suais liom, agus is féidir liom a ghóil trí chamtha an Chláir ! "

"Tá sé sin féin go math," adúirt Seán.

Very well. Bhí an tríú fear i n-a shuí ag a' mbórd, agus bhí sé ag éisteacht leóthu.

"Ach tusa," adúirt Seán, "cuid é an chóir bithiúntais athá agat 'á mbeitheá i n-éindí linn ? "

"Ó, is agam-sa athá sí !" adúirt an tríú fear. "A' bhfeiceann tú an peidhre buataisí ansin thuas crochta le taobh na tine ? " adúirt sé.

"Feicim," adúirt Seán.

" Nuair a chuirfi mise oram iad-sin," adúirt sé, " agus go mbeadh aon tóir a' teacht im' dhiaig, do bhéarfainn ar a' ngaoch a bheadh róm, agus ní bheadh aon fháil ag a' ngaoch a bheadh im dhiaig a theacht suais liom ! "

" Níl aon locht ort," adúirt Seán, " ach ní math a chreidim i n-ao'chor sib, mar tá sib a' caínt go ró-mhath, agus bheadh faitíos oram páirt a dhéana lib ! "

" Ó, ná bíodh," adúirt sé. " Dhéanfamuis-ne gach rud dá bhfuil ráit' againn," adúirt na fearaibh leis.

" Well, b'ait liom tástáilt a bheith air-sin agam," adúirt sé, " fé dteighinn-se a' bithiúntas."

" Ó, tabhairfimuid-ne tástáilt mhath dhuit air," adúradar sin.

" Eighri suas," adúirt a' fear críonna, " agus buail ort an clóca dorachais sin thuas athá agam-sa, agus be fhios agat é ! "

D'eighri Seán i n-a sheasamh, agus bhuail sé an clóca dorachais air féin.

" A' bhfeiceann tu anois mé ? " adúirt Seán, agus an clóca dorachais air.

" Ní fheicim," adúirt sé, " ná níl aon fháil agam air ach go n-airím a' caínt tu."

" Well, anois," adúirt a' tarna fear leis, " buail ort mo chaipín draíochta-sa," adúirt sé, " agus b'fhéidir go mbeitheá níos feárr as ! "

Do bhuail sé an caipín draíochta air.

" A' bhfeiceann sib anois me ? " adúirt sé.

" Ó, níl aon fháil agam t'fheiscint anois," adúirt sé, " mar tá draíocht ort, agus tá a' dorachadas ort ! "

" Well, anois," adúirt an tríú fear, " cuir ort mo bhróga-sa, agus be fhios agat go bhfuil a' siúl go math agat ! "

Mar sin a bhí. Do chuir sé air na bróga.

" Cé a' nós a dtástálfa me anois iad-so ? " agus a' chulaithe ar fad air le chéile.

" Tá fhios agat a' strapa sin a' teacht isteach don mbóthar ? "

" Tá fhios," adúirt Seán.

" Teighre chó fada leis a' strapa sin," adúirt sé, " agus cas aríst, agus ní bhe tu i gcóngar i n-ao'chor do cheathrú nóimint ar a' mbóthar nuair is ceart duit a bheith cast' anso ! "

Amach lé Seán, agus ní ar a' strapa ná ar a' mbóthar a thug sé a agha, ach d'imi sé tríd a' dtír chó dian i n-Éirinn agus b'fhéidir leis é. Do bhéarfadh sé ar a' ngaoch a bheadh rimhe, agus ní raibh aon fháil ag a' ngaoch a bheadh i n-a dhiaig a theacht suais leis. Ní raibh duin' ar bith ná daoine a casfaí leis chuig é fheiscint; do bhí sé ag imeacht fé n-a chaipín draíochta agus fé n-a chlóca dorachadais ar fhaid a' lae agus na hoíhe nú go dí árd-[dh]eire lae.

Do bhí go math. B'fhada leis an tseana-bhean a bhí sé amuh. " M'anam go bhfuil faitíos oram, a bhuachaillí," adúirt an tseana-bhean leis a' gcluinn, " go bhfuil buailt' ag a' strainnséir fúib; bhí a' ceart aige a bheith casta anso anois ó d'imi sé, agus is fadó riamh é sin. Eighrig ! " adúirt sí, " agus tá cead agut-sa greim fháil fós air. Buail ort na bróga [miotalach so a d'fhág sé i n-a dhiaig]," adúirt sí leis a' bhfear críonna, " agus tá siad-sin ábalta ar dhahad míle a thabhairt leóthu do ghach aon choiscéim, agus tiocfa tu suas leis gan baochas dá dhíheallt ! "

Do d'eighri sé-sin, agus bhuail sé air na bróga ar lár an úrláir, agus cheap sé eighrí go léim, agus amach i n-a dhiaig. Tógav é, agus dineag dhá leath go bhathas a chínn i gcoinne táirseach a' dorais.

" Nár thóga rud ar domhan tu, a stúmpa amadáin ! " adúirt a mháthair. " Ní raibh fhios agut na bróga úmpar ! "

" Eighrig tu féin," adúirt sí leis a' tarna fear, " agus bain díot na bróga, agus lean go tapa é ! "

Do bhí go math. Do d'eighri sé-sin, agus strac sé na bróga dhá dhriotháir a bhí marabh, agus do cheap sé fear na culaithe a leanacht, ach b'é an scéal céanna é—buaileag tao' 'muh dhe aríst é, agus do bhain an scéal céanna dho.

" Nár thóga dada sib ! " adúirt sí. " Eighrig tu féin," adúirt sí leis a' tríú fear, " agus cuir ort na bróga, agus siúil ceart úntu ! "

D'eighri sé-sin, agus chuir sé air na bróga, agus cheap sé siúl ceart úntu, ach bhain a' saothar céanna dho, buaileag a chloigeann anuas ar lic na társaí agus dineag dhá leath dhá mhalainn. Do bhí sé marabh ansin.

" Nár thóga a' diach sib, a shaithe àmadán ! " Do riug sí ar na bróga, agus do tharrainn sí chuic' iad, agus cheap sí a dhul go léim ther a' triúr crap a bhí insa doras, ach do d'imi sí ró-dhian, agus tógav í sin agus cuireav ar mhullach a cínn í i gcáirnín aoilig do bhí amach ón ndoras. Cuireag go dí n-a dhá gualainn ansin í, agus níor chorra sí as gur bág agus gur múchag í.

Do bhíodar ar fad imìthe ansin, agus do bhí Seán ag imeàcht tríd a' dtír fé n-a chlóca dorachadais, a chaipín draíochta, agus a bhróga a bhéarfadh ar a' ngaoch a bheadh rimhe agus ná béarfadh a' ghaoch a bheadh i n-a dhiaig air.

Bhí go math. Árd-tráthnóna, agus é ag imeacht leis tríd a' dtír, do bhí sean-fhear fiannachta críonna eighrithe amach ar a' gcroc a' féachaint uaig mar a bheadh uácaeraí cuain, agus do choinnic sé mar a bheadh clabhta muar i bhfad uaig ar an aer, agus ní raibh féachta ar a' dtaobh eile aige nuair a bhí sé i n-a sheasamh sa láthair. An dá thúisce ar thúirlinn sé i láthair an fhir chríonna do d'iúmpa sé amach a chulaithe draíochta dhe, agus do thaini sé amach i n-a chóntanús féin.

" Ar mh'anam-sa féin, a ógánaig," adúirt a' sean-fhear, " gur math í do chulaithe siúil ! "

" Tá sí go math," adúirt Seán, " ach má thá féin, níl sí math a dóchaint. Ní muar 'om é; tá an siúl lé déan' agum ! " adúirt sé.

" Well, an miste dhom fhiafraí dhíot," adúirt sé, " cé an fad athá le dul agut ? " adúirt a' sean-fhear leis.

" Ó, ní miste," adúirt Seán. " Is fear me athá fé gheasa dhom héin gan aon dá bhéile bí ithe ar aon bhórd ná aon dá oíh' a choll' ar aon leabain pé ar domhan faid choíhint nú go gcatha me mo chosa go glúine nú ceachtar acu go ndéana me amach Seach' Sléite an Óir; agus is fear seannda tu, b'fhéidir go mbeadh aon tuairisc agut [orthu]."

" Níor airi me aon trácht ar a lithéide g'áit riamh," adúirt a' sean-fhear, " ach tar isteach liom-sa anois go dí maidean amáireach, agus tabhairfi me lóistín na hoíhe dhuit, agus más maith leat é, is féidir liom gan a' tarna béile bí a thabhairt duit ar aon bhórd go ceann lá is bliain ná gan a' tarna hoíh' a cholla ar aon leabain, go bhfaighi me leaba strainnséartha dhuit gach oíhe fhad is maith leat fànacht ! Ach fan aghum go dí maidean. Agus is duine me," adúirt sé, " athá mar mhaighistear ar a' méid beithíg fhiaine athá ar fhuaid a' domhain go léir, agus tá cead agum glaoch orthu-sin ar maidin amáireach. Nuair a shéidfi me mo bharra buain (sic) cathfaig gach uile shórt ceann acu-sin a theacht chúm agus me fhreagairt, agus is diocair a reá nú tá cúntas ag ceann acu-sin ca'il Seach' Sléite an Óir," adúirt sé, " nú mara bhfuil fhios, is diocair a reá go bhfuil a lithéid i n-ao'chor ar fhuaid a' tsaeil."

Do ghui' Seán a bhaochas leis a' sean-fhear, agus do chuaig i n-éindí leis isteach. Fuair sé a shuipéar chó math agus fuair sé riamh. Do fuair sé leaba chó math agus ar lui sé riamh uirthi.

Ar maidin amáireach nuair d'eighri sé, do bhí an sean-fhear i n-a shuí rimhe, agus a bhricfeast leacaithe go math ar bórd rimhe. Nuair a bhí a bhricfeast it' ag Seán, do d'eighri sé féin agus a' sean-fhear amach. Do shéid a' sean-fhear a bharra bhuain (sic), agus nuair a bhí sí séitithe do choinnic sé an oiread beithíg fhiain' a' teacht agus a bhain solas na spéire dhe i ngàch uile chuma agus i ngàch uil' áit ón nDomhan Thoir agus ón nDomhan Thiar, go rabhadar a' teacht ar a' rí a bhí orthu. Do theanadar ar fad i n-a láthair. Nuair a choinnic sé go raibh siad ar fad i n-a láthair, do labhair a' sean-fhear leóthu:

" Well, anois," adúirt sé, " is é an ghró a bhí agum-sa dhíbh-se, aon cheann aghuibh a' bhfuil fhios aige nú a bhfuil aon tuairisc aige ca'il Seach' Sléite an Óir, tagadh sae suas agus ínsíodh sae dhó-sa é! "

Do labhair gach ceann leis ná raibh aon chúntas acu féin ar Sheach' Sléite an Óir, agus nár airíodar aon trácht riamh ná rimhe sin air.

" Well, níl aon leigheas air," adúirt a' sean-fhear, " mar sin."

Do thug sé órdú dhóib cas' ar n-ais, agus dul abhaile insan áit a rabhadar rimhe. Agus mar sin a bhí. Do chasadar.

" Níl aon ghiob lé déan' aghum-sa anois leat," adúirt sé, " ach aon rud amháin. Tá liathróid anseo aghum-sa agus tabhairfi me dhuit í. Buail reót í," adúirt sé; " agus tá mo dhriotháir i n-a chónaí trí chéad míl' as seo. Lean a' liathróid, agus be tu ann go luath tráthnóna—tá tu in do choisí mhath! "

Do bhuail Seán air a chlóca dorachadais agus a chaipín draíochta, agus a bhróga fhásca, agus níor stop sé riamh riamh ach a' leanúint na liathróide. Bhí sé déanach go math tráthnóna nuair a reánga sé go dí an áit a raibh an fear eil' i n-a chónaí. Do bhí sé-sin amuh ar fáirdeall do féin, agus a' féachaint tímpeall air, nuair a choinnic sé an toirt dhubh a' teacht rimhe tamall muar uaig ar a' mbóthar, agus ní raibh féachta ar leataoibh i n-aon chuma aige nuair a bhí sé i n-a láthair. D'iúmpa sé a chulaith dhe amach ansin nuair a thit sé i láthair an tsean-fhir.

" Ó, céad fáilte reót, a ógánaig! " adúirt an sean-fhear. " Is siod í liathróid mo dhriothár athá reót amach. Aithním í; is ag mo dhriotháir a chodail tu araeir."

" Well, is dóch gurab ea! " adúirt Seán.

" Agus tá siúl math déanta ó mhaidin agut! " adúirt sé.

" Tá," adúirt Seán.

" Well, má thá féin," adúirt a' sean-fhear, " tá cóir mhath agut air! "

" Tá, agus ní muar 'om é," adúirt Seán, " mar tá siúl fada lé déan' aghum! "

" 'Bhfuil aon deifir dom fhiafraí dhíot cé an siúl athá lé déan' agut? " adúirt a' sean-fhear leis aríst.

" Ó, níl," adúirt sé. " Fear me athá curtha fé mhór-gheasa dhom héin gan aon dá bhéile bí ithe g'aon bhórd ná aon dá oíh' a cholla ar aon leabain nú go gcatha me mo chosa go glúine nú go ndini me Seach' Sléite an Óir amach pé ar domhan áit fae luighe an domhain a bhfuil sé. Agus fear dot' aois," adúirt sé, " ba dhói liom go mba cheart go mbeadh tuairim agut cé mbeadh sé."

" Níl aon tuairim aghum," adúirt sé, " mar nár airi me aon trácht ar a lithéide g'áit riamh ná rimhe sin, ach anois," adúirt sé, " tar isteach liom-sa anocht, agus tabhairfi me lóistín na hoíhe dhuit, agus do shuipéar agus do leaba, agus, más maith leat é," adúirt sé, " is féidir liom gan tu a chuir in do luighe ar aon tarna leaba go ceann lá a's bliain ná gan a' tarna béile ithe g'aon bhórd. Is féidir liom bórd strainnséartha fháil duit gach am a d'oilfi sé dhuit."

Do chua sé leis isteach, agus do ghui' sé a bhaochais leis, agus má chuaig choíhint, do bhí a shuipéar i gcóir go maith 'ige dho. Chuir sé ar a leabain é; agus ar maidin lárnamháireach nuair a d'eighri sé, do bhí an bricfeast i gcóir aige dho.

" Well, anois," adúirt sé, " tá mis' im' mhaighistear agus is me an rí athá ar a' méid éisc athá insa bhfarraige. Tá cead agum-sa eighrí amach anois agus glaoch ar mo bharra bhuain, agus í shéide, agus níl aon tsórt ceann acu sin ná cathfaig me f[h]riotthála agus a theacht chúm, agus mara bhfuil aon chúntas acu-sin ca'il Seach Sléite an Óir is diocair a reá go bhfuil a lithéid i n-ao'chor ann."

Mar sin a bhí. D'eighri sé amach, agus do shéid sé a bharra bhuain, agus do bhí iasc a' teacht chuige as gach uile shórt áit' ar fhuaid a' domhain go léir 'ár airíodar é nú go raibh an fharraige lán

H

i ngach uile shórt áit thurt tímpeall air nárbh fhéidir le níos mo acu theacht. Mar sin féin, do bhíodar a' triall air, agus nuair a choinnic sé go rabhadar go léir ann, do d'eighri sé i n-a sheasamh, agus do labhair sé leóthu. D'fhiafra sé dhíothub má bhí aon bhreac insa bhfarraige a raibh cúntas aige cé raibh Seach' Sléite an Óir a theacht suas agus cúntas a thabhairt dó ann. Is é an freagar' a fuair sé ná raibh aon chúntas ag aon cheann acu air, agus nár airíodar aon trácht ar a lithéid do thalamh riamh ná rimhe sin.

" Níl aon leigheas air," adúirt sé.

D'órda sé ar n-ais gach ceann acu insan áit a mba cheart do bheith aríst, agus d'imíodar.

Nuair a d'imig na héisce: " *Well*, anois," adúirt a' sean-fhear lé Seán, " tá driotháir dó-sa, agus tá sé trí chéad blian níos seannda ná me, agus tá sé an faid céanna uaim do bhí mise ón bhfear a raibh tu 'do cholla [an chéad oíhe] aige. Tá liathróid eil' aghum-sa anso, agus caith reót í, agus lean í i ngach áit a dtabhairfi sí a haghaig, agus ná cas abhus ná thall í, scaoil ar n-agha í féin. Lean leat í, agus be tu suíte anocht ar lóistín [aige]; nuair a d'aithneó sé an liathróid seo tabhairfi sé lóistín na hoíhe dhuit," adúirt sé.

Mar sin a bhí. Do bhuail Seán air a chulaithe aríst, agus do d'imi sé i ndia na liathróide, agus ba dian docht a d'imi sé i ngach uile shórt áit 'ár theastaig uaig a dhul, agus lean sé an liathróid trí gach uile áit 'ár ghui' sí. Árd-tráthnóna go déanach, do bhuail sé suas, agus do bhí an tríú sean-fhear—do bhí sé amuh ar bhárr a' chroic, agus é ar fáirdeall do féin. Do choinnic sé an léas a' teacht ar an aer os a choinn' amach i bhfad uaig, agus má choinnic choíhint, níorbh fhad' an aimsir nú go rai' sé i n-a láthair. Do choinnic sé an liathróid rimh' amach; agus dá thúisc' ar thúirlinn sé os coinn' an tsean-fhir amach, do d'iúnta sé amach de a chulaithe ghaisce, agus do thaini' sé chuige i n-a chúntanós féin.

" Céad fáilte reót, a ógánaig," adúirt an tríú sean-fhear leis, " is áthas liom gur i dteh mo dhriothár a chodail tu araeir, mar siod í a liathróid, agus aithním go maith í! "

" Tá sin go math," adúirt Seán, " is ann a chodail me araeir, is dóch," adúirt sé.

" Tá siúl muar déant' agut t'réis a' lae," adúirt sé lé Seán.

" Tá," adúirt Seán, " agus níor mhuar dhom é dhéana níos déine dá mbeinn ábalt' air, mar is fad' an siúl athá fém chois lé déana."

" 'Bhfuil aon deifir fhiafraí dhíot," adúirt a' sean-fhear leis, " cé an siúl athá lé déana agut ? "

" Ó, tá," adúirt sé, " is fear me athá fé mhór-gheasa dhom héin nach féidir liom stad choíhint," adúirt sé, " dá gcaithinn mo chosa go glúine nú go ndinim amach Seach' Sléite an Óir, pé ar domhan áit fé luighe an domhain a bhfuil sé, agus fear dot' aois-se ba chóir go mbeadh cúntas aghut cé an áit a bhfuil sé."

" Níor airi mé aon trácht ar a lithéide g'áit riamh i ruith mo shaeil," adúirt a' sean-fhear, " ach tar isteach liom-sa anois, agus tabhairfi me lóistín na hoíhe go math dhuit," adúirt sé, " do shuipéar agus do leaba, agus ar maidin—amáireach nuair a d'eighreómuid— tá me mar rí ar an méid éanacha atá fé luighe an domhain i ngách uile shórt áit ar an aer, agus nuair a ghlaofa mise orthu, mara bhfuil aon chúntas acu ca'il Seach' Sléite an Óir, is dóigh liom ná fuil aon mhath dhuit a bheith [á chuartach feastaint]."

" Well, b'fhéidir go ndéanfamuist gró ! " adúirt Seán.

Do chua sé féin agus a' sean-fhear isteach, agus do ghui' sé baochais leis. Do fuair sé a shuipéar agus a leaba.

Ar maidin amáireach nuair a d'eighri sé dhá leabain, d'ua sé a bhricfeast, agus chua sé féin agus a' sean-fhear amach ar a' gcroc. Do chuir an sean-fhear a bharra buain suas agus do shéid sé í. Do bhí éanacha a' teacht as gach páirt don domhan a' baint solas na spéire dhe nú gur cheap sé go raibh a ndeire ar fáil. D'fhéach sé tríothub agus choinnic sé go raibh aon fhiolar amháin ná raibh [tagaithe].

" 'Bhfuil fhios ag aon cheann aguib," adúirt sé, " ca'il a lithéide seo d'fhiolar a mba cheart di a bheith anso anois ? "

" Níl fhios aguinn," adúirt gach uile cheann dosna héanacha, " ní fhacamair leis a' bhfaid seo aimsire i n-aon tsórt áit í ! "

" Is baolach gom fhéidir gurab amhla a fuair sí bás," adúirt a' sean-fhear. " Níl fhios agum."

Do shéid sé aríst a bharra buain, agus do thug sé tamall *trial* di, agus ní raibh sí a' teacht.

An tríú babhta a shéid sé í, agus ba dhói leis go bhfaca sé san aer toirt mhór dhubh a' teacht ó bhun an aeir, agus do bhí sí a' déan' air chó dian agus b'fhéidir léithi é: do bhí toirt ana-mhuar ínti, agus bhí sí a' tiosáint níos feárr dóib ar fiog na feidhle nú go dtaini sí i n-a láthair. Do bhí moill mhuar déant' aici 'o bhreis ar aon cheann dosna héanacha eile.

"Cud é an réasún," adúirt a' sean-fhear léithi, "a bhfuil tusa chó mall a' teacht duit agus a bhfuil tu chó fada i ndia na codach eile?"

"Á," adúirt sí, "do bhí mise i bhfad ó bhaile 'o bhreis orthu-sin, agus is mór an obair dom theacht i n-ao'chor."

"Tá," adúirt sí, "nuair a d'airi mise do bharra bhuain i dtòsach do bhí mo chuid éanacha a' teacht amach as na huibheach' agum, agus níorbh fhéidir liom iad fhágaint."

"Well," adúirt sé, "cad a choinnig tu nuair a ghlao me an tarna babht' ort?"

"Do bhíodar amuh agum, agus do bhí me ad iarraig iad a thriomú agus beagán goir a thabhairt dóib féachaint a' mairfidís nú go gcasainn aríst orthu," adúirt sí leis dá fhreagairt.

"Cá rai' tu," adúirt sé, "nuair a ghlao me an tríú babht' ort?"

"Do bhí mé a' fágaint na nide agus a' tabhairt m'agha ort chó dian agus b'fhéidir liom é," adúirt sí leis.

"Cé rai' tu?" [adúirt a' sean-fhear].

"Is é an áit a bhfuil cónaí orum-sa," adúirt sí, "agus a bhfuil mo nead déanta, ar mhullach Seach' Sléite an Óir!"

"Is math mar thárla," adúirt a' sean-fhear, "is tusa athá uaim-se anois! Tabhairfi mise caoi mhaireachtáil duit-se anois nách call duit aon ghiob oibire a dhéana pé ar domhan faid saeil a bheig agat, go mbeig do bheatha a' teacht i n-aisce ort, ach tá fear anso agam, agus cathfa tu é úmpar ar do dhroim leat nú go leaga tu i mbárr Seach' Sléite an Óir é!"

"Á, well, bain a' ceann díom, ach ní fhéadfainn é dhéana, mar thitfeamuist araon insa bhfarraige, agus ní thabhairfinn ann choíhint é!"

"Cathfa tu féachaint leis!" adúirt sé. "Agus anois, tabhair leat é, agus geó tu do mhaireachtáil faid a mhairfi tu i ruith do shaeil aríst uaim-se insa chaoi nách cáll duit aon bhlas oibire a dhéana ná aon tsórt soláthair faid a mhairfi tu!"

"Well," adúirt [a' Fiolar Muar] leis, "cathfa tu an bullán is raimhre aghut a thabhairt dom mar lón ar a' mbóthar."

" Ó, tabhairfi me," adúirt sé, " agus fáilte ! "

Chuir sé fios amach ar a' mbullán ab fheárr a bhí i n-a thiarnas, agus do chuir sé dhá mharú é. Do bhain sé an craiceann de, agus do gheárr sé i n-a cheithre cheathrún' é, agus do leag sé suas ar a droim é, agus do chuir sé Seán suas i n-éindí leis.

Do bhí Seán agus a' mart thuas ar dhroim an fhiolair. Do d'imig a' fiolar, agus do thug sí a hagha ar Sheach' Sléite an Óir aríst, agus do bhí sí ag imeacht léithi riamh riamh nú go rai' sí, mar a cheap sí, a' ceithriú cuid don bhóthar.

" Tabhair 'om ceathrú gon mhart anois," adúirt sí, " agus níl me ach an ceithriú cuid don bhóthar, agus ní thabhairfi me an bóthar go brách isteach ! "

Do shín Seán chuici, chó tapa agus d'iarr sí é, ceathrú gon mhart, agus do shliog sí é. Do bhí sé ar súil léithi ansin nú go ndeagha sí, mar adéarfá, ceathrú eile, agus do bhí sí leath bóthair ansin.

" Tabhair 'om ceathrú eile anois," adúirt sí, " agus níl muid ach díreach glan leath bóthair, agus ní thabhairfig a' dá cheathrú eile isteach i gcathamh a' domhain me ! "

Do shín Seán a' tarna ceathrú chuic' ansin, agus do shliog sí é. Do d'imi sí léithi ansin aríst, agus do bhí sí ag imeacht nú go rai' sí go math láidir, mar a dhéarfá, gur cheap sí go rai' sí an tríú cuid don bhóthar.

" Tabhair 'om an tríú ceathrú anois," adúirt sí, " agus ní bheig im dhiaig ach ceathrú, agus ní dhéanfa sí an gró go brách."

Bhí go math. Do shín Seán a' cheathrú chuici, agus, má dhin choíhint, do shliog sí é. Do d'imi sí léithi riamh riamh nú go raibh sí ana-ghairid do bheith istig ar Seach' Sléite an Óir.

" Tabhair 'om an cheathrú eil' anois," adúirt sí nuair a bhí sí insa cheithrú [cuid] gon bhealach.

[Shín Seán an ceathrú cuid don bhullán ansin chuici, agus do lean si uirthi riamh riamh nú go raibh sí] gairid do bheith istig, agus do bhí sí a' lagú.

" Ní ragha me isteach i gcathamh deir' an domhain," adúirt sí, " mara bhfaighi me greim eile ! "

Ní raibh aon ghreim lé fáil aici, agus ba mhath a' mhaise sin do Sheán é—níor dhin sé aon bhlas ach a scian a láimhsiú, agus do bhain sé colapa na coise as féin amach, agus do shín sé chuic' é. Do shliog sí é, agus dá thúisce ar bhlais sí é, do bhí fhios aici go math

nách aon rud oiriúnach é, do choinni sí i n-a scórnach é, agus níor
lig sí síos i n-a goile i n-ao'chor é; ach do bhí sí ar súil nú gur ránga
sí a dhul isteach ar bhínse i mbun Seach' Sléite an Óir, agus do lui
sí ansin.

"Sea anois," adúirt sí, "támuid istig i mbun Seach' Sléite an
Óir, agus tar anuas do mo dhroim nú go ndini mise scíth, agus go
gcollaí me dreas, agus ar maidin amáireach tabhairfi me suas go
dí bárr Seach' Sléite an Óir tu."

Mar sin a bhí. Do thaini Seán anuas dá droim, agus nuair a
thaini sé anuas dá droim, do bhí sé daor-bhàcach.

"Cuid é a' rud athá ort?" adúirt [a' fiolar] lé Seán.

"Á," adúirt sé, "colla athá im chois!"

"Ní hé sin athá ort," adúirt sí leis, "ach tá fhios agum-sa go
math cad athá ort!"

Níor dhin sí pioc ar bith ach a' greim a chuir sí siar go déanach
a úrlacan amach, agus do riug sí air, agus do leag sí suas lé colapa
a chois' é, agus do bhí sé chó sleamhain, chó slán is do bhí sé ariamh.

"Seo anois," adúirt sí, "fan ansin nú go gcollaí mise dreas, agus
tabhairfi me suas ar maidin amáireach tu."

Do luig Seán lé n-a taobh ansin, agus do bhí fothain aige i n-a
luighe le n-a taobh. Do chollaíodar araon an oíhe go maidean
ansin ar a' mbínse do bhí i mbun Seach' Sléite an Óir.

Ar maidin, níor throm suain don fhiolar. Do d'eighri sí, agus
do chroith sí í féin, agus do chroith sí a sciatháin, agus ní raibh ann
ach nár mhara sí Seán nuair a chroith sí í féin. Do dhúisi sé go tapa.

"Tá sé i n-am agut dúiseacht," adúirt a' fiolar leis. "Dá
mbeitheá chó tuirseach liom-sa, is dóch ná dúiseófá i n-ao'chor!"

"Is dóch gur fíor 'uit é," adúirt Seán.

"Teighre suas ar mo dhroim anois," adúirt sí, "agus tabhairfi
mise suas go bárr Seach' Sléite an Óir tu!"

Do chua sé suas ar a droim ansin. Do d'eighri sí suas [agus níor
staid sí] nú go ndeagha sí suas go mùllach Seach' Sléite an Óir.
Nuair a bhí sí thuas ar mhùllach Seach' Sléite an Óir ansin, do bhí
sí a' góil ther a' dteh muair.

"Sin é an teh muair anois," adúirt sí, "a bhfuil a' bhean athá
uait ann. Agus anois, am eicínt anocht be sí a' pósa," adúirt sí.
"Ar a' ball, amach sa lá, beig cúlódar muar a' bailiú ansin, agus beig
bainis mhuar ann. Bí tusa ansin a' faoileáil nú go dtaga siad

tímpeall, agus din duin' i n-a measc. Nuair a bheig duine déant' i
n-a measc aghut, ní bhe fhios cé thug cuire dhuit, nú a' bhfuair tu
cuire ar domhan, agus bí isteach a's amach, anúnn is anall, i n-éindí
leóthu!"

Bhí go math. Do d'imig Seán, agus d'fhág sé slán ansin aici, agus
má dhin choíhint, nuair a tháinic na daoine, do bhí Seán ag imeàcht
tríothub nú go dtainic a' tráthnóna a's gur glaog isteach chuig
dínnéir orthub. Má glaog choíhint, do d'imig Seán, agus chua sé
leóthu. Do bhí oíhe mhath aige as sin amach go dí thímpeall a nae
nú an deih a chlog san oíhe. Is gairid i n-a dhia sin go raibh an pósa
lé déana. D'imig an óigbhean—an *Golden Rose*—agus do d'eighri sí,
agus do chua sí tríd a' dteh a' féachaint cé a' nós a raibh na daoine,
agus do chua sí síos taobh don teh, agus d'fhéach sí ar ghàch uile
dhuine a bhí ann, agus a' góil aníos tríd a' dtaobh eile, cuid é a' rud
a reángódh léithi istig i n-a shuí i gcúinne i measc roinnt daoine ach
mo Sheán! Dá thúisce ar leag sí a súile ar Sheán, d'aithin sí é.

"Is mar sin, a Sheáin," adúirt sí. "Cad a thug anso tu?"

"Ó, mhuise, níl fhios agum!" adúirt Seán, "ach is math athá
sé ceannaithe agum!"

"Is tu féin is ciúntach, a Sheáin!" adúirt sí. "Bíodh a bhao-
chais sin agut ort héin!"

"Níl aon leigheas air!" adúirt Seán.

"Déanfamuid scéal chó math agus d'fhéadfamuid é!" adúirt an
óigbhean. "Anois, a Sheáin," adúirt sí, "d'fhan mise lá agus bliain
leat, agus tá sé cait' inniubh, agus be me le pósa ar ball, ach má
dh'fhéadaim i n-ao'chor é," adúirt sí, "cuirfi me siar é; agus fan
ansin, agus ná corraig nú go nglao mis' ort!"

Do bhí go math. Do bhuail sí síos, agus chua sí isteach insan áit
a raibh an uaisle. Do sheasa sí i lár an úrláir:

"Muise, a chúlódair," adúirt sí, "tá aon achanaí amháin le
hiarr' agum oraib, agus cuirfi me scéal i n-úr láthair a bhain dom,
agus b'ait liom go gcuirfeadh fear math eicínt côirle mhath oram,"
adúirt sí.

"Cuid é an chôirle athá uait anois?" adúirt an fear a bhí a'
dul á pósa.

Níor lig sí dh'éinn' eile labhairt ach do féin.

"Tá," adúirt sí, "seach' mbliana agus lá inniubh do chaill me
eochair mo thrúnc, agus is í an eochair is meastúla agus ab fheárr

liom a choinnic me riamh í. *Well,* nuair nárbh fhéidir liom í fháil
ar fiog na seach' mbliana ná a theacht suas léithi—agus bhí me dhá
lorag agus dá cuartach i gcónaí—do chuir me fios ar eochair nó.
Nuair a thainic an eochair nó chúm, do ghui' me a' cuartach tríd
a' dteh aríst, agus cuid é a' rud a chasfaí liom ach an tsean-eochair!
Agus cé huc' a chuirfi sib côirle orum an tsean-eochair nú an eochair
nó a choinneáilt ? "

"Ó," adúirt a' fear a bhí a' dul dá phósa, "a' raibh a' tsean-
eochair i n-a heochair mhath ? " adúirt sé.

"Is í an eochair is feárr liom í a choinnic me riamh," adúirt sí,
"agus do bhí bá os miún agum léithi! "

"Ó, má bhí," adúirt sé, "nách féidir leat an eochair nó a chuir
abhaile ? Agus coinnig a' tsean-eochair, má thá an meas chó muar
sin aghut uirthi! "

"Is math liom gur labhair tu," adúirt sí, "agus gur 'úirt tu é,
agus is sin é féin a bhí uaim. Seach' mbliana agus lá inniubh,"
adúirt sí, "bhí fear agum-sa agus chaill me é, agus is é an fear is
feárr agus is meastúla a choinnic me riamh é. Anocht a d'únta sé
suas, agus tá sé insa teh seo, agus is sin é an fear athá uaim agus a
phósfa me," adúirt sí. "Teighre tus' abhaile, agus pósfa mise
Seán ! "

Mar sin a bhí. Do bhí aiféal a dhóchaint ar a' bhfear a labhair,
agus b'fheárr leis go mbeadh a' teanga baint' as. B'éigean do
imeacht agus a dhul abhaile.

Do phós sí Seán, agus do chathadar a saol lé chéile. Tá siad ó
choin a' déana páistí i n-a gcléibh agus dá gcath' amach i n-a sluaisde.

Níor thugadar dó-sa ach stocaí bainne reamhair a's bróga páipéir,
agus do bhíodar cait' agum fé rai' me leath a' bhóthair abhaile, agus
cloig ar mo shála i n-a fhochair sin.

8. BILLY TEABHRAS

Do bhí anso insa tsean-tsaol bean, agus bhí go leór abhrais le
déan' aici, agus ní dhineadh saí aon bhlas le n-a cuid abhrais aon lá
insa mbliain nú go dtagadh sae amach tar éis an dá uair 'éag san
oíhe. Nuair a raghadh gach éinn' a cholla shuífeadh saí síos cois na
tine, agus chárdálfadh saí a cuid abhrais, agus dhéanfadh saí blaist
de. Do bhí sí dhá dhéana insan am ná rai' ceart aici.

Oíhe dá hoíheanta, nuair a bhí sí dhá dhéana, agus í a' cíor' a cuid olainne, cé bhuailfeadh chuic' isteach ach fear, agus ní fhaca sí riamh ná rimhe sin é.

"Bail ó Dhia ort!" adúirt a' fear.

"Dia 's Muire dhuit!" adúirt a' bhean.

Shuíodar síos agus bhíodar a' caínt lé chéile.

"Well," adúirt sé, "tá go leór abhrais lé déan' agut!"

"Tá," adúirt sí, "agus ní féidir liom theacht ar é dhéana," adúirt sí, "mar is annamh ó chéile a theighim a' déan' aon ghiob leis."

"Cad a thabhairfeá dhon fhear a dhéanfadh é ar fad duit i ngach aon nôs a n-oilfeadh sé dhuit," adúirt a' fear a tháinic isteach, "agus a thiocfadh chút seachtain ó anocht agus é déanta socair glan aige?"

"Bheinn ana-bhaoch de," adúirt sí, "ach ní móide go mbeinn ábalta ar aon díolaíocht a thabhairt do mar ba mhaith leis."

"Ní iarrfa me díolaíocht ar domhan ort," adúirt sé, "ach fios m'ainim' a bheith agut!"

"Tá sin go hana-mhath," adúirt a' bhean. "Árda leat é!"

Bhuail sé chuige suas ar a dhroim é, agus bhí ualach mór ar a dhroim. D'imi sé leis, agus a chuid abhrais ar fad ag imeàcht aige.

Amaiste, nuair a d'imi sé, chuíni sí uirthi féin:

"Is deocair dhó-sa bheith gan mo chuid abhrais ar fad nuair nár fhiafra mé dhe cé an t-ainim a bhí air, agus níl fhios agam cé an t-ainim athá air, ach leanfa me é nú go mbe fhios agam cé ngeó sé."

D'imi sí i n-a dhiaig, agus níor stop a' fear a raibh a' t-ualach air nú go ndeagha sé isteach go doras a' leasa, agus ar mh'anam go raibh a' tseana-bhean i n-a dhiaig!

Chua sé isteach sa lios, agus nuair a chua sé isteach sa lios, an méid mrá a bhí istig a bhí ag obair, bhíodar tuìrseach ón sórt céann' oibire. Do chromadar ar a bheith á bhuala agus dá mharú: "Cad é an réasún an méid sin oibire a thabhairt chucu?"

"Ara, fanaigí go socair," adúirt sé, "ná fuil fhios aguib gur lib héin ar fad gach uile shórt blas de, mar is beag dá fhios ag 'Cúl lé hAbhras' gur Billy Teabhras é m' ainim-se!"

Do bhí an tseana-bhean amuh ag doras a' leasa ag éisteacht: " Tá go math ! " adúirt sí sin.

Abhaile léithi, agus do bhí sí ag baile go socair sámh ansin go dtáinic seachtain ón oíhe sin, agus d'fhan ag a' dtin' i n-a suí ag fànacht lé fear an abhrais. Amach san am ba cheart do theacht do bhuail sé chuic' isteach, agus a bheart abhrais air, nite glan socair i gcóir chuig dul chuig a' táilliúra. Nuair a chrang sé an doras d'ascail sí é. Bhuail sé chuic' isteach, agus a' t-ualach muar aiɪ.

Chuir sí míle fáilte rimhe, agus dhin sí sceairt gáire: " Muise, céad míle fáilte reót i do shaol a's id' shláinte, a Bhilly Teabhras, agus ná raibh a fhaid sin do luigheachán blianan ort ! "

Leag sé an t-ualach ansúd aici go dúch diach brónach, a's do chais sé amach aríst, agus is dóch, pé ar domhan buala fuair sé nuair a thug sé an t-abhras chucu, go bhfuair sé a sheach' n-oiread nuair a chua sé abhaile gan ualach gan abhras gan aon tsórt ní !

9. MAC AN FHÍODÓRA

Insa tsaol a cathag fadó do bhí fíodóir ansin thoir insa Chúláth, agus is ann a bhí sé i n-a chónaí. Agus ní bhfíodóir ana-mhath i n-ao'chor é, ach ba bh-í a chéird a bheith a' fíodóireacht; ba mhath a' chéird fíodóireacht insan am sin.

Do bhí go math. Do bhí amadán do mhac aige, agus níor dhin sé aon bhlas oibire riamh ón lá a rugag é. Ach do bhí bó ag a' bhfíodóir, agus do bhíodh a' mac amach i n-éindí leis a' mbó gach uile lá ar fhuaid a' bhóthair agus dá foìseacha léithi.

Mar sin a bhí. Do bhí sé lá soir ar a' mbóthar, agus é a' foìseacha leis a' mbó. [Roinnt] laethanta roimhe sin d'airi sé go raibh méara thuas i mBleá Cliath a raibh iníon aige, agus fear ar domhan a raghadh fae n-a déint go bhfaigheadh sé lé pós' í. Bhí go math. Nuair a chua sé soir go dí an mbóthar scaoil sé an bhó ag iniúr. Lui sé siar ar chúl a chínn ar thaobh a' bhóthair, agus thit sé i n-a cholla. Níorbh fhada gur taibhríog do go raibh an méara i mBleá Cliath, agus éinne a raghadh fae dhéint a iníne go bhfaigheadh sé í féin agus a meáchaint óir lé pósa.

D'eighri sé go léim, agus do chaill sé a chiall. Do dhruid sé soir san áit a raibh a' bhó, agus do chais sé lámh i n-a hrioball, agus níor stop sé riamh nú gur thiomáin sé abhail' í. Do bhí boilig agus seilig ar a' mbó nuair a thaini sí abhaile. D'eighrig a mháthair amach, agus choinnic sí dhá tiomáint ar a dhíheallt é.

" A amadáin bhradaig," adúirt sí, " cad athá tu a dhéan' ar a' mbó ? Ná ligfá dhi agus fànacht go socair léithi, nú cad a chuir abhaile chó luath seo tu ? "

" Á, tá," adúirt sé, " a' bhfuil mo chulaithe déanta ag m'athair fós ? "

" Níl," adúirt sí. " Cé an mhath athá gon chulaith' agat ? "

" Tá," adúirt a' t-amadán. " Tá méara i mBleá Cliath," adúirt sé, " agus tá iníon aige, agus tabhairfi sé go dh'fhear ar bith í a thuillfeadh í—do thabhairfeadh sé lé pósa í héin agus a meáchaint óir do ! "

" Díth a's deacair ort, a amadáin," adúirt sí, " agus it' amadán a bhí tu riamh, agus tar isteach abhaile agus tabhair aire dhod' ghró ! "

Ní dhéanfadh sé an gró. Tháini sé isteach go dí an athair.

" 'Athair," adúirt sé, " bhfuil mo chulaithe fite fós agut ? "

" Níl," adúirt a' t-athair, " agus níl aon deabha muar oram léithi. Cuid é an gró athá anois agut di ? "

" *Well*, ní fhanfa mise léithi mara gcuiri tú isteach sa [t]seól í agus mara bhfífí tu í láithreach ! "

" Cá ragha tú ? " adúirt a' t-athair.

" Ragha mé ad iarra mrá ! " adúirt sé. " Tá iníon ag méara Bhleá Cliath, agus gheódh fear ar bith í a raghadh dá hiarra, í féin agus a meáchaint óir."

" Díth a's deacair ort, a amadáin ! " adúirt a' t-athair. " Is é do lithéide a bhíonn so-ghluaiste so-chóirleach i gcónaí ! "

Do bhí sé a' plé leis an athair insa chaoi nár thug sé aon tsuaineas do, agus go n-imeódh sé gan aon tsnáth éadaig. Do chuir a' t-athair an píosa beag a bhí goitithe aige ó gah éinn' eile—cuide ghon tsnách—do chuir sé isteach [insa tseól] é nú gur fhí sé é. Níor fhain sé lé é ní ná é ghlana ná aon tsórt ní, ná é chur go dí an dtáilliúir, ach do d'imi sé leis, agus do fuair sé siosúr é féin, do chuir sé scoilt anuas trí n-a lár, agus do dhin sé sórt ceathrúna dhe. Do chuir sé scoilt eile thuas i n-a uachtar, agus do chuir sé mruihiltí uirthi, agus do dhin sé sórt déan' air. Ach an méid a bhí 'der na cosa agus 'der na lá[mha] a bhí déanta aige, do bhí píosa mór éadaig spártha, ach ba chuma leis.

Do d'imi sé leis insa chulaithe, agus do bhí sé ar a lán-díheallt a' góilt síos thoir go dí Droihead an Áth Leacain, ag imeàcht leis chó dian a's b'fhéidir leis é; agus cud éard a d'fheicfeadh sé a' góil aníos i n-a choinne an bóthar ach an madairín is deise a choinnic sé riamh i n-aon áit. D'oscail sé amach, agus do bhí sé 'o bhràbach air cúinne an éadaig, agus do chuaig a' madairín do léim ann isteach. Do thóg sé suas fé n-a oscail é, agus bhí áibhéis a chroí air; agus do d'imi sé leis ar fhaid a' bhóthair, a' ruith có dian a's b'fhéidir leis é a' tabhairt a agha ar Bhleá Cliath.

Bhí sé a' góilt síos Cille Seana, agus a' góilt aníos Droma na gCrann, do bhí fear a' góil i n-a choinne. Do bhí agha an mhadara beag agus é ionntaithe amach ar a' mbóthar, agus é a' féachaint amach, agus é fé n-a oscail ag an amadán. Do d'fhéach a' fear a bhí a' góil aníos air:

" Go mbeannaí Dia dhuit, a Sheáin ! " adúirt a' fear a bhí a' góilt aníos.

" Dia 's Muire dhuit ! " adúirt Seán.

" Cé bhfuair tú an madairín deas, a Sheáin ? " adúirt sé.

" Ó, mhuise, fuair mé ansin thuas ar a' mbóthar é," adúirt Seán.

" A' mbabhtálfá é ? " adúirt a' fear a bhí a' góilt aníos.

" Díreach ná déanfad ! " adúirt Seán.

" Cé an chiall ná babhtálfá é ? " adúirt an fear.

" Mar tá gró agam héin de; is madairín deas é ! "

" Ó, a Sheáin," adúirt a' fear, " babhtáil é, agus tá seabhac agum-s' anseo, agus tabhairfi me dhuit é, agus déanfamuid babhtáil 'der a' [tseabhac] agus a' madara," adúirt sé.

" Ní dhéanfad," adúirt Seán. " Ní bhacfa mé lé i n-ao'chor. Is feárr liom mo mhadara ! "

" Ná din, a Sheáin," adúirt sé, " ach tabhairfi mis' an seabhac duit, agus tabhair dom a' madara. Agus níl aon uair a chimileó tú do lámh do dhroim a' tseabhaic ná béarfa sé scillinn duit ! "

" Ní chreidim é sin ! " adúirt Seán.

" Tabhairfi mise le rá dhuit é," adúirt a' fear.

Do tharrainn sé chuig' amach a' seabhac, agus chimil bas dá dhroim, agus thit scillinn uaig. Do chimil sé bás dá dhroim arís agus thit scillinn eile uaig; do chimil sé bas ceathair nú cúig do [uaireanta] agus bhí scillinn a' titeam gach babhta uaig.

"M'anam héin gur math é!" adúirt Seán. "Déanfamuid a' bhabhtáil!"

Do dhin.

"Well, anois, a Sheáin," adúirt sé, "tá an madairín is deise agut a bhí ag éinne riamh, mar tá sé seo an-daor; siod é an sionnach dubh!"

"Is cuma liom," adúirt Seán. "Coinneó mé an seabhac."

Mar sin a bhí. Do d'imi gah éinn' acu i n-a bhóthar féin, agus thugadar cúl dá chéile. Lé faitíos gom fhéidir gur dhin a' fear a dhin a' bhabhtáil éitheach—nuair a bhí Seán a' góil síos tamall eile do chimil sé bas [do dhroim a' tseabhaic] agus thit a' scillinn uaig. Bhí sé a' cimilt bas dá dhroim leis i ngah aon áit, ach bhí go leor scillinní a' titeam uaig, agus bhí Seán dá mbailiú suas.

D'imi sé leis nú go ndeagha sé síos amach, síos go dí an gCuileannaig, agus do bhí sé a' teacht déanach an uair sin air, agus ní raibh fhios aige cé bhfaigheadh sé lóistín na hoíhe. Do bhuail sé isteach. Do bhí seana-bhean do bhí ina cónaí i dteh beag léithi féin ansin ar thaobh a' bhóthair, agus d'iarr sé lóistín uirthi.

"Muise, níl aon áit agam dod lithéid," adúirt sí, "agus marach sin thabhairfinn lóistín duit agus fáilte."

"Ó, is suarach an áit a dhéanfa me," adúirt Seán, "go maidean, mar ná fuil aon fhonn orum aon stuidéar a dhéana ach go maidean."

"Tá fáilte rót mar sin," adúirt a' tseana-bhean. "Suig síos!" Shui sé síos, agus do bhí sé féin agus í féin a' caínt greas.

"Bhfuil aon chóir bí agut?" adúirt Seán leis a' seana-bhean.

"Ní mór é, a ghrá," adúirt sí, "agus níl aon tin' agum ach an oiread céanna!"

"Well, ní bhe tu i bhfad mar sin!" adúirt Seán. Tharrainn sé chuig' amach a sheabhac, agus do chimil sé bas dá dhroim, agus thit trí nú ceathair nú cúig 'o scillinní uaig ar an úrlár.

"Seo leat anois," adúirt sé, "agus tabhair ár suipéar chúinn!" adúirt sé leis a' seana-bhean.

Do d'imi sí sin go diail, agus do thug sí arán agus tae agus gach cóir eil' a d'oil do. Ní rai' sí i bhfad amuh go dtaini sí aríst, agus bhí an suipéar go math aici.

" Cad a dhéanfamuid anois ? " adúirt sí. " Níl dad' 'o thine istig aguinn ! "

" Amach leat," adúirt Seán leis a' seabhac, " agus tabhair roinnt brosna chúinn ! "

D'imig a' seabhac, agus do thug sé doran brosna leis, agus dhineadar tine, agus d'uadar suipéar, agus bhíodar go hana-chúmpórtach. Nuair a bhí an suipéar it' acu ansin, ní raibh aon tsásamh orthu go mbeadh feóil fhriseáilt' acu.

" Amach leat," adúirt Seán leis a' seabhac, " agus tabhair chúinn anso roinnt éanacha ! "

D'imig a' seabhac amach insa choill, agus ní rai' sé i bhfad uaig. Bhí colúir a's gach uile [shórt eile éan] ansin, agus do thug sé isteach beart éanacha. Ní fhaca tú aon rósta riamh mar a bhí ag Seán a's ag a' gcaillig as sin go maidean, agus do bhíodar an-áibhéiseach. D'uadar agus d'óladar a ndóchaint, agus chathadar an oíhe go maidean.

Mar sin do bhí. Ar maidin Iarnamháireach, do d'imig Seán, agus d'fhág sé slán ag a' gcaillig. Do thug sé a agha ar Bhleá Cliath chó dian a's b'fhéidir leis é, agus do bhí sé ag imeacht leis go ndeagha sé isteach go sráid Bhleá Cliath. Nuair a chua sé isteach go sráid Bhleá Cliath, do thainic sráid Bhleá Cliath an-strainnséartha dho mar nár sheasa sé i mbaile mór riamh rimhe sin i ruith a shaeil. Do bhí sé a' góilt suas tríd a' sráid, a's é a' féachaint ar a' dteh abhus a's a' féachaint ar a' dteh thall, agus ní rabh fhios aige i n-ao'chor cud é an sórt áit' é. Do bhí sé ar súil leis, a' góil suas tríd a' sráid nú go ndeagha sé suas chó fada lé teh, agus d'fhéach sé isteach ann, agus choinnic sé píosaí móra go léir éadaig istig crochta mar a bheadh i n-aon teh siopa. Sheasa sé sa doras, agus chua sé isteach, agus ní dheagha sé níos sia ná sin. Do bhí an maighistear i n-a sheasamh istig ar lár an úrláir. D'fhéach sé amach ar a' strainnséir, agus, go deimhin féin, do thaini sé an-strainnséartha dho a lithéide fheiscint, mar ná faca sé a lithéide riamh ar shráid Bhleá Cliath i n-a sheasamh insa chóir éadaig a bhí air.

Ní dheaghaig Seán níos sia ná sin isteach, a's do bhí sé a' féachaint isteach.

" Druid isteach ! " adúirt a' fear a bhí istig.

Do dhruid sé isteach beagán.

" Druid isteach cuid eile ! " adúirt sé.

Do dhruid sé isteach gairid do.

" Cuid éard athá uait insa teh seo ? " adúirt fear a' tsiopa.

" Tá," adúirt sé, " d'oilfeadh culaith' éadaig dom ! "

" Ó, geó tu sin agus fáilt' anso: siod é an áit a bhfaighi tu an chulaith' éadaig ! "

Mar sin a bhí. Do dhruid sé isteach.

" An inseófá dhom anois cud é an pátrún culaith' éadaig athá uait ? " adúirt fear a' tí leis.

" Ó, 'neósad ! " adúirt Seán.

Ba faisean leóthu seo, lucht na siopaithe, an uair sin: do bhí slat mhór acu, agus ao' phíosa a leagfá marc air thabhairfidís a' tslat in do láimh duit, agus leagfá do lámh ar fad suas ar a' bpíosa, agus ansin do leagfadh sae anuas é. Ach do fuair Seán an tslat i n-a láimh.

" Sáin dom an píosa a thaithneóig leat, agus leagfa me anuas chút é ! "

Do bhí Seán a' féachaint thímpeall air, agus a' tógaint *notice* dosna píosaí deasa a bhí crochta suas ar na seilpeanna, agus má dhin choíhint, do leag sé lámh na sluite thuas ar phíosa breá [d']éadach uasal, agus is é an píosa is feárr a bhí insa teh é.

" Ó, *well*," adúirt fear a' tsiopa leis, " is dói liom," adúirt sé, " nár mhuar 'om cúntas a bheith agum uait cud é an chaoi díolaíochta a bheadh agut air sin, mar is sin é an píosa is daoire in mo theh, agus fé leagainn chút é b'ait liom go mbeadh cúntas agum cé an sórt díolaíochta a bhí agut ar a shon sin ! "

" Ó, mis' an buachaill," adúirt Seán, " a' bhfuil a' chóir agum ar é sin a dhíol ! Druid anso i leith chúm ! "

Do dhruid sé isteach i gcúinn' an tí, agus do sheasa sé ansin, agus do tharrainn sé chuig' amach a' seabhac. Do chimil sé bas dá dhroim, a's do thit scillinn uaig.

Do bhí fear a' tsiopa a' féachaint air. Thit scillinn agus scillinn eile uaig nú go raibh caran muar scillinní titithe anuas uaig. D'fhéach Seán ar a' méid airigid a bhí titithe uaig. " An dói leat go bhfuil an oiread ansin," adúirt sé, " agus dhíolfadh ar son na culaithe ? "

" Ó, *by dad*," adúirt fear a' tí, " tá, agus sin go math ! "

Do riug sé ar a' bpíos' éadaig, agus do leag sé chuig' anuas é. Is é an sórt a bhí ann *master tailor*, agus do bhí na píosaí ar fad insa teh aige féin. Do thóg sé miosúr Sheáin, agus má thóg choíhint, níor mhuar a' mhoill air a' chulaith' a ghearra, agus chaith sé píosa go dí an dtáilliúir seo agus píosa go dí an dtáilliúir eile, ach ní raibh a' tarna píosa ag aon táilliúir nuair a chuireadar a' chulaithe le chéile, agus bhí sí le chéile i gceann beagán aimsire.

Do bhí díolta ar shon na culaithe go math ag Seán agus ag a' seabhac, agus bhí an chulaithe déanta.

"*By dad*," adúirt Seán i n-a aigine féin, "ba mhath an agha ar na fearaibh seo deoch fháil!"

Do chimil sé bas do dhroim a' tseabhaic aríst, agus bhí sé dhá chimilt nú gur thit crap muar airigid eile as amach. Do chuir sé fios ar dheoch dosna táilliúirí. Do tháinig na táilliúirí ar fad anuas dá gcuid oibire, agus do bhíodar ag ól leóthu nú go raibh a ndóchaint ólt' acu. Do bhí Seán agus na táilliúirí ana-mhuínteartha le chéile, agus a' t-ól dá dhéana. Bhí ith' agus ól acu ansin, agus mairtfheóil dá fheabhas a thug fear a' tí dhóib lé n-ithe.

Very well. Do bhí sin a' teacht i n-a gcoinne, agus do bhí iomurca mairtfheól' dá ith' acu.

"Á, is dói liom," adúirt Seán, "gom fhearra dhúinn roinnt éanacha friseáilte ná an mhairtfheóil sin ar fad i gcónaí!"

"Bheadh sé go han-deas," adúirt fear a' tí, "ach níl aon teacht aguinn ar éanacha friseáilte mar sin."

"B'fhé' go bhfaighinn-se cuid acu!" adúirt Seán. "Seo amach leat," adúirt sé leis a' seabhac, "agus tabhair roinnt éanacha friseáilte chúinn!"

D'imig a' seabhac, agus ní rai' sé i bhfad imìthe nuair a thug sé beart éan isteach 'ucu. Thosanaig a' rósta aríst, agus ní dheagha sé sin i bhfad—ní rai' leath a ndóchaint acu, mar do thaithn an fheóil go han-deas leóthu.

"Dá mbeadh cuid eil' [acu] aguinn," adúirt duin' 'osna fearaibh, "d'íosamuist é!"

Do chuir Seán a' seabhac amach aríst, agus má chuir choíhint níorbh fhada a' mhoill ag a' seabhac go dtaini sé agus beart eil' aige. Do bhí an t-ithe go math, agus do thaithn sé leis na táilliúirí ar fad; do bhíodar ag ithe agus a' rósta nú go raibh cuid mhath it' agus róstaithe acu, ach mar sin féin, ní raibh a ndóchaint acu. Do bhí an t-ól dá dhéana, agus do bhíodar ag ithe na n-éanacha chó dian agus do bhíodar a' teacht orthu.

" Amach leat aríst! " adúirt Seán a' tríú babhta leis a' seabhac.
Do d'imig a' seabhac. Do bhí [sé] tuìrseach, tráite nuair a chua
sé go dí an gcoill. Do lui sé ar bhrainnse do chrann amuh, agus
níor thaini sé i n-ao'chor.

Do bhí Seán a' fànacht leis a' seabhac, agus b'fhada leis go
dtaini sé. Do bhí an t-ól a' fuarú úntu, agus ní raibh aon deis aige
fios a chuir ar aon chuid eile dhon ól nuair ná raibh a' seabhac ann
chuig a' t-airigead a bhaint as.

" M'anam," adúirt sé, " ná fuil a' seabhac a' teacht, gur dói
liom gur bhain rud eicínt do! "

" B'fhéidir gur bhain," adúirt fear a' tí, " mar go suíte bheadh
sé a' teacht marach gur bhain! "

" Níl fhios agum cad a dhéanfa mé i n-ao'chor anois gan a'
seabhac! " adúirt sé. " Ní bheig ór ná airigead agum! "

" 'Neósa me dhuit cad a dhéanfa tú anois," adúirt fear a' tí leis,
" tabhairfi mise ceathrú caoirfheóla dhuit," adúirt sé, " agus teighir
amach sa choill," adúirt sé, " agus teighir isteach i lár na coille,
din tin' ansin, agus caith a' cheathrú caoirfheóla thíos ar a' dtin'
agat," adúirt sé, " agus beig balaithe muar uaithi. Agus í a' rósta,
beig a bhfuil d'éanacha insa choill a' góil thímpeall ort féin agus ar
bhalaithe na feóla, agus b'fhéidir go rángódh go mbeadh t'éan féin
i n-a measc."

" Tá do phlean go math," adúirt Seán.

Do riug Seán an cheathrú chaoirfheóla leis, thug sé leis cóir tine,
agus d'imi sé amach go ndeagha sé isteach i lár na coille. Do dhin
sé a thin' ansin, agus nuair a bhí a thine déant' aige, do leag sé a'
cheathrú chaoirfheóla síos ar a' dtine, agus do bhí sé a' rósta léithi,
agus do bhí a balaithe ag imeacht ar fhuaid na coille i ngach uile
shórt áit. Níorbh fhada gur thosanaig éanacha a' teacht, agus iad
a' baint radharc na spéire dhe i riocht luighe anuas air, ach níorbh
fhéidir leis a sheabhac héin fheiscint i n-a measc i n-aon tsórt áit.
Do bhí sé a' féachaint tríothub i ngach uil' áit, agus a' féachaint
tríothub, agus níorbh fhéidir leis a sheabhac féin fheiscint beag
ná muar.

" Níl sé ann i n-ao'chor, agus ní fheicfi me go brách é! "

Súil eicínt dár thug sé theiris, a's gan aon tsúil go brách aige leis,
do d'fhéach sé tríos na crainn, agus do choinnic sé an seabhac i n-a

luighe anuas ar bhrainnse bheag, agus é tuìrseach tráite mar a bheadh sé a' titeam i n-a cholla.

" Tá tú ann fós," adúirt sé.

Do d'éala sé, agus do bhí sé a' druideam leis, agus a' druideam leis nú go ndeagha sé gairid do. Faitíos go n-imeódh a' seabhac uaig, do thug sé snap mhuar ar a' seabhac, agus do fuair sé greim air, ach má fuair choíhint cad a dhin sé ach sciob sé an ceann de! Do bhí an ceann aige i n-a láimh, agus thit a' cholainn ar a' dtalamh. Do bhí sé a' déanamh bó-chú[mha] i ndia an éin ansin, agus dá dhéan' amach go mbeadh sé bocht go brách, agus ná beadh aon chaoi mhaireachtáil aige. Do riug sé ar cheann an tseabhaic a bhí 'deir a dhá mhéir aige, agus chaith sé anuas ar a' dtalamh é; le línn é chathamh anuas ar a' dtalamh do thit scillinn amach as bhéal an éin. Do choinnic Seán an scillinn a' titeam amach as bhéal an éin; agus má choinnic choíhint do bhí an smear' ar a lá[mha] ó bheith a' rósta na feóla, agus bhí leisc' air an smeara a chuir ar a chuid éadaig. Do thóg sé an scillinn 'deir a dhá mhéir, agus ba bhocht leis a' chulaithe nó a bhí air ón dtáilliúir a shàlacha ná rian a' smeara a chuir air. Níor dhin sé pioc ar bith nú go nglanadh sé a lá[mha] ach an scillinn a sháth suas i n-a bhéal, agus nuair a shá sé an scillinn suas i n-a bhéal níor airi sé pioc nú gur shloig sé an scillinn! Do bhí an scillinn slocaithe ansin aige, agus cheap sé ná raibh aige ach scillinn.

" Muise, díth ort," adúirt sé, " ní raibh agum ach a' scillinn sin, agus tá me gan í anois, ach dám áil liom í chuir im póca, do bheadh sí agum! "

Ba chuma leis cad a dhéanfadh an chulaithe ansin mar do tháinic a' t-aiféal air. Do chimil sé a lá[mha] dhá bhríste go nglanadh sé a lá[mha], agus dá thúisce a dhin sé a lá[mha] a chimilt dá bhríste nú go nglanadh sé a lá[mha] d'airi sé rud eicínt a' titeam tao' thiar de féin. D'fhéach sé siar, agus cad d'fheicfeadh sé ann ach a' scillinn! Nuair a choinnic sé go raibh a' scillinn ansin do thuig sé é féin, agus do chimil sé a bhríste. Do thit scillinn agus scillinn agus scillin eile uaig, ach pé ar domhan fad a bheadh sae a' cimilt a lá[mha] dhá bhríste do bheadh a' t-airigead a' titeam uaig.

" Tá me chó math anois a's bhí me riamh," adúirt sé, " agus i bhfad níos feárr as mar ná bainfig rud ar domhan anois uaim é," adúirt sé.

Do bhaili sé suas a chuid scillinní, agus do thaini sé ther n-ais go dí teh an táilliúra chó dian agus b'fhéidir leis é, agus áibhéis a dhóchaint air. Nuair a thaini sé isteach an doras go teh an táilliúra:

" A' bhfuair tu é ? " adúirt a' táilliúir leis.

" Fuaireas," adúirt sé.

" Ca'il sé ? " adúirt a' táilliúir.

" Ó, mhuise," adúirt sé, " do bhí sé i n-a luighe ar bhrainnse, agus é tuìrseach tráite, agus do cheap me é ghóil, agus do thug me snap chuig breith air, agus do scuaib mé an ceann de !

" Ó, mhuise, ní dhéanfainn aon dabhta dhíot ! " adúirt an táilliúir. " Tá tu buailt' ar fad anois ! "

" Ó, nílim," adúirt sé. " Tá me có math a's do bhí me riamh," adúirt sé. " Nuair a scuaib me an ceann de, agus bhí me a' féachaint ar a' gceann, do chaith me ar a' dtalamh é, mar bhí fhios agum ná raibh ao' mhath dhom insa gceann go brách arís, a's shíl me ná raibh. Do thit a' scillinn déanach amach as a bhéal. Do thóg me an scillinn, agus do bhí leisc' orum a' lámh a chuir im póca, mar do bhí rian a' smeara im' lá[mha], agus mo threabhsar a shàlacha. Do shá me an scillinn im' bhéal nú go bhfaighinn mo lá[mha] a ghlana, agus níor airi me an scillinn nú gur shloig me í. Tá me níos feárr ná bhí me riamh anois mar tá an scillinn istig im bolag féin," adúirt sé, " agus dá mbeinn a' siúl choíhint agus a' cimil lámh dhom bhríste do bheadh airigead a' titeam uaim."

" Ara, cogar, an fíor duit é ? " adúirt fear a' tsiopa leis.

" Ó, go deimhin, is fíor," adúirt sé, " gabh i leith go dtuga me in do lá[mha] dhuit é ! "

Do dhird sé siar go cúinne an tí, agus chrom sé síos, agus chrom sé ar bheith a' cimilt bas dá bhríste nú go raibh airigead a' titeam uaig nú gur chuir sé ar mhùllach a chínn amach dá mhùllach é, do bhí an oiread sin do chárnán airigid ann.

" Suig análl anois," adúirt sé, " agus beig ól agus ith' aguinn ! "

Mar sin a bhí. Bhí sé féin agus na táilliúirí ar fiog tamaill mhóir eile ag ól agus ag ithe nú go rabhadar tínn tráite ó bheith ag ith' a's ag ól.

" Tá sé i n-am agum-sa a dhul ar n-agha anois," adúirt sé, " agus dul insan áit a bhfuil mo ghró."

" Cá ragha tu ? " adúirt fear a' tsiopa leis.

" Raghad," adúirt sé. " Taidhríog ag baile dhom go raibh méara ar a' mbaile seo, agus go raibh óigbhean do 'níon aige," adúirt sé, " agus fear ar domhan a bheadh ábalta ar í bheathú go bhfaigheadh sé lé pós' í féin agus a meáchaint óir."

" Ó, m'anam go bhfuil a lithéide sin amhla," adúirt fear a' tsiopa leis, " agus gur tus' an fear a bhfuil deis agut ar í bheathú anois."

Mar sin a bhí. D'imi sé leis, agus do chua sé suas go dí geata a' mhéara. Bhí fear ansin rimhe, agus do cheisti sé é cá raibh sé a' dul. Do 'nis sé dho gur airi sé go raibh méara ar a' mbaile seo, agus go raibh iníon aige, agus fear ar domhan a mbeadh sé i gcumas do í choinneáilt suas insa cheart go bhfaigheadh sé lé pós' í, í féin agus a meáchaint óir.

" Tá sin amhla," adúirt sé, " má tá tusa ábalta ar í bheathú insa cheart mar is ceart di fháil."

" Ó, táim ! " adúirt sé.

" *Well*, fan ansin," adúirt sé sin, " nú go reagha mis' isteach a's go n-ínsí me gon mhéara go bhfuil tu a' teacht."

Chua sé sin isteach, agus do 'nis sé go raibh a lithéid amuh. D'órdaig a' méara isteach é.

" Cé an chóir athá agut-sa ar [mh'iníon] a bheathú ? " adúirt a' méara leis.

[Do 'nis sé dho an chaoi a raibh an scéal.]

" Agus tá sin mar sin, agus beig fad a mhairfi me," adúirt sé.

" Ó, tá tu go math," adúirt sé sin. Do thuig sé sin cad a bhí amhla go math.

Chuir sé i gcóir a' cleamhnas, agus dineag a' pósa.

Má dineag choíhint, cathag bainis, agus an oíhe a chuaig Seán agus an óigbhean chuig leapan le chéile, chuig dúthracht a dhéan' air, cad a dhin an óigbhean—do chuir sí dhá ghloine puins i gcóir dóib araon. D'ól sí féin a gloine puins, agus cad a chuir sí i gcóir do Sheán ach [purgóid]. Bhí go math. D'eighri sé. Do bhí sé a' siúl nú gur chuir sé scillinn na bua uaig.

Nuair a choinnic Seán cad a bhí déant' aige, do bhuail náir' é. D'imi sé agus dúirt sé ná [casfadh] sé go brách arís. Bhí an teh déanta ar bhruach na farraige agus ar bhruach aille.

Laethanta rimhe sin do bhí fearaibh a' cuir suas *whitewash*, ach do rángaig go raibh a' dréimire leacaithe leis a' bhfuinneóig a raibh

Seán le hagha dhul amach tríthi. Do bhuail sé amach a' dréimire, agus níor stop sé choíhint maol-nochtaithe nú go ndeagha sé amach síos ar a' gcládach. Ar eighrí an lae bhí sé ansin ag imeàcht fuar ocarach, agus é folamh ann féin a' góil ar fhuaid na trá. Do bhí sé a' pioca corra-ruaine corraicín agus sleamhcán mar bhí an t-ocaras air. Do bhí sé a' góil ther bhollán do bhí insa trá, agus do d'fhéach sé síos ann, agus cuid é a' rud a d'feicfeadh sé thíos insa bhollán ar lár na trá mar a bheadh crobh duine mhairibh.

"Tá crobh duine mhairibh ann," adúirt sé; agus bhí sé a' féachaint uirthi. "Aha, muise, m'anam héin go bhfuil, agus go bhfuil fáinn' ann. Do thóg sé aníos a' crobh, agus do bhain sé an fáinne dhe, agus d'aithin sé é. Má d'aithin choíhint do chuir sé an fáinne ar a mhéir. Ní ar theh an mhéara a thug sé a agha i n-ao'chor, ach do tháini sé go dí teh an táilliúra, agus ba suarach an earra é a' teacht do.

Do choinnic a' táilliúir a' déan' ar a' dteh é.

"Hahá," adúirt a' táilliúir, "tá buailte fút!"

"Tá," adúirt sé.

"Cad a bhain duit?" adúirt a' táilliúir.

Do d'inis sé dho thríd síos mar a ghui' sé i ngach nós.

"Cé bhfuair tu an fáinne sin athá ar do mhéir?"

"Fuair me thuas ar a' gcladach é," adúirt sé. "Bhí sé ar chrobh duine mhairibh, agus do bhain me dhe é, agus sin a bhfuil do bhárr mo shaeil anois agum!"

"Tá tu go math as," adúirt a' tailliúir, "tá fáinne na bua agut!"

"Tá sin féin go math!"

"Teighre suas anois aríst," adúirt [an táilliúir], "agus aon tsórt rud is math leat iarra bíodh sé agut!"

Bhuail sé suas, a's bhí sé a' faoileáil thímpeall air féin nú go bhfuair sé a dhul isteach [go teh athar a chéile]. Má dhin choíhint do bhí sé a' siúl leis nú go bhfuair sé deis ar a' mbean, agus do d'árda sé leis í, agus d'iarr sé mar achanaí ar fháinne na bua a bheith age baile ag teh a athar a's a mháthar tréanthóna.

Mar sin a bhí. Nuair a thaini sé abhaile go teh a athar a's a mháthar tréanthóna, is é an áit a ránga leis seasamh thuas i bhfogas don Chúláth, síos fé bhun teh Pháid. Do shui sé síos ansin i dtoimín coill' ansin i mbun crann miogóidí, mar bhí náir' air a dhul isteach teh a athar a's a mháthar.

Do bhí sé féin agus í féin ansin i mbun a' tor miogóidí. Do choinnic [an bhean] an áit a bhí [thímpeall uirthi] agus do tháinic aiféal a croí uirthi a bheith fácaithe an baile. Do thit [a fear] i n-a cholla, mar b'ait leis a bheith gairid di. Nuair a fuair sí i n-a choll' é, níor dhin sí pioc ar bith ach breith ar a' bhfáinne agus é scioba dhá mhéir. Nuair a sciob sí dhá mhéir é, do chuir sí ar a méir féin é, agus má chuir choíhint, do d'iarr sí ar Dhia agus ar bhrí a fáinne a bheith ag baile i mBleá Cliath teh a hathar a's a máthar féin i gceann beagán aimsire. Níor thúisce an focal as a béal ná bhí sí ag baile.

Mar sin a bhí. Nuair a dhúisig Seán, d'fhéach sé theiris, agus ní raibh aon ghiob dá tuairisc aige. D'fhéach sé thímpeall air i ngach uil' áit, agus chuíní sé air féin. D'fhéach sé ar a mhéir, agus bhí an fáinn' imìthe.

" Tá buailte fúm aríst," adúirt sé, " agus ní hé a' chéad uair é, agus me héin is ciúntach ! "

Mar sin a bhí. Do bhí sé a' déana bó-chú[mha] ansin. " Ní reagha me isteach teh m'athar ná mo mháthar go brách ná choíhint arís," adúirt sé, " ná ní bhe sé lé rá ag éinne gur chas me im amadán ! "

Mar sin a bhí. Do bhí sé ansin, agus é ag úndramháil leis, agus do bhí an t-ocaras air. D'fhéach sé suas i gcoinne crann na miogóidí. Do choinnic sé miogóide breá thuas, agus bhuail dúil aige ann, mar do bhí an t-ocaras air. Riug sé air, agus bhain sé é, agus shá sé i n-a bhéal é. Dá thúisce ar chuir sé i n-a bhéal é d'fhás crann amach aniar trí n-a thóin ! Cathag ar chúl a chínn é, agus bhí sé ag úndramháil leis ansin.

" Dá dhonacht a's bhí me riamh," adúirt sé, " tá me níos dona ná bhí me riamh anois ! Cad a dhéanfa me i n-ao'chor ? "

Do bhí sé ad iarra eighrí, a's níorbh fhéidir leis. Nuair a cheapadh sé eighrí do leagadh a' crann aríst é. Do bhí sé ag úndramháil leis nú gur imi sé agus go ndeagha sé tamall uaig sin. Do bhí sé a' casa ar chúl a chínn, agus é a' cuíneamh air féin agus a' caínt leis féin :

" Muise, is oram a bhí an mí-á," adúirt sé, " ach, ar ndó, ní raibh aon leigheas agum air. Níor dhin me ach mar seo," adúirt sé.

Do bhí crann eile miogóidí a' fás os a cheann. Do chuir sé a lámh suas go dí an miogóide a bhí os a cheann.

" Mar seo a dhin me," adúirt sé. Do bhain sé an miogóide a bhí
a' fás os a cheann, agus chuir sé i n-a bhéal é. Dá thúisce ar chuir
sé an miogóide eile i n-a bhéal, do thit a' crann de, agus d'eighri sé
suas chó sleamhain chó slán agus bhí sé riamh.

" Tá sin go math," adúirt sé, " ach ní reagha mise isteach anois
chó héasca seo, ná ní fhanfa me insan áit seo níos sia, ach béarfaig
An Fear Mór leis iad nú go mbe mise suas arís leóthu! "

Do bhuail sé leis, agus do líon sé ceann dá phócaí, agus chuir sé
marc math air leis na miogóidí ar fhás a' crann [astu], agus do
d'iúmpa sé anúnn go dí an gcrann eile a rai' na miogóidí air a leag
a' crann, agus do líon sé an póc' eile. Thug sé a agha ar Bhleá Cliath
chó dian a's chó díheallach a's b'fhéidir leis é. Pé faid a thóg sé a'
dul ann níor dheagha sé ann chó héasca a's chua sé ann a' chéad
bhabhta. Níor stop sé go ndeagha sé suas ar shráid Bhleá Cliath
aríst. Níor dhearamad leis a dhul go dí teh an táilliúra, mar bhí
dánacht bheag aige air. Do bhuail sé isteach, agus d'fhiafraig a'
táilliúir de cad a chuir ther n-ais é. Do 'nis sé dho gach uile chor de
dhár chuir ther n-ais é agus a' nós ar bhuail sé fé arís.

" Hahá, déanfa sí arís leat é! " adúirt sé.

" Deirim-se ná déanfaig," adúirt sé, " ach gom fhéidir go ndéan-
fainn-se rud leóthu fós! "

Mar sin a bhí. D'imi sé larnamháireach, agus do bhí sé a' faoileáil,
agus bhí an doras mór oscailte teh an mhéara, agus do bhí sé a'
faoileáil thímpeall i gcónaí leis nú go bhfuair sé an deis, agus bhí
fhios aige gurab é seo an bóthar go ngeódh an óigbhean seo nuair a
bhíodh sí a' góil amach tréanthóna. Do riug sé ar a' miogóide—agus
do bhí miogóidí breácha aige—agus do chaith sé isteach ar fhaid
a' *hall* é insan áit a ngeódh an óigbhean amach. D'imig sé leis ansin,
agus d'fhág sé ansin iad sin.

Nuair a bhí an óigbhean a' góil amach tréanthóna, do bhuail sí
bárr a coise fén miogóide, agus do thaithn sé go hana-mhór léithi.

" Is é an miogóide is breácha a choinnic me riamh é," adúirt sí,
" ach cud éard a thug anso é? "

Chrom sí síos, agus do riug sí air, agus shá sí suas i n-a béal é go
n-itheadh sí é. Dá thúisc' a chuir sí suas i n-a béal é, do tógav í
agus buaileav ar fleasc cúl a cínn í, agus d'fhás crann amach thiar
aisti. Bhí an crann a' fás amach trí mhùllach a' tí a's ní raibh fios
cé a' nós a bhfaighfí é ghearra. Do liú sí a's bhéic sí, a's mhurdar sí,

agus dúirt sí go rai' sí marabh go brách. Do tháinig an méid seiribh-
ísig a bhí insa teh muair a' féachaint cad a bhí a' cathamh uirthi,
ach níorbh fhéidir lé héinn' acu aon *relief* a thabhairt di. Bhí sí
cait' ar chúl a cínn ansin istig sa *hall*, a's bhí an crann ar fad a' fás
aist' amach. Dúrag ansin dá bhfaighthí fear a gheárrfadh a' crann
di go dtabhairfidíst dualgas math dho. Do tháinic fear math, agus
do gheárr sé an crann. Dá thúisc' a gheárr sé an crann d'fhás seach'
gcrann eile as. Bhí sí ní ba mheasa ansin ná riamh. Do cuireag
goirim-scoil' amach fear ar domhan a bhainfeadh a' t-adhmad go
bhfaigheadh sé lé pós' í.

D'airig Seán é. Bhí sé ar fhuaid Bleá Cliath, a's é thímpeall teh
an táilliúra i gcónaí. Do bhuail sé suas lá; agus do bhí dochtúirí
a's gach uile dhuine a' teacht ad iarra an crann a bhuint di; níorbh
fhéidir leóthu. Do bhí go math, a's ní raibh go holc. Do bhuail
Seán suas. D'fhiafra sé cad a bhí a' cathamh istig uirthi.

" Ó, níl aon [gh]nó dhúinn é ínseacht duit," adúirt an fear a bhí
a' caínt leis ag a' ndoras, " ní fhéadfá aon tala' a dhéana."

" Mara bhfaighi me an crann a bhuint di agus í dhéana có
sleamhain có slán a's bhí sí riamh ní iarrfa me le pós' í.

" Tá sin go hana-mhath," adúirt an fear a bhí amuh.

Chuaig scéal isteach go dí an méara go raibh fear amuh a bhí
ábalt' ar an gcrann a bhuint di.

" Scaoiligí isteach é ! " adúirt sé.

" *Well*, ní phósfa mis' í ná ní bhainfi me an crann di nú go
bhfaighi me tacaíocht agus siúráilteacht ! "

" Ó, geó tu sin ! " adúirt [a' méara].

Chua sé chuici ansin, agus bhí sí i n-a luighe ar chúl a cínn ar
a' *hall*.

" Sea," adúirt sé, " ith a' miogóide seo ! "

" A," adúirt sí, " coinnig go bhfaighi me amach ! Sin é an sórt
a d'fhás heana orum, agus ní ragha me leis níos sia ! "

" Ó, ith é seo," adúirt sé, " agus ní féidir 'uit a bheith níos dona
ná athá tu, ach fhéach, b'fhéidir go mbainfi sé seo dhíot é ! "

Lé bladar muar do chuir sé iallach uirthi an miogóide a chuir i
n-a béal, agus é chogaint. " 'Á thúisce a rai' sí á chogaint thit a'
crann di. Do d'eighri sí suas có sleamhain có slán agus bhí sí riamh.

" *Well*, anois," adúirt sé, " ní cáll aon phós' a dhéana 'deir mise
ná tusa, tá sé déanta heana aguinn, ach cathfa tu a theacht abaile

liom-sa arís, agus cathfa tu gach rud dár gheallag dom—cathfa me
é fháil ! "

Do d'imi leis, agus thug sé leis abhail' í, ach m'anam nár scar sé
aríst léithi chó bog agus scar sé heana léithi. Níor imi sí abhaile
ní ba mhó uaig !

10. RÍ NA gCAT

Do bhí beirt do dh'fhearaibh córsan i n-a gcónaí insan áit seo
insa tsean-tsaol a cathag fadó riamh, agus níor chuir éinne gon bheirt
aon chúram pósta orthu féin riamh. Do bhíodar—gach fear acu—i n-a
gcónaí i n-a theh féin. Bhí dhá phaiste beag talún acu a' síne le
taobh a chéile.

Lá dhá laethanta, agus iad ag obair amuh insa ngarraí, do shuig
a' bheirt síos lé taobh a chéile ar a' gclaidhe mar a bheadh beirt a
bheadh a' catha tobac. Do bhíodar a' caínt agus a' seanachas. Do
bhí fear acu, agus níor ghéill sé riamh don fhírinne, agus do bhí an
tarna fear, agus níor ghéill sé riamh ach don fhírinne—níor ghráithigh
sé riamh don éitheach. Do bhíodar a' saoiteóireacht ar a chéile.

" Ce huc' is sia," adúirt fear acu, " a theigheann an fhírinne nú
an t-éitheach ? "

" Ó," adúirt fear na fírinne, " is sia a theigheann leis an fhírinne."

" Deirim-se nách sia," adúirt an fear eile, " gur sia a theigheann
a' t-éitheach."

Sheasaíodar ansin a' saoiteóireacht lé n-a chéile.

" *Well*," adúirt fear an éithig, " a' gcuirfeá geall ? "

" Chuirfinn," adúirt fear na fírinne.

" Cé an geall a chuirfi tú ? " adúirt sé.

" Tá aon chúig phúint amháin agam," adúirt fear na fírinne,
" agus cuirfi mé mar gheall leat é."

" Tá me sásta," adúirt a' fear eile.

Dhaingeanaíodar a' geall.

" *Well*, anois," adúirt sé, " cé d'fhuascalóig ár gcás, agus cé
dhéanfaig *deciding* air sin ? "

" Imímuid linn ar fhaid a' bhóthair," adúirt sé, " agus pé ar
domhan an chéad fhear a chasfar linn, caithfi sé sin scéal a shocarú
eadarainn."

D'imíodar leóthu, agus dhún gach duin' acu a dhoras féin. Nuair a bhí fear na fírinne ag imeàcht—bhí roinnt foghlaim air, agus bhíodh sé a' léamh leabhair—do riug sé ar a chuid leabhartha ar fad, agus do dhin sé beart díob, do chuir sé fé n-a ascail iad, agus d'iúmpair sé leis iad.

Do bhíodar ag imeàcht leóthu ar fhaid a' bhóthair nú gur chuadar tamall muar bóthair ó bhaile fér casag aon fhear leóthu. Casag fear ar a' mbóthar leóthu ansin.

" Is tusa an fear," adúirt sé, " a chathfaig ár gcás do réiteacht."

" Cuid éard athá oraib ? " adúirt a' fear a casag leóthu.

" Tá geall curth' againn," adúirt sé, " agus cathfa tusa é réiteacht."

" *Well*, cuid éard é ? " adúirt a' fear a casag leóthu.

" Ce huc' is sia a theigheann an t-éitheach nú an fhírinne ? " adúirt fear an éithig leis.

" Ó, *well*," adúirt an fear a casag leóthu, " ar ndó, is sia a theigheann an fhírinne ! "

" Deirim-se nách sia," adúirt fear an éithig, " gur sia a theigheann an t-éitheach ! "

" Ó, ní sia," adúirt sé, " is sia a theigheann an fhírinne ! "

" Má d'abaraíonn tú aríst é," adúirt fear an éithig, " lá'fa me tu ! "

" O, *well*, más mar sin é," adúirt sé, " is sia a theigheann an t-éitheach ! "

" Tá an geall buait' agam ! " adúirt fear an éithig.

" *Well*, tá," adúirt a' fear eile.

Thug sé na chúig phúint do.

" 'Bhfuil aon gheall eile agat a chuirfi tú," adúirt sé, " insa chás chéanna ? "

" Cuirfi mé mo chuid leabhartha leat ! " adúirt fear na fírinne.

Dhaingeanaíodar a' geall aríst, agus d'imíodar tamall eile bóthair leóthu. Níor stop siad nú gur casag an tarna fear eile leóthu.

" Siod é an fear anois," adúirt fear an éithig, " a réiteóig ár gcás ! "

" Tá go math ! "

" *Well*, is tusa an fear," adúirt fear an éithig, " a chaithfig ár gcás do réiteach," adúirt sé.

" Cad athá oraib ? " adúirt a' fear a casag leóthu.

"Tá geall curth' againn," adúirt sé, "agus cathfa tusa *deciding* a dhéana air!"

"Cé an geall é?" adúirt sé.

"Tá fear againn a' cuir geall," adúirt sé, "gur sia a theigheann a' t-éitheach ná an fhírinne, agus tá an fear eil' againn a' cuir geall gur sia a theigheann an fhírinne. Agus ce huc' acu is sia a theigheann?" adúirt fear an éithig.

"Ó, is sia a theigheann an fhírinne," adúirt sé.

"Deirim-se nách sia," adúirt fear an éithig, "gur sia a theigheann an t-éitheach!"

"Ní sia," adúirt sé, "is sia a theigheann an fhírinne!"

"Má d'abaraíonn tú aríst é," adúirt sé, "lá'fa me tu!"

"Ó, más mar sin é," adúirt sé, "is sia a theigheann a' t-éitheach."

"Tá an geall eile buait' agum ort!" adúirt fear an éithig ansin.

"*Well*, tá," adúirt fear na fírinne.

"'Bhfuil aon gheall eile agut a chuirfi tú anois?" adúirt sé.

"Cuirfi mé mo shúil deas leat," adúirt sé, "mar gheall anois!" adúirt sé.

Dhineadar a' geall a dhaingeanú aríst; agus d'imíodar leóthu nú gur casag an fear eile leóthu ar a' mbóthar.

"Is tus' an fear," adúirt sé, "a chaithfig ár scéal do réiteacht!"

"Cuid éard athá eadaraib anois?" adúirt a' fear a casag leóthu.

"Tá fear againn a' cuir geall," adúirt sé, "gur sia a theigheann a' t-éitheach ná an fhírinne, agus tá an fear eile ná géillfeadh do sin agus gur sia a theigheann an fhírinne!" adúirt sé.

"Ó, *well*," adúirt an fear a casag leóthu, "ar nó, is sia a theigheann an fhírinne!"

"Ní sia," adúirt sé, "is sia a theigheann a' t-éitheach!"

"Ní sia," adúirt a' fear a casag leóthu, "is sia a theigheann an fhírinne!"

"Má d'abaraíonn tú aríst é," adúirt sé, "lá'fa me tu!"

"Ó, más mar sin é," adúirt sé, "is sia a theigheann an t-éitheach."

D'imíodar leóthu ansin.

"A' bhfuil aon gheall eile agut, a chuirfi tú anois?" adúirt sé.

"Cuirfi mé mo shúil chlé leat anois!" adúirt sé.

"Tá mé sásta," adúirt sé.

Dhaingeanaíodar an geall aríst, agus d'imíodar dreas eile bóthair, nú gur casag a' ceithriú fear leóthu.

" Tusa an fear a chaithfig ár scéal a réiteach ! " adúirt fear an éithig aríst.

" Cuid éard athá eadaraib anois ? " adúirt a' fear a casag leóthub ar a' mbóthar.

" Tá fear againn a' cuir geall," adúirt sé, " gur sia a theigheann a' t-éitheach ná an fhírinne, agus tá an fear eile ná géillfeadh do sin á reá gur sia a theigheann an fhírinne."

" Ó, well, go dei[mhi]n," adúirt sé sin, " is sia a theigheann an fhírinne ! "

" Ní sia," adúirt sé seo, " is sia a theigheann a' t-éitheach ! "

" Ní sia," adúirt a' fear a casag leóthu, " is sia a theigheann an fhírinne ! "

" Má d'abaraíonn tú aríst é," adúirt sé, " lá'fa me tu ! "

" Ó, más mar sin é," adúirt sé, " ar nó, is sia a theigheann a' t-éitheach ! "

Scaoil sé sin theiris iad.

Bhí go maith. Bhí an fear a rai' an dá shúil baint' as ansin—do bhí sé dall, agus ní raibh dul níos sia aige. " Well, anois," adúirt sé, " níl dul níos sia agam-sa i n-éindí leat, agus níl aon mhath ionam dom héin ná dhuit héin, agus caith 'dtao' isteach go chlaidhe me, agus fág ansin me faid a mhairfi me nú go bhfaighi me bás ! "

Ba mhath a' scéal leis a' bhfear eile é sin. Do riug sé air agus chaith se tao' isteach do chlaidhe é, an áit a raibh claidhe mór árd. Agus do reángaig gurab é an áit ar chaith sé é isteach lé bun claidhe roilice. Agus do bhí sé ansin, agus é i n-a dhall, sínte siar.

Do d'imig a' fear a raibh na geallta buait' aige, agus do thaini sé abhaile. Do bhí a áit féin agus áit an fhir a bhí dall ag bail' ansin aige, agus do bhí sé lán-tsásta. Cheap sé ná feicfeadh sé an fear eile go brách aríst.

Mar sin a bhí. D'fhain sé ansin nú go dtainig an oíhe; agus do reángaig go mba dh-í an oíhe í a raibh meetin' ag Rí na gCat glaeite ar a chuid seiribhísig le chéile chuig theacht ansin chuige n-a n-aigine a dhéana suas le chéile.

Nuair a thit an oíhe, do thainig na cait ar fad a bhí thímpeall ar fhuaid na cúntae, agus do shuíodar ansin a' fanacht leis a' rí go dtagadh sae go dtugadh sae cóirle dhóib. Do bhí moill mhór orthu ansin, agus b'fhada leóthu go dtáini sé.

" Is mór a' fad athá an Rí amuh," adúirt cuid acu leis a' gcuid eile. " Tá rud eicínt bainte dhó, agus níl sé a' teacht chúinn-ne insan am a dtagadh sae chúinn gàch uil' uair eile." Bhí go math. Do d'fhain sé ansin mar sin, agus i gcúrsaí tamaill muar (sic) aimsire do thaini sé.

" Well, a chúlódair," adúirt sé, " tá moill mhuar baint' anocht agam asaibh, agus ní raibh aon leigheas agum air. Do bhí mé héin agus mo dhá ghíománach a' teacht," adúirt sé, " agus do bhí an bóthar ró-fhada reóinn, agus bhíomair a' siúl. Do bhuail tart sinn," adúirt sé, " agus casag dairy linn ar thaobh a' bhóthair, agus ghabhamair isteach go n-ólamuist deoch. Lé línn sinn a bhe' istig sa dairy ag ól do thainig cailín óg a' tí orainn, agus do thug sí ana-bhuala as meón dó-sa insa chaoi gur chua sí gairid go mo mharú. Ach, má dhin choíhint," adúirt sé, " d'fhág mise rud i n-a bun go gcuíneó sí air faid a mhairfi sí, agus ní faid muar é sin, mar d'fhág mise trí ribe as lár mo riubaill istig insa scoitire, agus d'ól sí féin é sin. Ní fhágfa sé-sin a goile i gcathamh a' domhain ná go bhfaighi sí bás! "

Do bhí go math. Do bhí sé seo amuh ag éisteacht leóthu.

" Well, anois," adúirt an Rí leóthu, " níl aon fhear faen saol go léir a bhfuil fios aige air sin ach agam-sa agus agaib-se, agus ní bhfaighig éinn' eile aon chúntas air. Níl aon ghiob sa domhan chuig í a leigheas ach trí braoin as an uisce athá ag bruach na roilice seo, agus do leigheasfadh sé í féin agus a' saol go léir, ach cé hé a bhfuil fhios é sin ach aguinn-ne, agus ní bhe fhios ag éinne uainn é! "

Mar sin a bhí. D'imíodar; agus do bhí an fear a bhí dall ag éisteacht leóthu. Nuair a d'imíodar ansin cheap sé eighrí aríst agus a bhe' a' lamhancán leis chuige n-a bhóthar a dhéana i n-áit eicínt eile. Do reánga leis go rai' sé ag imeàcht lé bruach claidhe na roilice, agus do casag caeiteachán báite a bhí fliuch leis, agus nuair a bhí sé a' siúl tríd a' gcaeiteachán báite fliuch, agus ná raibh a radharc aige, do leagag é. Do reángaig gurab é an áit ar cuireag a cheann isteach insa tobar (sic), agus nuair a chuaig a cheann insa tobar agus i n-uisce an tobair do thainig a radharc do chó math agus do bhí riamh aon lá roimhe sin aige. Do thóg sé suas a cheann, agus

d'eighri sé amach as an gcaeiteachán a bhí fliuch, báite, agus do bhí
radharc ar a' tsaol go léir aige mar a bhí riamh. Do bhí sé áibhéiseach.
Do chua sé, agus do thug sé buidéal d'uisce an tobair leis.

" Ragha mis' anois," adúirt sé, " fae dhéint a' chailín óig sin
athá tínn breóite, agus athá a' fáil bháis, agus má leigheasaim-se
í geó me an dualgas, agus be me chó math agus bhí me riamh aríst."

Do d'imi sé leis, agus ní raibh fhios aige cá rai' sí i n-a cónaí,
ach do bhí sé a' déana 'un bóthair gàch uile lá leis nú go dtaini sé
insan áit a reánga léithi do bhe' i n-a cónaí. Do bhí saibhreas mór
ag a n-a hathair sin; agus ní raibh aon fháil aige ar a dhul isteach,
agus ní ligfaí isteach tao' isteach gon ngeata, agus do bhí pórtúir
a' tabhairt aire gon ngeata. Do thaini sé seo go dí an ngeata, agus
d'iarr sé cead dhul isteach.

" Cuid é an gró athá isteach agat ? " adúirt a' pórtúir.

" Dochtúir is ea me," adúirt sé, " agus d'airi me go rai' óigbhean
istig a bhí tínn, agus b'fhéidir go bhféadfainn í leigheas ! "

" Ó, well, más é sin é, tá dochtúirí is feárr cosúlacht ná tusa a'
teacht, agus ní féidir lé héinn' acu í leigheas."

" Well, ní iarrfa mise aon díolaíocht nú go leigheasfa me í,"
adúirt sé, " agus nuair a bhe sí leigheasta agam geó me an díolaíocht."

" Más mar sin é," adúirt sé, " ligfear isteach tu, b'fhéidir, ach
cathfa tu fanacht ansin nú go dteighe mise go dí an maighistear agus
go bhfaighe me cead duit ! "

Do d'imi sé leis go dí an maighistear, agus do nis sé dho a scéal.

" Ó, well," adúirt a' maighistear, " tá dochtúirí ar fónamh a'
teacht anso isteach, agus ní féidir leóthu í leigheas."

" Well, tá sé siúd á reá ná hiarrfa sé aon dualgas nú go bhfeice
sé leigheasta í," adúirt sé.

" Más mar sin é," adúirt a' maighistear, " scaoil isteach é, agus
ní chaillfimuid dada leis mara leigheastar í."

Thaini sé isteach, agus d'fhéach sé uirthi, agus do bhí sí ar a
leabain insa tseómra. Tharrainn sé chuige a bhuidéal agus thug sé
trí braoin di amach as a' mbuidéal. Dá thúisce is thug sé na trí braoin
di d'úntaig a goile, agus chuir sí amach an méid a bhí i n-a goile,
agus na trí ribe as riuball a' chuit, agus dá thúisce a rai' sé sin
cuirthe amach as a goile aici do d'eighri sí suas chó sleamhain chó
slán agus do bhí sí riamh. Do chua sí a' rínce ar fhuaid a' tí chó hóg,
chó láidir agus a bhí sí an lá is feárr a bhí sí.

Do fuair sé seo a dhualgas, agus do thug sé a agha ar a bhaile féin.

Níorbh iongantaí leis a' bhfear a bhí ag baile fia na coille ná nuair a choinnic sé a' déan' air é, agus a radharc aige, mar bhí fhios aige gur bhain sé a dhá shúil as.

" Ara, a' bhfuil tú cast' aríst chúm ? " adúirt sé.

" Táim," adúirt sé.

" Ara, cé bhfuair tu do radharc," adúirt sé, " agus a' suibhireas ? "

" Fuair mise mo radharc agus mo shuibhireas insan áit ar leag tu me ! "

D'inis sé dhó ansin go rai' sé ag éisteacht lé Rí na gCat ag ínseacht an [scéil] dá chuid seiribhísig, agus gur uathub sin a fuair sé an fios.

" Cé an uair a bhíonn sé ann ? " adúirt a' fear eile.

" Is dóch," adúirt fear na fírinne, " gur lé línn na hoíhe céanna a thaini sé heana—bliain ón oíhe sin."

" A' dtabhairfeá ann mise, agus me fhágaint ann ? "

" Tá an t-eolas agat féin, agus tá fhios agat cér fhág tu mise, agus fan ann, agus luig lé taobh na roilice nú go n-airí tu a' caínt iad, nuair a thiocfaig an oíhe."

Mar sin a bhí. D'imi sé agus do chua sé isteach, agus lui sé insan áit chéanna lé taobh claidhe na roilice. Agus ba dh-í an oíhe chéanna í go raibh an *meetin'* lé be' ag Rí na gCat agus agá n-a chúlódar. Do thanadar go luath insan oíhe, agus ní raibh cloch ar a' gclaidhe ná aon leac insa roilic ná raibh cat, dhá cat, agus trí cait ann, agus iad a' fanacht leis a' maighistear. Níor choinni sé aon mhoill fhada orthu nú go dtaini sé go luath go math insan oíhe.

" *Well,* anois, a chúlódair," adúirt sé, " bhíobhair anso bliain agus an oíhe anocht, agus, má bhíobhair choíhint, insa chaínt a bhí eadarainn cheapamair nár airig éinn' é ach sinn féin, agus bhí duin' eicínt beó i n-áit eicínt tímpeall orainn a bhí ag éisteacht linn, agus do leigheas an óigbhean," adúirt sé. " Ach anois, cuartaígí agus seachainígí gom fhéidir go mbeadh éinne ag éisteacht linn anocht, agus má thá, dinigí aon ghró amháin de ! "

Do chuartaíodar thert tímpeall, agus casag leóthu é seo i n-a luighe tao' amuih lé claidhe na roilice. Do dhineadar greamanna seabhaic de, agus níor fhágadar an tarna greim lé chéile dhe.

Sin é a chríochnaig a scéal do sin! Ach an fear a sheasaig don fhírinne do choinnic sé gurb í an fhírinne is sia a theigheann.

Do mhair sé a shaol go math fada dúlánta, agus níor chas a' fear eile i gcathamh a' domhain aríst air.

11. SEÁN NA nGABHAR

Bhí anso fadó, agus is fadó a bhí, bhí seana-bhean agus garsún aici, agus is é an t-ainim a thugadh na córsain air Seán na nGabhar, mar bhíodh sé a' dul gàch uile lá lé doran gabhar a bhí aige go dtéadh sae go dí an gcoill.

Ag imeacht do a' dul chuig na coille an mhaidin seo, do ránga leis gom éigean do a bhricfeast a chuir i gcóir. Chua sé amach go dí an dtobar fae dhéint *tin-can* uisce go mbeireódh sé *stirabout* leis; agus do bhí a' snámh ar uachtar a' tobair bricín deas. Bhí sé ag éaló leis a' *tin-can* ar a' mbricín nú gur chuir sé thíos fén mbreac é, agus thóg sé aníos é.

Dhúisi a' breac. " Lig uait mé," adúirt a' breac, " mar ní fiú dhuit a dhul a' plé liom! "

" Díreach ná déanfad," adúirt Seán, " mar bainfi me bricfeast math asat! "

Very well. Mar sin a bhí. Bhí Seán a' tabhairt a' bhric leis.

" Á, lig uait me," adúirt a' breac, " agus níl aon achanaí a d'iarrfa tu oram go brách aríst ná tabhairfi me dhuit ach go n-iarrfa tu ar Dhia agus ar bhrí do bhric! "

" Táim sásta," adúirt Seán. " Bíodh do bhóthar agat! "

Scaoil sé uaig a' breac, agus d'imig Seán a bhóthar féin.

Ar imeàcht do Sheán i n-a bhóthar féin, do d'imi sé lé n-a chuid gabhar ar maidin t'réis a bhricfeast, agus bhí sé a' góil ther teh muair, agus do ránga go raibh *lady* óg a' féachaint amach tríd a' bhfinniúig le línn Seán a ghóil a' bóthar ther a' dteh muair. Is é a' nós a rai' sé ar marcaíocht ar a' bpocaide agus a agha úntaithe siar ar a thóin. *By dad*, má bhí sin mar sin, nuair a choinnic an óigbhean an plean a bhí ag Seán, do dhin sí scairt gáire, agus d'fhéach Seán suas ar a' bhfinniúig chuici.

" Iarraim-se ar Dhia," adúirt Seán, " agus ar bhrí mo bhric gu'b shin é an gáire a dhéanfa trom tusa! "

Mar sin a bhí. D'imi Seán leis, agus chua sé i bhfeighil a ghrótha le n-a chuid gabhar nú go dtainic a' tráthnón' air; agus mar sin a bhí gach lá nú go raibh trí rátha caite.

Ar mh'anam, nuair a bhí na trí rátha le línn a bheith caite, gur thárla go raibh [an cailín óg] torthach, agus d'aithin a hathair go rai' sí amhla; agus níorbh fhéidir léithi féin aon chúntas a thabhairt ann.

Mar sin a bhí. Bhí sean-draoi i dteh an duin' uasail, agus chuir sí ceist air, go rai' sí amhla agus nárbh fhios cé a' nós a dtaini sé.

" Anois," adúirt (a' sean-draoi), " tá sé chó math dhuit ligint ar n-agha nú go dtagaig an leanabh ar a' saol, agus nuair a thiocfaig an leanabh ar a' saol be sé i n-éifeacht. Cuir goirim-scoil' amach, agus tabhair fearaibh óga na tíre thímpeall a' tí chút féin, agus cuir an leanabh amach i lár an reighleáin, cuir úll i n-a láimh, agus cuir tríothub i ngach uil' áit anúnn a's anall é. Nuair a bhe sé a' góil tríothub anúnn 's anall, nuair a casfar athair a' linibh leis a' bpáiste sínfi sé an t-úll a bheig i n-a láimh chuige. Guibh é sin, agus sin é athair a' pháiste."

Bhí mar sin nú go dtainic a' lá a raibh a' goirim-scoil' amuh, agus go dtainic a' leanabh ar a' saol.

Chruinnig fearaibh óga na tíre. Bhíodar ar fad a' góil trí n-a chéile, agus má bhíodar féin, bhí cuid acu a' teacht an bóthar i gcoinne Sheáin, agus é a' dul i bhfeighil a ghrótha le n-a chuid gabhar. Níor chuíni Seán riamh go raibh a lithéid amhla nú go rai' sé a' góil i n-a gcoinne. Casag roinnt buachaillí leis ar a' mbóthar.

" Siúil leat, a Sheáin, go dí an gcóthalán ! " adúirt na buachaillí leis.

" Cé an áit a bhfuil a' cóthalán ? " adúirt Seán.

" Tá sé i n-a lithéide seo dh'áit."

" Cé an áit é sin ? "

" Thíos ag an dteh muair seo thíos," adúirt duin' 'osna buachaillí le Seán, " agus tá óigbhean amuh agus leanabh i n-a gabhál aici, agus má chuireann sí (sic) an t-úll in do láimh, is tu athair a' linibh ! "

" Caithim a dhul leis na gabhair," adúirt Seán, " ach má chaithim nuair a d'fhágfa me na gabhair thoir leanfa me sib."

K

Bhí go math mar sin. Do chua Seán, agus d'fhág sé na gabhair i n-Uch Dara, agus nuair a d'fhág sé na gabhair i n-Uch Dara do chais sé ar a sháil agus thaini sé ther n-ais.

Nuair a thaini sé bhí an cóthalán ró-mhuar, agus níorbh fhéidir leis ghóil isteach insan áit a raibh a' cailín óg ná an leanabh. Bhí sé ar súil riamh riamh nú go ndeagha sé gairid isteach san áit a rabhadar. Bhí na fearaibh ró-árd, agus bhí Seán beag. Shá sé a cheann 'der dhá chois fir isteach, agus d'fhéach sé suas, agus lé línn a' leanabh (a ghóil) theiris, shín sé an t-úll i n-a láimh, agus láithreach lom gabhag Seán bocht!

Bhí go math. Gabhag iad araon ansin—(é féin agus a' cailín óg), agus ansin chuaig athair a' chailín óig go dí an sean-draoi aríst.

" Cud éard athá lé déan' anois againn leis ? " adúirt sé.

Dúirt a' sean-draoi :

" Nuair ná fuil ann ach sin," adúirt sé, " dinigí córha math láidir dúlánta, agus cuirigí dhá t[h]aobh ann, agus clár trí n-a lár, cuirigí duin' acu isteach ar ghach taobh ann, agus caithigí [an córha] amach lé muir agus lé mór-fharraige ! "

Mar sin a bhí. Do dineag mar adúirt a' sean-draoi. Nuair a bhí an córha déanta, cuireag an cailín óg [agus an leanabh] isteach i dtaobh de, agus cuireag Seán isteach sa taobh eile dhe. Caitheag amach lé muir agus lé mór-fharraig' iad. Bhíodar a' góil soir siar, síos suas, ar fhaid na farraige i ngach uile shórt áit nú go dtánadar isteach i n-oileán mar a thiocfaidíst isteach thiar i n-Oileán Caorach. Nuair a thánadar isteach insan oileán thiar mar a thiocfaidíst i n-Oileán Caorach, do bhí aon fhear amháin insan oileán a bhí a' tabhairt aire dho, agus d'eighri sé ar maidin, agus d'fhéach sé síos insa trá. Céard d'fheicfeadh sé thíos ach an córha. Chua sé síos, agus shá sé aníos an córha có math agus d'fhéad sé é. Bhí an t-an-mheáchaint insa chórha mar bhí an bheirt istig ann—agus a' triúr, dá n-abaraínn é. Le n-a línn sin, ní dheagha sé i bhfad suas nuair a bhain sé an *cover* don chórha, agus is é an taobh don chórha ar bhain sé an *cover* de an taobh a raibh a' cailín óg agus a' leanabh ann. Thainic an-áibhéis air mar ní raibh éinn' aige ach é féin, agus choinnic sé go raibh bean aige agus páiste. Bhí sé dhá [d]tabhairt leis.

" Ascail a' taobh eile dhe," adúirt a' bhean óg. " Tá garsún istig ann, agus b'fhéidir go ndéanfadh sé an-acara dhúinn lá eicínt."

" *By dad*, tá sin go math! " adúirt sé.

Chais sé ar a' gcórha aríst agus d'oscail sé an taobh eile, agus thug sé amach Seán. Thug sé leis abhaile chuige n-a thí féin iad, agus chathadar a' lá mar sin nú go dtáinic an oíhe. *Well*, do bhí sé a' cuir i gcóir, agus do bhí Seán i n-a shuí i n-éindí le n-a bhean agus leis a' leanabh.

" Cé an sórt nús a mbemuid anocht ? " adúirt Seán.

" Ó, ar mh'anam," adúirt fear an oileáin, " gur liomsa an bhean anocht ! "

" *Well*, tá me sásta," adúirt Seán, " ach dineamuid maraga measara ! "

" Cad é an maraga a dhéanfamuid anois ? " adúirt fear an oileáin.

" Má chollaíonn tu na trí oíhe (léithi) bíodh sí agat," adúirt sé, " agus mara gcollaíonn is liom-sa í ! "

" Táim ró-shásta leis sin," adúirt fear an oileáin, mar do bhí sé ró-shiúrálta dhi.

Bhí mar sin nú go raibh fear an oileáin a' dul a choll' insan oíhe, é féin agus an óigbhean; agus do bhí sop déanta dho Sheán sa chúinne. *By gor*, nuair a bhí, do ránga leis a' ndoras gur dhin sé *slap*. Níor chuínig fear a' tí an bolt' a chuir air, agus bhí an ghaoch a' teacht isteach ann. Chua sé suas go dí an ndoras go gcuireadh sae an bolt' air, agus choinnic Seán a' góil suas é.

" Iarraim-se ar Dhia agus ar bhrí mo bhric," adúirt Seán, " a' cuir a' bholt' ar a' ndoras go maidin go raibh tusa ! "

Mar sin a bhí. Bhí fear a' tí agus a' bolt' a' *rattle*áil lé chéile go maidin, agus níorbh fhéidir leis a' bolt' a chuir suas.

Mar sin a bhí. Nuair a chuaig fear a' tí agus a' bolt' insa m*battle* le chéile chuaig Seán go dí n-a bhean féin. D'fhan mar sin.

" *Well*, bhí an oíh' araeir agam-sa ! " adúirt Seán.

" Bhí," adúirt sé, " ach ní bheig an oíh' anocht ! "

" Táim sásta," adúirt Seán, " mara mbeig."

D'fhan mar sin go dtainic a' tárna hoíhe, agus nuair a tháinic a' tárna hoíhe dhearabhaig fear a' tí ná cuirfeadh rud insa domhan amach tao' amuh do dhoras é. Níorbh fhada dho nú go dtainic sin ar bun. Istoíhe larnamháireach aríst nuair a bhí sé a' braith ar dhul chuig suain, do rángaig go raibh doran géí amuh ag fear a' tí, agus thainic a' mada rua tríothub, agus chuir sé anúnn a's anall ar fhuaid na sráid' iad. Bhí mar sin nú gur airig fear a' tí iad. Chua sé amach.

" Ní bhe me i bhfad a' cuir na ngéí isteach," adúirt sé, " agus ní bhe siad imith' ar maidin uaim."

Chua sé amach, agus cheap sé na géí a chuir isteach. Choinnic Seán ag imeacht é.

" Iarraim-se ar Dhia agus ar bhrí mo bhric a' cuir isteach na ngéí go maidin go rai' tusa."

Mar sin a bhí. Bhí fear a' tí a' cuir isteach na ngéí go maidin, agus ní rabhadar istig ar maidin aige. B'éigean do eighrí astu. Bhí Seán an oíhe sin insan áit a mba cheart do bheith.

Bhí go math go dtainic a' tríú hoíhe, agus an tríú hoíhe nuair a bhí sé a' dul chuig collata, *by gor*, níor ránga [le fear a' tí] é féin a ghlana ceart. Chua sé dtao' amach 'o dhoras, agus ní hi bhfad amach a chua agus chrom sé ar bheith a' déan' uisce—" i gcead díb ar fad ! "

Má bhí choíhint, do choinnic Seán é.

" Iarraim-se ar Dhia," adúirt Seán, " agus ar bhrí mo bhric, a' fual go maidin go rai' tusa ! "

" Cé rai' tu i gcathamh na hoíh' araeir ? " adúirt Seán.

" Ó, pé ar domhan áit a raibh tá an bhean agat-sa ! " adúirt fear a' tí.

" Tá," adúirt Seán.

" Cad a dhéanfamuid anois le chéile ? " adúirt fear a' tí.

" Cuir mis' isteach insan áit a rai' me heana, me héin agus mo bhean, agus nuair a chuirfir scaoil amach lé muir agus lé mór-fharraige [an córha].

Mar sin a bhí. Do dhin sé é sin, agus chuir sé isteach insa trúnc iad. Scaoil sé amach iad, agus ní rai' Seán i bhfad amach i n-ao'chor nuair a chuíni sé air féin.

" Iarraim-se ar Dhia agus ar bhrí mo bhric," adúirt Seán, " ag baile teh m'athar agus mo mháthar go rai' me héin i gceann beagán aimsire ! "

Ní raibh a' focal as a bhéal nuair a bhí Seán ag baile ag teh a mháthar, é féin agus [a' cailín agus a' leanabh].

12. TOMÁS NA hÚRDÓIGE

Do bhí lánú anso insa tsean-tsaol fadó, agus ní raibh éinne cluinn' acu. Oíhe dhá n-oíheanta, agus iad ar a leabain, do d'iarradar araon ar Dhia duin' eicínt a chuir chucu a bheadh acu nuair a thitfidís i n-aois.

"Ba chuma liom," adúirt a' bhean, "dá mbeadh gan a bheith ann ach oiread m'úrdóige ach go dtabhairfeadh Dia i n-ao'chor dom é!"

Trí rátha ón oíhe sin do thug sí leanabh mic ar a' saol, agus ní raibh ann ach oiread a húrdóige. Do bhí go math. Do bhí sí lán-áibhéiseach ó bhí éinn' i n-ao'chor aici a mbeadh sí a' caínt leis. Do bhí sé a' cruachaint agus a' dul i ngastaireacht go dian, ach ní raibh riocht ná méid a' teacht ann ach mar a bhí sé. Nuair a bhí roinnt aois' aige do bhí caínt a dhóchaint aige, agus do bhíodh sé a' caínt có láidir, có dian lé fear a bheadh sé troi' ar aeirde. Do bhí sé féin agus iad féin a' cathamh a saeil lé chéile go súgach súbháilceach.

Do bhí a athair a' dul go dí an gcoill lá ad iarra ualach adhmaid le hí tine. Do bhí Tomás ag imeàcht ar fhuaid a' tí dho féin.

"A Athair," adúirt Tomás, "a' ligfi tu mise leat?"

"Ní ligfead, a ghrá," adúirt a' t-athair, "sciobfadh na madaraí uainn tu!"

"M'anam ná sciobfaig," adúirt Tomás, "mar ná ligfi mise dhóib é!"

"Cá ragha tu," adúirt a' t-athair, "ná ligfi tu dhóib é?"

"Tá fhios agam héin é," adúirt Tomás.

Nuair a bhí an capall i gcóir ag an athair, agus iad a' dul ag imeàcht, agus Tomás a' dul leis:

"A Athair," adúirt sé, "beir orum, agus leag isteach i gcluais a' chapaill me, agus ní fhéadfaig aon mhadaraí a theacht suais liom ansin!"

Do riug a' t-athair ar Thomás, agus dhin sé mar adúirt sé leis. Do shui sé féin suas ar thaobh na turcaille ansin, agus do bhíodar á tiomáint leóthu. Do bhí Tomás a' caínt go láidir árd leis a' gcapall, agus é dhá thiomáint leis.

Do bhí fear *show* a' góil i n-a gcoinn' an bóthar, agus d'airi sé an bheirt a' caínt, agus níorbh fhéidir leis fheiscint ach a' fear a bhí ar thaobh na turcaille.

"Cé leis a bhfuil tu a' caínt?" adúirt fear a' *tshow*.

" Ná fuil mé a' caínt lem mhac ? " adúirt a' fear a bhí ar thaobh na turcaille.

" Ca'il do mhac ? " adúirt fear a' t*show*, mar nárbh fhéidir leis fheiscint ach éinn' amháin.

" Tá sé istig i gcluais a' chapaill agum ! " adúirt an carraeraí.

" A' dtiosáinfeá dhom é ? " adúirt fear a' t*show*.

Do chuir [athair Thomáis] a mhéar isteach i gcluais a' chapaill, agus thóg sé amach ar bhárr a mhéir' é, agus choinnic fear a' t*show* é.

" A' ndíolfá liom é ? " adúirt fear a' t*show*.

" Ní dhíolfad ! " adúirt an t-athair.

" *Well*," adúirt fear a' t*show*, " tabhairfi mé *price* muar duit air má dhíolann tu liom é ! "

" Ní thabhairfinn ar airigead a' domhain é," adúirt a' t-athair, " mar níor thug Dia dhom héin ach é ! "

D'imig fear a' t*show* leis ansin, agus nuair a bhí an t-athair a' cuir Thomáis isteach i gcluais a' chapaill aríst:

" A athair," adúirt Tomás, " ná díolfá leis me, má d'fhaigheann tu *price* math orum, agus ná fuil fhios agut go n-éaló mise chút aríst, agus ansin beig ár ndóchaint airigid aguinn i gcathamh ár saeil ! "

Do ghlaeig a' t-athair ar fhear a' t*show* ther n-ais aríst, agus dhíol sé leis Tomás. Fuair sé *price* muar go léir air, agus nuair a bhí an maraga déant' ansin, agus a' t-airigead fuit' ag an athair, d'fhág Tomás slán ag an athair, agus d'imi sé i n-éindí lé fear a' t*show*.

" Cé a' nós a dtabhairfi me liom anois tu ? " adúirt fear a' t*show* le Tomás.

" Leag suas ar bhileóg do hata me ! " adúirt Tomás.

Do leag sé Tomás suas ar bhileóg a hata, agus d'fhan Tomás ansin nú gur chuaig fear a' t*show* abhaile. Do bhí Tomás lán-tsásta ar fhànacht aige, agus é gráite go maith leis, nú go bhfuair sé a dheis féin, agus ansin d'éala sé ó fhear a' t*show* aríst, agus d'imi sé tríosna móinéir agus tríd a' bhféar, agus ní raibh éinne dhá fheiscint, agus é a' tabhairt a agha ar a bhaile féin ar a dhíheallt. Do ránga leis go rai' sé a' góil trí chúinne páirce a bhí ana-chrosta, agus thaini sé amach ar a' mbóthar. Do bhí ganndal amuh ar a' mbóthar agus cráin ghé a raibh ál géí beaga leóthu. Do bhí an ganndal an-àireach ar na géí beaga, agus choinnic sé an ruidín beag a' ruith ar a' mbóthar. Bhí faitíos air go ngoidfeadh sé aon cheann dosna géí beaga uaig, agus d'oscail sé a dhá sciathán, agus bhéic sé agus scread sé. Do ruith Tomás trí pholl a' chlaidhe lé faitíos roimh a' nganndal. Do ruith sé isteach i n-ioltha a raibh cruach fhéir ann, agus lé faitíos rimh mhadara a choinnic sé istig ar a' bpáirc, do ruith sé suas ar bhínse an fhéir, agus do chua sé i bhfólach fé shop ansin.

Do bhí sé tuirseach ón siúl a dhin sé ar fhaid a' lae, agus thit sé i n-a cholla. Do bhí sé a' déan' amach ar a' dtráthnóna, agus b'am leis a' bhfear a mba leis a' chruach féar a thabhairt dá chuid beithíoch. Do chua sé agus thóg sé gabhál fhéir amach don bhínse, agus d'fhill sé Tomás istig insa ghabhál fhéir. Chaith sé isteach fé cheann na bó é. Do thosain a' bhó ar bheith ag ith' an fhéir, agus thóg sí plaic fhéir suas chuici féin. Do bhí Tomás istig sa phlaic fhéir, agus shloig sí an phlaic fhéir agus Tomás siar i n-a goile!

Do bhí Tomás i ngoile na bó ansin, agus do bhí an bhó ag ith' an fhéir. 'O réir mar a bhí an féar a' dul i ngoile na bó, do bhí Tomás dá chuir fé n-a chois nú go rai' goile na bó i ndáil le bheith lán, agus a dóchaint gairid do bheith it' aici.

Do bhí an féar a' fásca Thomáis, agus cheap Tomás leis féin go raibh a dhóchaint féir sa ngoil' aige i n-éindí leis. Do chuíni sé ar an uair do bhíodh a' chruach dá déana ag baile ag an athair, agus d'airíodh sae iad dá reá: " Ná cuir níos mó féir chúm! Tá mo dhóchaint anois agum! "

Bhí an féar a' dul isteach, agus bhí Tomás dá bhrú, agus labhair sé istig:

" Ná cuirigí níos mó féir chúm! " adúirt sé.

Do bhí cailín a' crú na bó, agus d'airi sí an focal. Do bhí an bhó ag ith' an fhéir, agus labhair Tomás aríst:

" Dúirt me heana lib go raibh mo dhóchaint féir agum! "

D'airig a' cailín a' chaint, chaith sí uaithi an canna, agus dhoirt sí bainne na bó, agus ruith sí isteach abhaile. D'fhiafraig a máthair di cé raibh bainne na bó.

Dúirt a' cailín ná raibh a' bhó ceart, go rai' sí a' caint.

" Céard a bhí sí a' reá ? " adúirt a máthair.

" Dúirt sí gan níos mó féir fháil! " adúirt a' cailín.

" Is muar a' náire dhuit," adúirt a hathair, " go mbeifeá có dícéillí agus go ndéarfá caint 'on tsórt sin! "

" Teighre tu féin amach," adúirt a' cailín, " agus be fhios agut é! "

Do d'imi sé féin amach ansin. Bhí an bhó ag ith' an fhéir, agus bhí Tomás dá bhrú. Do bhí an fear i n-a sheasamh, agus é a' féachaint ar a' mbó ag ith' an fhéir, agus d'airi sé féin a' focal aríst.

Go fearagach a labhair sé aríst:

"Nár 'úirt me heana lib gan níos mó féir a chur chúm!" adúirt sé.

D'airig a' fear é sin, agus thaini sé isteach abhail' aríst.

"Is fíor 'on chailín é!" adúirt sé. "Níl a' bhó sin ceart, agus cathfa me í lá[mha]ch!"

Do thug sé leis amach i gcúinne páirc' í, agus lá[mha] sé an bhó ansin. D'fhág sé ansin an bhó, agus níorbh fhada go dtaini na madaraí uirthi. Do stróic na madaraí í, agus a' chéad rud a thugadar amach putóga na bó agus a goile. Do riug madara muar ar a' ngoile, agus bhí sé á straca leis ar fhuaid na páirce ad iarra é thabhairt abhaile. Do stróic sé an goile. Nuair a fuair Tomás a' bóthar amach, do ghread sé amach as goile na bó, agus thug sé an bóthar abhaile.

Do bhí sé déanach san oíhe nuair a ránga sé ag baile, agus bhí a athair agus a mháthair i n-a gcolla. Do bhí scoilte beag ar íochtar a' dorais, agus chuaig Tomás isteach tríd. Bhí ólas math ar fhuaid a' tí aige. Nuair a bhí sé a' góil síos go dí an dtine, a' dul á socarú suas do féin—do d'fhág a mháthair fód móna ar lic a' teallaig nuair a bhí sí a' coingilt na tine. Do bhí sé doracha, agus Tomás a' dul síos go dí an dtine. Do bhuail sé a chlár éadain i gcoinn' an fhóid móna, agus cuireag suas ar chúl a chínn ar an úrlár é. Liú sé a's bhéic sé, agus thosna sé ar bheith a' bruíon le n-a mháthair, dá reá nár ghlain sí riamh leac a' teallaig a' dul a cholla dhi.

Do dhúisig a' gleó an mháthair, agus nuair d'airi sí an chaint d'aithin sí é, agus d'eighri sí do léim as a' leabain.

"Siod é mo leana' beag féin!" adúirt sí. "Pé ar domhan áit ar thalamh na hÉireann a dtaini sé as!"

D'eighrig a' t-athair agus a' mháthair as a' leabain, agus lasadar solas. Ní raibh fhios acu cé ucu a mbeadh sé i n-a ghabháil nú i n-a láimh, nú ar bhárr a bhais' acu, lé neart fáilte rimhe. Bhíodar araon dá straca ó chéile féachaint cé ucu go mbeadh sé aige.

Do mhaireadar le chéile go súgach sú[bh]áilceach, agus bhí a ndóchaint muar don tsaol acu ar fiog fad a mhaireadar, a' cathamh airgid fear a' *tshow*.

Tá sé réig anois!

D'airi me é sin ó Dhiarmaid Ó Gríofa tá i bhfad aimsir' ó choin, agus ba dh-é a' rud é sean-fhear a bhí an-aosta. I mBéarla a d'inis sé dhom é; ach níor léig a' fear céanna leabhar ná páipéar riamh. Bhí sé go math os ceann deih mbliana agus trí fihid nuair a d'inis sé dhom é. Tá fihe blian ó chuala me aige é. Tá Diarmaid curtha le trí nú ceathair 'o bhlianta, agus bhí sé suas le 90 nuair a cailleag é. I mBailí Mháire a bhí sé i n-a chónaí.

SEANSCÉALTA RÓMÁNSÚLA
(NOVELLE)

13. RÍ NA mBRÉAG

Well, bhí ann fadó agus is fadó bhí. Bhí teh [ann] agus bhí triúr do dh'fhearaibh óga ann, ach bhí duin' acu i n-a amadán. Bhí beirt bhuachaillí matha slachtmhar' ann. Do rángaig go dtáinig fear córsan isteach ann oíhe ar ragairne. Do bhíodar a' léamh na bpáipéar nóíocht, agus insan nóíocht chonnaiceadar *advertisin'* mar gheall ar rí a bhí i mBleá Cliath, agus do bhí *advertisin'* déant' ar a iníon aige, fear ar domhan a bhainfeadh trí bhréag as go bhfaigheadh sae an iníon lé pósa. D'fhiafraig an fear córsan don bhfear críonna a bhí insa teh:

" A' raghfá fae n-a déint ? "

" Ní ragha me," adúirt sé, " mar is feárr liom mo cheann féin ná í."

" Teighre féin ann ! " adúirt sé leis a' dtarna fear.

" Is díreach ná raghad ! " adúirt sé sin.

D'fhéach an fear córsan síos, agus is amhla bhí an t-amadán sínte, agus a cheann isteach ar a' *hob*.

" Cad a dhéarfá leat féin ? An n-imeófá ? "

" Ní bheadh blas faitíos oram ! " adúirt a' t-amadán.

" Nár eighri an t-á leat, a amadáin ! " adúirt a' driotháir. " Ní dhéanfainn aon dabhta dhíot ! "

" Muise, níorbh fhearr dhíb aguib é ! " adúirt a' fear córsan. "Ná scaoilfeadh sib ar n-agha é ! "

D'eighrig a' t-amadán suas, agus bhain sé trí chroth as féin agus, amaiste, bhain sé píosa muar luaith' amach as a chuid éadaig. Riug an fear córsan air, agus bheárr sé agus ghlain sé é, agus chuir sé culaith mhath éadaig air, agus ba dh-é an fear ab fheárr a bhí insa teh an uair sin é.

Nuair a bhí sé i gcóir fuair sé piginní costais, agus d'imi sé leis, a's níor stad is níor chónaig riamh riamh nú go ndeagha sé isteach go Cathair Bhleá Cliath. Dhin sé amach teh an rí, agus chuaig suas go teh an rí. D'airig a' rí go rai' sé amuh, agus chuir sé fios amach air [á rá leis teacht] isteach chuige féin. Chua sé chuige isteach, agus d'fháiltig a' rí rimhe. Nuair a d'fháiltig a' rí rimhe, thug sé isteach é, agus chua sé ar bórd leis. Is dócha gur ag ól is ea chuadar isteach ar a' mbórd. Bhí bulóg mhuar le hagha *show* istig ar a' mbórd ag a' rí. Insa chaínt dóib:

" Ná' math an bhulóg í sin ar a' mbórd agum-sa ? " adúirt a' rí.

" A' bhfaca tú aon bhulóg riamh níos mó ná í ? "

" Choinnic me bulóg," adúirt [a' t-amadán] " agus ní dhéanfadh sí sin cuiricín a leagfá anuas ar a mùllach ! "

" Cé bhfaca tu í ? " adúirt a' rí.

" Tabhair suaineas dom a's *fair-play*," adúirt sé, " agus 'neósa me dhuit é ! "

Mar sin a bhí. N'air a bhí an tae ólta bhuaileadar amach sa ngáirdín, agus ar a ngóil amach dóib casag tor gobáiste leóthu.

" *Well*," adúirt a' rí, " ná' math a' tor gobáiste é sin ? "

" Cad air a dtugann tu tor gobáiste ? " adúirt a' t-amadán.

" A' bhfaca tu aon ghobáiste is mó ná í ? " adúirt a' rí leis.

" Dá bhfásadh sae mar athá cosúlacht air do dhéanfadh sae síol gobáiste ! " adúirt a' t-amadán.

" A' bhfaca tú aon ghobáiste riamh níos mó ná é ? " adúirt a' rí.

" Choinnic me gobáiste, agus ní dhéanfadh sé [sin] síol do ! " adúirt sé.

" Cé bhfaca tu é ? " adúirt a' rí.

" Tabhair *trial* dom agus 'neósa me dhuit é ! " adúirt sé.

D'imig a' rí leis agus níor stop sé riamh nú go ndeagha sé an áit a raibh pôire gáirdín a' fás. Bhí gah aon féithneóg de-sin agus bhí sé có mór agus go ndéanfadh sí córha go dh'fhear mhath.

" *Well*, a' bhfaca tu aon phôire riamh chó mór lem chuid phôire ? " adúirt a' rí.

" *By dad*, choinniceas," adúirt sé, " agus pôire i bhfad ba mhó ná é ! "

" Cé bhfaca tu é ? " adúirt sé.

" Tabhair *trial* dom, agus 'neósa me dhuit é ! " adúirt sé.

D'imíodar leóthu nú go ndeaghadar síos i n-íochtar a' gháirdín, agus do bhí ansin thíos cuasnóg bheach agus cruithneóg socair le n-a hagha. Bhí an bheach mhuar amuh a' bhácaeireacht i mbéal na cuasnóige.

" A' bhfaca tu aon bheach riamh," adúirt a' rí, " chó mór lém bheach-sa ? "

" An é an mhíoltóg sin ? " adúirt sé.

" An míoltóg a thugann tu uirthi sin ? " adúirt a' rí.

" Míoltóg í seachas na beacha a choinnic mise ! " adúirt sé.

" Cé bhfaca tus' an bheach sin ? " adúirt an rí.

" Tabhair *fair-play* dhom, a's 'neósa me dhuit é ! " adúirt sé.
Chuadar isteach ansin tráthnóna go dí an dteh, agus shuíodar
síos insan oíhe agus bhíodar a' caint.

" *Well*, an 'neósair anois dom," adúirt a' rí, " cé bhfaca tú bulóg
níos mó ná mo bhulóg."

" *By dad*, 'neósad," adúirt a' t-amadán. " Ag baile insan áit
aghuinn-ne agus i dteh m'athar," adúirt sé, " do bhíodh aghuinn go
leór cruithneachta curtha, agus do bhíodh saí buailte socair go luath
aghuinn. Ach an bhliain seo thaini sí go ró-dhona, agus níorbh
fhéidir í bhuala ná í chátha ná aon ghiob i n-ao'chor a dhéana léithi.
Bhíomair a' déana ró-mhuar ar a' Nollaig, agus ba thráthach lé
m'athair go gcuireadh sé go leór *presents* amach go díos na tionóint-
ithe. Lé línn na Nollag a theacht b'fhada liom héin go bhfaighinn
a dhul go dí an muileann leis a' gcruithneacht, agus níorbh fhéidir
liom. Do thug me capall bán a bhí agam—thug me liom í; agus do
bhí an mhaidean go breá. Bhuail me gach uile shórt gráinne
cruithneachta suas ar dhroim a' chapaill. Bhí me a' góil isteach
díreach glan droihead a' mhuilinn fén gcapall, agus síos liom héin
agus lem' chapall agus lem' chuid cruìthneachta. D'imig mo chuid
cruithneachta ar fhuaid na habhann, agus ní raibh aon ghiob lé
déan' agum héin—ach bhí bata math draighin im láimh agam.
D'imi me go ndeagha me go héadan na habhann, agus amach liom
do léim ínti, agus bhí me a' góil dom' bhata ar bhric na habhann
riamh riamh nú gur chuireadar gàch uile shórt gráinne dhom
chruithneacht isteach im' chuid málaí dhom héin aríst. Do bhaili me
suas aríst ar mo sheana-chapall iad; agus bhí a dhroim briste. Ní
raibh fhios aghum cad a dhéanfainn ansin. D'fhéach me thímpeall
oram, agus choinnic me crann cuilinn tamall uaim. Tharrainn me mo
scian as mo phóca, chua me soir chuige, gheárr me an crann, agus
bhain me na fadharcáin de. Shái me isteach thiar i dtóin a' chapaill é,
chuir me amach trí n-a mhuinéal é, agus chuir me droim breá láidir
ann. Bhuail me suas ansin mo chuid cruithneacht' air, agus chua
me isteach go dí an muileann, agus mheil me í. Nuair a bhí an
chruithneacht meilt' agum ansin, bhí mo chapall go math chuig mo
chuid cruithneacht' a thabhairt abhaile dhom. Thaini me abhaile.
Lárnamháireach cuireag i gcóir bácús, agus is é an áit ar cuireag i
gcóir é amuh ar lár an mhóinéir. Do bhí seach' n-acara insa móinéar,
agus, *by dad*, má bhí choíhint, chuireamair i gcóir losad ansin, agus

chuireamair ár gcuid cruìthneacht' ar fad isteach ann. Nuair a bhí an chruithneacht ar fad istig ann, do bhí sí ró-mhuar don losad agus iomurca gon chruithneacht ann. Bhí an taos ag at agus a' neartú. Ní raibh ár ndóchaint cúna aghuinn chuig é fhuine. Chua mis' isteach sa stábala, agus thug me stail a bhí istig sa stábala liom, agus chua me ar marcaíocht air. Chua me héin a's a' stail isteach sa taos, agus bhíomair a' fuine níos mó ná an méid a bhí ann de. [Thosain a' stail a' léimirig agus a' déana] gach uile shórt ní nú gur imi sé amú insa deire uaim istig sa taos. Ní raibh fhios aghum cad a dhéanfainn ansin; agus bhí an bácús lasta. Isteach liom, agus bhí láir shiorraig istig insa stábala agam. Thug mé liom amach í, agus chrom ar marcaíocht [uirthi] agus chua me isteach sa [taos] aríst agus bhíomair á bailiú suas go han-dian ansin. Bhí an bhulóg á déana, agus, má bhí choíhint, níorbh fhada g'aimsir dom nú gur imig a' láir amú aríst uaim. Nuair a d'imig a' láir amú aríst uaim, bhailíomair suas an bhulóg agus sháthamair isteach sa bhácús í, agus bhí sí a' bácáil léithi. D'fhan mar sin. Bhí an bhácáil déanta agus an bhulóg bácáilte, agus nuair a bhí an bhulóg bácáilte do thugamair isteach ar bhórd a' phárlúis í. Bhí an Nollaig a' teacht, agus dhin m'athair go leór Éireann don riar ? Má bhí choíhint ansin, agus bhí riaraithe aige ar na tionóntaithe, d'fhan cúinne dhi (i.e. don bhulóig) ar bhórd a' phárlúis, agus i gceann seach' mbliana bhí mise ag ithe mo bhricfeaist ar maidin istig ar bhórd a' phárlúis, agus ba dói liom gur airi me an stail a' siotarach. *By gor*, bhain me cúinne gon bhulóig, agus do thainic a' stail amach do léim chúm. Amach leis a' láir i n-a dhiaig agus seach' gcínn do shiorraig i n-a ndiaig aniar.

" Bhí sin go hana-mhath," adúirt an rí. " Ba mhath a' bhulóg í sin."

" *Well*," adeir an rí ansin:

" A' bhfaca tú aon ghobáiste ba mhó ná mo chuid gobáiste ? "

" Choinniceas," adúirt sé, " agus 'neósa mise é sin duit. Thímpeall na Nollac aríst do bhímuist a' tabhairt ghobáiste amach dosna tionóntaithe, ach reángaig go raibh na tinóntaithe ar fad a' tabhairt [billeóg don ghobáiste] amuh ag a lán. Bhí mé héin amuh, agus do choinnic me giorria istig ar chúinne na billeóige [gobáiste] agus nuair a choinnic me an giorria istig ar chúinne na billeóige níor chorra me agus chua me a' glaoch ar ghadhair agus ar chointe Dé Domhna, agus bhíodar ar fad bailithe ar maidin Dé Luain. Thosnaig a' fiach ar maidin Dé Luain istig ar chúinne na billeóige agus san oíhe Dé Sathairn chuaig an giorria amú istig ar chúinne na billeóige. Agus cuid é an bhaint a bhí ag do chuid-se gobáiste go sin ? "

" Bhí sé sin ina ghobáiste mhath," adúirt an rí.

" *Well*, cé bhfaca tu pôire ba mhó ná mo chuid pôire ? " adúirt sé.

" 'Neósa mise é sin duit ! " adúirt sé. " Do bhí mise lá gom laethanta," adúirt sé, " agus bhí me a' tabhairt aire go chuasnóg bheach a bhí insa gháirdín aghuinn, agus, *by gor*, do d'imig a' bheach mhuar—do d'imi sí fiain uainn pé ar domhan rud a chuir faitíos uirthi. Níor stop sí riamh riamh a's níor chóna sí nú go ndeagha sí gon Domhan Thoir. D'imi me héin ar a tuairisc, agus ar a himeàcht dom do rángaig dom go raibh gráinne pôire im póca. D'airi me an meáchaint a bhí im' póca. Nuair a dhin me dreas siúil, chuir me lámh im' póca agus choinnic me gurab é an gráinne pôire a bhí ann. Tharrainn me an gráinne pôire aníos as mo phóca; agus bhí maide in mo láimh, agus dhin me poll, agus chuir mé an gráinne pôire ann síos. Nuair a bhí mé ag imeàcht liom ansin níor stop me riamh riamh go ndeagha me go bruach na farraige, agus nuair a chua me ar bhruach na farraige, chuir me cluas oram féin, agus ba dhói liom gur airi me an bheach agus í a' sinim insa Domhan Thoir. *By gor*, ní raibh fhios agum cad a dhéanfainn. Do chuir me méar in mo bhéal agus lig me fead, agus dhin me píosa breá bóthair anúnn treasna na farraige. Nuair a choinnic me go raibh sé sin déant' aghum chuir me mo mhéar im bhéal aríst agus lig me an tarna fead, agus dhin mé píosa muar eile dhom; ach do dhin me an tríú fead agus dhin me droihead treasna na farraige. [Chua me ar a' ndroihead] go ndeagha me go dí an nDomhan Thoir. D'imi me liom féin; agus nuair a chua me soir do bhí mo bheach thoir reóm, agus ní fhaca tu aon fháilte riamh mar a bhí aici reóm. Bhí caran muar meala déant' ansin aici, agus ba mhuar a' trua liom é fhágaint im dhiaig. D'fhéach me thímpeall oram héin, agus choinnic mé stúmpa math do chapall mhath tamall uaim thuas chois chlaidhe i n-a sheasamh, agus a chúl lé balla. Chua me suas agus thug me liom anuas é, agus do bhuail me suas ar a dhroim mo chuid meala. Bhí ualach math agam héin agus mo bheach a' góil a' bóthar, agus do bhíomair an-tsásta a' teacht dúinn nú go dtanamair anall aríst, agus nuair a thanamair anall có fada agus gur casag mo ghráinne pôir' oram, cad a bhí sé ach fásta suas isteach insan aer ! *By gor*, d'fhéach me ar a' bpôire, agus ba mhuar a' trua liom é fhágaint ann, bhí sé i n-a phôire chó breá sin. Do chrom me ar bheith ad iarra a *chlimb*áil suas air, agus 'o réir mar a bhí me a' dul suas air, níor airi me riamh riamh nú go raibh me thuas insan aer. *By gor*, nuair a bhí mé thuas insan aer ansin, istig san aer, agus a' crann fást' isteach ann, dúirt me liom héin go siúlfainn roinnt don áit a bhí thuas nú go bhfeicinn cuid é an sórt áit' é. Mar sin a bhí. Shiúil me liom thart tímpeall ann. Ní fhaca me iomurca ann ach go rai' sé i n-a thalamh breá lé feiscint. Choinnic me triúr bhuailteóirithe tamall math uaim agus iad a' buala choirce. Níor chuir me aon tóir orthu-sin, ach nuair a choinnic me cud a bhí lé déan' ansin agum chuig teacht abhaile aríst do chas me, agus nuair a chas me, cad a bhí ach mo chrann geárrtha. Ghuibh fear a' bóthar a raibh mol muilinn uaig, agus gheárr sé an crann. Bhí an poll san aer, agus ní raibh aon fháil agum-sa chuig teacht anuas. Nuair a cheap me héin teacht anuas ní raibh fhios agum cad a dhéanfainn, agus bhí me a' cuíneamh oram héin. *By gor*, chuíni me agus chua me go díosna buailteóirithe, agus d'fhiafra me go dhuin' acu a' gcasfadh sé súgán [dom] a thabhairfeadh anuas me. Dúirt sé go ndéanfadh. Chrom [sé] ar bheith a' déanamh súgáin don lóchán a bhí cait' amach as an arúr acu nú gur dhineamair súgán don méid a bhí ann de. Cheap me go ligfeadh sé anuas go bog socair me. Nuair a thaini me anuas chuir me a' crann treasna, agus scaoil me anuas me héin, agus nuair a thaini me anuas go dí éadan a' tsúgáin ba sia ón taobh abhus mé ná ón dtaobh thuas. D'fhan mar sin. Ní raibh fhios aghum cad a dhéanfainn, agus bhí me crochta ansin. *By gor*, níor dhin me blas ar bith ach *snap* a thabhairt dom héin agus me héin a scaoil' anuas. Anuas liom có dian a's b'fhéidir liom é nú go dtaini me anuas; agus do rángaig gurab é an áit a ndeagha me go dí bonn mo chos síos i gcaran cruìthneachta. Chua mé síos i gcaran cruìthneachta ansin, agus bhí me ceangailte go dí mo dhá ghualainn ann. Ní raibh fhios aghum cad a dhéanfainn ach an oiread lé cúl mo chínn, agus bhí fhios agum nách bhféadfainn é fhágaint. Níor dhin me blas ar bith ach lámh a chuir im póca agus a' scian a tharrainnt chúm, agus bhain me an ceann dom cholainn. Thug mé órdú dhó imeàcht abhaile agus ínsint dom' mhuíntir go raibh me ansin ceangailte. Mar sin a bhí. D'imig a' ceann leis có dian agus b'fhéidir leis é, agus do bhí a' teacht abhaile. Cé thiocfadh treasna dho ach a' mada rua. Chrom

L

sé ar bheith a' clotháil agus a' féachaint. *By gor*, bhí sé a' teacht
ana-ghairid dom' chloigeann. Thug me straca dhom héin agus bhog
me me héin, agus a' tarna straca a thug me dhom héin bhog me go
math me héin, agus a' tríú straca a thug me dhom héin d'eighri me
lé fuinneamh; agus do lean me an mada rua chó dian agus b'fhéidir
liom é. Bhí an mada rua ag imeàcht, agus an cloigeann i n-a bhéal
aige, a' dul isteach i mbéal na brocaise. Do bhuail me cic sa tóin
air, agus bhain me leabhar amach as a thóin; bhuail me an tarna cic
air, agus bhain me an tarna leabhar as; an tríú cic a bhuail me air,
do bhain me an tríú leabhar as, agus do thug sé an bóthar go dí an
mbrocais air féin ansin.

"M anam gur fíor 'uit sin," adúirt a' rí, "gur airi mise trácht
ar a' bhfear a bhain a' leabhar as tóin a' mhada rua, agus is dóch
gur tus' é!"

"Mise an fear céanna!" adúirt a' t-amadán.

"Agus ar lé tusa gàch uile shórt ceann acu sin?" adúirt a' rí.

"Lé mis' iad sin," adúirt sé, "ó thóin go ceann."

"*Well*, bhí cuir síos muar úntu gan aon dabht," adúirt a' rí.

"Bhí cuir síos muar úntu gan dabht," [adúirt a' t-amadán].

"Muise, an inseófá dhúinn cuide dhá raibh úntu?" adúirt a'
rí leis.

"'Neósad," adúirt sé. "Ní raibh aon fhocal ó thóin go ceann i
n-aon tsórt ceann dosna leabhra ach gur bastard tabhartanais mac
do Bhillí Ó Ruairc tusa!"

"Tá tú bréagach," adúirt a' rí, "agus dearag-bhréagach, agus
b'fhuirist dó-sa clia[mha]in fháil ná déanfadh bastard díom!"

Phós sé an iníon ansin, agus bhí sí lé fáil aige. Thug sé abhaile
go dí teh a athar is a mháthar í, agus bhí na driotháracha eile ag éad
agus ag ioma leis.

14. DÁITHÍ AN RÍ AGUS SOLA

Do bhí rí anso fadó am' ainim do Dáithí an Rí, agus do bhí bean
agus seach' bhfihid bean aige. Bhí cailín beag insa chórsantacht,
iníon do bhean a bhíodh a' bailiú uibheacha agus dá ndíol. Ach chuir
sé dúil inti, agus b'éigin do í fháil. Do bhí a máthair buartha,
uaigineach i n-a diaig, agus do bhí an cailín beag ró-óg; ní raibh sí

sásta í ligint uaithi i n-ao'chor. Ní raibh fhios aici cé an nós i
n-ao'chor a gcinneódh sé uaig í, bhí sé chó cóchtach agus gurbh
fhéidir leis a rogha rud a dhéana. D'fhan mar sin.

Bhí mac ag Dáithí an Rí a dtugaidíst air Sola. Thaini sí go dí
Sola, agus d'inis sí a scéal do.

" Fan go fóill," adúirt Sola, " agus tiocfaimíd tímpeall air i nós
eicínt ar ball! "

Bhí go math go dtáinig an oíhe, agus do bhí Sola agus a athair
a' caint.

" A athair," adúirt Sola le Dáithí an Rí, " cad é an bhreith a
thabhairfeá ar fhear a mbeadh cuíora agus seach' bhfihid cuíora aige
agus a bheadh ag baint aon chuíora amháin do bhaintreach bhocht
ná beadh aici ach í ? "

" Thabhairfinn," adúirt Dáithí an Rí, " do bhreith air sin é chuir
seach' slata síos insa talamh, agus aiteann brúite a chuir anuas i
n-a mhùllach ! "

" Tá go math," adúirt Sola leis sin. " A athair," adúirt sé, " an
bhreith a thug tu, tá sé có math dhuit í fhulainn ! "

" Cad é an réasún é sin ? " adúirt Dáithí, an Rí.

" Tá," adúirt Sola, " tá bean agus seach' bhfihid bean agut-sa.
Níl éinne amháin ag a' seana-bhean bhocht sin athá a' díol na n-ubh
ach an cailín beag sin a dhéanfadh cóluadar di, agus tá tusa á
tabhairt uaithi; agus anois ó thug tú an bhreith cathfa tú í
fhulainn ! "

Fuaireag an áit, agus dineag an poll gur cuireag na seach'
bhfea síos insa talamh é. Chua sé síos insa talamh na seach'
bhfea, agus bhí aiteann brúite anuas i n-a mhùllach.

Mar sin a bhí. Nuair a chua sé síos na seach' bhfea do lé sé
Seach' Sailm na Marabh, agus níl aon tsailm 'ár lé sé nár eighri sé
fea nú go dtaini sé os ceann talún aríst.

Very well, ansin, do bhí an méid sin déanta ag Dáth, agus do bhí
gach uile rud socair ag Sola.

Ránga leis ansin go rai' sé thímpeall, lá dhá laethanta, amuh
agus sneachta ann. Bhí rian arúir a bhí amuh ar fhuaid a' *yard* i
ngach uile áit tar éis buailteóirithe a bheith ann. Do bhí go leór
Éireann éanacha a' pioca an choirce amuh, agus do rángaig go raibh
cuid mhuar dosna gealúin bhuíocha sin i measc na n-éan, agus do
bhíodar a' ruith agus a' léimirig ar a chéile. Do bhí bean Dháithí

an Rí agus í a' féachaint amach tríd an bhfuinneóig, a' féachaint ar na héanacha agus ar ghach ní dhá raibh ann. Bhí fhios aici gur don Ghréig na gealúin bhuíocha—is ón nGréig do theanadar.

" *Well*," adúirt sí, " níl aon dream is feárr ná muíntir na Gréige! " (" Ní raibh an bhean go ró-mhath, is dócha.") Mar sin a bhí. Níor dhin sí blas ar bith ach scrí go dí Rí na Gréige agus a rá leis a theacht fae n-a déint a lithéid sin d'oíhe, agus go ligfeadh saí bás bréige uirthi féin, agus go bhfágfadh saí le huacht í chur ag bun a lithéide sin do chrann 'á raibh insa choill.

Bhí ansin go math. Do scrí sí go dí Rí na Gréige, agus nuair a scrí sí go dí Rí na Gréige, do lig sí an bás bréige uirthi féin. Do bhí sí marabh; ach do bhraith Sola uirthi gur bás bréige a bhí uirthi. Do chuir sé iarann dearag—greideall—lé bonn a coise. Níor chorra sí. Bhí go math mar sin. Ansin cuireag í, agus, má cuireag choíhint an oíhe seo a bhí Rí na Gréige l'agha theacht fae n-a déint do d'imig Sola agus fuair sé trí éan. Fuair sé smólach, fuair sé céarsach agus fuair sé lúndubh, agus chua sé i mbárr a' chrainn os a ceann anáirde.

Do tháinig Rí na Gréige agus a chuid aramála fae n-a déint; agus bhí fhios acu cá rai' sí. Thógadar í. D'eighri sí chucu suas.

" Seachain anois," adúirt sí, " a' bhfuil aon tsórt duine beó i n-aon tsórt áit thímpeall orainn! "

" Ní dói liom go bhfuil," adúirt Rí na Gréige. " Ní fhéadfadh a bheith. Tá an aramáil ró-mhór, agus ní ligfeadh an t-eagala dhófu theacht thímpeall orainn."

" Lig ruchar anois," adúirt sí, " agus má thá aon éan insa choill níl éinne thímpeall mar ná fanfadh na héanacha fiaine thímpeall an áit a mbeadh na daoine! "

Do lig Rí na Gréige nú duine dhá chuid fear riuchar, agus má lig choíhe lig Sola uaig an chéarsach.

" Á, tá an t-éan ansin," adúirt Rí na Gréige, " agus dá mbeadh éinne thímpeall uirthi ní fhanfadh sí ann."

" Sin óinseach do dh'éan muínteara," adúirt bean Dháithí an Rí, " agus d'fhanfadh saí an-tsocair i measc na ndaoine."

Lig sé ruchar eile; agus lig Sola uaig an smólach.

" Dh'fhanfadh sí-sin ann agus daoine a bheith ann," adúirt sí. " Lig an tríú ruchar! "

Do lig sé an tríú ruchar; agus lig Sola uaig an lúndubh.

" Á, sin éan an-fhiain," adúirt sí. " Níl éinne ann anois, agus cuir chuig bóthair ! "

Do bhí Sola i mbárr an chrainn agus é ag éisteacht lé gach uile chor.

Bhí go math. D'imíodar leóthu, agus i gcúrsa beagán aimsire do d'imig Sola é féin i n-a ndiaig go bhfaigheadh sé tuairisc a mháthar, cé an áit a rai' sí nú cé an staid a bhí uirthi i n-ao'chor. Mar sin a bhí. Do d'imig Sola leis, agus níor stop sé riamh riamh go ndeagha sé dhon Ghréig. Nuair a chuaig Sola dhon Ghréig bhí sé a' déana leis tríd an nGréig i ngach uile shórt áit agus thríd an dtír nú go ndeagha sé suas có fada lé teh an rí. Nuair a chua Sola suas có fada lé teh an rí, a' déana suas do, níl aon tsnátha a bhí air nár stróic sé agus nár dhin sé liobar de insa chaoi go raibh gach uile bhall dá chraiceann leis, agus do lig sé air féin go raibh sé i n-a amadán có mór agus d'fhéadfadh a bheith i n-áit ar domhan. Bhí féasóg air agus gach uile chuma amadánta.

Bhí go math. Do chua sé isteach insa chistin go teh Rí na Gréige, agus do bhí cailíní ag obair ar fhuaid na cistean. Ruith sé síos gairid don tine; agus níor spáráil sé é féin a thabhairt lé feiscint dóib i ngach uile nós a mba mhaith leis é. Do bhí an *divearsion* agus na gáirí ag na cailíní ar fhuaid na cistean. D'airig an maighistreás—do bhí sí thiar agus d'airi sí an *divearsion* agus na gáirí. Thaini sí aniar, agus sheasa sí sa doras. D'fhiafra sí dhíothub cad é an rud a bhí orthu. Dúirt duine 'osna cailíní léithi go raibh amadáinín i gcúinne na cistean thíos ag an dtine.

" A ráigí, ná bacaí leis a thuille. Ar ndó, níl aon leigheas aige air; amadáinín bocht is ea é ! "

Bhí go math. Thaini sí anuas í féin, agus d'fhéach sí air. Do thug sí bia agus deoch do, ach níor chuíni sí ná níor aithin sí é. D'uaig Sola an bia agus an deoch, agus bhí sé ana-bhaoch.

Do reángaig ná raibh Rí na Gréige insa mbaile lé línn na huaire; agus ansuin nuair a tháinig an oíhe do thug sí léithi isteach é, agus chuir sí leaba i gcóir do tao' amuh 'o dhoras a seómara féin insan áit a raibh sí a' colla. Do chuaig Sola, agus lui sé insa leabain, agus do bhí sé ann, ach ní rai' sé a' colla. Do labhair sí leis amach:

" A' bhfuil tú in do cholla," adúirt sí, " a amadáinín ? "

" Ó, mhuise, nílim anois," adúirt an t-amadáinín.

" A' bhfuil fuacht ort ? " adúirt sí.

" Tá me a' creathadaíol," adúirt an t-amadáinín.

" Tar isteach insa tseómara," adúirt sí, " anso chúm, agus tarrainn leat do leaba ann, agus b'fhéidir go mbeifeá níos teócha ! "

" Ara mhuise, b'fhéidir go mbeinn ! "

Do chuaig an t-amadáinín, agus do tharrainn sé leis an leaba isteach dtao' isteach go dhoras an tseómara insan áit a raibh an maighistreás i n-a colla, agus lui sé ínti sin isteach ansin.

" A' bhfuil fuacht anois ort ? " adúirt sí.

" Muise, tá," adúirt sé, " ach níl me chó dona agus bhí mé an t-am a bhí mé amuh."

Sin é an uair a thuig sí agus d'aithin sí go mba dh-é Sola a bhí ann. Do liú sí agus bhéic sí agus mhurdail sí, agus dúirt sí go raibh an t-amadáinín a' brise an dorais agus a' dul isteach insa leabain chuici. Cuireag an t-amadán bocht, Sola, dhá ghóil, agus gabhag é. Cuireag i bpríosún é. Ach pé ar domhan deis a fuair sé do scrí sé go dí an athair, agus dúirt sé leis a chuid aramála a thabhairt leis roimhe n-a lithéide sin do lá, nú mara dtugadh go mbeadh sé féin crochta, agus go raibh a mháthair ag Rí na Gréige, agus nár cuireag i n-ao'chor í.

Mar sin a bhí. D'imig Dáithí, an Rí agus a chuid aramála, agus do chua sé chó fada lé Rí na Gréige. Agus nuair a chua Dáithi an Rí agus a chuid aramála chó fada lé áit Rí na Gréige, ba ghairid an mhoill air Sola fhuascailt ó n-a phríosún. D'fhiach sé agus mhara sé iad, agus chuir sé chuig an tsiúil iad. Do thug sé an bhean abhaile i n-éindí lé Sola, agus má thug féin, 'o réir mar d'airi me, tar éis í theacht abhaile níor dhin sé aon aoide mhuar mhaith dhi.

15. AN FEIRIMEÓIR AGUS A BHEAN

Do bhí feirimeóir saibhir insan áit seo fadó, agus do bhí a dhóchaint airigid aige. Do bhuail sé isteach don bhaile mhuar lá a' féachaint thímpeall air. Má bhuail choíhint, do bhí sé a' góil thríd a' mbaile, agus do choinnic sé cárta crochta suas ar thaobh geata ann. D'fhéach sé suas air, agus is é an sórt é cárta a raibh peictiúirí crochta air. Do choinnic sé peictiúir cailín óig ann thuas, agus do thit sé i ngrá leis a' bpeictiúir. Ní raibh fhios aige ar thalamh Dé an domhain cé bhfaigheadh se an cailín ar táirrníog a peictiúir léithi, agus do bhí sé ag imeàcht leis thríd a' mbaile i ngàch uil' áit. Ní fhaca sé ar fhaid a' lae i n-aon áit í. Do dhin sé lóistín a thógaint insan oíhe, agus, má dhin choíhint, do d'fhain sé ann ar maidin; agus do bhí sé a' féachaint uaig i ngàch uil' áit ar ghach duine a bhí a' góil theiris.

Árd-tráthnóna, tráthnóna lárnamháireach, do choinnic sé cailín beag a' teacht ad iarra bucaod uisce, agus dúirt sé [leis féin] go mba dh-í an bhean chéann' í. Do d'imi sé leis i n-a diaig, agus níor stop sé leis riamh riamh nú gur lean sé í agus gur chua sé isteach i dteh a hathar chuici. Nuair a chua sé isteach i dteh an athar chuici d'fhiafra sé dhon athair a' bhfaigheadh sé le pós' í. Dúirt a' t-athair ná raibh fhios aige nú go mbeadh fhios aige cé a' chaoi mhaireachtáil a bhí aige chuig í bheathú.

" Ó," adúirt sé, " tá caoi [mhath] mhaireachtáil agum-sa mar is feirimeóir muar me ! "

" Ní dhéanfadh sé an gró," adúirt fear a' tí. " Do bhrisfaí tu agus do bheifeá bocht, agus ní fhéadfá í bheathú. Ní thabhairfinn d'éinn' í ach do cheárdaí fir ! " Mar ba cheárdaí é féin. Agus is é an sórt céard a bhí aige a' déana ciseáin agus clé[ibh] bheaga.

" Cud é an sórt céird' ab fheárr leat a bheith agum ? " adúirt an buachaill óg leis.

" Well," adúirt sé, " 'á suiteá síos lem thao' féin a chuairt dó nú trí 'o bhlianta nú go bhfoghlaimítheá do chéird, b'fhéidir go dtabhair-finn duit í ! "

Mar sin do bhí. Do shuig mac an fheirimeóra síos le n-a thaobh, agus do chua sé a' foghlaim na céirde, agus i gceann bliana do bhí an chéird foghlaimithe chó math agus do bhí ag a' bhfear do bhí dhá múna dho.

Mar sin do bhí. Nuair a bhí an chéird múinte dho, do dineag a' pósa. Do d'imi sé leis, agus do thaini sé abhaile, agus do chua sé a' feirimeóireacht mar a bhí sé riamh rimhe sin.

Dob fhíor don tsean-fhear é. I gcúrsa blianta do briseag a' feirimeóir, agus ní raibh aon ghiob i n-ao'chor aige níos mó ná a dhul a' siúl a' tsaeil do féin.

Lá dhá laethanta, bhí sé féin agus a bhean a' siúl trí shráid-bhaile muar mar a bheadh sé a' siúl trí shráid Chorca, agus bhí cúpala páiste i n-a ndiaig aniar. Do bhuail sé suas insan áit a raibh na

soithí i gcuan. Do bhí an bhean i n-éindí leis, agus bhí sí i n-a bean
bhreá. Do bhí captaen soithig ann thuas, agus do thaithn a' bhean
ana-mhuar leis. Do dhruid [an captaen] go dí an bhfear bocht, agus
d'fhiafra sé dhe a' ndíolfadh sé an bhean. Dúirt a' fear bocht ná
díolfadh sé i n-ao'chor ar aon airigead í. Do bhí an captaen ar súil
leis, agus do thairrig sé airigead muar do. Ní dhíolfadh sé ar chor
ar bith í. Do tharrainn sé *net* óir as a phóca:

"Tabhairfí me an *net* óir duit," adúirt sé, "má dhíolann tú í
agus í ligint liom!"

"Ní dhíolfad," adúirt a' fear bocht, "i n-ao'chor ar aon
airigead í!"

"*By gor*," adúirt a bhean, "támuid bocht, agus dhéanfadh a'
net óir ana-mhath go léir dúinn, agus," adúirt sí leis, "ná fuil fhios
agat pé ar domhan faid a ragha mise, có héasca agus d'fhéadfa me
go gcasfa me ort aríst, agus ní chasfa me gan a' méid a dh'fhéadfa
mé a thabhairt liom chút có math céanna agus do bhí a' *net* óir,
agus díol me!"

Do bhí go math. Le toil na mrá agus a' gheallúint a thug sí dho,
do lig sé an bhean uaig, agus ba dh-é an scian thríd a' gcroí leis
é dhéana.

Do d'imig an bhean ar bórd soithig i n-éindí leis a' gcaptaen nú
gur thug sé abhaile í mar a thabhairfeadh sé anúnn go hAlbain í.
Do bhí áit bhreá agus feirimeacha breácha ansin aici, agus ní raibh
aon tsaol riamh aici ná aon tsúil aici leis chó math a's do bhí aici.
Ní raibh sí a' teacht abhaile i n-ao'chor ná aon trácht air go dí an
bhfear.

Do bhí [a fear], lá dhá laethanta, ag imeàcht dó féin agus a
chúpala páiste. Do bhí an *net* óir aige gan ao' phiginn a bhaint as ná
aon ghiob dá shórt mar shúil a's go dtiocfadh a bhean air lá fada
nú gairid. Mar sin a bhí. Do bhí sé a' góil a' bóthar i mbun coille,
agus na crainn a' fás ar gach taobh de. Dúirt sé leis féin go mb'áit
uaigineach é, agus do shui sé síos, agus do bhí sé a' glana agus a'
cuir i gcóir na bpáistí. Do bhí an *net* leacaithe le n-a thaobh aige.
Má bhí féin cad a bheadh os a cheann anáirde ach *magpie*, agus bhí
sé a' déana nide. Do thaini sé anuas do léim, agus do sciob sé leis
a' *net* óir, agus do thug sé leis suas insa nid í. Ní raibh ao' bhlas lé
déana ansin aige. Bhí sé gan ór gan airigead, agus bhí sé gan a bhean.

" Dia lé cabhair chúinn," adúirt sé, " ní rai' me dona riamh go dí anois! "

D'imi sé leis, agus níor stop sé riamh nú go ndeagha sé isteach— pé ar domhan nós a bhfuair sé—insa tír strainnséartha a raibh an bhean ann. Do bhí sé ag imeàcht leis ansin an bóthar lá, agus do bhí sé a' góil ther áit a raibh sórt coille agus slata a' fás ann. Do thaithn na slata go han-deas leis go léir, agus chuíni sé ar a' gcéird. Do tharrainn sé chuige a scian, agus do chua sé tao' isteach do chlaidhe, agus do bhain sé beart deas dosna slata. Do shui sé amuh ar thaobh a' bhóthair, agus lom sé na slata gur ghlan sé iad, chrom sé ar bheith a' déana ciseán nú gur dhin sé cúig nú sé ciseána.

Nuair a bhí an méid sin déant' aige, bhuail sé isteach insa mbaile ba goire dho, agus do chrom sé ar bheith a' díol na gciseán. Ní fhacaig lucht a' bhaile sin aon chiseána riamh ní ba deise ná iad, agus is amhla a bhí strac' acu ar na ciseáin ad iarra iad a cheànnach uaig gan bhaochas.

Bhí go math. Nuair a dhíol sé na ciseáin, agus do dhin sé có math dhíothub, do chais sé ar a' gcoill aríst, do bhain sé breis mhór eile dosna slata, agus do dhin sé breis dosna ciseáin. Do bhuail sé isteach thríd a' mbaile aríst. Má bhuail choíhint, do bhí cailín aimsire a bhain le bean an chaptaein—do rángaig go rai' sí insa mbaile ar teachtaireacht. Do choinnic sí na ciseáin, agus do cheanna sí ceann acu uaig, agus nuair a chua sí abhaile do sháin sí an ciseán don mhaighistreás.

" Cá bhfuair tu an ciseán ? " adúirt an maighistreás.

" Tá fear bocht istig ar a' mbaile," adúirt sí, " agus tá sé dhá ndíol sin."

Do chuínig a' maighistreás uirthi féin go hana-mhath, agus d'aithin sí déana an chiseáin. Níor labhair sí aon fhocal. Do chuir sí an cailín go dí an mbaile muar féachaint a' gcasfaí léithi an fear sin, agus dúirt sí léithi an méid ciseán a bheadh aige a cheànnach agus a thabhairt léithi abhaile, go mbeidís an-úsáideach.

Mar sin a bhí. Do chuaig a' cailín isteach, agus do casag léithi é. Do cheanna sí an méid ciseán a bhí aige ar pé ar domhan *price* a thabhairfeadh éinne orthu.

Bhí go math. Do thug sí abhaile go dí an maighistreás na ciseáin. Níor labhair sí aon fhocal. Do bhuail sí amach í féin a' siúl lá, thríd a' mbaile, agus casag léithi ar a' mbóthar fear na gciseán.

" *Well*, anois," adúirt sí, " an a' díol na gciseán athá tú ? "

" Sea ! " adúirt sé. Agus níor aithin sé i n-ao'chor í, ach d'aithin sise é.

" *Well*," adúirt sí, " cér thosain tu, nú cé bhfuair tú do chéird ar na ciseáin seo a dhéana ? "

" Ó, ag baile i n-Éirinn a dhin mise iad sin," adúirt sé, " agus thosain me i dtòsach iad, agus nuair a thosna mise ar na ciseáin sin a dhéana ní raibh aon chall agam leóthu, ach ní hé sin anois dom," adúirt sé, " tá gró agam díothub ! "

" Is dóch é ! " adúirt sí. " A' bhfaca tu mise riamh ná rimhe sin ? " adúirt sí.

" Ní fhacas," adúirt sé, " is dói liom ! "

" Á, tabhair aire, " adúirt sí, " ná gom fhé' go bhfaca tú me uair eicínt rimhe sin ! "

" Níl fhios agum," adúirt sé. " Ní dói liom go bhfacas."

" Ar chuín leat," adúirt sí, " go raibh aon bhean póst' agat féin riamh, iníon an fhir a bhíodh a' déana na gciseán ? "

" Bhí sin amhla ! " adúirt sé.

" Agus cér ghui' sí uait ? " adúirt sí.

" Ó, d'imi sí insa mhí-á uaim," adúirt sé, " agus is í féin is ciúntach. Do dhíol me í ar *net* óir, agus tá me gan duine gan daoin' anois, ach me héin agus mo chúpala páiste im dhiaig aniar ! "

" Tá sin fíor," adúirt sí. " Ach anois," adúirt sí, " ná labhair aon fhocal, agus a lithéide seo 'o lá, beig a' captaen imithe as a' mbaile— i bhfad ó bhaile—agus bí i gcóir tusa ! Castar leat mise ag a lithéide seo dh'áit, agus tabhairfimuid ár n-agha ar a' mbaile' aríst ! Is mise an bhean chéanna ! "

Do bhí sé lán-áibhéiseach ansin, agus do chuir sé i gcóir é féin có math agus d'fhéad sé é. Mar sin a bhí. Do casag leis an bhean insan áit ar 'úirt sí leis. Dhíol sí a' pasáiste ther n-ais, agus do chua sí insa tsoitheach, agus níorbh fhad' an mhoill gur thaini siad abhaile.

Thaini sé féin agus í féin abhail' ansin, agus do bhíodar a' teacht abhaile tríd a' mbóthar céanna, agus do ghui' sé anuas tríd a' gcoill, an áit a dtug a' *magpie* an *net* óir uaig. Do bhí garsúin a' teacht ó scoil an lá rimhe sin, nú an lá céanna, agus choinnic [siad] nead an *mhagpie* thuas. Do chuadar suas, agus do riobáileadar í. Do chathadar anuas [an] nead agus a' méid a bhí inti. Do bhí sé seo a' góil ther an áit.

"Ah, mhuise," adúirt sé, " sin é an áit ar chaill mise an *net* óir a fuair me ort-sa, agus do thug a' *magpie* suas insa nid í, agus is cosúil leis a' nid athá réapaithe agus caite anuas ansin [í] ! " adúirt sé.

Bhuail sé cic ar nead a' *mhagpie* do bhí rimhe ar thaobh a' bhóthair, agus cad a rithfeadh chuige as [an nid] ach a' *net* óir ! Do riug sé uirthi, agus thóg sé suas í.

"Má bhí an mí-á tamall orainn," adúirt sé, " baochas le Dia go bhfuil a' t-á aríst oruinn ! "

Do thóg sé suas a' *net* óir. Do thaini sé féin agus a bhean abhaile, agus do mhaireadar riamh ó choin ansin súch, sách, bolag-líonta !

16. MADARA DUBH NA nOCHT gCOS

Insa sean-tsaol anso fudó do bhí rí agus bannríon, agus ní raibh éinne cluinn' acu ar fiog i bhfad Éireann aimsire. Ach b'é toil Dé gur reánguig go raibh duine cluinne a' teacht abhaile go dí an bhannrín; agus má bhí choíhint, oíhe gosna hoíheanta, do bhuail chuic' isteach scoláire bocht. Do bhí fáilte mhór ag an rí roimh a' scoláire bocht; [ba ?] fada nár ghuibh éinne chuige a ndéanfadh sae oíhe chuideachtan leis nú go dí sin. Do shuig fear a' tí—an rí—agus an scoláire bocht ar chathaoireacha chois na tine, agus bhíodar a' caínt leóthu ar fhaid na hoíhe, agus seanachas mór eatarthu. Amach san oíhe do choinnic an scoláire bocht go raibh góil trí n-a chéil' icínt ar fhuaid a' tí, agus ní raibh fhios aige céard a bhí ar bun. Cad a bhí ach do bhuail tinneas a' linibh an bhannríon, agus do bhí teachtairí agus seiribhísig a' góil siar 's aniar ar fhaid na hoíhe chuici. D'imig a' rí, agus chua sé siar insan áit a raibh sí, ach ní raibh éinne insa chistin ach a' scoláire bocht agus é leis féin. Bhí mar sin. An chéad duine gosna seiribhísig a thainic insa chistin, do d'fhiarha sé dhi cad a bhí ar n-agha thiar, nú a' raibh aon ghiob bunoisciúnn ag imeàcht ná raibh aon chúntas aige féin air.

" Ó, ní hea," adúirt sí sin, " ach tá an maighistreás le línn cluinne anocht, agus tá an fonn a' teacht."

" Ó, is math é sin," adúirt a' scoláire bocht.

Do d'eighri sé amach, agus d' fhág sé an chistean, agus do d'imi sé amach ar a' gcroc. D'oscail sé a leabhar, agus do bhí sé a' léamh ar fiog tamaill mhuair amuh ar a' gcroc, agus do bhí sé a' léamh na bpláinéidí a bhí as a cheann. I gceann tamaill aimsire, nuair ba cheart do é, chais sé go dí an ndoras, agus do d' fhiarha sé gon bhean chabhrach a' raibh an maighistireás ní b'fheárr fós.

" Ó, níl anois," adúirt sí, " agus ní fada go mbeig."

" Féach, má d'fhéadann tú i n-ao'chor é," adúirt sé, " a' gcoinneófá moill leath-uair a' chloig ar a' leanabh gan teacht ? "

" *Well*, ní dóigh liom go n-fhéadfa me é dhéana," adúirt sí, " ach déanfa me mo dhíheallt."

Mar sin a bhí. Do d'imi sé aríst, agus do bhí sé a' léamh leis cuid eile, agus má bhí choíhint, nuair ab am leis aríst, do thaini sé go dí an ndoras agus d'fhiarha sé gon bhean chabhrach a' raibh a' maighistireás níos fearr, nú a' raibh a' leanabh ar a' saol.

" Níl," adúirt sí, " ach tá an leanabh a' teacht."

" Más féidir leat i n-ao'chor é," adúirt sé, " coinnibh cearthú uair a' chloig moille ar a' leanabh gan teacht, agus be me ana-bhaoch díot."

Mar sin a bhí. D'imi sé aríst, agus chuaig an bhean chabhrach ther n-ais i n-a háit héin; agus do bhí sé a' léamh leis. Ach do thainic a' leanabh ar a' saol, agus do chas a' scoláire bocht anuas síos go dí an ndoras arís.

" 'Bhfuil a' leanabh ar a' saol," adúirt sé, " nú a' bhfuil sé a' teacht ? "

" Ó, tá an leanabh ar a' saol, agus ní fhéadfainn aon mhoill a choinneáilt air."

" Níl aon leigheas air," adúirt a' scoláire bocht.

Do thaini sé isteach ansin, agus do shui sé síos. Do bhí an leanabh ar a' saol, agus do bhí gah éinne i n*humour* ansin. Bhí an maighistireás ní b'fheárr, agus do bhí gah uile rud socair go math. Do shuig an rí agus an scoláire bocht síos aríst, agus do bhíodar a' caínt leóthu as sin go raibh sé i n-am chollata. Do chuaig a' scoláire bocht a cholla ar a leabain, agus do chuaig an rí, is dóch, 'na choll' ar a leabain insa nós chéanna. Do d'fhan a' chuid eile gona seiribhísig agus a' maighistireás ar fhuaid a' tí mar ba cheart dóib.

Ar maidin lárnamháireach do bhí an scoláire bocht ana-bhaoch, agus do bhí sé a' braith ar imeacht. Do scrí' sé ticéid agus do dhin sé leabhar Eóin don ticéid, agus do thug sé go máthair a' linibh é.

"Anois," adúirt sé, " cuir a' ticéid seo fé bhéal a' linibh, agus din leabhar Eóin de. Ná bain ó mhuinéal a' linibh é, agus ná haistríodh éinne é, agus ná léadh sae é nú go mbeig a' leanabh lé linn a bheith bliain agus fiche g'aos, agus tabhair don leanabh ansin [é] agus lig do féin é léamh! "

Mar sin do bhí. Do bhí an leanabh ag eighrí suas, agus bhí an borra 'n aon ghé fén leanabh; agus do baisteag é i n-[a]ainim— Priúnsa Seán. An borra ná beadh inniubh fé, do bhí sé amáireach fé, agus do bhí sé ag eighrí suas nú go rai' sé ag eighrí amach ar bheith i n-a fhear óg. D'imíodh sé amach a' fiach agus a' fionnachoscairt leis féin gach uile lá, agus a' marcaíocht ar chapaille. Do bhí sé i n-a thogha marcaig.

Ach lá nuair a bhí sé a' déan' amach ar bheith insan aois go raibh sé bliain agus fiche g'aois, do léig a mháthair a' ticéid, agus do choinnic sí cuid é a' rud a bhí ann. Agus is é a' rud a bhí insa ticéid—nuair a bheadh a' leanabh i n-aois an bhliain agus fiche go maródh Madara Dubh na n-Och' gCos é. *Well*, do bhí sí gan a bheith i n*humour* ansin; agus níor inis sí don leanabh beag ná muar é.

Do bhí an leanabh a' góil isteach is amach, agus é i n-a bhuachaill óg, agus é a' déan' amach ar an aois go raibh sé an bhliain agus fiche, agus go raibh a' t-am a' teacht. Níl aon uair a ghabhadh a' leanabh amach, nuair a chasadh sae isteach, ná bíodh a mháthair a' gol ar a díheallt. Ní bhíodh fhios aige cad a bhí a' cathamh uirthi.

Lá ghá laethanta do fuair sé cuire ar imeacht a' dul chuig fiaig. Do chuir sé i gcóir an capall ab fheárr a bhí i stábala an athar, agus do chuir sé srian agus diallait nua glan air, agus do d'imig sé leis go dí an bhfiach. Níor dheagha sé i bhfad i n-ao'chor nuair a bhris an dá stíoróip a bhí fé n-a dhá chois, agus thuiteadar go talamh uaig. Níor chuir sé aon tsuím ansuin ach cas' abhaile agus peidhr' eile ab fheárr ná iad fháil, agus imeacht aríst; agus insan áit chéanna, nuair a chua sé aríst, do bhain a' cleas céanna dho. Do chais sé aríst, agus do fuair sé an tríú peidhre; ach ag imeacht do, agus a' tríú peidhre stíoróipí fé n-a chos' aige, agus é ag imeacht go dí an bhfiach, níor dheagha sé ach a' fad céanna nuair a bhriseadar fé n-a chosa.

"Tá go math!" adúirt sé. "Tá rud eicínt lé theacht treasna dhô-sa inniubh ná fuil fhios agam cuid é a' rud é, agus ní ragha me go dí an bhfiach i n-ao'chor."

Do chais sé abhaile, agus do thaini sé i ngan fhios don mháthair, agus nuair a thaini sé isteach, do bhí an mháthair 'n-a suí ar a' gcathaoir, agus í a' sile ar a díheallt. Do d'fhéach sé uirthi, agus do choinnic sé a' gol í.

"A mháthair," adúirt sé, "cuid é an réasún go bhfuil tu a' gol gach uile lá leis a' bhfaid seo aimsire? Gheó me amach, agus nuair a thiocfa me isteach, tiocfa me suais leat agus tu a' gol."

"Níl aon bhlas, a ghrá, ach go mbíonn uaigineas id' dhiaig oram."

"Well, ní fhágfa me an áit seo," adúirt sé, "go n-ínsí tu dhom cuid é an fáth a mbíonn tu a' gol gach uile lá nuair a ghabhaim amach. Go réidh suíte, tá rud eicínt le theacht treasna dhom ná fuil fhios agam," adúirt sé, "agus tá sé i n-am agam fhios a bheith agam!"

"Muise, tá sé chô math é ínseacht duit, a ghrá," adúirt sí. "Nuair a bhe tusa bliain agus fiche g' aois," adúirt sí, "tá tu lé marú ag Madara Dubh na n-Och' gCos, agus is sin é an réasún a bhfuil mise a' gol is a' caoine gach uile lá, mar tá fhios agam [go bhfuil tu] a' druidiúint leis an uair anois."

"Níl aon leigheas air, a mháthair," adúirt sé. "Rud ar bith a gheall Dia dhúinn cathfa muid a ghóil leis, agus is dóch gurb shin é an bás a gheall Dia dhúinn!"

"Is dóch gurb é, a ghrá," adúirt sí. "Níl aon ghiob lé déana aghainn anois."

Mar sin a bhí. Do bhuail brón agus buaireamh é féin ansin, agus ní raibh fhios aige cuid éard a dhéanfadh sae, mar do bhí fhios aige nuair a bhain a' teirimeasc do na trí huaire nuair a ghui' sé amach a' dul insa bhfiach go raibh rud eicínt lé theacht treasna dho ná raibh fhios aige.

Do bhí buachaill aimsir' aige a raibh ana-mheas aige air; agus do bhí soithí go leór i n-a chuan agus i gcuan a athar. Do d'imi sé síos go dí an gcuan, agus do thug sé leis a' buachaill aimsire i n-éindí leis mar chuideachtain.

An soitheach ab fheárr a bhí insa chuan, do thug sé a túis do mhuir agus a deire go thoínn; do bhuail sé cic i n-a cúl, agus chuir sé

seach' léig i bhfarraig' í. D'eighri sé go hú há agus neart a chrá',
agus do chua sé go ghlan-léim isteach i n-a ceart-lár. Do thóg sé a
seólta boga bogóideacha bán-dhearaga i mbarra na gcrann, mar a
mbíodh lupadáin, lapadáin, boireannáin, barannáin, éisce, róinte,
míolta móra a' teacht fé ó bheiríolta (sic) na farraige lé neart fíor-
uaisle na tiomána a bhí ag Priúnsa Seán ag imeacht dó héin agus dá
bhuachaill.

Do bhí sé ag imeacht leis a' seóltóireacht agus a' bórdóireacht
ar fhaid na farraige leis féin ar fiog suím mhór aimsire, agus ní rai'
sé a' dul i gcuan i n-áit ar domhan. Fé dheire do ruith sé gairid i
bproivision i n-a shoitheach do féin agus dá bhuachaill, agus do
thug sé a agha ar bhaile beag cuain, mar a thabhairfeadh sé thíos
ar ché Thuath Reana é, nú thall insa Spidéal; agus stiúra sé a
shoitheach ann isteach.

Nuair a thaini sé insa ché ansin, d'fhág sé a shoitheach sa ché,
agus d'imi sé féin agus a bhuachaill isteach suas ar fhuaid na sráide.
Nuair a d'imi sé suas ar fhuaid na sráide, ní fhaca sé aon te' a bhí
ar fhuaid na sráide ná raibh dúinte; agus ní raibh fhios aige cuid é
an réasún é. Bhí na siopaithe dúinte, agus bhí gach teh dúinte suas,
agus iad baráiltí amach i gcoinnibh gah éinne. Do bhí sé a' féachaint
thímpeall air i ngach uil' áit nú go bhfaca sé teh a raibh cuma ar
fônamh air; agus do d'oil roinnt do le hí proivision a bheith aige insa
tsoitheach. Do bhuail sé suas, agus do chrang sé ag a' ndoras sin.
Ní bhfuair sé aon tora. Chrang sé aríst, agus ní bhfuair sé aon tora.
Do chrang sé an tríú babhta, agus do chuir fear a cheann amach
thuas thríd a' bhfuinniúig chuige, agus d'fhiarha sé cad a bhí uaig.
Dúirt sé go raibh roinnt proivision uaig a chuirfeadh sé isteach i n-a
shoitheach, agus go raibh sé ruite gairid i mbeatha.

"Fan ansin go fóill," adúirt fear a' tsiopa, " agus eireó me
anuas, agus tabhairfi me roinnt duit, ach níl aon mhoill lé déan'
aghat ! "

Nuair a chua sé isteach ansin, agus ligeav isteach é:

" Muise, cuid é an réasún," adúirt sé, " a bhfuil gach teh insa
tsráid seo dúinte suas mar athá siad; agus ní fhaca me aon tsráid-
bhaile riamh a bheadh dúinte suas mar é, agus cuid é an réasún é
go bhfuil sé dúinte suas inniubh ? A' bhfuil sé dúinte suas i gcônaí
mar sin ? "

"Á, níl," adúirt fear a' tsiopa, "ach tá siad dúinte suas lé beagán laethanta, mar tá sé ráite," adúirt sé, "go bhfuil Priúnsa Seán agus Madara Dubh na nOch' gCos lé troid amáireach nú amanathar nú inniubh, agus ní fios cé an lá dosna trí laeth' é; agus is sin é amu a' *green* a bhfuil siad le hí troid air. Is cosúil go maróig a' Madara Priúnsa Seán, agus gom fhéidir go ruithfeadh sae sábháilte isteach i gceann eicínt dosna tethanna 'á bhfuil ar a' mbaile seo; do leanfadh a' Madar' é, agus do mharódh sé Priúnsa Seán agus an méid athá insa teh i bhfochair a chéile," adúirt sé, "agus is sin é an réasún go bhfuil an áit dúinte suas ar fad."

"Tá go math!" adúirt Priúnsa Seán, agus níor labhair sé aon fhocal ach éisteacht leis mar sin. Pé méid proivision a bhí uaig nú a cheap sé oiriúnach do, do thug sé leis é, agus do chua sé síos go dí n-a shoitheach, é féin agus a bhuachaill. Nuair a bhí gach rud socair isteach i n-a shoitheach aige ansin, agus a chlaíomh síos lé n-a thaobh aige:

"Sea, anois," adúirt sé leis a' mbuachaill, "teighre tus' abhaile go díom' mháthair-sa, agus fan aici go ceann lá agus bliain, agus mara mbe mise casta i gceann lá agus bliain, níl aon tseans, is dóch, go gcasfa me i gcathamh a' domhain. Agus bíodh a' gleann agus a bhfuil ann aghat-sa, an méid maireachtáil athá agham-sa agus is ceart a bheith agham, bíodh sae aghat-sa i ruith a' domhain i n-a dhiaig sin mara mbe me casta."

"Ní ragha mis' abhail' anois," adúirt an buachaill, "ná ní fhágfa me tu; agus is dóch má thagann sé sin i n-ao'chor, inniubh ná amáireach ná aon lá eile, gur fearr athá beirt againn ábalt' ar é throid ná mar a throidfi tusa leat héin é."

"Ó, ní dhéanfadh sé an gró," adúirt sé. "Teighre tus' abhaile go díom' mháthair, agus ná bíodh saí fé uaigineas, agus tabhairfi mise mo bhóthar oram pé ar domhan nós a dh'fhéadfa mé nú a ruithfidh Dia liom!"

Bhí go math. Thainig a' buachaill abhaile, agus ní lé fonn é; agus do bhí sé a' féachaint i n-a dhiaig nú gur fhág sé Priúnsa Seán as (*sic*) a radharc.

Mar sin nuair a d'imi sé as radharc Phriúnsa Seán, do chas Priúnsa Seán, agus do d'imi sé síos tríd a' sráid mar a dh'imeódh sé siar amach a' bóthar tamall. Agus do bhí an oíhe a' teacht air ansin, agus é doracha. Do bhuail sé isteach i n-áit a raibh gasairneach choille, agus dúirt sé go bhfanfadh sé [ar feadh] na hoíhe ansin go maidean. Do chua sé isteach an áit a raibh tor muar coille a bhí fonthúil (fothainiúil), do lui sé istig fén dtor, do leag sé a chlaíomh thíos fé n-a bholag, agus do thuit sé i n-a cholla. Agus níor throm-suan do; ní rai' sé i bhfad i n-a cholla nuair a dhúisi sé aríst, mar bhí an Madara Dubh a' ruith trí n-a aigine, agus faitíos air go dtiocfadh sé air.

Bhí go math. Thug sé súil eicínt amach ón dtor, agus do choinnic sé spíce solais mar a bheadh sé a' teacht amach as the'.

" Níl muid i bhfad ósna tehanna i n-ao'chor," adúirt sé, " agus, *by gob*, déanfa me ar a' dte' insa chaoi go mbeig lóistín na hoíhe agam ar chuma 'r bith."

Mar sin a bhí. Do dhin sé ar a dte', agus nuair a bhí sé a' déan' ar a' dte', do bhí cú mhuar amuh i n-a luí ar a' n*green* tao' 'mu ghon te '; agus do dhin sé suas ar a' ndoras. Nuair a choinnic a' chú é, d'eighri sí, agus do bhain sí trí chor aisti féin, agus do cheap sí [é] ithe i n-éineacht. Do tharrainn Priúnsa Seán a chlaíomh agus do chua sé ar é féin a chosaint ar a' gcú; agus ní rabhadar gairid dá chéil' i n-ao'chor nuair a d'eighrig sean-fhear, agus sheasa sé insa ndoras.

" Fóill, fóill ! a Phriúnsa Seán, seachain tu féin, agus ná din dad' ar a' gcú," adúirt sé, " agus ní dhéanfaig a' chú aon ghiob ort, agus b'fhé' gom fheárr 'o chúna dhuit a' chú as seo go maidean ná dhá ndinteá í ghortú ! "

Mar sin a bhí. Do leag Priúnsa Seán a chlaíomh síos lé n-a thaobh arís, agus do stop a' chú. Do thug a' sean-fhear isteach Priúnsa Seán go dí n-a the', agus d'fháilti sé roimhe. Do chuir sé a shuipéar i gcóir do; agus d'ua sé go math é. Do chuir sé síos coirceán uisce, agus ni sé a dhá chois, chimil sé lé n-a thúáille é, agus chuir sé suas a choll' é. Do chodail Priúnsa Seán an oíhe sin.

Insan am ba cheart don Mhadara Dubh a theacht amach san oíhe, do tháini sé, agus má tháinig choíhint, do chua sé féin agus a' chú fé chéile a' troid. Do throideadar an oíhe sin go maidean chô dian agus b'fhéidir leóth' é, ach fé dheire ar maidin dob éigin don Mhadara Dubh imeacht; agus bhí Priúnsa Seán i n-a cholla ar a leabain gan dochar, díth, ná díobháil déanta dho t'réis na hoíhe.

M

Mar sin a bhí. Ar maidin, nuair a d'eighri sé, chuaig a' sean-fhear suas chuige; agus do bhí sé ar chúl a chínn insa leabain, agus port feadaíola thuas aige t'réis na hoíhe, do bhí sé i n*humour* chô math sin.

"Is mar sin é, a Phriúnsa Seán," adúirt a' sean-fhear. "Tá tusa slán sábháilte t'réis na hoíhe."

"Táim," adúirt Priúnsa Seán, "go ra' math agus faid saeil aghat-sa as a los sin!"

Do thaini sé anuas ansin, agus d'ua sé a bhricfeast. Agus nuair a bhí sé ag imeacht ar maidin ón sean-fhear, d'fhág sé slán agus beannacht 'ige, agus ghui' sé baochas na hoíhe leis.

"Tá tu ag imeacht anois, agus má tháir," adúirt sé, "tabhairfi mise mo chú féin duit mar bhronntanas. Tabhair leat í, agus b'fhéidir go ndéanfadh sé math dhuit. Agus anois anocht," adúirt sé, "'sé an áit a mbe tus' ar lóistín i dte' driothár dô-sa, agus geóbha tu do lóistín chô math céanna agus bhí aréir agat."

Do ghui' sé baochas níos mó ansin leis, agus d'imi sé leis, é féin agus a chú. Ní raibh sé féin agus a' chú i bhfad ón dte' nuair a thanadar le chéile a' caint.

"Bhfuil tu in do mharcach mhath?" adúirt a' chú leis.

"Muise, sé a' *practice* a bhí ag baile riamh agam é!" adúirt Priúnsa Seán.

"Anois," adúirt a' chú, "caith do chos treasn' oram, agus beir ar dhá chluais oram, agus b'fhéidir go ngaeirdeómuíst a' bóthar!"

Mar sin a bhí. Do chaith sé a chos treasna ar a' gcú, agus do riug sé ar dhá chluais uirthi. Do thiocfadh a' chú suais leis a' ngaoch a bhí réimpi, agus ní raibh fáil ag a' ngaoch a bhí i n-a diaig theacht suais léithi; agus d'imi sí léithi, agus do bhí sí luath go leór tráthnóna ag te' an tsean-fhir eile.

Do bhí an chú agus Priúnsa Seán a' góil suas go dí an ndoras go dí an tarna duine críonna, agus do bhí cú mhuar eile n-a luighe thuas ag a' ndoras roimhe sin amach. Nuair a choinnic [a' chú] a' góil chuici suas iad, d'eighri sí, agus do bhain sí trí chor aisti féin aríst, agus do cheap sí déana ar Phriúnsa Seán agus ar a' gcú chuig ithe i n-éineacht. Do tharrainn Priúnsa Seán an claíomh chuig' aríst chuig é féin agus a chú féin a chosaint uirthi; agus ní raibh a' claíomh tarraingte baileach 'ige nuair a thainic a' sean-fhear insa doras, agus do labhair sé:

" Fóill, fóill, a Phriúnsa Seán," adúirt sé, " seachain tu féin,
agus ná din aon anachain don chú, mar ní dhéanfaig a' chú aon
anachain duit, agus b'fhé' gom' fheárr an chairid duit an chú as so
go maidean," adúirt sé, " ná dhá mbeitheá it' aonar ! "

Mar sin a bhí. Do leag Seán an claíomh síos le n-a thaobh, agus
níor dineag níos mó eatarthu. Chuaig Priúnsa Seán suas go dí an
sean-fhear, agus má chuaig choíhint, d'fháiltig a' sean-fhear roimhe.
Thug sé isteach é, agus thug sé a shuipéar do, do chuir sé uisce síos
agus do ni sé a chosa. Do thrioma sé lé túáille iad, agus do chuir sé
suas a choll' ar a leabain aríst é mar a chuir a' fear a bhí roimhe an
oíhe roimhe sin ann insa nós chéanna.

Do bhí an dá chú i n-éineacht lé chéile tao' 'mu dho dhoras. Do
chodail Priúnsa Seán an oíhe chô math agus do chodail sé riamh.

Nuair ab am don Mhadara Dubh a theacht fé dhéin Priúnsa Seán,
do thaini sé, agus nuair a cheap sé a dhul isteach d'oibiri sé féin agus
a dá chú a chéile chô dian agus dob fhéidir leóth' é, agus do sheas-
aíodar insa troid sin nú go mb'éigin don Madara Dubh imeacht ar
maidin, agus é geárrtha leidhpithe.

Do bhí Priúnsa Seán i n-a choll' ar a leabain, agus ní raibh
caduaic air; níor chodail sé aon oíhe go maidean ní b'fheárr. Bhí
go math.

Ar maidin do bhuail a' sean-fhear suas chuige, agus do bhí Seán
ar chúl a chínn sa leabain, agus a phort feadaíola thuas aige mar a
bhí an oíhe roimhe sin.

" Tá tú sleamhain slán t'réis na hoíhe," adúirt a' sean-fhear leis.

" Táim, go ra' math agat-sa, agus faid saeil ! " adúirt Priúnsa
Seán. " Agus bíodh a bhaochas agam ort ! "

" Well, ní misde dhuit a bhaochas sin a bheith agat oram,"
adúirt sé, " ach eighri suas anois, agus tá bricfeast i gcóir agam-sa
dhuit ! "

Do d'eighri Priúnsa Seán suas, agus d'ua sé a bhricfeast. Nuair a
bhí sé ag imeacht, é féin agus a chú, do d'fhág sé slán agus beannacht
ag a' sean-fhear, agus ghui sé baochas na hoíhe leis.

" Anois, tá tu ag imeacht," adúirt sé, " agus tabhairfi mise mo
chú féin duit mar bhronntanas; agus tabhair leat í, agus beig a' dá
chú i n-éineacht agat. Agus is é an t-ainim athá ar mo chú-sa—
Luas."

Do d'imi sé ansin; agus bhí baochas níos mó aríst aige air. Agus níor dheagha sé féin agus an dá chú le chéile nuair a labhradar aríst leis.

" Tá tu do mharcach mhath ? " adúirt Luas leis.

" Tá," adúirt Fios, " mar bhí sé a' marcaíocht oram-s' inné, agus tá sé i n-a mharcach mhath."

" Caith do dhá chois treasna orainn le chéile anois," adúirt na gadhair leis, " agus éascómuid a' bóthar ! "

Le n-a línn sin do chaith sé a dhá chois treasna orthu, agus pé ar domhan siúil a dhin Fios inné roimhe sin, do dhineadar a dhá oiread an tarna lá, agus do bhí sé go luath tráthnóna ag te' a' tríú sean-fhear.

Nuair a bhí sé a' déana suas ar an tríú sean-fhear, do bhí madara muar dubh, giobalach, láidir, millteach, thuas ag a' dte' 'n-a luighe amuh, tao' 'muh dho'n doras. Nuair a choinnic sé a' déana suas iad, d'eighri sé, agus do shíl siad go mbeadh siad ite i gceann dhá neómaint [aici]. Do tharrainn Priúnsa Seán a chlaíomh aríst chuig é féin agus a chuid gadhar a chosaint ar a' madara muar; agus do d'eighrig a' tríú sean-fhear amach insa doras thuas.

" Fóill, fóill, a Phriúnsa Seán ! " adúirt sé. " Ná din aon anachain don ngadhar, agus b'fhé' gom' fheárr an chairid duit a' gadhar as so go maidean ná dhá mbeitheá it' aonar, agus ní dhéanfaig a' gadhar aon anachain duit ! "

Lé n-a línn sin leag Priúnsa Seán a chlaíomh anuas le n-a thaobh, agus do stop a' gadhar. Do chuaig Priúnsa Seán isteach go dí an sean-fhear. Do thug an sean-fhear a shuipéar do, agus do ni sé a chosa 'ríst, thrioma sé lé n-a thuáille é, agus do chuir sé suas a choll' ar a leabain é.

Mar sin a bhí. Nuair a bhí sé i n-am age ['n] Madara Dubh a theacht fae dhéint Priúnsa Seán a' tríú hoíhe, do bhí an dá chú agus an Madara Dubh amuh, agus do dhineadar *attacking* ar Mhadara Dubh na nOch' gCos; agus má dhineadar choíhe, ní bhfuair sé aon spóiléireacht riamh mar a fuair sé, agus b'éigean do imeacht i bhfad níos éasca ná d'imi sé aon oíh' eile.

Bhí go math. Ar maidin lárnamháireach do d'eighrig a' sean-fhear, agus chua sé suas go dí Priúnsa Seán; agus bhí sé [sin] ar chúl a chínn sa leabain, agus é a' feadaíol agus ag amhrán dó féin.

" Tá tú go math ansin, a Phriúnsa Seán," adúirt sé, " t'réis na hoíhe, gan dochar, díth, ná díobháil déanta dhuit ! "

" Táim," adúirt Priúnsa Seán, " go ra' math a's faid saeil agat
as a los sin ! "

" Ní miste dhuit sin a reá ! " adúirt sé.

Mar sin a bhí. Do d'eighri sé ar maidin, agus d'ua sé a bhricfeast,
agus do bhí sé a' dul a' fágaint slán ag a' sean-fhear aríst.

" Tá tu ag imeacht anois," adúirt a' sean-fhear, " agus tabhairfi
mise mo mhadara féin duit i n-éindí le do dhá chú, agus be cúna
math ansin agat ! "

Do ghui' sé baochas leis sin, agus bhí sé i bhfad níos baohaí dhe.
Do d'imi sé leis. Do bhí Fios, Luas, agus Droim Dúbailte ansin ag
imeacht i n-éindí leis. Do d'imi sé féin, agus Fios agus Luas agus
Droim Dúbailte i n-éindí leis ansin, agus níor stop sé riamh riamh
ach a' siúl leis ar fhaid a' lae. Árd-tráthnóna, do bhuail sé suas go
dí te' muair, é féin agus a thriúr gadhar; agus má bhuail choíhint,
do bhí óigbhean ansin thuas, agus nuair a choinnic sí a' góil suas go
dí an ndoras é, do dhruid sí anuas i n-a choinne, agus ní fhacaig
éinne aon fháilte mar a bhí aici roimhe. Do shíl sé go mb'fhíor dhi,
agus go raibh fáilte roimh' aici, agus do bhí an-áibhéis air. Do bhuail
sé féin agus í féin suas, agus do fuair sé dínnéir, suipéar agus leaba
nár chodail sé i n-a lithéide riamh ná roimhe sin. Do cuireag a
chuid gadhar isteach i halla, fuaireadar a suipéar, ach má cuireag,
cuireag doras iarainn reómpa ná beadh aon fháil ghóil amach acu.

Do bhí go math. Ba seo óigbhean, agus bhí sí geallta go Mhadara
na nOch' gCos; agus do bhí sé ar a' bhfear ba bhreácha a bhí fén
saol go léir; ach dúirt sé léithi ná raibh aon fháil imeacht ó n-a
dhraíocht go brách ná choíhint nú go maraíodh sé Priúnsa Seán, agus
ansin go mba léithi i gcathamh a' domhain aríst é. Do bhí fhios é
sin ag an óigbhean, agus is ceann ar n-agha a chuir sí na gadhair i
bhfolach uaig insa chaoi ná beadh aon chún' aige.

" Agus anois," adúirt a' Madara Dubh léithi, " tabhair deis
dô-sa theacht ar Phriúnsa Seán anocht, agus déanfa me obair
ghairid de ! "

Mar sin a bhí. Do chuir sí Priúnsa Seán ar leabain, agus nuair
ab am don Mhadara Dubh a theacht, do bhí sé a' teacht. Do bhí
Fios istig. D'eighri sí i n-a seasamh:

" Haha ! " adúirt sí. " Is bog socair athá againn le coll' anocht,
agus sinne anseo; agus tá ár maighistir le bheith marabh i gceann
beagán neóimintí ! "

" Ó," adúirt Droim Dúbailte, " cad athá le déan' againn ? "

" Ó tá," adúirt sí, " cuireamuid ár neart le chéile, agus briseamuid a' doras ! "

Do chuir na trí cínn do ghadhair a neart lé chéile, agus do bhriseadar a' doras. Dhineadar ar n-agha chô dian agus b'fhéidir leóthu. Do bhí Madara Dubh na n-Och' gCos a' teacht suas go dí an ndoras díreach glan, agus d'aidhmsíodar féin agus é féin a chéile. Do thosnaíodar féin agus é féin ar a chéil' ansin chô dian agus dob fhéidir leóth' é, agus níor fhágadar oiread agus aon ghiobóigín amháin le chéile dhe nár stróiceadar is nár stracadar. " Well, anois," adúradar leóthu féin, " ní bhe sé ann go brách aríst ! "

Mar sin a bhí. Nuair a cheap an óigbhean seo ar maidin go raibh Priúnsa Seán marabh, d'eighri sí suas, agus do bhuail sí suas chuige. Do bhí sé sínt' ar chúl a chínn sa leabain, agus é a' ráise amhráin do féin go breá ! Ní fhacaig éinne riamh aon áibhéis mar a thainic uirthi—'á mb'fhíor í féin—go rai' sé chô slán i n-a shláinte agus do bhí sé ; agus ní mar sin a bhí an aigin' aici.

D'fhan mar sin go dí astoíhe lárnamháireach ; agus choinni sí insa teh é, agus ní raibh aon mheas ar aon fhear riamh chô mór agus mar a bhí aici air.

Nuair a thuit an oíhe astoíhe lárnamháireach, do tháinic an Madara Dubh tao' 'muh ghon bhfuinniúig aici, agus do chuir sé suas a chrúb, agus d'aithin sí é. Do chua sí chuig caínte leis, agus dúirt sé léithi :

" Anois," adúirt sé, " anocht cuirigí géibheanna níos [cúinge] ar na gadhair ná mar a chuir tu aréir orthu, agus tiocfa mis' aríst," adúirt sé, " mar níl me stróicithe ar fad lé chéil' i n-ao'chor aca, agus gheó[bh]a me dhul lé chéil' aríst agus a bheith chô math agus bhí mé riamh ; agus b'fhéidir go bhfaighinn deis, 'á mbeadh na gadhair curth' ar leataoibh, ar é scuab' i n-éineacht."

Mar sin a bhí. Do chuir sí Priúnsa Seán ar leabain ; agus do bhí a shuipéar cait' aige mar a bhí an oíhe roimhe sin. Do bhí na gadhair—d'fheedáil sí iad, agus chuir sí a dhá oiread géibheann' [orthu] an tárna hoíhe agus do chuir sí an chéad oíhe. Do chuadar sin isteach ; agus lé línn an t-am céanna astoíhe lárnamháireach do bhí a' Madara Dubh a' teacht, agus do bhí sé a' teacht suas leis a' ndoras aríst. Do d'eighrig Fios do léim.

" Ara," adúirt sí, " támuid a' colla go socair anocht aríst, agus
tá an Madara Dubh chô sleamhain chô slán agus do bhí sé riamh.
Tá sé a' teacht fé dhéint ár maighistir anocht aríst," adúirt sí, " agus
cud athá lé déan' againn ? Tá an géibheann ró-mhuar eadarainn,"
adúirt sí, " ní fheádfamuid a bheith chuige chô héasca is d'oilfi sé
dhúinn."

" Eighríomuid," adúirt Droim Dúbailte, " agus cuireamuid ár
neart lé chéile aríst, agus b'fhé' go ndéanfamuist a' gró ! "

Lé n-a línn sin do theanadar le chéil' ar a' ndoras, [agus] do
thugadar a' doras leóth' ar a ngualainneacha nú go d'fhágadar amuh
ar a' sráid é. D'imíodar, d'aidhmsíodar an Madara Dubh aríst, agus
pé ar domhan rúsc' a fuair sé an chéad oíhe, do fuair sé a sheacht
n-oiread an tarna hoíhe, insa chaoi go mb'éigean do imeacht gan
dochar, díth, ná díobháil a dhéana gho Phriúnsa Seán aríst.

Ar maidin lárnamháireach, nuair a cheap [an óigbhean] go raibh
Priúnsa Seán marabh ag an Madara Dubh, do chua sí suas go doth
ar maidin, agus d'fhéach sí cé an chor a bhí air; agus do bhí sé insa
nós chéanna a' feadaíol agus ag amhrán do féin. Bhí áibhéis as miún
uirthi go raibh sé chô math i n-a shláinte agus do bhí sé, ach ní hé
sin a haigine i n-ao'chor. Mar sin a bhí. D'fhan mar sin go dí astoíhe
lárnamháireach aríst.

" Anois," adúirt [an Madara Dubh] léithi, " teighre tusa síos
insan áit ar stróiceadar agus ar stracadar mise, agus má d'fhaigheann
tu aon tsórt giob a bhain liom, fiú bárr m'iongan, tóg suas é, agus
cuir isteach in do cheirsiúir é, tabhair leat é, agus cuir thiar fé n-a
dhroim fén mbairlthín ar a leabain anocht é," adúirt sé. " Ní cáll
dô-sa theacht i n-ao'chor, mar cuirfig bárr m'iongan-sa bior ní[mhe]
trí n-a chroí, agus caillfear é, agus be sé marabh ar maidin."

Mar sin a bhí. Do chua sí síos le háibhéis, agus do thug sí Priúnsa
Seán léithi go mbeadh fhios aici cé an áit a raibh an Madara Dubh
marabh t'réis na hoíhe. Ní fhacaig éinne riamh aon áibhéis mar a
bhí uirthi. Agus do bhí sí a' siúl, agus a' cuartach, agus a' déana
iongantas mór don stróca agus don obair a bhí déanta thímpeall ar na
gadhair ar fhaid na hoíhe; ach níor dhin sí aon bhlas nú go bhfuair
sí rud beag is lú ar domhan do bhárr a iongan. Do riug sí ar a
ceirsiúir, agus thóg sí i mbárr a ceirsiúir é, agus níor lig sí uirthi féin
dada, nú gur thug sí léith' é; agus ní ligfeadh saí gh'éinne leaba
Phriúnsa Seán, lé meas air, a chóiriú ach í héin. Do chua sí, agus

shocra sí, agus chóiri sí leaba Phriúnsa Seán. Do chuir sí bárr na hiongan thíos ar agha a chroí fén leabain, agus do d'fhág sí ansin fén mbairlthín é.

Do chua Priúnsa Seán, agus lui sé ar a leabain, agus níorbh fhada gur airi sé an bior ní[mhe] a' dul trí n-a chroí, agus do bhí sé a' fáilt bháis leis 'o réir a chéile chô dian agus b'fhéidir leis é.

"Haha 'ra," adúirt Fios, "is bog a chollaímuid anois, agus tá ár maighistir a' fáil bháis ar a leabain chô dian agus is féidir leis é! Anois cuid éard a dhéanfamuid? Tá ionga Mhadara Dubh na n-Och' gCos—sin a raibh le fáil aici—chuir sí thíos fé n-a dhroim é anocht, agus ní bhemuid i n-am ná i n-uair i n-ao'chor aige mar tá iomurca gosna géibhinn orainn."

"Well," adúirt Droim Dúbailte aríst, "tástálamuid aríst é, agus gabhamuid ar n-agha!"

Le n-a linn sin chuadar ar n-agha aríst, agus má chuadar choíhint, do bhriseadar a' doras. Do dhineadar ar n-agha, agus do chuadar suas go dí an leabain go dí Priúnsa Seán, agus ní raibh ann ach go raibh a' dé hann. Ní rai' sé ábalta ar labhairt leóthu.

"Haha," adúirt [Droim Dúbailte], "tá sé a' fáil bháis anois, ach a' bhfuil aon ghiob sa domhan a leigheasfadh é?"

"Níl," adúirt Fios, "ach aon rud amháin—tá bileóg insa Domhan Thoir, agus dá mbeadh sé leacaithe ar a' lot do leigheasfadh sé é."

"Ar imi tu fós?" adúirt Droim Dúbailte [lé Luas].

"D'imíos is thángas!" adúirt Luas.

Do leagav a' bhileóg lé n-a dhroim, agus d'eighri sé suas chô sleamhain chô slán agus bhí sé riamh. Nuair a d'eighri sé suas:

"Well anois," adúirt Droim Dúbailte leis, "tá an bithiúnach sin a' plé leat lé trí oíhe, agus í a' fáilt faill ort chuig tu mharú, mar níl aon fhear sa domhan is feárr léithi ná Madara Dubh na nOch' gCos, mar tá sé ar a' bhfear is breácha fén ndomhan go léir, agus dá mbeitheá-sa marabh do bhí a chuid draíocht imithe dhe sin, agus ba léithi i gcathamh a' domhain é! Ach a' bhfuil fhios agat-sa cad a dhéanfa tu amáireach léithi?" adúirt Droim Dúbailte leis.

"Níl fhios," adúirt sé.

"Bí chô bladarach, chô lách, agus bhí tu riamh léithi," adúirt sí, "agus árda leat í. Ragha sí ad' thiúnlacan nuair a bhemuid ag imeacht, agus má theigheann choíhe, nuair a gheó[bh]a tu tamall ó

bhail' í, beir uirthi, agus úmpaig thímpeall í, buail cic sa tóin uirthi,
agus abair léithi theacht abhaile agus a dhul ar thuairisc a' Mhadara
Dubh!"

Mar sin a bhí. Ar maidin lárnamháireach do d'fhág sé slán aici,
agus ní rai' sí sásta é ligint chuig a' tsiúil i n-ao'chor, ach mar sin féin
do thaini sí i n-éindí leis dá thiúnlacan tamall. Nuair a fuair sé
tamall as bóthar í ansin, do dhin sé léithi mar adúirt Droim Dúbailte.
Do chais sí dúch, brónach, uaigineach, agus gan aon fháil ar Phriúnsa
Seán ná ar a' Madara Dubh aici.

Do d'imig Priúnsa Seán agus a thriúr gadhar i n-éindí le chéil'
ansin nú go dtaini sé chô fada lé séiltheán abhann. Do bhí tua agus
bloc leacaithe ansin.

" Well, anois," adúirt Fios, " anso a fuair tu mise, agus is ann a
chathfa tu me fhágaint!"

" Cuid é a' rud san dá reá agat?" adúirt Priúnsa Seán. " Cuid
é an ' anso a fuair tu mise, agus anso a chathfa tu me fhágaint '?"

" Leagfa mise mo cheann ar a' mbloc seo anois," adúirt [Luas],
" agus beir ar a' dtua sin, agus bain a' ceann díom!"

" Sin rud ná déanfa me i gcathamh a' domhain," adúirt Priúnsa
Seán léithi, " mar b'fhiú níos mó ná sin dom tu!"

" Ó, níl aon fháil air," adúirt [Luas], " cathfa tu sin a dhéana
liom-sa!"

Do bhí sí ar súil leis nú gur leag sí a ceann ar a' mbloc; ach pé
scéal é, do bhuail sé buille ghon tua i gcôngar a' chínn agus a'
mhuiníl uirthi, agus do bhain sé an ceann di. Agus nuair a d'fhéach
sé siar ar [a] chúl do bhí an bhean ab áille dár las gaoch ná grian
riamh [uirthi] 'n-a seasamh thiar ag cúl a chínn.

Do d'imi sé féin agus í féin lé chéil' ansin nú go dtaini sé go dí
séiltheán eil' abhann. Bhí bloc agus tua leacaithe ansin.

" Well, anois," adúirt Luas, " anso a fuair tu mise, agus anso a
chathfa tu me fhágaint!"

" Ó, cad é an nós é sin?" adúirt [Priúnsa Seán].

" Cathfa tu breith ar a' dtua sin," adúirt sí, " agus leagfa mise
mo cheann ar a' mbloc, agus bain a' ceann díom!"

" Sin rud ná déanfa mé," adúirt sé, " mar is breá a cheanna tu
riamh roimhe sin me!"

" Níl aon mhath ann anois," adúirt sí, " cathfa tú é sin a
dhéana!"

Nuair a choinnic sé cad a thuit amach don cheann a bhí roimhe sin ann, ní raibh an tafaint chô mór uaig. Do riug sé ar a' dtua, agus do bhuail sé i gcôngar a' chínn 's a' mhuiníl í, agus do bhain sé a ceann di. Nuair a d'fhéach sé siar ther chúl a chínn, bhí an tarna bean 'n-a seasamh lé taobh a chéile aríst. Do bhí sé an-tsást' ansin.

D'imi sé leis nú [gur shiúil] sé tamall eile bóthair, agus casag séiltheán eile abhann leis—an tríú séiltheán. Do bhí bloc agus tua ann ansin leacaithe.

" Siod é an áit," adúirt Droim Dúbailte, " a fuair tusa mise, agus is ann a chathfa tu me dh'fhágaint ! "

" Á, ní scarfa me go brách leat," adúirt sé, " mar ní fhéadfadh aon chomarádaí a bheith agam níos feárr ná tu ! "

" Níl aon mhath ann," adúirt sé, " cathfa sé seo a bheith amhla : anseo a fuair tu me, agus is ann a chathfa tu me fhágaint ! "

Nuair a choinnic sé cé a' nós a raibh a' scéal ag a' mbeirt eile roimhe sin, níor iarr sé mórán tafaint. Do leag sé a cheann ar a' mbloc. Do bhuail sé buille ghon tua air, agus [do bhain sé a cheann de]. Nuair d'fhéach sé siar ther a ghualainn aríst, do bhí an fear is breácha ghá bhfaca sé riamh roimhe sin 'n-a sheasamh thiar lé taobh na mbeirt (sic) óigbhan. Do d'imi sé féin agus iad féin lé chéil' ansin ar chuairt tamaill.

" Well, anois," adúirt siad, " níl aon dul aghainn-ne a dhul níos sia. Tá an draíocht caite dhínn, agus tá sé imithe dhínn. Ní raibh aon fháil go brách ná choíhint againn scara lé n-ár ndraíocht nú go maraí muid Madara Dubh na nOch' gCos, agus ní raibh aon fháil ag Madara Dubh na nOch' gCos scara le n-a dhraíocht nú go maraíodh sé tusa. Tá muid ar fad ó dhraíocht anois, agus tá Madara Dubh na nOch' gCos imithe gan aon tuairisc go brách ! "

Mar sin a bhí. Do phós sé féin agus Fios; agus do phós sé Luas agus Droim Dúbailte le chéile. Do d'imíodar agus theanadar abhaile.

Do thainic Priúnsa Seán abhaile go dí n-a mháthair, agus do mhair sé léithi i ruith a shaeil ó choin riamh, ón lá sin go dí an lá athá inniubh ann. D'airi me trácht orthu ó choin riamh go hana-mhinic, agus bhíodar a' maireachtáil go hana-mhath.

SEANSCÉALTA FAOI CHLEASAITHE

17. SCÉAL AN GHADAÍ MHÓIR

Do bhí anso fadó feirimeóir muar math láidir, agus do bhí fear oibire aige i gcónaí ag obair scoir. Má bhí choíhint, do chaitheadh dínnéar a' fear a leanúint gach uile lá, agus is garsúinín a bhíodh ag a' bhfear oibire a thugadh chuige an dínnéar. Nuair a bhíodh a' dínnéar fágaithe ag an athair aige, ní bhíodh aon deabha abhaile ar a' ngarsún, agus bhíodh sae ag imeacht ar fhuaid a' *yard* i ngach uil' áit thímpeall teh an duin' uasail. Níl aon rud a bheadh deas a chastaí leis a' ngarsún, ar ndó, ná bailíodh sae leis agus ná dineadh sae a ghoid. Bhí sé a' leanúint de nú go rai' sé roinnt ró-dhian. Théadh sé isteach sa chistean, agus chastaí na rudaí leis. Ach fé dheire tugav fé ndeara go rai' sé a' goid iomurca. Do chuaig a' maighistear go dí an bhfear oibire, agus dúirt sé leis: " Cathfa tu an garsún a chuir uait. Tá sé a' goid an méid athá ar fhuaid a' *yard* agum i ngach uil' áit."

Dúirt an fear bocht leis: " Ní fhaca me aon ghiob i n-aon áit fós aige."

" *Well*, is cuma cad a choinnic tusa," adúirt a' maighistear, " ach cathfa tu an garsún a chur uait, nú mara gcuiris cuirfi mise tusa uaim-se ! "

" Tá sin níos measa ná aon rud," adúirt an sean-fhear, " ach níl fhios agum ar huain cad a dhéanfa me leis."

" Níl aon rud is feárr a dhéana leis," adúirt a' maighistear, " ná é 'chur le bithiúntas, agus is ró-fhuirist a' chéird a mhúna dho ! "

Bhí go math. Lárnamháireach, d'eighrig a' fear bocht, agus d'ua sé féin agus a' garsún pé ar domhan sórt bricfeast a bhí acu. Do d'imi sé leis ar fhaid a' bhóthair, agus bhí sé ag imeacht tamall muar don lá go ndeagha sé i bhfad ó bhaile, agus do thaini sé ansin go dí áit a raibh coill mhuar agus crosaire ceithre bóithre. Do choinnic sé a' déan' air beirt mharcaig ar pheidhre capall. D'fhain sé nú go dtanadar suais leis, agus, má d'fhan choíhint, do bheanna sé dhóib, agus do bheannaíodar do, agus do bheannaíodar féin dá chéile. Dúirt duin' 'osna marcaig leis:

" Cá ragha tu leis an ngarsún ? "

" Tá me a' dul a' lorag maighistir do," adúirt an fear bocht.

" Cuid é an sórt maighistir athá uait ? " adúirt a' fear a bhí ar a' gcapall leis.

" Níl éinne am fheárr liom leis ná 'á gcastaí bithiúnach liom,"
adúirt an fear bocht, " mar is sin í an chéird adúrag liom é chur leis."

" Tá go math! " adúirt a' fear a bhí ar a' gcapall. " Beirt bhithiún-
aig is ea sinne, agus anois tabhairfimuid uait é, agus déanfamuid
maraga macánta leat. Coinneómuid é go ceann lá agus bliain, agus
tabhairfimuid geallúint fhírinneach duit go seasómuid ar a' gcros-
aire seo i gceann lá a's bliain, agus go mbe sé slán sábháilte aguinn
lé tabhairt duit suas; agus bí ann reóinn ! "

" Tá sin go hana-mhath," adúirt a' fear bocht.

Do thug sé suas an garsún dóib, agus do chais sé abhaile. Do bhí
sé ag baile agus é déanach go leór tránthón' air; nuair a reánga sé ag
baile do bhí siúl muar déant' aige ar faid a' lae. Do chua sé ar a
leabain, agus chodail sé ceart an oíhe sin. D'fhan mar sin.

Do d'imig a' peidhre bithiúnach leóthu agus a' garsún acu. Do
bhí teh stóir istig sa choill mhóir seo ag na bithiúnaig urasaí a dteh
cónaithe féin; is ann a bhídíst gach uil' oíhe a' déana suas a n-aigine
agus a' cuir i gcóir a ngrótha le hí dhul i ngach áit a d'oilfeadh sé
dhóib a' bithiúntas insan oíhe.

Bhí go math. Do bhí teh pleanáilt' amach acu a raghaidíst a'
robáil insan oíhe, agus do d'imíodar i bhfeighil an tí a robáil, agus
do thugadar leóthu an garsún. Nuair a chuadar chó fada leis a' dteh
do leagadar dréimire le siminé na cistean, agus do chuaig fear acu
suas ar a' dteh, agus thug sé rópa math fada leis agus mála. Do thug
sé leis a' garsún chó math céanna, agus chuir sé an garsún tríd a'
siminé síos as a' rópa i dtosach.

" Anois," adúirt sé, " nuair a bhe tusa thíos cuirfi mis' an mála
seo síos chút-sa. Líon a' mála lé gach rud dá fheabhas a casfar leat
ar fhuaid a' tí i ngach aon áit nú go mbeig a' mála líont' agat.
Nuair a bheig a' mála líont' agat, cuir a' córd' ar a bhéal, agus croith
an córda, agus táirneó mis' an mála, agus ligfi me an córda síos aríst
chút féin nú go n-árdaím aníos tu ! "

Mar sin a bhí. Do chuaig a' garsún síos, agus do bhí sé a' bailiú
leis chó dian agus b'fhéidir leis é nú go raibh a' mála líont' aige.
Nuair a bhí an mála líont' aige ansin, chuir sé an córda ar a bhéal,
agus bhain sé croth' as a' gcórda, agus do tharrainn an bithiúnach
suas an mála agus a raibh ann. Nuair a fuair sé an mála thuas ansin,
thaini sé anuas don siminé, agus do d'imi sé féin agus a' fear a bhí i

n-éindí leis, agus níor bhac sé leis an ngarsún; d'fhág sé thíos sa chistean é. Bhí go math.

" Cuid éard a dhéanfamuid," adúirt a' comarádaí, " leis a' ngarsún anois ? "

" Ó, ná bac leis an ngarsún," adúirt sé, " má thá sé i n-a bhithiúnach tiocfa sé amach," adúirt sé, " agus cathfa sé an chéird fhoghlaim ! "

Bhí go math. D'imíodar leóthu. Agus ní raibh aon chórda a' dul go dí an ngarsún síos insa chistean.

Dúirt a' garsún leis féin go rabhadar imithe uaig, agus go mbéarfaí ar maidin air, agus gur dóch go gcrochfaí é. Bhí go math. Chuíni sé air féin, agus d'fhéach sé suas ar na froitheacha insa deire, agus cuid éard a d'fheicfeadh sé thuas ar na froitheacha ach craiceann bó a bhí t'réis é leaga suas laethanta rimhe sin ann. Chua sé suas, agus leag sé anuas a' craiceann, agus do bhuail sé thurt tímpeall air féin é. Nuair a bhí an craiceann i gcóir socair aige, do bhí ceann na bó curtha i gcóir ar a mhùllach féin aige, agus do bhí an dá adhairc i n-a seasamh suas air. Bhí go math. Nuair a bhí sé i gcóir ansin, do dhruid sé lé corcán mór a bhí insa chistean, agus bhuail sé buille 'chic air, agus chuir sé treasna trí nú ceathair 'o chorcáin eil' é. Dhin sin torann mór ar fhuaid na cistean. Dhin sin an gró go math. Do riug sé ar bhata nú ar rud eicínt eile; agus bhí stánta go leór crochta suas tímpeall na cistean i ngach uil' áit. Do bhuail sé snaídhm do bhat' orthu, agus níl aon tsórt ceann acu nár chuir sé anuas a' feadaíol ar fhuaid na cistean. Ba dhói leat gurbh é an teh a thit an uair sin. Do dhúisíog a' maighistear a bhí ar a leabain thuas i mbárr a' tí, agus do ghlao sé ar [a' g]cailín:

" Cuid éard é seo," adúirt sé leis a' gcailín, " a d'fhág sib istig insa chistean araeir ? Tá a bhfuil insa chistean brist' aige ! "

" Níor fhágamair pioc ar bith sa chistean," adúirt a' cailín. " Do ghlanamair amach é mar a dhineamair gach oíh' eile."

" Teighre síos," adúirt sé leis a' gcailín, " agus féach cuid éard athá insa chistean."

Do las a' cailín solas, agus do thaini sí anuas nú gur oscail sí an doras a bhí a' teacht isteach sa chistean. Do bhí an buachaill thíos ar lic na tine, agus é i n-a sheasamh ann mar a bheadh aon bheithíoch.

Nuair a choinnic sé an cailín do bhain sé croth' as féin, agus chroith sé a adharca. Ní muar nár thit a' cailín i luigí, ach dhin sí a' bóthar go ndeagha sí suas insa tseómara aríst.

" Cuid éard athá sa chistean ? " adúirt an maighistir.

" Níl fhios agam," adúirt a' cailín, " cad athá insa chistean, ach tá rud éicínt ann ná fuil ceart ! "

" Cé an sórt rud é ? "

" Níl fhios agam," adúirt sí, " ach tá adharca air."

" Ar mh'anam, go mbe fhios agam," adúirt a' maighistir, " cuid é a' rud athá ann ! "

D'eighri sé go léim as a' leabain; agus do bhí gunna crocht' os a cheann ar thaobh a' bhalla, agus é lódáiltithe. Do riug sé ar a' ngunna agus anuais leis.

" Siúl," adúirt sé leis a' gcailín, " agus tabhair solas chúm ! "

Thainic a' cailín anuas rimhe ansin, agus do bhí an solas aici. Nuair a d'oscail sé an doras a bhí a' teacht isteach insa chistin ón staighre, do bhí an buachaill thíos, agus do bhain sé croth' eil' as féin. Do cheap [an maighistear] an gunna a phóinteáil air agus é lá[mha]ch, agus níor lig a' mèisneach do é dhéana. Do bhain an fear thíos crotha agus croth' eil' as féin. Húth sé [i.e. an maighistear] siar é féin, agus thainic faitíos aige rimhe; ní raibh sé a' teacht aniar chó héasca agus ba mhaith leis a' bhfear a bhí insa chistean é.

" A mhic na caillí," adúirt sé, " lig mis' amach go han-tapa ! "

" Cé hé tu féin ! " adúirt an fear a bhí thiar agus a ghunn' aige.

" Há, is beag a d'airi tu mise le fada riamh ! " adúirt sé. " Is mise t'athair athá anso, agus táim ann leis a' bhfaid seo blianta, agus tá mé réig anois ann ach amháin beagán nóimintí, agus mara bhfaighi me a ghóil amach chó héasca a's bhe na nóimintí sin caite, leagfa me an teh agus maró me a bhfuil ann ! "

" Cuirim-se breith na hú[mha]laíocht ort," adúirt an fear a bhí thiar agus a ghunn' aige, " gan aon ghiob a dhéan' oram, faid a bhe me ag oscailt a' dorais duit ! "

" Éasca[ig] leat agus oscail go tapa é ! " adúirt a' fear a bhí insa chistean agus é ghá chrotha féin.

Do cheap sé dul go dí doras na cistean nú go ligeadh sae amach an sprid, ach bhain a' sprid croth' eil' as féin, agus d'eighri sé go léim, agus chua sé siar ar a' dtaobh sábháilt' aríst. Ach reánga leis gur fhág sé an eochair i ndoras na cistean, agus nuair a choinnic an

sprid go raibh an eochair insa doras, dúirt sé go ndéanfadh sé féin
a' gró. Do bhain sé an glais de, agus amach leis chó dian agus
b'fhéidir leis é. Do thug sé leis an craiceann ar a dhroim, agus
d'fhág sé air mar a bhí sé é; níor stop sé riamh nú go ndeagha sé
isteach insan áit a raibh teh na mbithiúnach istig insa choill. Nuair
a chua sé ansin isteach, bhí an dá bhithiúnach ar ghach taobh do
bhórd, agus an méid a thug an garsún leis insa mhála, do bhí sé
roinnt' acu le chéile, agus iad lán-tsásta lán-bhaoch do shaothar na
hoíhe; do bhí buidéal math fuiscí leacaithe ar éadan a' bhúird acu,
agus iad ag ól agus a' caínt. Do bhí fuinneóigín bheag ar a' mbothán
seo a rabhadar ann, agus do bhí sé oscailte le hí bhe' a' tabhairt
aeir dóib isteach.

Do tháinig a' buachaill amuh go dí an bhfuinneóig, agus choinnic
sé cad a bhíodar a dhéana istig. Do sháith sé a cheann isteach; bhí
craiceann na bó ar a cheann, agus na hadharc' ar a' gcraiceann.
D'fhain sé ansin a' féachaint orthu agus ag éisteacht leóthu. An fear
a bhí ar a' dtaobh lastall don bhórd, d'fhéach sé amach ar a' bhfuin-
neóig, agus do choinnic sé na hadharca agus a' cloigeann strainn-
séartha a' teacht chuig' isteach.

" Cuid é a' rud é sin thall ag do chúl ? " adúirt sé leis a' bhfear eile.

" Cuid é a' rud a bheadh ann ? " adúirt sé sin. Ní fhaca sé aon
ghiob a bhe' ann, is dóch.

D'fhéach sé ar n-ais. " Ó, is math a' ceart," adúirt sé. " Is fad'
ag obair go holc sinn ! Sin é an Deabhal athá a' teacht isteach tríd a '
bhfuinneóig anois chúinn ! "

D'eighri sé go léim, agus d'imi sé ón mbórd, agus do lean a' fear
eil' é. Do lean a' fear a bhí amuh, agus na hadharc' air—do lean sé
an bheirt. Do bhí bóthar a' góil amach ar a' dtaobh eil' acu, an áit
'á dtagadh a' namhaid orthu go bhfaighidíst éalú—agus d'imíodar go
dian ón namhaid a bhí a' teacht. Do lean sé-sin iad nú gur chuir sé
suím gan áireamh amach ón seana-bhothán agus ón dteh iad; agus
níor chasadar go maidean ná, b'fhéidir, ar maidin.

Nuair a chuir sé tamall math ón áit amuh iad, do chais sé féin
ar a' dteh, agus do chuarta sé an teh i ngach áit agus i ngach nós nú
go bhfuair sé gach sórt suibhir agus tairifeach 'á raibh ar fhuaid a' tí.
Do bhaili sé chuig' é, agus do bhí lán dhá mhála mhóra aige. Do chuir
sé córd' ar a' dá mhál' ansin, agus chaith sé treasna ceann dosna
capaille a bhí istig sa teh ag na bithiúnaig iad, agus do tharrainn

sé amach é. Do bhaili sé lé chéile an méid fuiscí agus biotáille a bhí ar fhuaid a' tí ag na bithiúnaig le hí a n-úsáide féin agus do chuir sé ar thosach na diallaite chuige féin é ar a' gcapall eile, agus d'imig leis abhaile go dian díheallach go dtí teh a athar ag baile insa maoirseacht.

Do bhí sé ar eighrí an lae ar maidin nuair a reánga sé ag teh an athar, agus do chrang sé an doras.

" Cé hé sin ? " adúirt a' t-athair, agus é ar a leabain.

" Ó, eighrig," adúirt sé, " agus oscail a' doras agus lig isteach sinn ! "

" Ó, mhuise, Dia lé cabhair chúinn ! " adúirt a' sean-fhear bocht.

" Tá sé ar fáil aríst do ruchar ní [mhe] chúinn, agus ar ndó, cuirfear amach sinn ar fad ! "

" Ara mhuis', eighrig," adúirt a' tseana-bhean, " agus lig isteach mo luthráinín bocht ! "

Bhí go math. Do d'eighri sé, agus do lig sé isteach a' garsún, agus d'oscail sé an doras; agus nuair a d'fhéach sé amach cad a d'fheicfeadh sé amach ach peidhre capall tarrainnte suas le bun a' dorais aige.

" Tar amach," adúirt a' garsún leis an athair, " agus leag a' t-ualach seo i n-éindí liom ! "

" Cuid é a' rud athá agat ? " adúirt a' t-athair.

" Ó, nách cuma dhuit ! Leag é ! "

Bhí go math. Chua sé amach, agus leagadar araon a' t-ualach anuas don chapall, agus do leagadar istig ar an úrlár acu féin é. Do tharrnaíodar isteach an peidhre capall, agus shocara sé thuas ag éadan a' tí iad. Do bhí gach uile rud socair sámh ansin aige, agus gach rud 'á raibh insna málaí aige 'dir ór agus airigead, agus gah aon iarmhais a bhí aige, leag sé amach ar a' mbórd go dí an athair é.

Do tháinig áibhéis an domhain ar an athair, agus ní fhaca tu aon iongantas riamh mar a tháinig air. Do bhí sé lán-tsásta ansin nuair a bhí an méid sin airigid go léir aige, agus gach rud eile dár bhain le hollamhaithis (sic) agus a' peidhre breá capall abhus i dtóin a' tí aige.

" M'anam héin gur math a d'eighrig ó choin leat ! "

" Ó, do d'eighrig ! " adúirt a' garsún. Do riug sé ar bhuidéal fuiscí, agus leag sé ar éadan a' bhúird é, agus d'ól sé féin agus a athair cúpla fiteán ar fónamh de.

M'anam ná raibh i bhfad aimsire nú gur eighrig an tseana-bhean, agus chuir sí céad míle fáilte rimh a páiste féin. Shui sí síos i n-a measc, agus d'óladar araon steall mhath dhon bhuidéal.

Ar maidin nuair a bhí sé i n-am ag a' sean-fhear dul ag obair, mar a bhíodh sé i gcónaí d'imi sé agus chua sé ag obair. Agus ar maidin, amach sa lá, nuair ab am leis a' maighistear buala chuig' amach agus dreas caínt' a dhéana do bhuail sé chuige.

" Cá rai' tu inné ? " adúirt sé leis a' bhfear oibire.

" Ó mhuise, d'imi me inné, agus bhí me imithe tamall muar."

" *Well*, ar dhíbir tu uait é ? " adúirt a' maighistear.

" Dhíbiríos," adúirt a' sean-fhear.

" Is math a dhin tu é sin ! " adúirt sé.

" Agus m'anam," adúirt a' sean-fhear, " má dhíbiríos féin gur math doth ar maidin a bhí sé thuas ag baile agham ! "

" Haha," adúirt sé, " bíodh oram go raibh ! Cé an chiall nár fhan sé amuh ? "

" Ó, chua go math dho ! " adúirt a' sean-fhear. " Is suibhire d'fhear inniubh é ná tusa go fada riamh ! "

" Bíodh oram gurab ea ! " adúirt sé. " Cuid é a' rud athá anois aige ? "

" Tá níos mó airigid aige agus do ghach uile iarmhais ná mar athá agat-sa agus a dhá oiread," adúirt sé, " agus, go deimhin, tá peidhre capall i dtóin a' tí aige, agus níor bheatha tu a lithéidí ó rugav tu ! "

" Ní dhéanfainn iongantas de ná go ndéanfadh sé é," adúirt a' maighistear, " ach anois," adúirt sé, " be fhios agam-sa a' bhfuil a chéird múinte dho ! Cathfa sé-sin a dhul amáireach," adúirt sé, " agus cuirfi mise peidhre capall isteach i bpáirc athá agam ina lithéide seo dho thalamh anúnn, agus mara mbeig ceann 'osna capaille goidithe istoíh' amáireach aige ón mbeirt fhear a bheig a' tabhairt aire dhóib, lá'fa me é ! "

" Tá sé chó math dhuit é dhéana i n-am," adúirt a' sean-fhear, " mar níl ort ach fonn a dhéanta ! "

" Seo leat," adúirt sé, " má thá a chéird foghlaimte aige, déanfa sé é sin go siúireáilte ! "

Bhí go math. Do thainic a' sean-fhear abhaile tráthnóna, agus d'inis sé a scéal do Tammy. " Tá soin go math ! " adúirt Tammy.

D'eighrig Tammy amach, agus má d'eighrig choíhint bhí fhios aige cá raibh coiníní i gcónaí. Do chua sé síos insan áit a raibh na coiníní, agus riug sé ar pheidhre coiníní, agus thug sé leis isteach abhail' iad. Do chua sé a choll' ansin, agus do chodail sé a dhóchaint nú go rai' sé i n-am aige imeacht ar maidin.

D'imi sé leis ar maidin, agus a pheidhre coiníní aige istig i mála, nú go ndeagha sé insa pháirc a raibh na capaille agus na fearaibh a' tabhairt aire dhóib. Do bhí sé ar súil nú go bhfuair sé dhul isteach i bhfolach i dtor drisneacha ag éadan an áit a raibh na capaill' a' teacht amach leis a' scríob insa chéachta chinn-fhearainn; agus is é an cur síos a bhí ag na fearaibh agus iad a' teacht amach leis a' scríob, agus iad a' seanachas le chéile a' cur síos ar Tammy, go mbeadh sé lá[mha]ite.

Bhí go math. Bhí Tammy ag éisteacht leóthu, agus é istig sa tor, ach má bhí choíhe, nuair a bhíodar a' casa na gcapall, do lig Tammy amach coinín.

" Ó," adúirt duin' 'osna fearaibh, " **féach** a' coinín ! "

" Lean é ! " adúirt a' fear eile.

Leanadar araon a' coinín, agus do leanadar tamall math é, ach, má leanadar, ní dheaghadar as radharc na gcapall, agus d'imig a' coinín sin uathub.

D'imíodar leóthu, agus do threabhadar dreas eile, agus dreas mhath, agus do bhíodar a' cas' aríst, agus iad a' déana *divearsion* don choinín, agus thanadar go dí an dtor chéanna aríst a raibh a' coinín.

" Buail buill' ar a' dtor," adúirt duin' 'osna fearaibh, " agus b'fhé' go mbeadh coinín eil' ann ! "

Do dhruid sé sin leis a' dtor, agus bhuail sé buill' air, agus, má bhuail choíhint, bhí Tammy insa tor, agus lig sé an ceann eil' 'osna coiníní amach, agus do bhris sé a chos.

Ó, do thosnaig a' fiach aríst, agus, má thosnaig choíhint, do bhí an coinín níos bacaí ná mar a cheapadar; agus do bhí sé ad iarra na cosa thabhairt leis abhus agus tall i ngach uil' áit uathub. Do leagtaí duin' acu, agus thiteadh a' fear eile i n-a mhùllach. Do bhíodh a' coinín fúthub, ach, mar sin féin, d'imíodh a' coinín uathub nú gur imíodar an-fhad go léir amach síos i ngleann a bhí insa ngarraí, agus do riugadar ar a' gcoinín ansin, agus do bhíodar lán-tsásta. Do chasadar aníos aríst ar na capaille a' dul ag obair agus a' treabha, ach nuair a chasadar ní raibh acu ach ceann 'osna capaille.

" Ō," adúirt duin' acu leis a' bhfear eile, " cér ghuibh a' capall eile ? "

" Ō, níl fhios agam," adúirt sé sin, " marar duin' eicínt ón dteh a tháinig agus a thug a' capall uaig ceann ar n-agha le holc orainn mar gheall ar gur fhágamair an treabha i n-ár ndiaig. Ruith suas go dí an dteh muair, agus féach a' bhfuil a' capall ann, agus tabhair anuas aríst é ! "

Mar sin a bhí. D'imig a' teachtaire suas go dí an dteh muair ad iarr' an chapaill, agus is é an chéad fhear a casag leis an maighistear.

" Cad athá anois ort," adúirt a' maighistear, " nú cá ragha tu ? "

" An tu a chuir fios ar a' gcapall chúinn ? " adúirt a' teachtaire a tháinig anall.

" Hohó, a' bhfuil a' capall imithe uaib ? " adúirt a' maighistear.

" Tá ! "

" Cuid é an réasún ar lig sib a' capall uaib ? " adúirt sé.

" Muise, peidhre coinín, agus leanamair iad, agus nuair a chasamair," adúirt sé, " bhí an capall goidithe uainn, mar is sibh-se a thug uainn é ! "

" Ō, tá sé déanta anois," adúirt sé, " agus, ar nóin, is dóch go raibh sé ábalt' air ! "

Bhí go math. Bhí an capall goidithe ag Tammy, agus é tabharth' abhail' aige, agus é cuirth' isteach i bhfochair a' dá chapall eil' a bhí aige. Bhí trí cínn ansin aige, agus iad go math.

Do bhí an sean-fhear ag obair; agus do tháinig a' maighistear chuig' amach.

" *Well*," adúirt sé, " tá an capall goidithe aige, ach cathfa sé stail athá istig sa stábala agam-sa a ghoid uaim, agus é bheith goidithe ar maidin aige. Cuirfi me triúr fear a' tabhairt aire dho; cuirfi me fear i n-a dhrom, agus beirt fhear a' tabhairt aire dho insa doras, agus mara mbeig a' stail goidithe ar maidin aige lá'fa me é ! "

" Bhí sé chó math dhuit é lá[mha]ch mar athá sé," adúirt an fear bocht, " mar is é an fonn athá ort é dhéana ! "

" Seo leat," adúirt sé, " agus dineadh sae é siúd anois ! "

Tháinig an sean-fhear abhaile tráthnóna, agus d'inis sé an scéal do Tammy.

" Ō," adúirt Tammy, " be mise suais leis a' mbuachaill sin chó siúireáilte a's tá sé beó."

D'imig Tammy, agus do chua sé go dí an gcéad teh ósta a casag leis. Agus níl aon droch-éadach a d'fhéad sé fháil nár chuir sé air, stróicithe stracaithe i ngach uile chuma. Bhuail sé seana-*harcourt* muar air féin, agus do stróic sé agus do straic sé gach uile bhlais de, ach d'fhág sé pócaí math' aige. Do chua sé go dí teh an ósta, agus do fuair sé cáirt fuiscí, agus do chuir sé i gceann do phócaí an seana-*harcourt* é, agus do fuair sé cáirt eile, agus do chuir sé insa phóc' eil' é. Do fuair sé dhá cháirt eile, agus do chuir sé i dhá phóc' a thrabhsair é, agus do bhaili sé thímpeall a' seana-*harcourt* air insa chaoi gur mhúch sé suas a's gur fhoili[gh] sé gach buidéal dá raibh aige.

Do bhí an oíhe an-fhliuch, an-doracha, agus do bhí sé i n-a hoíhe dhona. Níor stop sé riamh nú go dtaini sé agus gur lui sé ar a' gcarn aoiligh a bhí amach os coinn' an stábala a raibh a' stail agus na fearaibh ann. Do chrom sé ar bhe a' rabhláil amuh insa stábala mar a mbeadh aon fhear meiscí; agus do bhí gadhair insa tsráid, agus níor stopadar ach a' sceamhaíol agus ag uallfairt i gcathamh na hoíhe, ach bhí sé dá gcoinneáilt uaig.

Do bhí na fearaibh a bhí insa stábala bodaráilte ag na madaraí.

" Eighrig amach," adúirt duin' acu leis a' bhfear eile, " agus stop na madaraí seo, agus féach cad athá orthu. Tá rud eicínt ná raibh aon oíhe i mbliana fós orthu."

D'eighri sé sin amach, agus bhí lainndéir aige, do bhí an oíhe doracha, agus do choinnic sé an rud bocht cait' amuh ar a' gcarn aoiligh agus é ina shuan chollat' ann. D'fhiach sé uaig na madaraí, agus chuir sé i n-a sost iad, agus, má dhin choíhint, do chais sé isteach ar a' bhfear eile.

" Cad athá ar na madaraí ? " adúirt sé.

" Ó, tá créatúir amuh ar a' gcarn aoil'," adúirt sé, " agus is dóí liom gur ar meisce athá sé. Ní fhaca tu aon trua riamh ach é. Be sé leata ar maidin ag a' ndroch-oíhe."

" Tabhair leat isteach é," adúirt a' fear a bhí i n-a shuí chos na tine dho féin, " agus leag anseo chos na tin' é. Cuid é a' rud a d'fhéadfa sé a dhéan' orainn ? Is feárr againn é ná é bheith leata insa tsráid ar maidin againn."

Do d'imi sé sin amach, agus beirt acu, agus do thugadar leóth' isteach é, agus is amhla a stracadar isteach é, agus ní raibh sé ábalta ar fhéachaint orthu ná ábalta ar shiúl leóthu. Do leagadar le taobh na tin' é, agus do bhí sé math go leór ansin. Do thug sé rabhla do féin i gceann tamaillt, agus do sháin sé ceann dosna buidéil dóib. D'fhéach duine 'osna buachaillí air.

"Cuid é a' rud é i n-a phóca ? " aduirt sé.

" Níl fhios agam," adúirt a' fear eile, " ach is cosúil le buidéal é."

" Féach ab ea," adúirt sé.

D'fhéach sé sin. " M'anam gur buidéal é ! "

" Féach an ngoidfeá uaig é ! B'fhé' gur fuiscí athá ann ! " Do tharrainn sé uaig aníos é, agus b'fhuirist é. Bhí sé lán lé fuiscí—cáirt breá go léir fuiscí.

Bhí áibhéis a' domhain ar a' triúr fear. D'ól gach nduin' acu iarracht de, agus a' fear a bhí thuas ar a' gcapall, fuair sé fiteán. Bhí siad go math i n*humour* ansin, agus iad ag ól gach uile *round* de nú go raibh a' buidéal sin críochnaith' acu, agus bhíodar súgach go leór ansin.

Bhí Tammy i n-a luighe cois na tine i gcónaí, agus é a' rabhláil leis, agus é ar meisce dhám fhíor é féin. Do bhain sé rabhl eil' as, agus do sháin sé an tarna buidéal dóib, agus d'fhéachadar air, agus bhíodar súgach go math an uair sin.

" Hara," adúirt duin' eil' aca, " féach nách sin scrugall buidéil eile aníos as a phóc' eile ? "

" Sea," adúirt a' fear eile.

" Féach a' bhféadfá é straca uaig ! "

Do riug sé air, agus do strac sé chuig' é. Thosnaig a' t-ól aríst chó dian a's a bhí ariamh. Bhí gach le *round* aca as a' tarna buidéal, agus iad dá ól leóthu ar a ndíheallt, agus, ar mh'anam, go bhfuair a' fear a bhí thuas ar a' gcapall, go bhfuair sé a iarracht de, agus do bhí sé bog go math ansin.

" Ara, bheirim 'on ruacs é," adúirt sé, " cuid é an áit a raghaig an capall seo ! Cé an baol athá air ! "

" Ara, tar anuas," adúirt a' fear a bhí thíos, " ná bemuid ag aireàchas air ? Níl aon fháil ag éinne theacht isteach i ngan fhios dúinn."

Bhí go math. Chaith sé anuas é féin, agus d'óladar a' tarna buidéal, agus nuair a bhí an tarna buidéal ólt' acu bhíodar ar meisce math go leór. " Ach, n'fheadair," adúirt siad, " ní dóch go mbeadh aon cheann eil' aige ? "

Do bhain sé rabhl eil' as féin, agus sháin sé an tríú ceann dóib.

" Ar mh'anam, go bhfuil ceann eil' aige ! " adúirt sé.

Do riug sé air agus tharrainn sé chuig' é, agus do bhí an tríú
buidéal ansin acu. Bhíodar á ól sin leóth' ansin nú go rai' sé i ndáil
a bheith ólt' acu! Má bhí choíhint, bhíodar [dá ól] leóth' ansin,
agus a' catha tobac, agus a' déana gach aon *divearsion* dóib héin ar
fhuaid a' tí nú go raibh a' tríú buidéal ólt' acu. Ar mh'anam, nárbh
fhada gur thit fear agus gur cathag fén dtalamh é.

"Tá sin go math!" adúirt Tammy a bhí a' féachaint orthu.

Níorbh fhada gur thit a' fear eile i n-a mhullach anuas, agus thit
a' tríú fear, agus bhíodar a dtriúr i n-aon chrap amháin ansin.

"Tá sib i n-aisce anois agam-sa!" adúirt Tammy.

Shín sé a lámh, agus thug sé aga a ndóchaint dóib ar shuí ansin.
Nuair a fuair sé i n-a gcolla go math iad, agus a' biotáill' ólt' acu,
d'eighri sé i n-a sheasamh, bhuail sé srian ar a' stail, agus níorbh
fhada an mhoill air go dtaini sé isteach abhaile suas go dí an athair.

Thaini sé, agus a chapall aige, isteach thuas teh an athar. Bhí
trí cínn eil' istig rimhe, ach n'fhéadfadh a' stail aon tsuaineas a
thabhairt dóib ach a' piocaíocht leis na capaill' eile, agus b'éigean
do é chuir i mbothán eile.

Bhí go math. Ar maidin, nuair a d'eighrig a' feirimeóir, do bhuail
sé amach, agus d'fhéach sé, agus cuid é a' rud a casfaí leis ach na
triúr fear sínte insa stábala agus gan blas do thuairisc a' chapaill aige!

Do bhuail sé cic ar dhuin' acu, agus chuir sé i n-a shuí é.

"Cud é an colla athá oraib," adúirt sé, "nú ca'il a' capall?"

Chimil sé sin a shúile. Cheap sé eighrí, agus thit sé ar a thóin aríst.
Bhí an fear eile chó dona leis; ach, pé ar domhan scéal é, bhí an stail
imithe agus é ag Tammy thuas ag baile.

Do chuaig a' fear bocht aríst i bhfeighil a chuid oibire ar maidin
ansin aríst—athair Tammy—agus do thainig an maighistear amach
chuige.

"*Well*, tá an stail goidithe aige t'réis na hoíhe!" adúirt sé.

"M'anam go bhfuil," adúirt a' sean-fhear, "agus go bhfuil a'
stail sin a' góil crosta dho! Bhí na capaill' eile sásta go leór nú go
ndeagha sé chucu, ach, má bhí choíhe, tá sé ana-chrosta, agus
b'éigean do é chuir i mbothán do féin."

"Déanfa sin a' gró," adúirt a' maighistear, "ach be mise suais
leis a' mbuachaill sin nú beig lá[mh] mhath i gcártaí aige! Cathfa
sé sin anocht anois," adúirt sé, "agus inis do é—cathfa sé an
bhairthlín athá fém thaobh-sa agus fé thaobh mo mhrá i n-éindí

liom insa leabain a bheith goidithe ar maidin aige, nú mara mbeig lá'fa mis' é! ''

'' Bhí sé chó math dhuit é lá[mha]ch mar athá sé,'' adúirt an sean-fhear. '' Ná fuil fhios agat ná féadfaig a dhíheallt é sin a dhéana ? ''

'' Cathfa sé féachaint leis! '' adúirt sé.

Mar sin a bhí. Do chua sé abhaile tráthnóna go dí Tammy, agus d'inis sé a scéal do.

'' Haha arú mhuise,'' adúirt Tammy, '' be mise suais leis a' mbuachaill sin chó siúireáilte agus tá sé thíos! ''

D'eighrig Tammy i n-a sheasamh nuair a thainic an oíhe, agus do riug sé ar shluasaid. Agus cúpala lá nú trí rimhe sin bhí fear t'réis a bheith curtha insa roilig a bhí gairid dóib, agus bhí fhios ag Tammy cé an áit, agus ce hé an fear. Do d'imi sé, agus d'oscail sé an ua, agus d'oscail sé an chórha, agus do thóg sé an corp marabh as aníos, agus do bhuail thiar ar a dhroim é, agus níor stop riamh nú go dtaini sé isteach insa *yard* go dí an maighistear. Do leag chuige ansin é nú go raibh dréimire leacaithe leis a' siminé aige a raibh an maighistear i n-a cholla insa tseómara chéanna. Do chuaig suas i mbárr an tsiminé, agus bhuail rópa ar a' marabhán, agus scaoil anuais tríd a' siminé é. Do bhí fhios aige cé an faid a ligfeadh sae anuas é, agus cad é an nós a mbeadh sae ar súil leis. Do lig sé anuas é insa chaoi go bhfacaig a' maighistear bárr a dhá chois.

Do bhí a ghunna i gcóir ag a' maighistear leacaithe ansúd ar a' mbórd. Má bhí choíhint, do tharrainn Tammy suas an marabhán, agus tharrainn sé suas aríst é, agus nuair a bhí sé tarrainnte suas dreas beag, scaoil sé anuas aríst é nú go bhfacaig a' maighistear bárr a dhá chois.

'' Haha,'' adúirt sé leis a' maighistreás, '' féach é! Tá sé a' teacht, a' bithiúnach! ''

Nuair a d'airig an fear a bhí thuas an chaínt do tharrainn sé suas aríst é, agus i gceann tamaill eile do lig sé anuas aríst é.

'' Féach aríst é! '' adúirt sé.

'' Éist,'' adúirt a bhean, '' agus ná hairíodh sae tu! Ná fuil sé sin ag éisteacht leat! ''

Mar sin a bhí. D'eist a' maighistear go fóill, agus nuair a lig Tammy anuas aríst é, do bhí an gunna i gcóir aige. Níor lig Tammy anuas i bhfad é, d'fhain sé ansin dreas eile. Agus do bhuail an

maighistear snap ar a' maighistreás druideam suas á thabhairt lé rá
dhi go raibh sé ar fáil aríst. Ach insa deire thiar thall do scaoil sé
anuas tamall math é, agus píosa math. 'Á thúisce ar bhuail sé a
cholainn anuas do spréach sé air, agus do lig sé an t-'riuchar. 'Á
thúisce ar airig an fear a bhí i mbárr an tsiminé an t-'riuchar á ligint,
do lig sé an marabhán uaig, agus amach anuas ar an úrlár leis!

"Hehe," adúirt a' maighistear, "tá tu socair anois," adúirt sé,
"agus ní dhéanfa tu níos mó!"

"Á," adúirt a' maighistreás, "is mór a' náire dhúinn é, agus tá
náire mhuar déant' aghut, agus anois ní fhéadfa tu do cheann a
thóigint i gcathamh a' domhain aríst, mar déarfaig gach éinne, agus
be sé lé rá acu, gur ceann ar n-agha a dhin tu é. Níl aon ghiob lé
déan' aghut anois," adúirt sí, "ach ná glaeig ar bhuachaill ná ar
chailín, agus ná hairíodh éinne tu. Teighre síos go dí a' ngáirdín
agus din poll ansin thíos, agus cuir ann síos é, agus ná feiceadh éinne
tú! B'fhéidir go bhfaigheamuist na cosa a thabhairt linn mar sin."

"Tá sé chó math dhom!" adúirt sé.

D'eighri sé, agus bhuail sé an marabhán thiar ar a dhroim, mar
bhí sé a' ceapa gurab é Tammy a bhí aige, ach bhí sé a' dul amú go
fada. Do bhí Tammy ag àireachas air nú go bhfuair sé a' góil amach
é, agus go bhfaca sé é. Do lean sé é nú go bhfaca sé cé ndeagha sé,
agus nuair a choinnic sé go ndeagha sé tamallt ó bhaile, aníos leis,
agus isteach chó dian agus b'fhéidir leis é, agus chua sé suas insa
tseómara a raibh a' maighistreás ar a leabain ann. Isteach [leis] insa
leabain, agus do bhí fuacht a chroí air agus é a' creachadaíol.

"Tá mé básaithe ag a' bhfuacht. Is í an oíhe is fuaire a choinnic
éinne riamh í!"

Chrom sé ar bheith á bhrú féin isteach i gcoinne na mrá, agus
dá brú i gcoinn' an bhalla, agus a' tabhairt na bairthlín' amach le
n-a chosa. Ach ní bhfuair sí aon phúicineáil ó rugag í mar a fuair sí
nú go raibh a' bairthlín imithe ag Tammy. Nuair a choinnic Tammy
go raibh a' bairthlín imithe d'imi sé leis. "Is feárr a dhul agus é
chuir anois ceart," adúirt sé, "agus ní fada go mbe sé curtha anois
agam!"

Thainic an feirimeóir isteach t'réis an choirp a bheith curtha aige
thíos i dtóin a' gháirdín, agus má tháinic choíhint, do bhí an fuacht
air chó muar agus bhí ar a' bhfear a ghuibh amach. Do chua sé
isteach sa leabain, agus do bhí sé, ar ndó, ad iarra é féin a théamh.

" Ó, mhuise, bheirim ó Dhia," adúirt bean a' tí, " tá sé luath agus fuacht a bheith ort ó ghui' tu amach go déanach ! "

" Ó, níor thaini' me isteach," adúirt sé, " ó ghui' mé amach i dtosach ! "

" Thainic duin' eicínt isteach ! " adúirt bean a' tí.

" Ó, céard [é] seo i n-ao'chor ! " adúirt sé.

Chuarta sé féin sa leabain, agus do bhí an bhairthlín imithe !

" Tá me scuapaithe," adúirt sé, " agus tá me náirithe go brách i gcathamh mo shaeil ! "

D'eighri sé, chaill sé a chiall, chuarta sé gach uil' áit, agus ní raibh aon bhlas le fáil aige. Bhí an bhairthlín imithe uaig.

D'eighri sé ar maidin lárnamháireach, agus dá thúisce ar eighri sé, chuir sé goirim scoile amach, agus tharrainn sé *auction*, dhíol sé a chuid, a fheirim agus gach rud 'ár bhain leis. D'imi sé agus chua sé i dtalamh strainnséartha. An lá a bhí an t-*auction* ar bun aige, ní raibh aon fhear insa chóthalán go rai' sé ar chumas do an talamh a cheannach ach Tammy. Cheannaig Tammy an talamh agus an áit, agus mhair sé ó choin riamh ann.

Sin é mo scéal-sa i dtaobh Tammy agus an fheirimeóra !

18. AN CHAILLEACH SA CHÓRHA

Bhí anso fadó beirt driothár. Bhí duin' acu saibhir agus bhí an duin' eil' acu bocht. Do bhí lán tí páistí ag a' bhfear a bhí bocht; ach ní raibh éinne i n-ao'chor ag a' bhfear a bhí saibhir.

Bhí go math. Do mhair an mháthair, agus is ag a' bhfear saibhir, ar nó, a lonnaig a' mháthair. Ní raibh aon áit ag a' bhfear bocht, ná ní raibh aon ghreim lé n-ithe aige le hagha a chuid páistí. Le hagha seans beag maireachtáil a thabhairt don fhear bhocht dúradar leóthu féin go dtabhairfidís áit maoirseacht do. Thugadar áit bó agus garraí dho, ach má thugadar féin, níorbh fhéidir leis iomurca a dhéana as soin. Do ruith an uair anuas gann air, agus ní rai' an driotháir sásta ar aon tsórt giob cúna a thabhairt i n-aon tsórt nós do. Bhí go math.

Oíhe dosna hoíheanta, agus iad ruite bocht, gan aon ghreim lé n-ith' aige féin ná age n-a pháistí, do dhin sé féin agus an bhean suas a n-aigine ná féadfaidíst a' bhó a choinneáilt, go gcathfaidíst í a

dhíol agus greim lé n-ithe a cheànnach dosna páistí. Do bhí an
t-aonach ann larnamháireach, agus do d'imig [a' fear bocht] go dí
an aonach. Nuair a chua sé go dí an aonach leis a' mbó, níor thairrig
aon fhear a bhí ag an aonach piginn do ar a' mbó, agus níor thairrig
aon fhear do í thógaint uaig i n-ao'chor.

Do thiomáin sé leis abhaile roimh' an bhó nuair nárbh fhéidir
leis aon fhear fháil a cheannódh í, agus bhí sé a' teacht ar a' mbóthar,
agus gan aon fhonn muar air theacht abhaile, mar bhí fhios aige ná
raibh aon ghiob roimhe insa mbaile. Casag fear ar a' mbóthar leis.

"Ar ag an aonach a bhí tú?" adúirt a' fear.

"Sea."

"Ciocu díol nú ceànnach a dhin tu?" adúirt a' fear leis.

"Níor dhin me ceachtar acu," adúirt sé, "mar nárbh fhéidir liom
a dhéana, agus is mó a theastaig uaim díol a dhéana ná go deimhin
aon cheànnach!"

"Cé an réasún é sin?" adúirt a' fear. "Tá do bhó go math lé
feiscint."

"Ní fhacaig éinn' ar an aonach inniubh í," adúirt sé, "agus ní
hé sin a d'oilfeadh dó-sa, níl greim ag baile ag mo pháistí ná age n-a
máthair!"

"Tá sé sin ró-dhona," adúirt a' fear a casag leis.

Do shiúileadar araon le chéile ar fhaid a' bhóthair nú go dtanadar
suas san áit a raibh teh beag a raibh siopa beag ann, agus bhí arán
leacaithe ar a' bhfuinneóig ann. Chuir a' fear lámh i n-a phóca,
agus thug sé crobh airigid do. "Téir isteach," adúirt sé, "agus
tabhair arán leat, agus gach cóir a d'oilfig duit, agus tabhair abhaile
go díos na páistí é, agus b'fhéidir go raghainn-se i n-éindí leat!"

Ba mhaith é sin. Do ghlac a' fear uaig é, agus do d'imi sé leis
abhaile agus lán mála do dh'arán aige.

Do choinnic an bhean an bhó a' teacht, agus bhí fhios aici ná
rai' sí díolta, agus do dhubh agus do ghoram uirthi mar ní raibh aon
ghreim lé n-ith' aici. Níorbh fhada go bhfaca sí a' fear a' teacht,
agus a' t-ualach ar a dhrom, agus an fear eil' a' siúl i n-éindí leis.
Tháinic náir' uirthi mar ná raibh aon áit aici le hí an fhir a bhí a'
teacht, agus bhí fhios aici go math ná raibh aon ghreim sa teh aici,
agus ní raibh fhios aici go raibh aon ghiob a' teacht.

Tháinic a' fear isteach agus an strainnséir i n-éindí leis. Leag sé
dhe a mhála, agus leag sé dhe gach mála dhá raibh aige.

" Cuir i gcóir greim bí dhúinn-ne," adúirt sé, " tá ocaras anois oram-sa ! "

Bhí áibhéis ar a' mbean, agus do chuir sí i gcóir a' bia. D'uaig siad le chéile a ndóchaint don bhia, agus shuíodar síos.

" Muise, cad é an sórt slí maireachtál' athá anso agat ? " adúirt a' fear strainnséartha leis.

" Táim a' maoirseacht dom dhriotháir," adúirt sé.

" Agus cé leis an t-eàllach ar fad sin amuh thímpeall a' tí? " adúirt sé.

" Lem' dhriotháir ! " adúirt sé.

" Ná béarfá ar chuíora," adúirt sé, " agus í thabhairt isteach chuig í mharú dhod' pháistí ? "

" Ó," adúirt sé, " ní bheadh aon fháil agam air: chuirfaí amach as a' maoirseacht ar fad ansin me ! "

" Aidhe 'ra, níl ionat ach amadán ! " adúirt sé.

Do bhuail sé amach, agus do thug sé leis isteach cuíora, agus do mhara sé í. D'ua sé féin agus lucht a' tí an chuíora fad a sheasa sí, agus nuair a bhí an chuíora it' acu, bhuail sé amach, agus do mhara sé ceann eile, agus d'uadar í.

Bhuail fear an eallaig—bhuail sé an bóthar, agus chóiri[mh] sé na caoire, agus bhí na caoire imithe. Nuair a bhíodh a' dínnéir á chuir i gcóir i gcónaí—ní rai' sé i bhfad ó theh a dhriothár— d'fhaighidís balaithe na feóla go han-dian nuair a bhíodh a' ghaoch a' teacht ar a' bpoínte sin, agus d'fheicidís na páistí a' léimirig amuh insna páirceanna, agus mèisneach orthu.

" M'anam," adúirt fear a' tí a bhí thoir—ba dh-é an maighistear é—" go bhfuil mèisneach mhuar ar na páistí athá siar anseo. Tá siad a' léimirig ar na páirceanna, agus tá fear strainnséartha ann, agus níl muinín ar bith agum as, agus tá cúpala ceann dom chuid caoire—ní féidir liom iad fháil. Is dói liom go bhfuil siad a' creach na gcaoir' oram," adúirt sé.

" Cé a' nós a mbe fhios againn cad athá siad a dhéana ? " adúirt a bhean leis.

" Níl fhios agam ar thalamh a' domhain," adúirt sé, " agus tá faitíos oram roimh a' bhfear strainnséartha."

" 'Neósa me dhuit cad a dhéanfa tu ? " adúirt a' tseana-bhean a bhí i n-a suí insa chúinne—ba dh-shin í máthair na céile. " Tá córha mór ansin thuas," adúirt sí, " agus cuir mis' isteach ann, agus cuir

mo dhóchaint lé n-ithe dhom ar fiog trí nú ceathair 'o laethanta, agus
abair leóthu ná fuil aon áit anseo i gcóir an chórha, go bhfuil tú a'
dul a dhéana rud eicínt ar fhuaid a' tí; agus leag a' córha thiar i
gcúinn' an tí acu, agus be fhios agam-sa cad athá a' dul ar n-agha ann."
" Is math a' plean é," adúirt an fear.

Do chuir sé i gcóir a' córha, agus do chuir sé a dóchaint aráin
agus feóla isteach insa chórha leis a' seana-bhean. Tógav anoir é,
agus leagav isteach é.

" Níl aon tslí don chórh' agam héin ar chuairt dó nú trí lae-
thanta," adúirt sé, " agus fágfamuid anseo é nú go mbeig rud eicínt
déant' againn athámuid le hagha a dhéana thoir ag a' dteh."

" Tá sin go math ! " adúirt bean a' tí a bhí thiar. " Leag ansin é;
tá slí a dhóchaint aige ann."

Leag sé ansin é.

Do tháinic an strainnséir isteach tréanthóna, agus d'fhéach sé
thímpeall a' tí. " Cá bhfuair tu an córha muar sin athá ansin thuas,"
adúirt sé, " ó d'imi mis' amach ar maidin ? "

" Ó, sin córha muar leis a' maighistir," adúirt sí, " agus do chuir
sé anoir chúinn é, mar níl aon tslí thoir aige, ar chuairt dó nú trí
laethanta."

" Ní fheadar cad é a' rud athá ann," adúirt an fear strainnséartha.

" Ó, mhuise, níl fhios agam," adúirt sí, " tá glas air, agus ní
ligfeadh a' faitíos dúinn é oscailt; ar nó," adúirt sí, " mharófaí
sinn ! "

" Ní bheig i bhfad go n-oscalaí mis' é," adúirt a' fear, " agus go
mbe fhios agam cad athá istig ann ! "

Do chua sé suas, agus d'oscail sé an córha, chuir sé ramhainn fé
nú rud eicínt gur bhain sé suas an *cover* air. Cad a bhí istig ach a'
tseana-bhean, agus a dóchaint 'ráin agus feóla agus gach uile rud
istig aici dá hithe.

" Tá tusa go math," adúirt sé, " agus tá páistí bocht' anseo ná
fuil aon ghiob acu ! "

Do riug sé ar chrái[mh] feóla agus do shá sé siar i n-a píobán í
nú gur thacht sé í ! Do bhí sí ansin tachtaithe; agus do dhúin sé
anuas an córha aríst. " Fan ansin anois," adúirt sé, " nú go reagha
tu abhail' aríst ! "

Bhí go math. B'fhada leóthu fanacht ar fiog dó nú trí laethanta
nú go bhfaighidís cúntas ón seana-bhean. Cuireag fios ar a' gcórha

ar maidin Iarnamháireach, agus chua sé soir aríst. Hoscalaíog a'
córha go bhfaigheathaí amach cúntas ón seana-bhean, ach ní raibh
aon chúntas aici ach aon chúntas amháin, go raibh crá[mh] feóla
sáite siar i n-a muinéal, agus í tachtaithe!
"Muise, nár fhóiri Dia ort!" adúirt a' fear a bhí thoir. "Cheap
me go raibh do dhóchaint lé n-ith' agat; ní fhéadfá gan tu féin a
thachta!"
Bhí go math. Níor labhaireadar aon fhocal, agus do chuireadar
tórramh ar a' seana-bhean. Chua gah éinne go dí an dtórramh, agus
chuaig muíntir a' tí a bhí abhus—ba dh-é a mac féin aríst é—agus
chuaig a' strainnséir leóthu. Cuireag an-tórramh uirthi, agus bhí
socharaide Iárnamháireach ann. Má bhí choíhint, an lá bhíothas
dá cur do bhí an strainnséir a' faoileáil abhus agus tall, thoir agus
thiar i ngach uil' áit tímpeall a' choirp nú go bhfaca sé gach rud a
bhí dá dhéana. Cuireag go leór iarbhais insa chórhainn léithi; cuireag
'rán léithi, cuireag feóil léithi, cuireag bairtleacha léithi, agus cuireag
pluideanna muara troma léithi agus peiliúr muar fé n-a ceann.

Do bhí go math. Choinnic sé seo gach ní acu, agus má choinnic
choíhe, nuair a bhí sí curtha thaini sé abhaile insan oíhe:

"M'anam," adúirt sé, "gur cuireag a' tseana-bhean úd an-
tsaibhear, agus, ar nó, níl gró ar bith aici dá lithéide. Dhéanfadh sé
math dhosna páistí seo an méid athá tímpeall uirthi. Tá pluideanna
agus cuilteanna aici, tá bairtleacha tímpeall uirthi, agus tá peiliúr
breá fé n-a ceann. Maidir leis an méid 'ráin agus feóla athá aici,"
adúirt sé, "choinneódh sé suas na páistí seo go ceann seachtaine."

Insan oíhe do d'imi sé, agus do thug sé leis ramhainn agus
sluasaid. Do chua sé isteach go dí an dteampall, agus nuair a bhí
sé a' góil isteach go páirc a' teampaill, bhí sé a' góil tríd a' bpáirc,
agus do casag fear eile leis.

"Dia dhuit!" adúirt sé leis a' bhfear a casag leis.

"Dia 's Muire dhuit féin!" adúirt a' fear eile.

"Cá ragha tu anois?" adúirt an fear a bhí a' dul ag ascailt
na hua'.

"Ragha mé a' goid chaeireach!" adúirt sé. "Cá ragha tu
féin?" adúirt sé.

"Tá seana-bhean a cuireag anso inniubh, agus cuireag go leór
saibhris léithi, is níl aon 'nó aici dhe, agus tá mé a' dul á robáil,

agus tabhairfi me gach a bhfuil aici insa chórhainn—tabhairfi me liom é; déanfa sé ag baile dhúinn! A' ndéanfá páirt? " adúirt sé.

" Tá me sasta! " adúirt sé.

" *Well*, anois, nuair a gheó tus' an chuíora, tar isteach chuig an ua chúm-sa, agus fanfa mé leat, agus beig a' tseana-bhean tócth' agam an uair sin, agus roinnfimuid gach ní le chéile, agus beig dhá leath go ghach cuid acu againn."

" Déanfa sin a' gnó," adúirt a' fear a bhí a' dul a' lorag na caeireach.

Do chais sé seo isteach go dí an roilig, agus do chua sé ar oscailt na hua' nú gur thóg sé an tseana-bhean. Nuair a bhí an tseana-bhean tócaithe aige agus í robáilte, do riug sé uirthi agus do thóg sé aníos as a' gcórhainn í, do bhuail sé ar a dhroim í, agus níor stop sé riamh riamh léithi nú go dtug sé isteach in *yard* a' driothár í insan áit a raibh a mac. Do riug sé uirthi ansin, agus do chuir sé suas ar thaobh a' tí í, an áit a raibh dréimire, agus do cheangail sé ansin thuas í. Do chuir sé scolab treasn' i n-a béal, agus chuir sé scolab eil' i n-a láimh, agus do bhí sí ansin thuas a' cuir dín!

Ar maidin lárnamháireach ansin, an chéad fhear a d'eighrig amach, d'fhéach sé thímpeall, agus choinnic sé thuas ar thaobh a' tí an tseana-bhean agus curaic aici a' cuir dín ar a díheallt. Do chua sé sin isteach agus dúirt sé istig:

" Ó, tá *Granny* amuh ar thaobh a' tí, agus tá sí a' cuir dín! Tá scolab i n-a láimh agus tá scolab eil' i n-a béal! "

" Ó, Dia lé cabhair chúinn! " adúirt a' mac, " cad a chuir ansin í. Ní fhéadfadh saí gan pionós mór a bheith uirthi agus a theacht ansin. Cad a dhéanfamuid anois? Cé bhfaigheamuid duine a labhairfig léithi? Ní ligfeadh faitíos dó-sa dul a' caínt léithi. Is dócha gur heárr 'úinn an fear athá insa teh seo thiar—fios a chuir air agus má theigheann fear ar bith a' caínt léithi is é a raghaig ann."

Do bhí go math. Do chuireadar teachtaire siar go dí teh an driothár a bhí a' maoirseacht thiar do. Do bhí sé sin i n-a shuí síos agus é t'réis eighrí as a leabain ar maidin, agus hínsíog a' scéal do.

" Muise, Dia lé m'anam," adúirt sé sin, " go mbeadh sae dainn-séireach a dhul fae dhéin a lithéide sin anois, mar ní thaini sí ansin choíhe gan réasún muar, agus tá sé dainnséireach do dh'fhear ar domhan a dhul i n-éadan duine a tháinic ón saol eile. "

" Geó tú díolaíocht ar domhan," adúirt a' teachtaire, " ach go ragha tú a' caínt léithi agus go bhfaighe tú cúntas uaithi cad a chuir ther n-ais í."

" *Well*, tá sé có math dhom mar sin féin a dhul agus é thástáilt."

Do d'imi sé, agus do chua sé suas chuici, agus má chuaig choíhint do bhain sé cor aisti, agus má bhain, bhíodar ag iomarascáil thuas ar a' ndréimire nú gur riug sé uirthi, agus chua sé dhá straca leis anuas nú go dtug sé go talamh í.

Nuair a thug sé go talamh í, do thit sé ar a' dtalamh, agus do chuir sé an chailleach ar uachtar, agus ní fhaca tú aon scríoba riamh mar a thug an chailleach dá agha! Do bhí troid mhuar eatarthu ar fiog i bhfad, agus é féin agus í féin a' cogarnaig agus a' caínt lé chéile! Nuair a bhí an chaínt déant' acu ansin, do riug sé ar a' seana-bhean, agus leag sé ar a' dtalamh aríst í, agus d'iúmpa sé thímpeall:

" Á," adúirt sé, " níor chuir sib leath a dóchaint leis a' mbean seo, agus níor sheasa sé aga ar domhan di, ach cuirigí cuid mhuar eile léithi, agus cuirigí chuig a' tsiúil í aríst. Agus cuirigí í, agus má d'fhéadann sib i n-ao'chor í choinneáilt amuh is mar sin é!"

Mar sin a bhí. Cuireag tórramh eil' uirthi, agus pé ar domhan méid a cailleag an chéad lá léithi cailleag a chúig oiread an tarna lá insa chaoi nárbh fhéidir léithi féin ná le haon ghiob a dhul insa chórhainn do bhí sé (*sic*) có lán sin le bia, le héadach agus lé pluideanna teócha thímpeall uirthi le hí go bhfanadh saí insan ua.

Mar sin a bhí. Do bhí sé seo a' féachaint ar gach ní, agus choinnic sé gach ní 'á ndeaghaig ann.

" M'anam héin," adúirt sé, " nuair a thaini sé abhaile tréanthóna, " gom fhiú dhul fae dhéin na seana-mhrá úd aríst, agus gu' dói liom go n-imeó mé anocht!"

" B'fheárr 'uit," adúirt bean a' tí, " gan bàcacht léithi agus gan a bheith a' tarrainnt níos mó searúis ar fhuaid na sráid' orainn!"

" *Well*," adúirt sé, " ní deifir é. Ragha me ann aríst anocht, agus tógfa mé í, agus beig *turn* eil' againn aisti!"

Mar sin a bhí. D'imi sé nuair a tháinic an oíh' air, agus do thug a ramhainn agus a shluasaid leis, agus do thug sé leis aríst í, agus a' méid iarbhais a bhí thímpeall uirthi; agus do bhí ualach math a' teacht air nú go dtaini sé isteach san *yard* aríst. Nuair a tháini sé isteach san *yard* aríst bhí scioból ann a mbíodh coirce dhá bhual'

ann, agus an lá rimhe sin do bhí buailteóirí a' buala choirce ann.
Well, má bhí choíhint, do thug sé isteach sa scioból í, agus do chuir
sé i n-a seasamh suas í, agus chuir sé tacaí léithi a choinnig i n-a
seasamh í. Nuair a bhí sí i n-a seasamh as coinne na heasarach
amach, do chuir sé súist' i n-a doirean; agus do bhí sí ansoin ar
maidin a' buala choirce !

Do tháinig a' buailteóir a bhí inné rimhe sin ann, agus d'oscail
sé isteach a' doras, agus chonnaic sé istig rimh' í agus a' tsúist' i n-a
durain. Do thit sé ar chúl a chínn amach, agus má thit choíhint, do
ruith sé có dian i n-Éirinn agus b'fhéidir leis é, agus chua sé isteach
abhaile go dí n-a mhaighistear aríst.

" M'anam," adúirt sé, " ná fuil aon mhath insa méid a dhin sibh
inné, go bhfuil sí amuh insa scioból, agus í a' buala choirce có dian
is dob fhéidir léithi i gcathamh na hoíhe ! "

" Á, Dia lé m'anam," adúirt a' fear tí, " cad a dhéanfam í
n-ao'chor nú a' bhféadfamuid í choinneáilt amuh i n-ao'chor ? "

" Níl fhios agam," adúirt sé, " ach ní raghamuid insa scioból
feastaint: tá sí istig sa scioból."

" Cad a dhéanfamuid léithi ? " adúirt sé.

" Níl fhios agam," adúirt a' [buailteóir], " ach tá sé chó math
a dhul ag a' bhfear a thug chuig a' tsiúil hean' í, agus b'fhéidir go
raghadh sé aríst ar n-agha léithi."

Do chuaig fios air sin aríst, agus ní rai' sé sást' ar theacht i
n-ao'chor fae n-a déint, ach nuair a tháini sé isteach go dí fear a' tí:

" Tá sé chó math dhuit a dhul aríst," adúirt sé, " agus labhairt
léithi siúd agus féachaint cad a chuir ther n-ais í."

" Ní be[ag] liom a bhfuair me inné uaithi, ach ní fhéadfainn a
dhul fae n-a déint aríst ! "

Fuair sé dó nú trí iarrachtaí fuiscí a chorraig go math é ansin,
agus ghlac sé mèisneach, agus d'imi sé aríst. Chua sé fae dhéint na
seana-mhrá, agus nuair a láimhsí sé í héin agus a' tsúist, níor dhin
sé aon bhlas ar bith ach titim insan easair. Chuaig an chailleach san
uachtar air; tharrainn sé anuas i n-a mhùllach í, agus bhí straca
muar istig san easair ar fíog an-fhada go léir acu. Nuair a bhí roinnt
caínte déanta san easair, má b'fhíor é féin, d'fhág sé ansin í, agus
d'eighri sé amach.

" Is gairid a chua an méid sin a chuir sib an uair úd léithi ! "
adúirt sé. " Cuirigí anois oiread agus an oiread eile léithi, agus

O

cuirigí stuif eicínt ar fónamh léithi níos feárr ná mar a chuir sib
léithi [heana]! "

Mar sin a bhí. Tugav isteach aríst í, agus cuireag gach uile shórt
ollamhathais ab fheárr ná a chéile léithi nú gur líonag a' chórha
mhath mhór aríst, agus tiomáineag chuig a' tsiúil í agus cuireag í.

Bhí go math. An tríú hoíhe, do d'imi sé leis, agus do thóg sé
aríst í féin agus ar ghuibh léithi, do thug sé leis amach ar pháirc í.
Do bhí bràmach óg ansin amuh ar a' bpáirc nár gabhag riamh.
Do bhí sé ar súil leis a' mbràmach nú gur chuir sé isteach i stábal' í.
Do chaith sé scartha ar a' mbramach í, agus do cheangail sé anáird'
ar a' mbramach í. Do chuir sé srian i n-a láimh agus slat sa láimh
eile, agus do scaoil sé amach ar fhuaid na páirc é. Do bhí an
chàilleach ar marcaíocht ar a' mbramach, agus níorbh fhéidir le n-a
dhíheallt í leaga mar bhí sí ceangailte thuas air nú go raibh a'
bramach i ndáil le bheith marabh.

Ar maidin, nuair a d'eighri na daoine, do bhí an bramach agus
a chúl le claidhe, agus a' chàilleach ar marcaíocht air. Do choinnic
fear eicínt é—an maor—do choinnic sé an bramach amuh agus an
tseana-bhean ar marcaíocht air. Do chais sé isteach go dí n-a
mhaighistear.

" Araeir a bhí an oíhe is déine ar fad insa scéal! " adúirt sé.
" Tá do mháthair amuh," adúirt sé, " agus tá sí ar marcaíocht ar a'
mbramach, agus ní fiú piginn rua an bramach: tá sé marabh t'réis
na hoíhe. Tá sí a' fiach ar fhuaid na páirce i gcathamh na hoíhe leis! "

" Ó, Dia lé m'anam," adúirt sé, " cad a dhéanfamuid i n-ao'chor
léithi, ach a' bhfuil rud ar bith insa tsaol a choinneóig as í, d'aon
tsórt ní ? "

" Níl fhios agam," adúirt a' maor, " ach tá sé chó math dhuit a
dhul go dí an bhfear a labhair heana léithi, agus labhairfi sé aríst
léithi, is dóch! "

Do chuaig fios fae n-a dhéint sin go dí teh an driothár, agus
hínsíog a' scéal aríst do, agus bhí fhios aige sin go math go raghadh
a' cúntas chuige. Mar sin a bhí. Ní rai' sé sásta ar a theacht, ach
tháini sé mar soin féin, agus labhair [a' fear tí] aríst leis:

" Rud ar bith a d'iarrfa tú oram," adúirt sé, " anois má theigh-
eann tu agus í a chúisiú agus fiafraí di cad a chuir ar n-ais í, tabhairfi
mé dhuit é! "

" Well, tástálfa me [é]! " adúirt a' strainnséir.

Do d'imi sé amach, agus do bhí sé ar súil leis a' mbramach nú gur riug sé air, agus b'fhuiris do breith air mar bhí sé tuirseach tnáite. Do riug sé ar a' seana-bhean, agus strac sé chuige anuas í, agus ba dhiocair í straca, 'ám fhíor é féin, agus faid a bhí sé dhá straca bhí sé féin agus í féin san acharann lé chéile, agus cad a bhí sé a dhéana ach a' scaoile na gcórdaí a bhí dhá ceangal. Do strac sé anuas ar a' dtalamh aríst í, agus i n-ionad í thabhairt ar a' dtalamh is é an áit a dtug sé í anuas i n-a mhùllach féin. Do thit sé féin ar a' dtalamh fúithi, agus bhí iomarascáil mhuar ansin ar fíog tamaill. D'fhág sé ansin í, agus chais sé isteach aríst ar a' maighistear, nuair a bhí cuairleáil mhuar déant' aige féin agus ag a' seana-bhean le chéile!

" Níl aon mhaith dhuit a' caínt i gcathamh a' domhain," adúirt sé. " Ní stopfa do dhíheallt í, agus be sí a' teacht i gcathamh a' domhain mar tá éagcóir mhuar déant' agat-sa le fada riamh ar do dhriotháir. Agus anois," adúirt sé, " níl aon fháil aici sin a dhul isteach insa Flathais go brách, ná ní ragha tus' isteach insa Flathais i n-a diaig, nú go n-iúmpaí tú tímpeall agus go ndini tú dhá leath don méid is fiú tu istig agus amuh i ngach uile shórt áit, agus go dtuga tú a leath dhod dhriotháir. Agus nuair a bhe sé sin déant' agat, ní chasfa sí go brách aríst, agus be sí istig isna Flathais, agus ní bheig aon bhaol ort féin ná go ragha tú isteach isna Flathais i n-a diaig! "

Do d'iúmpaig a' fear saibhir tímpeall lom láithreach ar nós ná beadh a' tseana-bhean a' teacht chuige feastaint ná a' déana triobalóide dho, agus faitíos go mbeadh aon triobalóid ar a anam féin insa deire. Do dhin sé dhá leath dhá chuid saibhiris agus dhon méid ab fhiú é, agus do thug sé a leath dhá dhriotháir bocht, agus nuair a bhí sin déant' ansin agus gach rud socair 'deir a' driotháir bocht agus a' driotháir saibhear, do bhíodar có-shaibhireas.

" *Well* anois," adúirt a' strainnséir a bhí ar lóistín ag teh a' driothár i gcónaí, " tá tusa go math as, agus tá sé chó math dhó-sa imeacht agus dul abhaile dhom héin. Tá rud math déant' agam duit-se ó tháini mé anso, agus ní fheicfi tú aon lá bocht go brách aríst, mar tá leath chuid do dhriothár fuit' agat, agus cathfa mise dhul abhaile dhom héin."

" Ó," adúirt bean a' driothár, " ar nó, ní imeóir uainn choíhint, agus coinneómuid tu anois, agus bíodh do chuide dhon tsaibhireas agat mar athá againn-ne dhúinn féin ! "

" Níl aon 'nó dhod chuid saibhiris agam-sa," adúirt a' fear strainnséartha, " mar is ceann ar n-agha a thaini mis' anseo chút-sa le hagha math a dhéan' ort, agus tá mo dhóchaint ag bail' agam-sa insan áit a bhfuil me héin ! "

Do bhí sé ráite, agus d'airíomair é insa tsean-aimsir, nuair a bhí an scéal dá ínseacht, go mba fear a thainic ón saol eile [é] chuig math a dhéana dhon fhear a bhí bocht, mar ná raibh aon 'nó ag a' bhfear a bhí saibhear do leath a chuid saibhiris, mar ná raibh muirear ná éinn' air ach é féin, agus do bhí muirear go leór ar a' bhfear a bhí bocht.

19. GOID AN BHULLÁIN

Do bhí seana-bhean mhuar láidir anso insa tsean-tsaol a raibh dúil mhuar i bhfeóil aici. Do bhí triúr do bhuachaillí matha do chlainn aici, agus do bhíodar i n-a mbithiúnaig. Do thugaidís bullán math reamhar leóthu i gcónaí, agus do mharaídíst é agus d'ithidíst é.

Do rángaig dhon tseana-bhean gur ruith sí gairid do dh'fheóil an oíhe seo, agus ná raibh dada dh'fheóil aici. Do bhí an oíhe go holc, agus do bhí leisce ar na buachaillí ghóil amach. Do bhuail an tseana-bhean amach san oíhe, agus d'fhéach sí suas ar a' spéir go mbeadh fhios aici cé a' nós a mbeadh an oíhe a ghóil amach, agus nuair a chais sí isteach aríst:

" A mháthair," adúirt an fear críonna dá clainn, " cad é an cor athá ar an oíh' amuh ? "

" Is math an oíh' í," adúirt a' tseana-bhean, " más math na fir ! Tá sí tirim garabh, gaochmhar, réafannach, gan a bheith fliuch. Tá tosach oíhe i n-a ghealaig, beig deire oíhe i n-a shneachta. Tá an t-aeire bodhar, agus tá an madara balabh. Beig guth na mbuaibh ar bhruach an easa, agus dám' oram-sa a bheadh a' bríste, ní bheinn gan feóil na hoíh' anocht ! "

Do d'imig na fearaibh, agus do ghoideadar leóthu an bullán math reamhar. Do bhí an sneachta ar a' dtalamh, agus níorbh fhéidir rian cos an bhulláin fháil ar maidin. Do bhí an t-aeire—an maor—i n-a cholla, agus do bhí sé bodhar ansin. Do bhí an madara a' sceamhaíol, ach, má bhí féin, bhí sé balabh; ní raibh fhios ag éinne cad a bhí sé a' reá !

GRINNSCÉALTA BEAGA

20. UAIR NA hACHANAÍ

Do bhí lánú anso fadó, agus do bhíodar bocht. Cínnte, d'airíodar riamh trácht go raibh uair na hachanaí ann.

" Muise, *by gor*," adúirt an fear, " cathfa me é sin a thástáilt, agus b'fhéidir go bhfaighinn m'achanaí ! "

Do riug sé ar mhála, agus leag sé ar thaobh de é, agus do riug sé ar mhál' eile, agus leag sé ar a' dtaobh eile dhe é. Do chrom sé air, agus cheap sé aon uair a' chloig a dhéana dhe.

" An mála seo," adúirt sé, " lán lé hór, agus an mála seo lán lé hairigead ! An mála seo lán lé hór, agus an mála seo lán lé hairigead ! "

Do bhí sé mar sin ar fiog na huair' a' chloig do cheap sé nú gairid do. Do bhí an bhean sáraithe ó bheith ag éisteacht leis.

" Muise, nár lige Dia dhúinn tu féin ná ' an mála seo lán le hór ' agus ná ' an mála seo lán lé hairigead,' maran ort athá an dícéille, agus a fhios agat ná fuil aon mhath dhuit ann; agus eist feastaint, agus ná bodhair sinn ! "

" Go dtachta an Dial tusa ! " adúirt sé.

Ní raibh ann níos mó. Do fuair sé an achanaí. Níor labhair a' bhean bhocht aon fhocal ó choin, agus bhí sí i n-a crúnca mharabh aige !

21. SEÓRSA AN ÓIR

Do bhí fear i n-a chónaí i bparáiste Chillûrach insa tsean-tsaol, agus do bhí aithint ag a' saol agus ag go leór Éireann air féin, agus an mhuíntir ná raibh aon aithint acu air do bhí aithint acu ar a ainim—am ainim do Seórsa an Óir. *Well*, do bhí bríste lé déan' aige, agus do thug sé go dí an dtáilliúir é, go ndineadh a' táilliúir a' bríste dho. Nuair a bhí an bríste déanta, do d'fhiafra sé gon dtáilliúir cérbh é a' díolaíocht an bríste a dhéana dho.

" Ní bhainfi me díolaíocht ar domhan díot," adúirt an táilliúir, " ach go dtabhairfi tu cead dom do chuid óir agus airigid fheiscint ! "

" Ó, tá sé sin an-tsaor go léir ! " adúirt Seórsa. " Siúil leat nú go 'sáinfi me dhuit é ! "

Do d'imig a' táilliúir i n-éindí leis, do bhain Seórsa an glas do sheómara do bhí lán do hór agus do thiosáin sé dhó é. Do d'imi sé ón seómara sin go dí seómara a bhí lán le hairigead, agus do bhain sé an glas de, agus do thiosáin sé dhó é.

" *Well*, anois," adúirt Seórsa an Óir, " cud é an mhath a níonn sé dhuit-se t'réis an méid sin fheiscint ? "

" Hohó ! " adúirt a' táilliúir, " ná fuil sé a' déana an mhath chéanna dhom a dhin sé dhuit héin ? "

" Níl tu a' baint math ná úsáide as ach a bheith a' féachaint air gach aon lá insa mbliain, agus ná fuil an úsáide chéanna agumsa as ? "

" Díreach gur fíor sin ! " adúirt Seórsa.

Do thosnaig Seórsa air, agus do bhí sé a' cathamh an airigid, ach insa deire fae bhfuair Seórsa bás do bhí sé i dtuilleamaí luach piginne 'o shnaoisín a thógaint i n-iasacht, agus ní bhfaigheadh sae ar a fhocal é !

Do bhí Seórsa i gcall snaoisín lá, agus é i n-a chónaí i gcúirt An Bhaile Chaoil. Do chuir sé teachtaire isteach go sráid Chillúrach i dteh ar fhág sé cuid mhuar dá chuid airigid ann i rith a shaeil, agus ní raibh aon airigead aige fae dhéint únsa snaoisín, agus d'eitig fear a' tí é; níor thug sé an t-únsa snaoisín do ar a fhocal mar bhí fhios aige ná raibh aon airigead aige fheastaint.

Do bhí an teachtaire a' dul abhaile, agus casag fear eile leis— fear siopa a bhí i gCillúrach—agus d'fhiafra sé dhe cá rai' sé. D'inis sé dho a scéal, go rai' sé age n-a lithéide sin do theh ad iarra únsa snaoisín, agus gur heitíog é.

" Siúil leat liom-sa," adúirt fear a' tsiopa eile, " agus tabhairfi me snaoisín duit ! "

Do thug fear a' tsiopa teachtaire Sheórsa leis, agus do thug sé lán bosca go shnaoisín do, agus nuair a bhí sé a' líona an bhosca snaoisín, do chuir sé a lámh insa *till*, agus do tharrainn sé *sovereign* as amach, agus chuir sé síos insa mbosca snaoisín é, mar bhí fhios aige nuair a bheadh Seórsa ag úsáid' an tsnaoisín go gcasfaí an *sovereign* leis.

22. AN FÍODÓIR AGUS A BHEAN

Do bhí fíodóir anso fadó, agus do phós sé. T'réis pósta dho do bhí an bhean go math agus go gróthach ar fhuaid a' tí.

Lá dhá laethanta d'fhéach sí thímpeall uirthi, agus bhí a fear istig ar a' seól agus é ag obair.

"Bheitheá an-úsáideach ar a' ball," adúirt sí, "dá bhfoghlaimíteá chuige. Dá mbeadh i ndán a's go mbeadh páist' aguinn bheitheá a' boga an pháiste insa chliabhán nuair leagfainn an cliabhán tao' 'muh dhíot, agus chuirfinn córd' ar chúinne an chliabháin, agus bheitheá ag oibiriú na maidí cos, agus, ar nó, a' corraí an chliabháin!"

"Ó, aidhe mhuise, níor bhe[ag] dhuit é sin a dhéana," adúirt an fíodóir, "nuair a d'fheicfeá go mbeadh gró agat de!"

"Ó, ní hé sin a' t-am!" adúirt sí. "Is feárr dhúinn é dhéan' i n-am, agus be tu foghlamta chuige!"

"Tá go math!" adúirt a' fíodóir.

Fuair sé an cliabhán, agus leag sé amuh lé bruach a' tseóil é. Do bhí sé ar a dhíheallt a' corraí an chliabháin, agus bhí sé a' buala na maidí cos. Ránga leis go rai' sé a' catha an smóil, á chuir anúnn tríd a' slínn, agus thit a' smól uaig. Cér ránga leis a' smól titeam ach isteach sa chliabhán.

"Go mbeire an Deabhal leis tu, a amadáin!" adúirt a bhean. "Dá mbeadh a' páiste insa chliabhán bhí an tsúil baint' as!"

"Tá go math," [adúirt a' fíodóir], "ach níl fhios agum a' bhfuil aon óinseach le fáil is mó ná tu. Siúlfa me dreas go bhfeici mé a' bhfuil aon óinseach le fáil is mó ná tu!"

D'imi sé leis, agus bhí sé ag imeàcht leis ar fhaid a' bhóthair; agus, *by dad*, níor dheagha sé i bhfad nuair a casag teh leis, agus bhí bean ansin, agus an bhó locaithe istig i gcúinne na sráid' aici. Bhí feac ramhainne i n-a láimh aici agus gah aon leanng ar a' mbó bhocht dhá bhuala aici. Agus cad a bhí sí a dhéana? Do bhí sí ad iarr' an bhó a chuir suas ar a' dteh!

Well, bhí an fíodóir a' féachaint uirthi.

"Muise, cad athá tu a dhéana, a bhean chroí?" adúirt sé.

"Muise, táim," adúirt sí, "tá féar breá thuas ar a' dteh, agus tá ocaras ar a' mbó, agus táim ad iarra í chuir suas ar a' dteh nú go n-itheadh sí an féar athá thuas ar a' dteh."

"Muise, b'é b'fhusa dhuit a' corrán a thabhairt leat," adúirt sé, "agus an féar a bhaint agus é chathamh chuic' anuas, agus d'íosadh sí níos feárr ansin é!"

" Go gcuire Dia ar do leas tu, a dhuine chroí," adúirt sí, " sid í an tríú bó athá marabh agum mar sin ! "

Chua sí suas ar thaobh a' tí ansin, agus do bhain sí an féar, agus chaith sí anuas go dí an mbó é, agus d'uaig a' bhó a' méid a fuair sí dhe.

Bhí go math. " Go ngrótha Dia dhuit, a dhuine chroí," adúirt sí, " agus go dtuga Dia slán go ceann na scríbe tu ! "

D'imi leis, agus níor dheagha sé i bhfad nuair a thaini sé doracha insan oíh' air. Do casag teh eile ar thaobh a' bhóthair leis, agus bhuail sé isteach, agus d'iarr sé lóistín. Fuair sé lóistín agus fáilte. Bhí sé féin agus muíntir a' tí ansin—do chathadar an oíhe leóthu go maidean go math. Dineag leaba insa chúinne dhon strainnséir, agus má dineag choíhe, *by dad,* chodail sé go sámh insa leabain go maidean.

D'eighrig bean a' tí ar maidin go gcuireadh sí i gcóir í féin. Sheasa sí ar lic na tine, agus riug sí ar a *petticoat,* agus cheap sí é chuir uirthi, d'eighri sí dho léim agus chua sí ann isteach. Nuair a cheap sí a dhul isteach cuireag ar mùllach a cínn ar fhaid an úrláir í. D'eighri sí aríst, agus níor labhair sí aon fhocal, agus chua sí ar n-agha aríst leis a' bpetticoat, agus, ar mh'anam, má chua choíhint gur cuireag ar mùllach a cínn aríst í !

Do bhí an fear a bhí insa chúinne a' féachaint uirthi, agus níor labhair aon fhocal.

An tríú babhta d'eighri sí le hí dhul isteach sa *phetticoat* do léim, do chuaig úrdóg a coise i n-acharann i n-a bhásta, agus stróic sí an *petticoat* síos go fáthaim. Nuair a stróic sí an *petticoat* síos go fáthaim d'fhéach sí thímpeall uirthi féin.

" Ach cogar, a bhean chroí," adúirt a' fíodóir, " cad athá tu a dhéana ? "

" Muise, a ghrá," adúirt sí, " táim ad iarra mo *phetticoat* a chuir orum, agus ní féidir liom é dhéana, ar nó ! "

" Ná béarfá air," adúirt a' fíodóir, " agus é tharrainnt anuas ther mhùllach do chínn, agus, ar nó, gheófá é dhún' ar do bhásta ansin agus é scaoile síos le do cholainn ? "

" Go gcuire Dia ar do leas tu, a dhuine chroí ! " adúirt sí.

Riug sí ar a' bpetticoat, agus tharrainn sí anuas ther mhùllach a cínn é, agus chuir sí uirthi é sa nós a mba cheart di é chuir uirthi.

" Muise, go dtuga Dia slán abhaile tu, pé fad gairid a [ragha tu] ! " adúirt sí.

Nuair a bhí an méid sin déant' ag a' bhfíodóir ansin: " Muise, is dói liom," adúirt sé, " go gcasa mé abhaile aríst anois. Tá cuid mhath dhosna hóinseacha feicithe agum, agus tá go leór acu níos measa ná an óinseach athá ag baile agum héin ! "

D'imi sé abhaile leis aríst, agus ar ghóil abhaile dho aríst ar a' mbóthar, do bhuail sé isteach i dteh, agus nuair a bhuail choíhint bhí seana-bhean thíos insa chúinne.

" Muise, céad fáilte reót, a ghrá ! " adúirt sí.

" Go maire tu ! " adúirt sé.

" Ara, a ghrá, an anuas a ghui' tú ? "

" Sea," adúirt sé.

" Cé an chor athá ar Sheán ? " adúirt sí.

" Tá sé go math ! " adúirt sé.

Is amhla a bhí Seán—ba dh-é a fear é—agus bhí sé curtha thuas sa teampall le dó nú trí laethanta rimhe sin.

" Muise, is dóch go bhfuil ocaras ar a' nduine bocht," adúirt a' tseana-bhean.

" D'íosadh sae greim ! " adúirt a' fíodóir.

" Tá próca ime anso agum," adúirt sí, " agus bulóg aráin agus píosa bréide. Ní dócha go dtabhairfeá suas chuige é, agus d'íosadh sae é, agus dhéanfadh sae tamall math é, agus, ar nó, dhéanfadh a' píosa bréide fothain agus fosca dho ! "

" Thabhairfinn suas é," adúirt a' fíodóir. " Ach anois," adúirt sé, " tá an t-ualach an-trom, agus ní fhéadfainn é úmpar, tá feircín ime ann, agus tá an-m[h]eáchaint ann ! "

" Tá seana-chapall ansin amuh," adúirt sí, " agus dá dtugtá leat é nú go dtugtá suas é, ar nó gheófá an capall úntó abhail' aríst; thiocfadh sae abhaile nuair a bheadh an t-ualach fáctha thuas aige."

" Tá sin go hana-mhath ! " adúirt a' fíodóir. Do bhuail sé an mangarae suas ar a' seana-chapall, agus má bhuail choíhint, do bhuail a' bóthar leis, agus bhí a' tabhairt a agha ar a bhaile, agus níor bhac sé le Seán ná leis an áit thuas.

Very well. D'imi leis.

I gceann tamaill tháinic mac na seana-mhrá isteach.

" A mháthair," adúirt sé, " a' bhfuil ao' tuairisc agut cér ghuibh a' capall ? "

" Tá, a ghrá," adúirt sí. " Do bhí fear anseo a tháinic anuas ó t'athair, agus chuir me suas leis a' capall, mar chuir mé próca ime a bhí ansin suas chuige agus bulóg aráin, agus bhí an seana-phíosa bréide a bhí ansin—déanfa sé math dho go n-imíg a Geíre ! "

" Ó, cár ghui' sé ? " adúirt a' mac.

" Tá sé imìthe suas aríst ! " adúirt sí.

Amach leis a' bóthar i n-a dhiaig có dian i n-Éirinn a's b'fhéidir leis é; agus bhí an fíodóir ag imeàcht leis, agus bhí an buachaill óg a' teacht suais leis.

Ar mh'anam, go mba mhath a' mhaise é sin don fhíodóir, gur fhéach sé i n-a dhiaig, agus bhí fhios aige nach ar mhaithe leis a bhí sé a' teacht i n-ao'chor. Do chuir sé an t-ím agus a' t-arán agus a' b[h]réid i bhfòlach, agus chuir sé an capall i bhfòlach ar c[h]úl croic, d'imi sé amach ar lár na páirce agus chua sé ar a dhá ghlúin. Bhain sé dhe a hata, agus bhí sé a' féachaint suas insan aer, agus a' stiúrú a lá[mh] suas, a' stiúrú a lá[mh] suas, nuair a tháinic a' buachaill óg suas leis.

" A' bhfaca tú aon fhear a' góil thart anseo agus seana-chapall aige agus ualach air ? " adúirt a' buachaill óg leis.

Níor labhair sé aon fhocal leis ach a' stiúrú a lá[mh] suas, a' stiúrú a lá[mh] suas i gcónaí, á dhéan' amach gur suas go Flathais a bhíodar curth' aige.

Ach nuair a bhí sé a' fiafraí ró-fhada dhe:

" Ara," adúirt sé, " ná fuil siad imìthe suas isteach isna Flathais ! " adúirt sé. " Ná fuil mé dhá stiúrú suas anois," adúirt sé, " agus cathfa me fanacht anseo go bhfeice me thuas glan iad ! "

Chua sé abhaile ansin, agus do mhair sé féin agus a bhean go hana-nea-spleách i bhfochair a chéile as sin i ruith a saeil.

23. AN FÍODÓIR A RAIBH ÉAD AIGE LE N-A MHRAOI

Do bhí fíodóir anso fadó, agus do bhí sé pósta, agus ní raibh éinne cluinn' aige. Do bhuail éad é leis a' mbean. Do bhí sé dhá dhéan' amach go mbíodh sí a' caínt lé fearaibh dá urasa féin.

Do bhí go math. Do bhíodh a' t-éad i gcónaí a' plé leis. Ach lá dár ghuibh sagairt a' bóthar do bhí faoisidíní i dtehanna eile córsan acu. Ní sagairt do bhí ann insan am sin ach bráithre. Do ghuibh na bráithre an bóthar; agus do bhí an bhean a' dul ar maidin go díos na faoisidíní. D'iarr sí ar a' bhfear a' dtiocfadh sé léithi, agus dúirt sé ná raghadh.

Nuair a fuair sé imith' í, d'imi sé insan acharaid nú go ndeagha sé go dí an áit a raibh a' bráthair, agus do dhin sé maraga leis a' mbráthair, agus do thug sé díolaíocht do dá dtugadh sae an chulaithe dho féin faid a bheadh sé ag éisteacht faoisidín a bhean féin, go mbeadh sé lán-tsásta. Fuair a' bráthair a' díolaíocht, agus do thug sé culaithe an bhráthar do faid a bheadh sé ag éisteacht faoisidín a bhean féin.

Nuair a chua sé ag éisteacht faoisidín na mrá, do dhin sí faoisidín leis, ach insa bhfaoisidín amach d'fhiafra sé dhi:

" A' raibh aon fhear riamh agat," adúirt sé, " ach t'fhear féin ? "

" Ó, bhí ! " adúirt sí.

" Cé hé ? " adúirt a' fíodóir.

" *Well*, do bhí fear óg agam i dtosach mo shaeil," adúirt sí, " agus ansin bhí fíodóir agam, bhí seanduin' ansin agam, agus, dar ndó, bhí bráthair agam ! "

Bhí go math. Chaill sé a chiall ar fad ansin, agus do chaith sé dhe an chulaithe, agus do dhíbir sé uaig í á dhéan' amach go raibh a faoisidín réig. Do dhin sé air abhaile chó dian agus b'fhéidir leis é ansin, agus nuair a thainic a' bhean abhaile do bhí an fíodóir thuas ar a' seól, agus é ag obair leis. Do bhí an bhean a' góil ar fhuaid a' tí, agus í a' déan' a grótha féin. Do chrom a' fíodóir ar bheith ag amhrán thuas ar a' seól, agus is é an t-amhrán adúirt sé:

" Fíodóir, fear óg, seanduin' a's bráthair !
Fíodóir, fear óg, seanduin' a's bráthair ! "

Bhí go math. Bhí an bhean ag éisteacht leis:

" Ach, t'anam 'o Dhia a's do Mhuire," adúirt sí, " a cheathranaigh bhradaigh, cuid éard a dhin me leat ach an fhírinne ! Ná rai' tú it' fhear óg, tu féin, agus ná fuil tu it' fhíodóir, agus anois ná fuil tu it' sheanduine, agus an uair sin ná raibh tu in do bhráthair ? "

Do d'imig a' t-éad do léim amach dá mhùllach, agus níor fhan aon ghiob don éad ó choin air !

24. TÁSTÁIL NA mBAN

Do bhí cóir eil' acu insan áit chuig daoine dh'fháil amach an áit a mbeadh aon amhras ag daoine go mbeadh mrá droch-bheathacha ar fhuaid a' bhail' ann—do bhí clóca acu, agus an bhean a bheadh droch-bheathach nuair a leagfaí uirthi é, do chrapfadh sae uirthi suas go guaillineacha, agus do bhí sí sin suíte go dona, mar bheadh sae déant' amach acu ná beadh sí go math.

Do bhí dream baile ann, agus do bhí beirt nú triúr ban ann a raibh amhras acu orthu ná rabhadar ceart oiliúnach. Do chuireadar le chéile iad, agus dhineadar a n-aigine suas iad a chuir fén gclóca seo agus é a leag' orthu go mbeadh fhios acu a' rabhadar insa cheart.

Bhí go math. Bhí fear ann, agus bhí a bhean féin aige, agus do bhí sé ana-mheastúil uirthi. Ní ghéillfeadh sae dh'éinne i n-ao'chor ná go raibh sí ró-cheart ná go raibh aon ghiob bunoisciúnn riamh ínti, agus b'fheárr leis ná an domhan í thástáilt le hí a thabhairt lé rá gon chuid eile go mbeadh saí ró-mhath ar fad do féin.

Thainic a' lá go rabhadar chuig a' chlóca a leaga ar na mrá. Na mrá a bhí droch-bheathach leagav a' clóca ar dtúis orthu, agus d'oil a' clóca go sála ar gach bean acu insa chaoi go dtanadar amach chó macánta lé haon bhean a bhí ar a' saol riamh.

Ní shásódh rud ar domhan an fear a raibh a bhean féin aige nú go leagadh sae an clóc' uirthi. Agus do leag sé an clóc' uirthi. I n-ionad í bheith i n-a bean mhath mhacánta, agus í meastúil, do chrap a' clóca insa chaoi go ndeagha sé go baic a muiníl uirthi. Ansin ní raibh aon fhocal lé labhairt aige. B'fheárr leis ná a bhfaca sé riamh ná faca sé an clóca a's nár leag sé ar a' mbean é!

25. FEAR NA PLAITE AGUS A BHEAN

Do bhí fear anso fadó—tá sé chó math dhúinn Fear na Plaite a ghlaoch air—agus ní raibh aon ghruaig ar mhùllach a chínn. Do bhí roinnt aois' aige, agus do bhí sé pósta ag bean spriosánta óg go leor, agus ní raibh leath-ghlaoch aici air nuair ná raibh gruaig a' fás ar a cheann aici. Do bhí seiribhísig dá urasa thímpeall uirthi, agus b'ait léithi go mbeadh sé imithe anois agus arís uaithi insa nós ná beadh sé ag éisteacht i n-ao'chor leóthu a' caínt.

Do bhí sé, lá, cois na tine istig i n-a shuí, é féin agus í féin, agus do rángaig go raibh a hata bainte dhe aige. Do d'fhéach [a bhean] ar a cheann.

" Is mór a' náire liom," adúirt sí, " do cheann a bhe chó plaiteach
a's tá sé, agus ba cheart duit a dhul i n-áit eicínt a bhfaighthá artha
a d'fhásfadh gruaig ort ! "

" Níl aon áit agam le hí i fháil," adúirt a' sean-fhear bocht,
" agus níl náire ar bith oram-sa plait a bheith ar mo cheann, mar tá
sé náisiúnta dom lithéide."

Mar sin a bhí. " Tá náire mhuar oram-sa," adúirt sí, " agus
cathfa tu dhul i n-áit eicínt a bhfaighi tu artha a d'fhásfaig gruaig
ar do cheann ! "

" *Well*, níl fhios agam cé mbe sé," adúirt sé.

Do d'imi sé go dí an Airheann ar maidin Dé Domhna dho féin,
an fear bocht, i n-ainim Dé. Má d'imi choíhint, faid a bhí sé amuh
do bhí seiribhíseach i n-a dhiaig, agus é féin agus bean a' tí go
hana-mhór lé chéil' a' caínt. Nuair a choinnic a' seiribhíseach a'
teacht é, do d'imi sé bóthar buinisciúnn amach, agus chua sé i n-a
bhóthar féin.

Do tháinig fear a' tí isteach, agus do shui sé síos, agus do leag
sé a hata ar a' mbórd, mar bhí sé a' cuir allais; do bhí toit mhuar
allais amach trí mhùllach a chínn.

D'fhéach [a bhean] air :

" Is muar a' náire liom tu bheith gan ghruaig," adúirt sí, " agus
tá mé dhá reá i gcónaí leat ! "

" Ar nó, níl fhios agam cé bhfaighinn an artha a chuirfig an
ghruaig ar mo cheann ! " [adúirt a' fear bocht].

" Tá fhios agum-sa é ! " adúirt sí. " Tá sé i n-a lithéide seo 'o
bhaile," adúirt sí, " an fear. Ach tá sé seo sé nú seach' do mhílte
bóthair uait, agus cathfa tu chuir i gcóir anois i n-ainim Dé ar
maidin amáireach, agus dul fae n-a dhéin nú go bhfaighi tú artha a
d'fhásfaig gruaig ar do cheann ! "

" Tá an siúl ró-fhada," adúirt a' sean-fhear, " agus tá leisc' oram
dul ann ! "

" Ní chall duit sin," adúirt sí. " Imig i n-am ar maidin, agus
beig do dhóchain don lá reót chuig casa ! "

Mar sin a bhí. Ar maidin go doth bhí sí i n-a suí, agus bricfeast
a' tsean-fhir i gcóir aici. D'ua sé a bhricfeast, agus d'imi sé leis, agus
do bhí sé ag imeacht agus a' siúl leis, a' dul insan áit a oil dho féin.
Casag fear muínteara leis thímpeall lé leath bealaig. D'inis sé dhon
fhear muínteara cá rai' sé a' dul.

" Ó," adúirt a' fear muínteara, " níl aon 'nó ansin agat mar ná fuil aon ghiob dá shórt lé fáil agat ann. Níl artha ar domhan ansin ag a' bhfear sin ná níl a lithéide le fáil agat. Cas abhaile, agus ná tabhair tora ar bith ar a' mbean sin ! "

" Muise, is féidir liom do chóirle a dhéana," adúirt a' sean-fhear.

Do chas sé abhaile, agus nuair a rángaig leis theacht abhaile do tháini sé abhaile níos éasca ná an fear a bhí a' súil leis. Níor airíodar é go rai' sé ana-ghairid don doras. D'fhéach bean a' tí amach, agus do choinnic sí a' teacht é.

" Ó ! Ó ! " adúirt sí, " tá sé a' teacht anois, agus tá greim aige ort ! "

" Cad a dhéanfa mé ? " adúirt an falcaire.

" Níl *plan* ar bith is feárr 'uit a dhéana ná a dhul go léim ar a' lota, agus seachain a' bhfágfá an lota ar chor ar bith nú go n-abaraí mise leat é ! "

Mar sin a bhí. Do chua sé go léim suas ar a' lota, agus do bhí sé thuas ar a' lota ansin nuair a tháinic fear a' tí isteach.

" Ó, a' dtáini tu ? " adúirt sí.

" Thanas," adúirt sé.

" Dhin tu deabha muar ! " adúirt sí.

" Ó, mhuise, dhineas," adúirt sé, " mar nár dheagha mé chó fada leis a' mbóthar i n-ao'chor. Ní raibh aon 'nó agam ann," adúirt sé, " agus ní raibh arth' ar bith dhá shórt le fáil ná níl ! "

" Deirim-se, pé ar domhan duine adúirt leat é sin," adúirt sí, " gur 'úirt sé éitheach leat, mar fuair mis' an artha sin ó d'imi tu, agus ní feárr liom rud a dhin tú ná casa i n-éascaíocht."

" Is math é sin ! " adúirt a' sean-fhear.

" Seo anois," adúirt sí, " fé ndineamuid aon mhoíll teighir ar do dhá ghlúin anso im fhianaise, agus cuirfi mise an artha dhuit ! "

Chreid a' sean-fhear í, agus do chua sé ar a dhá ghlúin amach os a coinne. Do chaith sí a haprún anuas ar a cheann agus d'fhoili sí é.

" Dá n-airítheá an teh a' titim anois," adúirt sí, " nú pé ar domhan rud a d'aireó tu, seachain ar do chluais deis ná clé go gcrothfá do cheann, nú be an artha brist' agat ! "

Bhí go math. Do bhí sé ar a dhá ghlúin agus a cheann brúite anuas ar a dhá glúin sin aige, agus í a' cur na hartha.

" Artha a fuaireas "—adúirt sí—" chun do ghruaige theacht go luath ort. Preab amach ! " adúirt sí leis a' bhfear a bhí ar a' lota—" preab amach ! "

Mar sin a bhí. D'eighrig a' fear a bhí ar a' lota, agus phreab sé amach; agus, má phreab choíhe, níor chuíni sí ar a' scéal cheart ínseacht do fé ndeagha sé ar a' lota, ach do ghlao sí i n-a dhiaig, agus é a' góil amach:

> " Tar Dé Luain nú Dé Máirt
> Neart gan cheart, neart gan cheart ! "

Shíl a' fear a bhí ar a ghlúine gurab í a ghruaig a bhí a' teacht Dé Luain nú Dé Máirt, ach ní hé ach a' falcaire a bhí órdaithe ther n-ais aríst.

Níor tháinig gruaig ar a' sean-fhear an lá sin ná an lá i n-a dhiaig ná aon lá go bhfuair sé bás. Ach bhí a' tseana-bhean a' maga fé.

26. CAÍNT AN SCOLÁIRE BHOICHT

Do bhí scoláire bocht a' góil a' bóthar anso fadó, agus do tháinig an oíhe déanach air. Do bhuail sé isteach go dí fear, agus do bhí (an fear) i n-a shuí, agus a chúl lé balla. Níorbh fhear fáiltiúil é, ná níorbh fhear cáirdiúil é, agus níor thug sé aon cheart mór don scoláire bocht ar a shon go dtug sé lóistín na hoíhe dho.

Nuair a bhí an fear bocht a' dul a cholla, níor thug sé leaba ná aon trácht air don scoláire bhocht. D'fhág sé i n-a shuí ar a' gcàthaoir é agus ligint do coll' ansin go maidean cois na tine.

Bhí go math. Nuair a fuair an scoláire bocht fear a' tí imith' a cholla, do riug sé ar smeara, agus chuir sé ar bhróga fear a' tí é. Do riug sé ar a' gcat, agus do chuir sé coinneal suas thiar insa chat, agus do las sé an choinneal.

D'uaig an madara a bhí insa teh—d'ua sé bróga fhir a' tí. Do ruith an cat ón solas, agus is é an áit a ruith sé siar faen leabain chuig fear a' tí.

Nuair a choinnic an scoláire bocht go raibh sin déanta dúirt sé leis héin go raibh sé chó math aige féin dul chuig bóthair, ach, ag imeacht do, thug sé scéala do dh'fhear a' tí. Chua sé go dí an bhfuinneóig chuige:

" A fhir a' tí," adúirt sé, " a' bhfuil tu id cholla ? "

" Nílim anois ! " adúirt fear a' tí.

" Chua mise insa leabain," adúirt sé, " go dí Gililí. D'uaig Sodar Socair socair-bhoínn. Thá An Ciúnadas imìth' isteach fé Bhun a'

tSuainis, thá An Ghlóire Mhuar i n-a thóin, agus mara bhfuil cuid
mhuar don Iomadúlacht istig agut beig do Liach (?) dóite!"

27. KINNIDY HAYES AGUS AN SCOLÁIRE BOCHT

Do bhí anso insa tsaol a cathag fàdó fear am ainim do Kinnidy
Hayes; agus ba dh-é a' rud é rí-dhroch-fhear. Níor dhin sé déirc
ná díolaim ar éinne riamh.

Well, do bhí sé gustasúil; agus, by dad, rángaig lá dhosna lae-
thanta gur bhuail scoláire bocht a' bóthar, agus dúirt sé go mbuail-
feadh sae go dí Kinnidy Hayes, gom fhéidir go bhfaigheadh sé luach
leabhair uaig. Dúirt cuid 'osna córsain lasamuh nár thug sé aon
déirc d'éinne riamh.

" Tástálfa mé é," adúirt a' scoláire bocht. " Ní fhéadfa sé dada
bhaint díom!"

Bhí go math. Tháinic a' scoláire bocht isteach, agus sheasa sé
thuas ag a' ndoras mar bhí faitíos air theacht níos sia ná sin anuas
go dí an bhfear a bhí abhus; do bhí dro-chum' air.

Do bhí an fear a bhí abhus, agus a chúl le tine mhath. D'fhéach
sé suas air, agus d'fhiafra sé cad a bhí uaig. Dúirt [a' scoláire bocht]
go raibh súil aige gom fhé' go rai' sé có math agus go dtabhairfeadh
sae cúna luach leabhair do.

" Tabhairfead," adúirt sé, " má chuireann tu Béarla dhom ar:
' Bodach do-riartha gruama doifeallach.' "

" Kinnidy Hayes, by gob!" adúirt a' scoláire bocht.

'Á thúisce a bhí an focal ráit' aige, d'úntaig Kinnidy Hayes ar a
sháil a' lorag féachaint cé bhfaigheadh sae maide.

Ba mhath a' mhaise sin don scoláire bocht. Do thug sé an doras
air féin, agus níor mhiste dho é!

28. BEIRT BHODHAR

Do bhí seana-bhean insa tír seo fadó, agus do choinníodh sí go
leór géí, agus, ar ndó, amach chuig na Féile Mihíl do bhíodh na géí
dá [m]bearra, agus do bhíodh máilín math clú[i]mh bailithe suas
aici. Do bhíodh fear a' góil a' bóthar a' bailiú an chlúimh agus dá

P

chèannach a nglaeidíst an clúimhíneach air. Má bhí choíhint, ghui'
sé an bóthar an lá seo go dí an seana-bhean; agus do rángaig go raibh
an [t]seana-bhean ana-bhodhar, agus, má rángaig choíhint, bhí an
scéal có dona céanna ag an gclúimhíneach—bhí sé ana-bhalabh.

Bhí go math. Bhíodar araon a' déana maraga an chlúimh; agus
do thabhairfeadh a' clúimhíneach praghas níos mó ar chlúmh géí
geala ná mar a thabhairfeadh sé ar chlúmh na ngéí nglasa. Do bhí
an clúimhíneach balabh agus é luath-bhéalach. D'fhiafra sé dhon
tseana-bhean ar ghéí geala a bhí aici.

"Sea," adúirt a' tseana-bhean, mar níor thuig sí é; do bhí sí
bodhar.

"An géí glasa athá agat?" adúirt sé.

"Sea!" adúirt sí.

"An a' maga fúm athá tu?" adúirt sé.

"Sea!" adúirt sí.

D'eighrig an peidhre a' bruíon, agus do bhí bruíon mhuar ar
fhuaid a' tí acu araon, ach, má bhí choíhint, do thanadar chuig
socaireacht, agus dhineadar maraga an chlúimh. Cheanna sé an
clúmh uaithi, agus thug sé an t-airigead di, agus bhíodar ana-bhaoch
dá chéile le línn iad a scara ó chéile—an lánú. Níl fhios agam a'
maireann siad nú ná mairid; mara mairid féin, mairemuid-ne,
baochas lé Dia dá cheann sin!

29. SEIRIBHÍSEACH MAJOR MACNAMARA

Do bhí seiribhíseach age Major MacNamara fadó sa teh muar
thall i nDúilinn, agus lá dhá laethanta nuair a bhí an dínnéar a'
brath ar dhul i gcóir, do ruitheadar gairid do rud eicínt a bhain leis
a' ndínnéar. Do ghlaeig a' seiribhíseach ar fhear a bhí amuh insa
yard:

"Cogar me leat!" adúirt sí. "Cathfa tu a dhul go hInis
Díomáin dom!"

"Raghad anois!" adúirt a' fear.

"Teighre síos go hInis Díomáin, agus teighr' isteach teh Chrohúir
Í Bhriain," adúirt sí, "agus tabhair chúm an oiread seo piobar
agus ainís!"

D'imig a' fear leis. Do bhí riamh ar a dhíheallt ar fhaid a'
bhóthair, agus, faitíos go ndéanfadh sé aon dearamad don teachtair-
eacht do bhí uaig, do bhí sé i gcónaí a' rá: " Piobar agus ainís!
Piobar agus ainís! Piobar agus ainís!" ar fhaid a' bhóthair nú
go ndeagha sé tamall math gon bhóthar. Bhí sé a' góil treasna
páirce. Casag móta leis, agus bhuail sé a chos fé. Cathag ar mhul-
lach a chínn é agus leagag é. D'eighri sé go hobann:
" Haha! ar m'anam héin gur ana-mhath a' chuíne í! Pic a's
róisín! Pic a's róisín! Pic a's róisín!"
Bhí sé ar súil le " pic is róisín " go ndeagha sé isteach go sráid
Inis Díomáin. Chua sé isteach teh Chrohúir Í Bhriain.
" Cad athá uait inniubh?" adúirt Crohúr Ó Briain.
" Tabhair dom an oiread seo pic a's róisín!" adúirt sé.
" Cad é an 'nó athá agat do phic a's róisín?" adúirt Crohúr
Ó Briain. " B'fhéidir gur piobar agus ainís athá uait!"
" Sea go díreach!" adúirt sé. " Tabhair 'om é sin!"

30. AN tSEANA-BHEAN AG FAOISIDÍN

Do bhí seana-bhean anseo fadó, agus ní rai' sí ag faoisidín lé
fada rimhe sin. Dúirt sí léithi féin, lá bhí faoisidín thíos teh an
phobail, go rai' sé i n-am aici dul chuig faoisidín. Do d'imi sí, agus
ag imeàcht di, b'ait léithi gal tobac a bheith aici a' teacht nú ag
imeàcht di. Do choinníodh sí an-phíopa fada, geal, ach is é an áit
a gcoinníodh sí é thíos i n-a bròllach, mar choinníodh na seana-mhrá
an *purse*.
Bhí go math. Do d'imi sí agus chua sí go dí an sagart chuig
faoisidín. Faid a bhí an sagart ag éisteacht a faoisidín, ní a' cur síos
ar a peacaí is mó a bhíodh sí i n-ao'chor ach a' cur síos ar a droch-
shláinte. Do bhí sí dá reá leis a' sagart go raibh droch-chroí aici.
Do thuig a' sagart uaithi gom fhéidir gur droch-aigine a bhí i n-a
croí, ach ní hé sin a bhí sí ag ínseacht do.
" Ó," adúirt a' sagart léithi, " má thá droch-chroí agut, buail
t'ucht!"
Cheap sí go ndéanfadh sé ana-mhath dhá croí é chorraí, agus
nuair a bhuaileadh sí a hucht do bhuail sí raip do dhoran isteach ar
a hucht cruaig láidir le hí a croí a bhoga. I n-ionad í an croí a bhuala

(*sic*) cad a bhuail sí ach buille 'dhoran isteach ar chos a píopa!
D'airi sí an chraic dá dhéana ar chos a' phíopa:

"Nár lige Dia muar dom tu, a Athair," adúirt sí, "mar ba
tráthúil athá mo phíopa breá nua brist' agum leat!"

31. GIOLLA BOCHT NA hAON-BHÓ

Do bhí thuas i gCollán insa tsean-aimsir fear muar, láidir, ach
bhí sé bocht. Ní raibh aige ach aon bhó amháin, agus shocara sé
i bpáircín gairid don dteh í a' dul a cholla dho insan oíhe. Nuair a
d'eighri sé ar maidin do bhí an bhó imithe uaig. Shíl sé gu'b amhla
a d'imi sí lé dáir, agus d'imi sé i n-a diaig dá lorag.

Insa mbóthar do casag fear leis, agus chuir sé tuairisc na bó air.
Dúirt [a' fear] go bhfaca sé am eicínt rimhe sin a' góilt a' bóthar
báille an *landlord*, agus bó aige rimh' amach.

"Tá go math," adúirt Giolla bocht, "is dócha gurb í mo bhó-sa í!"

D'imig leis fae dhéint teh an *landlord* nú go bhfaigheadh sé
tuairisc na bó nú an bhó ther n-ais. Choinnic sé cúigear nú seisear
fear i n-a seasamh i lár an bhóthair amuh amach os coinne tí.
Dhruid sé chucu agus d'fhiafra sé dhíothub ar socharaid a bhí acu.
Dúradar nách ea, ach go raibh a' sagart "le theacht ag éisteacht
faoisidín anso ar ball."

"Is math mar a thárla!" adúirt Giolla. "Níor dhin me aon
fhaoisidín lé fada, agus fanfa me ag a' bhfaoisidín!"

Bhí go math. Tháinig a' sagart i gceann beagán aimsire, agus
chruinníodar ar fad isteach go teh na faoisidíne. Tháinig Giolla
isteach i n-a ndiaig, agus nuair a thaini sé isteach, chúla sé isteach
i gcúinn' an tí é féin thuas isteach fé shuanthán cearc a bhí crochta
ar thaobh a' bhalla.

Bhí an sagart agus é a' cur ceisteanna ar dhaoine. Bhí *pointer*
aige, agus é dhá phóinteáil ar fhuaid a' tí ar ghach uil' fhear a mba
mhaith leis ceist a chur air. Ach fé dheire, choinnic sé an fear muar
thuas i dtóin a' tí.

"A Ghiolla thuas," adúirt sé, "cé méid Dia athá ann?"

"Is dócha go bhfuil," adúirt [Giolla], "a' méid a bhí riamh ann!"

"Ó, ó," adúirt a' sagart, "ní thabhairfeadh a' Deabhal t'anam
ar mhíle púnt!"

" Ba geal a' lá leis greim fháil ar a leath," arsa Giolla, " 'á mbeadh a bhó tócaithe i ngeall a chíosa mar athá mo bhó-sa tócaithe ag a' *landlord* inniubh ! "

32. TADHG Ó FLANNAGÁIN AGUS AN FEAR BOCHT

Do bhí anso fadó aguinn, tá fad math aimsir' ó choin, fear a bhí thoir ar a' gCárnán am ainim do Tadhg Mháirtín; Tadhg Ó Flannagáin—ba dh-é a ainim baistí é.

Do bhuail chuige traibhiléar—fear bocht—a' siúl, tráthnóna, agus do rángaig gurab í Oíhe Nollac í. Nuair do tháinic an oíhe, do chruinnig na córsain isteach, agus bhíodar a' déana cuìdeachtan dóibh héin go dí ceann i bhfad Éireann d'oíhe. Nuair a bhí na córsain tùrsach ó bheith astuig, agus a ragairne déant' acu, d'imíodar abhaile. Do tharrainn a' fear bocht strainnséartha anuas go dí an dtine, agus do tharrainn fear a' tí anuas i n-éindí leis. Bhíodar a' caint leóthu féin. Do theastaig ón bhfear bocht *devotion* beag paidireacha a rá mar ba bh-í Oíhe Nollac í.

" *Well*," adúirt sé lé fear a' tí, " hoch' míle (*sic*) blian agus an oíh' anocht do rugav ár Slánachóir ! "

" Ó bhó, a ghrá, is fad' an aimsir é ! " adúirt fear a' tí. " Is muar an aois í hoch' míle blian, nú an bhfuil tuairim ar domhan agut a' maireann sé fós ? "

33. AN SAGART Á IÚMPAR

Insa sean-tsaol a cathag do bhíodh na sagairt a' dul a' léamh an Airhinn, agus do shiúlaidíst trísna talúintí insan am sin mar ní bhíodh capaill' acu coitianta.

Maidean Domhnaig, do bhí an sagart a' góil treasna na talún, a' dul a' léamh an Airhinn, agus do bhí fear ar a' dtaobh thall don abhainn, agus ní raibh sé ana-bhaoch don tsagart i n-ao'chor. Do bhí an abhainn ann, agus chathfadh an sagart a ghóil treasna. Níor mhaith leis a' sagart a chosa fhliucha, agus do ghlao sé ar a' bhfear a bhí tao' thall don abhainn:

"Má thugann tu tao' anúnn don abhainn me," adúirt sé, " be mé ana-bhaoch go léir díot ! "

" *Well*, mhuise," adúirt a' fear, " is dócha go bhfuil sé có math dhom."

Do tháini sé anall, agus do chuir sé suas ar a dhrom é.

" 'Bhfuil i bhfad ó bhí tu ag faoisidín anois ? " adúirt a' sagart leis.

" Tá, mhuise," adúirt a' fear a bhí dá úmpar, " an fad seo aimsir' ann, agus is mór a' faid é sin ! "

" *Well*, anois," adúirt a' sagart leis, " crom ar bheith ag ínseacht t'fhaoisidín dom faid a bhemuid a' góil anúnn an abhainn, agus mathfa me do pheacaí ar fad duit ! "

" Is math é sin ! " adúirt a' fear a bhí dhá úmpar ar a dhrom.

" Cud é a' rud a dhin tu ó bhí tu ag faoisidín heana ? " adúirt a' sagart leis.

" Mhara me fear ! " adúirt sé.

" Cud é a' rud eile a dhin tú ? " adúirt a' sagart.

" Do mhara me fear eile ! " adúirt sé.

Ghreadadar leóthu, agus bhíodar a' góil tríd an abhainn tamall eile.

" Cud é an tríú rud a dhin tu ? " adúirt a' sagart.

" Mhara me an tríú fear ! " adúirt sé.

" Ó, mhuise," adúirt a' sagart, " tá an Deabhal ort ! "

" Má thá," adúirt a' fear a bhí dá úmpar, " ní bhe sé i bhfad eil' orum ! " a' cath' an tsagairt anuas insa tuile !

34. GOID NA MUICE

Do bhí fear anso fadó insa tsean-tsaol, agus go dei[mhi]n bhí sé luath-lá[mha]ch. Rud ar bith a d'fheicfeadh sé [a gcuireadh] sé súil ann bhí sé goidithe aige.

Bhí fear córsan do a' beathú muicín bheag dheas, agus nuair a bhí sí beathaithe agus í reamhar aige ní rai' sí ach beag, ach bhí sí i n-a muicín an-deas. Chuir Feidhlim dúil inti. Dúirt sé go mba dheas an t-ithe dho féin í. Bhuail sé leis insan oíhe, agus ghoid sé í. Mhara sé í, agus ghlan sé í, agus chuir sé i gcóir í. Ní rai' sí geárrtha i n-ao'chor aige ná déanta beag, mar thainic an mhaidean ró-luath air. Do bhí an mhuc sáite i bhfòlach i gcúinn' an tí aige.

Nuair a d'airig a' fear ar goideag a' mhuc uaig an mhuc imìthe,
do bhí amhras muar ar Feidhlim aige. Do chua sé go dí an ngárdain
agus d'inis sé dhóib go raibh an mhuicín a bhí aige goitithe uaig.
Do fuair an ghárda—do fuaireadar barántas, agus do thanadar a'
cuartach teh Feidhlim. Choinnic bean Feidhlim a'déan' ar a'dteh
iad, agus dúirt sí go raibh greim anois ar Fheidhlim nú riamh. Do
bhuail sí bairthlín gharabh théirsti aniar, agus do chuir sí an mhuc
ann isteach, agus chuir sí suas ar a drom í i gcomórtas go mba dh-é
a páiste féin a bhí ann aici. Do riug sí ar ghiobóig aráin i n-a láimh,
agus do bhuail sí an mhuc ar a drom, agus do bhí sí a' góil suas agus
anuas ar fuaid a' tí, agus í a' góil fhoinn don pháiste a bhí ar a
drom aici.

Nuair a thainic a' ghárda isteach, agus bhíodar a' cuartach a' tí,
do bhí sí a' góil suas a's anuas ad iarr' an páiste a chuir a cholla,
dám fhíor í féin. Agus an hizé a bhí sí a' rá don pháiste—do bhí sí
a' síne smut aráin siar go dí an bpáiste, agus í a' dearabhú don
ghárdain nách é Feidhlim a ghoid a' mhuc:

" Ná raibh a' ghin seo ar mo mhuin-se trí ráth ó anocht
Más é Feidhlim Buí Ó Néill a ghoid a' mhuc !
Seo an t-arán, a leanaí !
Seo an t-arán, a leanaí ! "

Chuartaig na *peelers* gach áit 'á raibh ar fhuaid a' tí ach an áit a
raibh an mhuc, agus níor chuartaíodar an áit sin i n-ao'chor !
D'imíodar gan a' mhuc; agus d'uaig Feidhlim í !

35. AN BHEAN AGUS AN COIRCEÁN AR IASACHT

Do bhí bean insan áit seo fadó, agus do bhí sí i dtíosaíocht ar
fiog an-fhad aimsire; agus i ruith a' tsaeil bhí sí i dtíosaíocht níor
choinni sí coirceán a dhéanfadh aon bheiriúchán di féin; ach aon
am a bheadh beiriúchán lé déan' aici, nú aon ghró do choirceán aici,
do raghadh sí amach go dísna córsain go bhfaigheadh saí iasacht
coirceáin uathub.

Do bhí go math. Lá dhá laethanta, do thaini sí isteach go dí bean
chórsan ad iarra iasacht a' choirceáin uirthi nú go mbeiríodh sí a
dínnéar. Do bhí an fear istig ag obair—ba dh-é a' rud é siúinéir.

" 'Bhfuil aon choirceán agut féin ? " adúirt an siúinéir léithi.

" Níl, a ghrá ! " adúirt sí, " agus ní raibh riamh."

" Ní bhe tu i bhfad mar sin," adúirt an siúinéir, " mar déanfa mise coirceán duit féin ! "

" Muise, go saola Dia tu, a ghrá, agus go dtuga Dia do shaol agus do shláinte dhuit ! Ní raibh aon choirceán riamh agum, agus ba mhuar a' suaineas dom héin agus dosna córsain dá mbeadh coirceáinín agam dom héin."

Do bhí go math. Do fuair a' siúinéaraí bloc muar adhmaid, agus do dhin sé comórtas coirceáin de; do pholl sé an coirceán síos, agus do shocra sé é insa chaoi gur chuir sé bia a' beiriú ann.

Well, nuair a bhí an coirceán ansin aici do cheap sí go rai' sí nea-spleách.

Mar sin a bhí. Do chua sí amach ar a' dtulán, agus sheasa sí ann.

" Ara, a chórsain mo chroí istig," adúirt sí, " ní iarrfa mise agus ní thabhairfead ! Ní iarrfa mise agus ní thabhairfead ! "

Chua sí isteach abhaile go dí n-a tí (*sic*) féin ansin, agus do chuir sí an coirceán ag obair. Nuair a chroch sí an coirceán ar a' dtine, ba dh-é an sórt é, ar nó, coirceán adhmaid, agus nuair a chuaig an tine fén adhmad do dhóig a' t-adhmad; do thit a' méid bídh a bhí insan adhmad síos isteach insa tine, agus mhúch sé an tine.

Do choinnic an bhean cad é an *mistake* a bhí déant' ansin aici. Do chua sí amach ar a' dtulán aríst:

" Ara, a chórsain mo chroí istig," adúirt sí, " iarrfa mise agus tabhairfead, iarrfa mise agus tabhairfead ! "

36. AN MAOR AGUS AN PIORÓID

Do bhí maor anso insa tsean-aimsir ag duin' uasal, agus do bhí caoire aige, agus é a' tabhairt aire dhóib. Do fuair dhá uan a bhí aige bás, agus ba mhaith leis iad a thabhairt i láthair a' mhaighistir a' nós ná beadh aon mhilleán ag an maighistear air i n-a dtaobh.

Bhí sé i n-a oíhe nuair a chua sé leis na huain go dí teh an mhaighistir. Do chrang sé an doras, mar bhíodar i n-a gcolla. Do bhí pioróid ar a' bhfuinneóig, teh an mhaighistir, agus d'fhiafra sí " cé hé a bhí ansin ? "

" Tá," adúirt a' maor, " mise Seán Pheadair mac Pheadair 'ic Seáin ! Oscail a' doras agus lig isteach me ! "

" Ha ha ! " adúirt a' pioróid istig. D'fhiafra sí aríst a' rud céanna, agus d'fhreagair Seán é go mba dh-é Seán Pheadair mac Pheadair 'ic Seáin a raibh a' dá uan mharabh' aige. " Oscail a' doras agus lig isteach me ! "

Cheap [Seán] gur seiribhíseach a bhí a' caínt leis. Choinnig a' pioróid ag a' ndoras go maidean é, agus í a' maga fé.

37. AMADÁN RÍ SÉAMUIS

Bhí anso fadó rí a dtugaidíst air Rí Séamus, agus má bhí choíhe chua sé thar lear i n-áit eicínt, agus pé an áit a ndeagha [sé] do casag Rí Alaban leis, agus bhíodar a' caínt. Insa chaínt dóib chuireadar geall cé huc' acu is mó a raibh amadán aige, nú cé huc' acu is láidre a raibh fear aige, nú ce hucu ba chliste a raibh fear aige. Chuireadar geall ansin agus dhaingeanaíodar a' geall. Chuireadar craínn ce huc' an fear thall a chuirfeadh a chuid fear anall nú an fear i bhfos a chuirfeadh anúnn iad. Thit a' crann ar Rí Séamus go gcathfadh sé a chuid féin fear a chuir anúnn.

Thaini Rí Séamus abhaile agus ghlao sé ar a' bhfear láidir a bhí aige.

" Cathfa tu dhul go hAlabain," adúirt sé.

" Táim sásta," adúirt a' fear láidir.

Do ghlao sé ar a' bhfear glic.

" Cathfa tusa dhul leis seo," adúirt sé.

" Táim sásta," adúirt sé sin.

Do ghlao sé ar an amadán.

" Cathfa tusa a ghuil leóthu seo," adúirt sé leis an amadán.

" Hu ! hu ! hu ! hu ! hu ! " adúirt a' t-amadán.

Mar sin a bhí. Do d'imíodar chuig a' tsiúil, agus le línn imeàcht dóib, chuir a' rí comaraí ar a' bhfear láidir agus ar a' bhfear glic ar a gcluais deis ná clé gan casa nú go dtí go dtugaidíst leóthu an t-amadán slán sábháilt' aríst.

Bhí sin mar sin. D'imíodar nú gur chuadar anúnn go hAlabain. Nuair a chuadar anúnn go hAlabain do bhíodar a' góilt suas go teh an rí. Do bhí an bheirt fhear a' siúl le taobh a chéile a' góilt suas dóib, agus bhí an t-amadán ar fursa i n-a ndiaig. Nuair a bhíodar a' góilt suas gairid do theh an rí do ghlaeig an t-amadán i n-a ndiaig:

" *Hallo* ! " adúirt a' t-amadán.

" Cud athá ort ? " adúirt an fear láidir.

" Cá ragha sib, a fhearaibh ? " adúirt sé.

" Ná fuil muid a' dul suas go teh an rí ? " adúirt sé.

" Cé an 'nó athá ansin agat ? " adúirt a' t-amadán.

" Níl fhios aghuinn ! " adúirt sé.

" Beig a rian air," adúirt a' t-amadán. " Be sib a' seasamh ar 'úr gceann. [Bhfuil fhios agaib] cad a dhéanfa sib ? " adúirt sé.

" Níl fhios aghainn," adúirt sé, " nú go bhfiafraí sé rud eicínt dínn."

" Fiafró sé dhíot," adúirt sé, " ar a' gcéad rud ar tus' an fear láidir. Cad a dhéarfa tu ? "

" Déarfa me gur me ! " adúirt sé.

" Má d'abaraíonn tu [é sin] caillfi tu an ceann ! "

" Cad eile cad a dhéarfa me ? " adúirt [a' fear láidir].

" Abair go bhfuil tu it' fhear láidir go math nú go dtagaig fear is láidire ná tu treasna dhuit ! "

" *Very well* ! Tá sin go math ! " adúirt [a' fear láidir].

" Cad a dhéarfa tusa ? " adúirt sé leis a' bhfear glic.

" Níl fhios agam," adúirt sé, " nú go bhfiafraí sé ceist eicínt díom."

" *Well*, is é an chéad cheist a fhiafró sé dhíot," adúirt a' t-amadán, " Ar tusa an fear glic ? ' agus cad a dhéarfa tu leis."

" Déarfa me leis gur me," adúirt sé.

" Má d'abaraíonn tu, caillfi tu do cheann ! " adúirt a' t-amadán.

" *Well*, cad a dhéarfa me leis mar sin ? " adúirt a' fear glic.

" Abair gur glic an fear a dhineann a ghró féin ! " adúirt a' t-amadán.

" Tá go math ! " adúirt a' fear glic, " déanfa sin a' gró. Ach cad a dhéarfa tusa leis ? "

" Ó, ní chuirfi sé ceist ar bith oram-sa," adúirt sé, " amadán is ea mise ! "

Dhineadar suas, agus nuair a chuadar suas chuaig cúntas isteach go dí an rí go raibh fearaibh Rí Séamus ar fáilt. Chua sé amach chucu, agus an chéad fhear ar labhair sé leis an fear láidir.

" Is tusa an fear láidir ! " adúirt sé.

" Is me," adúirt sé. " Tá me láidir go leór nú go dtagaig fear is láidire ná me treasna dhom ! "

" Tá sin go math," adúirt a' rí.

D'iúmpa sé anúnn ar a' bhfear glic. " *Well*, is tusa an fear glic," adúirt sé.

" Is glic a' fear a néann a ghró féin ! " adúirt an fear glic.

" Is fíor sin ! " adúirt sé.

D'fhéach Rí Alaban siar ther a ghualainn tao' thiar chuig ceist a chuir ar an amadán, agus nuair a bhí sé a' casa siar ar a ghualainn cad aireódh sé ach a' t-amadán agus bhí sé a' déana uisce suas ar dhroim a' rí.

" *God damn your soul*, a dhailtín ! " adúirt sé. " Cad athá tu a dhéana ? "

" Hu ! hu ! hu ! hu ! " adúirt a' t-amadán, agus ruith sé thert tímpeall a' maga fén rí.

" Is math é sin ! " adúirt a' rí. " Dá mbeinn-se im fhear ghasta mo dhóchaint, ní bheadh Amadán Rí Séamus a' fual suas ar mo dhroim ná a' maga fúm ! "

Fuaireadar cead na gcos chuig teacht abhail' ansin, agus bhí an ceann acu agus a' geall buaite.

38. AN tAMADÁN AGUS AN DUINE UASAL

Do bhí anso fadó duin' uasal, agus ba g[h]ráthach leis amadán a bheith aige. Do reángaig lá go raibh cúlódar tímpeall air ar cuire dínnéir, agus má bhí choíhint do bhí an t-amadán ag imeàcht ar fhuaid na sráide. Bhí go leór Éireann daoin' uaisle ann, agus má bhí choíhe, nuair a bhíodar ar fad cruinnithe, ba mhéin leis [a' nduin' uasal] lá fiaig a thabhairt dóib ar chapaille.

Bhí mar sin. Do bhí duin' uasal ann, agus do bhí sé a' teacht a' baitsiléireacht le hiníon a bhí ag a' rí (*sic*), agus m'anam go mba mhuar leis an amadán é bheith a' teacht fae n-a déint—bhí tóir mhuar aige féin uirthi !

Bhí go math. *By gor*, phoínteáil a' duin' uasal lá fiaig le hí na ndaoin' uaisle ar fad a bhí tímpeall ó rángaíodar ag a' ndínnéar, agus do thaini sé ar bun. Ach, *by gor*, do rángaig don duin' uasal seo ná raibh aon chapall aige, agus go dtáini sé gan aon chapall. Fuair sé capall a bhí insa stábala, agus do bhí tóir mhuar ag Seórsa ar a' gcapall go mbeadh sé aige féin lá an fhiaig. Bhí seana-chapall cait' amach cois a' chlaidhe ná raibh aon mhath ann a bhíodh ag obair a' déana gach uile rud ar fhuaid a' *yard*. Thug Seórsa isteach é, agus do chuir sé sa stábala é, thug sé gráinníocha coirce dho, agus do choinni sé leis nú go dtáinig lá an fhiaig.

Well, bhí faisean ag a' seana-chapall ná fuil aon uair a bhuailfeá do shála air, ná 'á dtugtá spor do, ná raghadh sae ar a dhá ghlúin.

Thainic lá an fhiaig, agus bhuail Seórsa a dhiallait ar a' seana-chapall, agus chuaig gah éinne amach insa bhfiach. Ach ar maidin fér thosnaig a' fiach, do bhuail Seórsa amach ar a' gcroc, agus choinnic sé giorria a' dul isteach i gcúinne luachara a bhí i bpáirc, agus bhí fhios aige é bheith ann, agus níor fhág [an giorria] an áit, ná níor chorra sé é. Chais [Seórsa] isteach, agus nuair a bhí an fiach ag imeàcht ar fhuaid na páirce i ngach uil' áit, thug Seórsa agha an tseana-chapaill ar a' gcúinne luachara, agus nuair a bhí sé a' déana ar an áit a raibh a' giorria, agus go raibh fhios aige cé rai' sé, do thug sé an spor don tseana-chapall, agus chuaig a' seana-chapall ar a dhá ghlúin.

" Halló, a bhuachaillí," adúirt sé, " casaigí, tá giorria anso ! "

Mar sin a bhí. Chasadar ar fad tímpeall, agus thógadar a' giorria. Bhí fiach muar acu ar a' ngiorria nú go raibh an-lá grinn acu air. D'imig a' giorria uathub, nú mharaíodar é—níl fhios agam cé huc' a dhineadar.

Ach pé an nós ar dhineadar é, bhíodar a' dul a' fiach [tamall] eile, ach reángaig go raibh abhainn mhuar ann, agus bhíodar ar fad a' góil treasna na habhann, agus bhí uisce go leór ínti, agus fér chuadar insan abhainn do dhruid duin' 'osna daoin' uaisle lé Seórsa, agus d'fhiafra sé go Sheórsa a' mbabhtáilfeadh sé an capall leis.

" M'anam ná déanfad," adúirt Seórsa, " go gcoinneód mo chapall féin, mar is é is feárr ! Níl aon áit a mbeig giorria ná be fhios agam é ! "

" Babhtáilfi me leat," adúirt a' duin' uasal.

" Ní dhéanfa me sin leat ! " adúirt Seórsa.

Do thug a' duin' uasal dualgas muar airigid do, agus an capall a bhí fé n-a thóin féin ar a' seana-chapall. D'aistiríodar na diallaití, agus chuaig Seórsa suas ar chapall a' duin' uasail, agus chuaig a' duin' uasal suas ar a' sean-*drag*.

Bhíodar ar fad a' góil treasna na habhann, agus, má bhíodar choíhint, is mó g'fhonn a bhí ar a' tseana-chapall deoch 'on uisce ól

insan abhainn ná a ghóil treasna uirthi. Chrom sé síos ag ól deoch
'on uisce, agus má chrom choíhe, thug a' duin' uasal an spor do, agus
dá thúisc' ar thug chua sé ar a dhá ghlúin san abhainn. Nuair a
chua sé ar a dhá ghlúin san abhainn, sporáil sé níos feárr é, ach dá
mhéid a bhí sé a' tabhairt a' spoir do, bhí sé a' síne nú gur thuimbleáil
sé é féin agus a' duin' uasal insan uisce. D'eighri sé fliuch báite
amach as an abhainn.

" Tá buailt' agat fúm, a Sheórsa ! " adúirt sé.

" Is tu héin is ciúntach ! " adúirt Seórsa.

" Cathfa tu me throid, a Sheórsa ! " adúirt sé.

" Táim ró-shásta," adúirt Seórsa. " Cé a' nós a dtroidfimuid i
dtosach ? " adúirt sé.

" Troideamuid a' léimineach ! " adúirt a' duin' uasal.

" Táim sásta ! " adúirt Seórsa.

Mar sin a bhí. Lárnamháireach, shocaraíodar a' *stand*, an áit
a mbeadh a' léim dá cathamh. Níor throm suain do Sheórsa. Insan
oíhe thainic sé féin agus a chúlódar, agus dhineadar poll leastamuh
insan áit a mba dhói go dtiocfadh a' duin' uasal a' túirlint. Bhailig
Seórsa gach uile shórt salachair ar fuaid a' bhaile ba ghoire dho nú
gur líon sé an poll a bhí déant' aige. D'fhoili sé ar an uachtar ansan.

Thainic a' cúlódar lárnamháireach.

" *Well*, is ort athá an chéad léim a chathamh," adúirt a' duin'
uasal lé Seórsa.

" Tá me sásta ! " adúirt Seórsa.

Bhí *top-coat* ar Sheórsa agus seana-bheilt aniar theiris. Thug sé
uta reatha, agus chaith sé léim, agus níor léim mhuar í.

" Ó," adúirt a' duin' uasal, " ní léim mhuar í sin ! "

" Caith tusa léim is mó ná í ! " adúirt Seórsa.

Thainic a' duin' uasal, agus thug sé glan-léim, agus dhin sé léim
mhaith dhi. Chua sé go glan-léim síos insa pholl a bhí déant' ag
Seórsa dho nú gur shaili sé agus bhroca sé é féin agus a' méid a bhí
thert tímpeall air.

" Tá buailt' aríst fúm agat, a Sheórsa ! " adúirt sé.

" Má thá féin," adúirt Seórsa, " ní díobháil é sin ! "

" Ach cathfa tu me throid aríst, a Sheórsa, agus níl muid réig
le chéile fós ! "

" Tá me ró-shásta ! " adúirt Seórsa.

" Cuid é a' nós a dtroidfimuid anois ? " adúirt a' duin' uasal.

" Is cuma liom é ! " adúirt Seórsa.

" Caithimuid troid ar chapaille anois ! " adúirt a' duin' uasal.

" *Well*," adúirt Seórsa, " troidfi me tu ! "

Chua [Seórsa] isteach, agus fuair sé an seana-chapall aríst, agus chuir sé i gcóir é.

" Cuid é an lá a throidfimuid anois ? " adúirt Seórsa.

" Troidfimuid a lithéide seo 'o lá," adúirt sé, ag ainimniú lá i gceann cúpala lá nú trí.

Chuireadar i gcóir a' lá sin, agus phointeáileadar amach é. Bhí go leór Éireann a' féachaint ar a' dtroid. Thainic a' duin' uasal insan am a bhí pointeáilte acu; agus níor ghráthach lé Seórsa a bheith i n-am i n-aon áit. Bhí sé á chuir féin i gcóir istig. Níor fhág sé sean-*tay-pot* ná sean-chiteal ná sean-tsáspan i n-aon tsórt áit ar fhuaid a' *yard* ná i n-aon *yard* eile a bhfuair sé seana-cheann acu nár bhaili sé thímpeall air. Chuir sé súgáin agus córdaí thímpeall air féin, agus chuir sé gah aon cheann acu thert tímpeall ar a bhásta, chua sé suas ar a sheana-chapall, agus cheangail sé a' chuid eil' acu gon ndiallait. Bhí sé ansin a' déan' ar a' gcúrsa.

Bhí an duin' uasal, agus bhí an capall a bhí aige ag eighrí insan aer lé brothall; agus a chlaíomh i n-a láimh aige le hí Seórsa a mharú láithreach. Dhin Seórsa go dian díheallach suas, é féin agus a sheana-chapall, agus nuair a bhí an capall a' góilt suas, bhí glogar i n-a bholag. A' góil suas don tseana-chapall agus an glogar i n-a bholag, bhí na *tin cans* a' *rattle*áil. [Thosanaig] a' capall a bhí abhus a' léimirig. M'anam gur ruith sé i ndia a chúil. Lean Seórsa é, agus ruith sé níos déine i n-a dhiaig ansin. *By gor*, bhí sé ag imeàcht ar rialacha (?) agus a' duin' uasal ad iarra é choinneáilt. Do bhí Seórsa ag imeàcht i n-a dhiaig agus gah aon liú dhá chur i n-a dhiaig aige:

" *Stand, you coward !* " adúirt Seórsa leis a' nduin' uasal. Ní raibh aon mhath ann. D'imig a' duin' uasal, agus lean Seórsa é, agus d'imig capall a' duin' uasail gan faid saeil don nduin' uasal nú gur fhiach Seórsa amach as a' diméin agus amach as an áit é. Do bhí an babhta buailte ag Seórsa.

39. DÓNALL Ó DEÁ AGUS SEÁN CHORAMAIC

Do bhí fear i n-a chónaí thoir i mBaile na Leacan insa tsean-tsaol am ainim do Dónall Ó Deá, agus do bhí fear eile i n-a chónaí i n-Ách a' Bhóthair a dtugaidís Seán Choramaic air. Bhí go math.

Do bhídíst a' deighleáil le chéile go hana-mhinic, ach do ruith Seán Choramaic gairid i bpiginní airigid, babhta; agus do bhí rud beag *property* ar Dhónall. Do chua sé go dí Dónall, agus do d'iarr sé iasacht roinnt airigid air ar chuairt tamaill nú go bhfaigheadh sé é dhéana agus é theacht isteach aríst air. Do bhí Dónall có baoch de agus go dtug sé dó é. Bhí go math.

Do bhain Seán úsáid as an airigead, ach níor bhac sé lé é chur ther n-ais go dí Dónall nuair a gheall sé dó é. D'iarr Dónall air é nuair a chuaig a' scéal i bhfad, ach ní bhfuair sé aon fhreagara mar bhí fhios aige go math ná raibh aon ghiob lé baint de. Bhí go math. Dob éigint do Dhónall próiseas a thabhairt do Sheán. Insan am sin is é an áit a raibh a' ceathrú shiseóin i gCill Ruis, agus b'fhada an bóthar é ó Bhaile na Leacan agus ó hÁch a' Bhóthair é.

An lá a raibh a' ceathrú shiseóin, do bhuail a' bheirt fhear i n-éindí le chéile, agus do d'imíodar a' dul ar a' mbóthar go Cill Ruis go mbeidíst thiar i gCill Ruis ag a' gceathrú shiseóin Iarnamháireach. Do bhuaileadar isteach go *Milltown*—ba dh-é an bail' a bhí rómpu ar a' mbóthar é—agus, má chuadar choíhint, d'óladar braon. Do bhí Seán Choramaic i bhfad ní ba mheasa ná mar a bhí Dónall Ó Deá, agus, má bhí choíhint, do thug sé breis don bhraon do Dhónall, agus bhí breis dúil ag Dónall sa mbraon. D'ól Dónall iomurca dhon bhiotáille, agus do thit sé súgach, agus thit sé i n-a cholla as a' súgaíocht. Do d'eighri Seán amach ar fhuaid na sráide, agus d'fhéach sé thímpeall air; agus casag carraeraí leis a bhí a' dul go hInis. D'fhiafra sé dhe, á mba dh-é a thoil é, a' dtabhairfeadh sé fear a raibh braon ólt' aige—a' dtabhairfeadh sé go hInis é, go rai' sé a' dul go hInis ach gur thit sé súgach, agus dá dtugadh sae leis é go dtabhairfeadh sé luach deoch do. Dúirt a' carraeraí nárbh fheárr leis díomhaoineach ag imeacht.

Do rugadar ar Dhónall, agus do leagadar isteach ar thaobh na trucaille é. Do bhí an carraeraí ag imeacht leis go ndeagha sé go hInis. Nuair a chua sé go hInis do riug sé ar Dhónall agus do dhúisi sé é, agus do leag sé amach ar a' sráid é.

Do bhí Dónall níb fheárr an uair sin agus a' mheisce imithe dhe. D'fhéach sé thímpeall air. Choinnic sé an baile muarthímpeall air, agus do d'fhiafra sé cá rai' sé anois.

"Ar i gCill Ruis athá mé?" adúirt sé.

"Ní hea," adúirt a' carraeraí, "tá tu i n-Inis!"

"Tá go math!" adúirt Dónall. "Tá sin socair go math!"

Do bhuail Dónall seile ar a mhaide, agus do chais leis a' bóthar có dian i n-Éirinn agus b'fhéidir leis é, agus thug sé a agha ar Chill Ruis. Nuair a bhí sé a' góil siar go Cill Ruis, bhí sé lá déanach, agus cé bheadh a' góil aniar i n-a choinne ach Seán Choramaic, agus a' chúirt caite, agus bhí cás Dhónaill caite suas. Casag lé chéile iad.

"Bhfuil a' cás caite suas?" adúirt Dónall leis.

"Ó, tá, an babhta seo," adúirt Seán. "Tá sé có math dhuit cas' abhail' anois!"

Do bhuaileadar araon abhaile aniar aríst, agus a' góil aniar trí *Mhilltown* dóib aríst, d'óladar cúpala *trate* nú trí, ach má d'óladar, níor ól Dónall an oiread a's a chuir ar meisce é! Thánadar abhaile, agus ní raibh aon trácht ar a' ndlí ó choin.

40. BEAN Á BÁ

Do bhí fear i n-a chónaí sa pharáiste seo fadó, amach suas i dteórantacht Bhail' Í Rínn. Insa droch-shaol do chuaig a bhean chuig na trá ar maidin a' baint cúna beag le hí a beathaithe, agus tháinic a' tonn fúithi agus tógav amach í. Ag imeàcht di do chuir sí *harcourt* a fir ar a bráid mar bhí an mhaidean fuar, agus chuir sí córda thímpeall ar a muinéal, agus do bhí an *harcourt* thímpeall uirthi.

Do ruith scéala go raibh a' bhean báite, agus í ag imeàcht amach ar bhárr na farraige. D'airig fear na mrá é, agus do chua sé ar a' láthair, agus choinnic sé ag imeacht í.

"Ó, mhuise, bheirim 'o Dhia a's do Mhuire í," adúirt sé, "ar ndó, níl leath-dheifir dom í bheith imithe, ach nách shin í amach mo *harcourt* aici!"

SCÉALTA CRÁIFEACHA

Ω

41.   AN SLÁNACHÓIR AGUS AN CÚIRLIÚN

Nuair a bhí An Slánachóir ag imeàcht ar a theithe fadó, agus na Giúdaig ar a thuairisc dá lorag, do bhí sé a' siúl ar fhaid na trá, agus bhí rian a chos a' fànacht insa ngaineamh. Do bhíodar ag imeacht ar rian a chos, agus dá leanúint. Do tháinic a' Cúirliún agus shiúil sé i n-a dhiaig, agus do mhill sé rian na gcos nú gur chuir sé na Giúdaig amú.

D'fhág A' Slánachóir mar bhua ag a' gCúirliún gan éinne go brách a' fáil amach a nead.

42.   AN SLÁNACHÓIR, AN TÍNCÉIR AGUS AN GABHA

Nuair a bhí An Slánathóir agus a mháthair a' siúl ar a' dtalamh seo fadó, do bhí sé féin agus í féin a' góil a' bóthar, agus bhí sé ar a bacalainn aici. Do chaill sí an biorán as a gúna, agus do bhí an brat dá fhuadach di agus ní rai' sí mar ba cheart di sásta.

Well, do bhí sí ag imeàcht léithi, agus do casag tíncéir léithi. D'fhiafra sí dhe a' ndéanfadh sé biorán di a chuirfeadh sí i n-a brat. Thug sé sin ais-fhreagra uirthi, agus ní dhéanfadh sae é.

Do chua sí go dí teh an ghabha, agus, má chuaig choíhint, do sheasa sí tao' 'muh do dhoras na ceártan, agus d'fhiafra sí a' ndéanfadh sé biorán di a chuirfeadh sí i n-a brat. Dúirt [a' gabha] go ndéanfadh agus fáilte. Nuair a chuaig sé isteach do dhin sé biorán di a chuir sí i n-a brat, agus bhí sí ana-bhaoch de.

D'imíodar leóthu ansin.

" A mhic, cé an luach saothair a thabhairfi tu don fhear a dhin a' biorán dom ? "

" Tabhairfead," adúirt sé. " Fágfa mé an méid seo mar bhua aige go brách—aghaig gah éinne a bheith ar theh an ghabha, agus aghaig a' tíncéara ar gach uile theh ! "

43.   MUIRE AGUS AN CORP MARABH

Insa tsaol so a cathag fadó an t-am a raibh A' Slánathóir agus a Mháthair a' siúl ar a' dtalamh seo, do bhí Naomh Peadar mar sheiribhíseach i n-éindí leóthub. Do bhíodar lá a' góil a' bóthar.

Bhí Naomh Peadar reómp' amach a' siúl ar a' mbóthar. Do bhí An Slánathóir agus a Mháthair a' siúl i n-a dhiaig aniar, agus do thug an Mhaighdean ghlórmhar fae ndeara Naomh Peadar, agus é a' siúl réimpi amach ar a' mbóthar.

" A Mhic," adúirt sí, " nách breá an fear Peadar, ach tá sé ana-chrom-shlinneánach, agus ba mhuar a' trua é ! "

Níor labhair A' Slánathóir aon fhocal, agus níor dhúirt sé sea ná ní hea go dtáinig a am héin air.

Do d'imíodar leóthu nú go dtainic an oíhe orthub, agus nuair a tháinic an oíhe orthub, agus do bhíodar a' lorag a' lóistín, do thug sé isteach i dteach í ná raibh éinne ann istig roimhe ach corp marabh a bhí leacaithe ar bórd agus soillse lasta os a cheann.

Do bhí go math. Do chuir sé i n-a shuí an mháthair 'deir an balla agus a' corp ar fuarma a bhí ann socair, agus dúirt sé léithi fanacht ansin go fóilleach. Bhuail sé amach, agus má bhuail choíhint níor chais sé uirthi go dtáinic a' lá lárnamháireach air.

Do bhí sí ansin ar fhaid na hoíhe go huaigineach, agus b'fhuiris gach uair léithi go dtiocfadh daoine isteach go dí an dtórramh, agus b'fhuiris gach uair léithi go dtiocfadh An Slánathóir isteach chuici féin aríst. Níor chais sé uirthi go maidean. Ar maidin nuair a chais sé uirthi, d'fhiafra sé dhá mháthair cad é an nós ar chaith sí an oíhe.

" Muise, a ghrá," adúirt sí, " chaith mé go fíor-uaigineach í, agus cér ghui' tú uaim ? Do bhí uaigineas muar orum, agus ní raibh éinne agum i gcathamh na hoíhe ach me héin agus a' corp atá marabh ar a' mbórd."

" Ar ua tú aon ghreim, a mháthair," adúirt sé, " ó bhí mise heana agat ? "

" Ní raibh aon ghreim lé n-ith' agum, a ghrá," adúirt sí.

" A mháthair," adúirt sé, " ar ua tú aon ghreim don chorp a bhí marabh ar a' mbórd ? "

" Ó, níor uas, a ghrá, ná ní fhéadfainn ! "

" Agus, a mháthair," adúirt sé, " nárbh fhusa dhuit greim a bhaint as a' gcorp a bhí marabh ar a' mbórd ná greim a bhaint do Pheadar a bhí a' góil reót ar a' mbóthar inné ? "

" Gabhaim párdún chút, a ghrá," adúirt sí, " is dóch gur dhin mé rud as bóthar nuair a dhin mé é sin ! "

44. AN SLÁNACHÓIR AGUS A MHÁTHAIR

Nuair a bhí An Slánachóir ar chrann na Croise dá chéasa, do bhí a mháthair ar a dhá glúin ar a agha amach, agus í go cráite, gan dabht.

" Muise, mo ghrá tu, a mháthair ! " adúirt An Slánachóir léithi.

" Mo sheach' ngrá tu, a mhic ! " adúirt a mháthair dá fhreagairt.

" Fágaim-se [é] sin mar bhua ag an gcine daonna go brách," adúirt An Slánachóir léithi aríst, " a sheach' ngrá a bheith ag an máthair dá leanabh fén ngrá athá ag an mac di ! "

45. GLAO AN CHOILIG

Nuair a ghlaonn a' coileach is a' fógairt na hanachaine i bhfad ón dteh atá sé.

[Deireadh na sean-daoine nuair airídís a' coileach a' glaoch]: " Agha na hanachaine i bhfad uainn ! "

[Nuair a ghlaonn a' coileach is é rud adeireann sé ná]: " Coirce buí an saol ! "

Sin é an ghlao a dhin a' coileach nuair a d'eighri sé as an oighean: " Mac na hÓ' slán ! "

46. AN DEARDAOL

Is é an chiall a gcuireamuid ár gcos ar a' ndeardaol nuair a chasfar linn é, mar deir siad gurab é a' chéad phiast a chuaig ag ithe Ár Slánathóra nuair a bhí sé curtha insan ua.

47. AN FÁTH A BHFUIL BÁRR NA LUACHARA DÓITE

D'airi me ag a' sean-dream a thainig reóm anso fadó go raibh fear ann agus go bhfuair sé bás, agus nuair a fuair sé bás do chua sé go dí doras na bhFlathas go dí Naomh Peadar. Is é an méid prugadóireacht a chuir Naomh Peadar air faid a bheadh sé a' dó coinneal leathphinne, a dhul amach i n-a lithéide sin do pháirc agus a' choinneal na leathphinne a thabhairt leis i n-a láimh, agus fàn-acht i n-a haice faid a bheadh a' choinneal a' dó.

Do chua sé amach ar a' bpáirc, agus do d'fhain sé amuh ar a' bpáirc a' dó na coinneal leath-phinne, agus do dhó sí có cineálta agus có hoiliúnach le haon choinneal dá saghas a dhóig riamh nú go rai' sí dóite có fada síos agus ná raibh ann di ach a' méid a raibh greim aige uirthi le n-a dhá mhéir—sin é an t-órlach. Do leag sé an choinneal ansin ar bhárr brobh luachara, agus do d'imi sé leis go dí Naomh Peadar airíst dhá dhéan' amach nuair a raghadh sé có fada lé doras na bhFlathas go mbeadh a' choinneal dóit' amach.

Nuair a chua sé go dí Naomh Peadar do d'fhiafraig Naomh Peadar de a' raibh a' choinneal dóite.

" Tá sí dóit' anois, is dóch," adúirt sé, " mar nuair a d'fhág me im dhiaig í do bhí sí dóite ach amháin a' t-órlach do bhí 'der mo dhá mhéir ! "

" Well, anois," adúirt Naomh Peadar, " teighr' ther n-ais airíst, agus féach a' bhfuil sí dóite, agus ó thug tu an choinneal tabhair a' t-órlach ! "

Do chua sé ther n-ais airíst insan áit ar fhág sé an choinneal, agus nuair a chua' sé ther n-ais níor thug sé fé ndeara ná ní fhaca sé go raibh aon ghiob de dóite ach mar a d'fhág sé i n-a dhiaig í.

Mar sin a bhí. Cad é an faid a sheasaig a' choinneal a' dó—agus ní raibh ann ach a' t-órlach ? Do sheasa sí céad blian, agus do choinni sé ansin i n-a haic' é nú go raibh a' céad blian caite. Dhin a' mhí-fhoighne a' méid sin leis, mar dá bhfanadh sae i n-aice na coinnle go mbeadh sí dóit' amach, do dhófadh saí có dian a's do dhóig a' chuid eile dhi.

Sin é an réasún go bhfuil an bárr rua-dhóite ar an mbrobh luachara ó choin agus beig go brách.

48. AG BAINT NA bhFLATHAS AMACH

Insa tsean-tsaol a cathag anseo fadó, do bhí fear ann, agus fuair sé bás. Do bhí sé lách praitinneach a dhóchain ar neamh agus ar talamh, is dóch. Do d'imi sé leis nú go ndeagha sé go dí geata na bhFlathas, agus nuair a chua sé go dí geata na bhFlathas do bhí beirt nú triúr eile rimhe, agus iad dhá n-éisteacht ag Naomh Peadar.

Do bhí Naomh Peadar á gcur ó dhuine go duine i ngach áit a bhfaca sé oiriúnach é 'o réir mar a thuilleadar é i ruith a' tsaeil. Do tháini sé [seo] tao' thiar díothub, agus do sheasa sé tao' thiar díothub a' fànacht le n-a am héin chuig é éisteacht. Nuair a bhí sé ansuin, do riug sé ar a' hata, agus bhain sé faid a riuchair isteach ar fhuaid na bhFlathas as. D'iúmpa sé thímpeall ansuin, agus do sheasa sé suas, agus do bhuail sé a ghuala lé doras na bhFlathas, agus chrom sé a bheith a' féachaint amach ar a' dtír.

Nuair a bhí Naomh Peadar réig leis a' muíntir a bhí aige rimhe sin, do labhair sé leis seo:

"Cud é a' rud athá tus' a dhéan' ansin?" adúirt Naomh Peadar leis.

"Muise," adúirt sé, "tá mé a' féachaint amach ar a' dtír!"

"Tá sé có math dhuit," adúirt [Naomh Peadar] "a dhul i n-a lithéide seo dh'áit mar gah éinne ar fiog a' faid seo aimsire!"

D'fhéach a' fear thímpeall air, agus do chais sé isteach aríst.

"Cá ragha tú?" adúirt Naomh Peadar.

"Ná caithim a dhul ad iarra m' hata!" adúirt sé.

"Ca'il do hata?" adúirt Naomh Peadar.

"Ná fuil sé fácaithe istig im dhiaig agum!" adúirt sé.

"Cé an uair a bhí tú istig?" adúirt Naomh Peadar leis.

"Táim istig lé fada," adúirt sé.

"*Well*, cad a thug amach tú?" adúirt Naomh Peadar leis.

"Tháini me amach go bhfeicead a' tír lasamuh!" adúirt sé.

"Gui' isteach ansin uaim," adúirt Naomh Peadar, "agus ná feicim anso amach i gcathamh a' domhain aríst tu!"

Do chais sé isteach, agus ní fhacaig éinne tao' amach (*sic*) do dhoras na bhFlathas ó choin é.

49. SCÉAL AR NAOMH MÁRTAN

D'airíomair trácht anso fudó nuair a bhí Naomh Mártan amach ar fhuaid na tíre, agus é mar gach naomh a' scrúdú an Chreidimh— mar insan am sin bhí sé ráite ná raibh ann ach págánaig. Do bhí te' agus tíos aige dho féin, agus do bhí bean tí aige a' tabhairt aire gho'n te'. Ach do d'imíodh Nao' Mártan amach ar maidin go doth a' scrúdú an Chreidimh i measc na gcôrsan, agus ní thagadh sae isteach go dí déanach tráthnóna go dtagadh sae fé dhéint a chuid bí'. Do bhí an bhean tí—ní raibh aon ghiob lé déan' aici ach a' bia a chuir i gcóir ar maidin do, agus ansin é bheith i gcóir do aríst tráthnóna. Do bhí uaigineas muar uirthi mar ní raibh aon taithí aici ar bheith díomhaoineach, agus d'airíodh sí an lá an-fhada toisc go raibh sí díomhaoineach ar fhaid a' lae roimhe sin.

Oíhe dá dtaini sé isteach d'fhiarha sé dhi cé an chor a bhí uirthi, nú conas a chaith sí an lá.

" Do chaith me uaigineach go leór é! " adúirt sí.

" Cuid é an réasún é sin ? " adúirt Naomh Mártan léithi.

" Muise, níl aon ghiob lé déan' agum aon lá insa mbliain," adúirt sí, " ach do chuid bí' a chuir i gcóir ar maidin duit a' góil amach duit, agus tá me díomhaoineach ansin aríst nú go mbe me a' cuir do chuid bí' i gcóir duit tráthnón' aríst; agus airím an lá an-fhada go léir ! "

" Well, fan leat," adúirt sé, " anois go dí maidean amáireach, agus fén a bheith slán dúinn," adúirt sé, " b'fhé' go mbeadh rud eicínt lé déan' aghut as sin suas ! "

Mar sin a bhí. Nuair a bhí a bhéile it' ag Naomh Mártan do riug sé ar a scian, agus do chuir sé poll ar a thaobh isteach, agus do tharainn sé lán a dhoirine go'n bhlonaig a bhí istig i n-a thaobh amach.

" Seo," adúirt sé, " beir air seo, agus cuir fé bhéal a' scoitire athá ansin thuas ar an úrlár aghut é, agus be fhios aghut cad a bheig aghuinn ann ar maidin ! " adúirt sé.

Bhí go math. Do riug a' bhean tí ar lán a dhoirine go'n bhlonaig a thug sé amach as a thaobh, agus leag sí fé bhéal a' scoitire thuas ar an úrlár é, agus má leag choíhe d'fhág sí ansin go maidean é.

Ar maidin lárnamháireach nuair a bhí Naomh Mártan ag ithe a bhricfeast: " Eirig anois," adúirt sé, " agus féach a' bhfuil dada fé bhéal a' scoitire aghut tréis na hoíhe ! "

Do d'eiri sí n-a seasamh, agus do d'iúmpa sí an scoitire anáirde, agus ruith cráin bhanabh agus a hál banabh amach ón scoitire chuici.

" Anois," adúirt sé, " a' bhfuil roinnt le déan' aghut ? "

" Tá mo dhóchain le déan' anois aghum," adúirt sí, " agus is math é sin."

Do bhí sí féin agus a' t-ál banabh gur chaitheadar a' lá le chéile go dí an oíhe, agus níor airi sí faid ar bith insa lá.

D'fhan mar sin go dí istoíhe lárnamháireach nú go dtainic Naomh
Mártan isteach, agus bhí sé ag ith' a bhéile. Do bhí na banaí ar
fhuaid an úrláir, agus iad a' súgara leóthu féin. Cuid é a' rud a
thiocfadh do léim amach ó bhun a' bhalla ach staic do fhranncaig
mhuar láidir, agus sciob sí ceann dosna banaí léithi. Do bhí sí ag
imeacht agus ceann dosna banaí aici. Níor dhin Naomh Mártan ach
breith ar a' lamhainn a bhí ar a láimh, agus é chatha leis a' bhfrann-
caig. Do dhin cat do'n lamhainn láithreach, agus láimhsi sé an
fhranncach agus mhara sé í. Níl aon lá ó choin ná fuil cat agus
franncach a' fiach ar a chéile ar fhuaid a' tí.

50. NAOMH PÁDRAIG AGUS AN FREANGACH

Nuair a bhí Naomh Pádraig a' teacht go hÉirinn ar a' bhfarraige,
do bhí na héisc ar fad á leànacht i n-a dhiaig. Do bhí an Freangach
reómp' amach insa tsrámh a' teacht chun magaig a dhéanamh fé
Naomh Pádraig agus a chólúdair. Chais sé siar ar a' gcuid eile gon
iasc, agus do chuir sé cor i n-a bhéal, agus tá sin mar sin ó choin—
tá cor i mbéal a' Fhreangaig!

51. CIACH NA mBEANN ÓIR

Insa tsean-tsaol anso do bhí ann fear, agus bhí sé grádiaúil
cúinsíosmhar. Níor lig sé éinne riamh amach as a theh gan bia
agus deoch agus lóistín oíhe i ngach cuma. Chaith sé a shaol ar a'
saol so riamh i n-a chríostaí mhath, agus nuair a bhí a shaol caite
ba dh-é toil Dé gur chuir Dia an bás air. Nuair a cailleag é chuaig
sé go dí doras na bhFlathas, agus chrang sé. Nuair a chrang sé
d'fhiarhaig a' pórtúir a bhí istig ce hé bhí amuh.

" Tá mise," adúirt sé.
" Ce hé tusa ? " adúirt an fear a bhí istig.
 " Is mise Ciach na mBeann Óir,
  Ba shia mo lón ná mo shaol,
  Níor chuir me éinne riamh as mo theach,
  Agus is dócha ná cuirfear mé as teach Dé!"
"Ní chuirfear!" adúirt an fear a bhí istig. "Isteach leat!"

52. DONNACHA MUAR AN CHROÍ BHIG

Is minic a d'airi mise na sean-daoine a' cuir síos ar Mhacámh agus ar Dhonnacha Muar a' Chroí Bhig. Agus is é Donnacha Muar a' Chroí Bhig a chaill ar Éire, mar fuair sé trí achanaí ó dhuine naofa, agus an achanaí is mó a chaill sé an achanaí is mó a dh'oil dúinn! Gheódh sé na Flathais dúinn féin agus don tsaol go léir dá n-iairadh sé iad, ach níor iarr sé na Flathais ach dosna seach' sínsear a tháinic rimhe féin—agus dhin sé leis féin mar a dhin sé linn-ne—níor chuíni sé ar aon mhath dho féin!

Sin é an chiall ar tugag " Donnacha Muar a' Chroí Bhig " air!

53. AN tANAM I bPURGADÓIREACHT

Do bhí beirt bhan a' teacht go dí an Airheann, maidean Domhnaig, agus do bhíodar a' siúl ar fhaid a' bhóthair a' teacht; agus do chathaidíst gal tobac. Do bhí crann ar thaobh a' bhóthair, agus do shuíodar síos ag bun a' toir go gcathaidíst gal, iad araon lé chéile. Do bhíodar a' cath' an tobac; ach nuair a bhí gal caite ag duin' 'osna mrá, do shín sí an píopa ther n-ais go dí an mbean a mba léithi an píopa, agus nuair a thug sí an píopa dhi, do ghui sí:

" Beannacht dílis Dé le hanam do mharabh! "

Le n-a línn sin d'airi sí an rud a' corraí istig insa tor, agus do tháinic an toirt go léir amach ar thaobh an bhóthair chucu. Do ghlacadar scianfa, agus do d'imíodar. Nuair a theanadar go dí an Airheann, d'ínsíodar dhon tsagart cad a thit amach, agus gur tháinic an toirt amach as a' dtor chucu, gur ghlacadar scianfa, agus gur imíodar.

Do d'imig a' sagart leóthu ther n-ais go dí an áit aríst, agus do lé sé ag a' dtor.

Do tháinic an toirt amach as a' dtor chuig' aríst, agus má tháinic choíhint, cheisti sé an toirt. Agus is bean í a bhí i bPrugadóireacht, agus ní bheadh aon Phrugadóireacht uirthi ach d'fhág sí aon iníon amháin i n-a diaig, agus níor shíl sí ó choin riamh beànnacht a chur le hanam a máthar. Do d'inis sí é sin don tsagart, agus gurab é sin an méid triobalóide a bhí uirthi ná lé beith uirthi.

D'fhiafraig a' sagart di cé rai' sí, agus dúirt sí go rai' sí i n-aimsir
i dteh insa pharáiste. Do d'inis sí ainim an tí don tsagart. Do d'imig
a' sagart leis, agus chua sé go dí an dteh. A' góil isteach go dtí an
dteh dho, do shaili sé a bhróga insa log a bhí ar a' mbóthar rimhe,
agus nuair a chua sé isteach go dí an dteh do ghlao sé ar a' gcailín,
agus dúirt sé léithi a bhróga a ghlana dho. Dúirt sí go díreach ná
déanfadh, ligint do féin iad a ghlana.

Bhí go math. Dúirt sé léith' aríst é, agus dúirt sí ná déanfadh.
Ach an tríú babhta, dúirt sé léithi gom fhearra dhi é dhéana. Agus
ansin do chrom sí síos, fuair sí éadach, agus do ghlan sí bróg an
tsagairt, agus nuair a dhin:

" Beànnacht dílis Dé le hanam do mháthar ! " adúirt a' sagart;
agus ní raibh ann ach a' méid sin nú gur imig a' t-anam glan isteach
go Flathais.

54. BUACHAILL SLIABH LUACHARA

Well, do bhí anso fadó insa tsean-tsaol lánú, agus bhíodar ana-
chrosta le chéile. Níl aon lá insa mbliain ná bídís a' bruíon, ag
aighneas, agus ag acharann; agus do bhí fear córsan acu, agus do
bhíodh sae gach lá ad iarra a bheith a' déana réitig eatarthu. Do bhí
sé sáraithe ó bheith a' déana réitig eatarthu, agus do bhí an troid i
gcónaí eatarthu, agus ní raibh aon tsuaineas.

Do bhí go math. Lá dhosna laethanta ansin, do thosanaig an
t-aighneas eatarthu, agus do bhí an buala go han-dian. Do bhí
faitíos ar a' bhfear nuair a bhí sé ag éisteacht leóthu go maróidíst
a chéile, agus bhí leisc' air a ghóil eatarthu. Ach, pé scéal é, do chua
sé eatarthu, agus do chuir sé ó chéil' iad. Dúirt sé leis féin go raibh
sé tuìrseach ó bheith a' dul a' déana réitig eatarthu i gcónaí, agus ná
raghadh sé ann feastaint, agus adúirt sé leóthu:

" Má leanann sib an dlí athá aguib agus a bheith mar athá sib,
dob fheárr do dhuin' aguib a ghóil amach a' doras ó thuaig agus an
duin' eil' aguib a ghóil amach an doras ó dheas, agus gan a chéile
fheiscint choíhint ná a bheith insa nós a bhfuil sib ! "

" Is fíor sin ! " adúirt a' bhean, ag eighrí do léim, agus chua sí
amach a' doras ó dheas.

" Is fíor ! " adúirt a' fear; agus chua sé amach a' doras eile.

D'imíodar ó chéile, agus má d'imíodar choíhint, do bhí bó nú dhó acu, agus insan oíhe, nuair a bhí an oíhe a' teacht, do tháinig a' fear córsan, agus do chuir sé na beithíg isteach mar shúil a's go mbeadh duin' acu casta as sin go maidean.

Well, ar maidin Iarnamháireach, ní rabhadar ar fáil, ná níor theanadar. Mar sin do bhí an sceál go ceann seachtaine, agus i gceann na seachtaine ní raibh aon tuairisc orthu ach insa nós chéanna. Agus ansin do bhí [an fear córsan] tuìrseach ó bheith a' déana a ngnótha agus a ghnótha féin.

Do d'imi leis ansin; agus do bhuail aiféal é.

" Is olc a' saothar a dhin mé," adúirt sé, " agus b'fhéidir gur dhin mé rud as bóthar."

Do bhí an sceál a' déana teinnis mhóir do ansin, ach má bhí choíhint, ní raibh i bhfad aimsire go ndeagha sé chuig faoisidín go dí an sagart, agus do d'inis sé a sceál don tsagart cad adúirt sé agus cad a dhin sé agus cad a thit amach dá bhíthint.

" Is rí-olc a' saothar a dhin tu! " adúirt a' sagart. " Ní raibh *power* ar bith agut cóirle a chuir ar lánú phósta. Ní fhéadfainn-se aon mhaitiúnachas a thabhairt duit anois. Cathfa tu a dhul go dí an Easpag! "

Well, níor dhin sé aon mhoill ansin; do tháinig a' sceál níos teinne dho. D'imi sé leis agus chua sé go dí an Easpag, agus do dhin sé a fhaoisidín leis, agus d'inis sé dho an sceál céanna.

" Is rí-olc a' saothar a dhin tu! " adúirt a' t-Easpag aríst leis. " Anois, ní fhéadfainn-se aon mhaitiúnachas a thabhairt duit. Cathfa tu a dhul go dí an bPápa! "

Bhí an sceál a' teacht níos tinne dho ansin. Do d'imi leis ansin, agus do chua sé go dí an bPápa, agus ba dhiocair do a dhul có fada leis a' bPápa. Do bhí obair mhór air a' dul isteach go dí an bPápa. Nuair a fuair sé a dhul go dí [é] chua sé chuig faoisidín insa chuma chéanna, agus do dhin sé a fhaoisidín leis a' bPápa mar a dhin sé leis a' sagart agus leis an Easpag roí[mhe] sin. Má dhin choíhint, dúirt a' Pápa leis:

" Anois," adúirt sé, " dhin tú rí-dhroch-shaothar duit héin, agus ní fhéadfainn-se aon mhaitiúnachas a thabhairt duit! "

" Dia lé cabhair chúinn," adúirt an fear bocht, " níl fhios agum cad a dhéanfainn anois! "

" *Well,* níl aon ghiob lé déan' agut," adúirt a' Pápa leis, " ach aon rud amháin, agus mara ndine sin a' gró dhuit," adúirt sé, " níl fhios agum-sa cad a thitfig amach duit. Tá fear i n-a lithéide seo dh'áit athá a' cuir a Phrugadóireacht de a dtugann siad Buachaill Sliabh Luachara air, agus teighre chuige sin, agus din faoisidín leis, agus pé rud a dhéarfa sé sin leat cathfa tú é dhéana ! "

Bhí go math ansin. Do d'imi sé leis, agus do chua sé insan áit a raibh Buachaill Sliabh Luachara, agus do bhí sé a' teacht déanach tráthnón' air, agus é a' déana ar an áit a raibh sé. Bhí teh beag gairid don áit a raibh lánú chríonn' ann, agus do ghlao sé ann isteach, agus d'iarr sé lóistín.

" Tabhairfimuid agus fáilte ! " adúirt siad-sin leis.

Well, shui sé síos, agus do bhí sé féin agus fear a' tí a' caínt go ceann i bhfad; agus do bhí an scéal a' déana tinnis ana-mhuar do, agus ní rai' sé chuige féin.

Do chuir sé ceist ar a' bhfear ar airi sé riamh trácht go raibh a lithéide sin d'fhear i n-a lithéide sin do chroc a dtugaidíst an Buachaill Sliabh Luachara air.

" D'airi me trácht go raibh," adúirt fear a' tí, " ach," adúirt sé, " tá sé sin ana-dhainnséireach duit-se dhul fae n-a dhéint ! "

" Is cuma liom é sin," adúirt a' fear.

Do d'imi sé ar maidin larnamháireach; agus nuair a bhí sé ag imeàcht :

" *Well,*" adúirt an fear a' tí, " tar a' bóthar anocht a' teacht duit, agus be fhios aguinn cé an scéal a bheig agut ! "

" Déanfad," adúirt an fear a bhí ag imeacht.

Do d'imi sé leis, agus do chua sé isteach ar a' bpáirc a raibh an Buachaill Sliabh Luachara ann istig. Do bhí gleann istig i lár na páirce an áit a mbíodh cónaí ar a' mBuachaill Sliabh Luachara 'o réir mar a bhí ráite.

Dá thúisce a ndeagha sé isteach ar a' bpáirc, do tháinic a' lá i n-a chloch-shneachta, i n-a thóirneach, agus i n-a ghach uile shórt droch-síon is measa dhá dtáinig as an aer riamh, agus níor tháinic a lithéid anuas as an aer riamh ar a' mBuachaill Bó Sliabh Luachara pé ar domhan faid ó leagag ann é go dí sin. Do bhí sé a' déana suas an gleann a raibh Buachaill Bó Sliabh Luachara ann 'o réir mar a d'airi sé; agus do dhin an fear anuas i n-a choinne lé buile agus lé feirig.

" Imig uaim," adúirt sé, " a pheacaig ghránna, agus ná feicim isteach ar a' bpáirc go brách aríst tu, mar is fada anso mise—leis a' bhfaid seo aimsire—agus níor tháinic a lithéid do dh'uair orum agus do tháinig orum ó thaini tú isteach ar a' bpáirc ! "

Mar sin a bhí. D'iúmpa sé amach don pháirc aríst, agus d'imi sé abhaile go dí an dteh—an lóistín a raibh sé rimhe sin ann. Do chais sé chucu:

" Cad é an scéal athá agut ? " adúirt fear a' tí.

" Ó, tháinic an uair ró-dhona," adúirt sé, " agus níor tháinig a lithéid do dh'uair riamh; agus do d'fhiach sé lé buile agus lé feirig me ! "

" Well," adúirt an fear a' tí leis, " i n-ainim Dé, tá sé có math duit *trial* an lae amáirig a bhaint as, agus ní féidir leat a dhéana níos measa ná cailliúint ! "

" Tá sé có math dhom," adúirt a' fear a bhí a' dul chuig na faoisidín.

Do d'imig leis larnamháireach, agus do chua sé isteach ar a' bpáirc aríst go dí an bpáirt a raibh Buachaill Sliabh Luachara ann, agus má d'imig choíhint, níor dhada an lá inné—ba dá dhona an lá a bhí ann larnamháireach ! Do tháini sé chuige níos feirigí agus níos mó ar buile an tarna lá.

" Nár shíl me gur 'úirt mé leat inné imeacht uaim agus gan tú fheiscint go brách aríst; agus tá me dona mo dhaochaint," adúirt sé, " agus ná bí a' tarrainnt droch-uair orum, a pheacaig ghránna ! "

Do d'imi sé uaig an lá sin aríst, agus do thaini sé go dí an dteh go dí an bhfear a raibh sé ar lóistín an oíhe rimhe sin aige. Bhí go math.

" Cé an scéal agut inniubh ? " adúirt an fear a' tí.

" Á, scéal níos measa ná bhí inné agum ! " adúirt sé. " Tháinic an uair níos dona, agus d'fhiach sé lé níos mó feirige me ! "

" Well, anois," adúirt fear a' tí leis, " tá sé có math dhuit fànacht anocht aguinn. Amáireach a' tríú lá, agus b'fhéidir, lé cúna Dé, go ndéanfá a' talamh ! "

" Tá sé có math dhom," adúirt sé, " agus is cuma liom mo bheó nú mo mharabh—is mar a chéile liom é ! "

Bhí go math. D'fhain sé ansin go dtáinic an larnamháireach air; agus ba dh-é an tríú lá [é]. Do d'imi sé, agus chua sé isteach ar a' bpáirc arís, agus do chua sé níos dána chuige ná mar a chua sé aon

lá don dá lá eile. Má tháinic choíhint, do tháinic an uair an-dona,
níos dona ná tháini sí aon lá dosna dá lá rimhe sin, agus do tháinic a'
fear chuig' amach i bhfad níos milltí agus níos boireabantaí ná tháini
sé rimhe sin, mar bhí an uair ró-dhona anuas i n-a mhùllach.

" Imig uaim, a pheacaig, agus ná feicim let' shaol aríst tu insan
áit seo, nú, má d'fheicim, is duit féin is measa! "

Do choinnic sé ansin go raibh an tríú lá cait' aige, agus má
choinnic choíhint, do dhubh agus do ghoram air, agus dúirt sé ná
raibh níos mó lé déan' aige.

Nuair a d'iúmpa sé uaig, do chrom sé a bheith a' góil faen
dtalamh do féin mar a bheadh fear a bheadh ad iarra é féin a mharú,
agus má dhin choíhint, do d'fhéach an Buachaill Sliabh Luachara
air, agus do bhí sé a' féachaint ar fiog tamaill m[h]aith air, agus do
thuig sé dho féin gurbh fheárr a dhul a' caínt leis, agus do ghlao sé
chuige é, agus d'fhiafra sé dhe cad a bhí air. Dúirt sé leis gur chuir
an Pápa mar bhreithiúnas aithrí air a theacht chuige féin agus a
fhaoisidín a dhéana leis féachaint a' bhfaigheadh sé aon mhaithiún-
achas insa méid a bhí déanta as a' mbóthar aige.

Do bhailig Buachaill Sliabh Luachara leis suas é isteach i mbun
a' ghleanna insan áit a raibh cónaí air féin, agus do shui sé ar pé ar
domhan cathaoir nú áit a bhí aige chuig suí air, agus do thóg sé
isteach é chuig faoisidín. Dúirt sé a fhaoisidín leis, agus níl fhios
agum ar thug sé dho maitiúnachas nú nár thug; ach do chuir sé mar
bhreithiúnas aithrí air gan aon chónaí a dhéana i n-aon áit ach
imeàcht ar fiog seach' mbliana i n-a gheilt tríosna coillte, agus gan
aon chónaí a dhéana i dteh ná i dtíos, agus i gceann na seach'
mbliana go gcathfadh sé ciúntú lé maighdin a bheadh marabh.

Do d'imi sé leis mar sin, agus do chaith sé na seach' mbliana ag
imeàcht i n-a gheilt trí choillte, trí dhrisleacha, trí gach uile shórt
áit, insa chaoi fé dheire ná raibh aon tsrátha air ná raibh cait' aige,
agus go raibh gruaig fásta amach trí n-a chraiceann mar a' beithíoch.

I gceann na seach' mbliana ba dh-é toil Dé gur ránga leis gur
thaini sé amach ar a' mbóthar, agus go rai' sé a' ruith ar fhaid a'
bhóthair; agus cé rángódh a bheith a' teacht ar fhaid a' bhóthair i
n-a dhiaig ach a' sagart, agus é a' marcaíocht ar chapall. Do
choinnic an sagart an beithíoch fiain a' góil rimhe an bóthar. Do
bhuail sé a chapall, agus do thiomáin sé leis nú go dtáini sé suais leis.
Do bhí sé ad iarra imeàcht ón sagart ar a dhíheallt i ngach cuma, ach

chuir a' sagart caínt air. D'fhiafra sé dhe cad é an réasún a rai' sé mar sin.

Do d'inis sé a scéal don tsagart, gur chuir a' Buachaill Sliabh Luachara fé gheas' é imeàcht ar fiog seach' mbliana i n-a gheilt, agus gan aon chónaí a dhéana i dteh ná i dtíos nú i gceann na seach' mbliana go gciúntaíodh sé le maighdin a bheadh marabh.

" Is math mar a thárla," adúirt a' sagart. " Is é Dia a chuir a' bóthar tu féin agus mise le chéile ! Tá mis' anois a' dul a' léamh Airhinn i dteh a bhfuil cailín óg marabh ann; agus anois," adúirt sé, " cathfa tú theacht liom, agus cuirfi mé ar chúla mo chapaill tu, agus b'fhé' go dtabhairfinn cúna dhuit go gcóllíonfá do bhreithiúnas aithrí."

Do d'imi sé leis; agus lé fórsa mór a chuir a' sagart ar a chúla ar a' gcapall é, nú go ndeagha sé có fada leis a' dteh. Nuair a chua sé có fada leis a' dteh, do bhí sé náireach, strainnséartha, cúthail, fiain. Ní rai' sé sásta ar dhul isteach, ach do thiomáin a' sagart isteach rimh' é, agus chua sé ar chúl dorais ansin, agus sheasa sé ann.

Do thainig a' sagart isteach, agus do ghui' sé insa tseómara, an áit a raibh an óigbhean marabh, agus do lé sé an t-Airheann, agus do dhin sé a ghró; agus nuair a thaini sé aniar ansin do dúirt a' sagart:

" Cathfaig gach duine insa teh," adúirt sé, " do dhul siar insa tseómara i n-a nduine agus i n-a nduine agus a phaidireacha a reá le hanam na hóig-bhean seo anois. Agus," adúirt sé, " an chéad duine a' chuirfi me siar insa tseómara a bhfuil an corp ann an fear is strainnséartha insa teh."

Do d'fhéach sé thímpeall; agus do bhí fhios aige go math cé rai' sé; agus do chuarta sé go bhfuair sé é seo, agus do thug sé leis é, agus do chuir sé siar sa tseómar' é, agus do chuir sé an glas ar dhoras a' tseómara. Do bhí go math.

Do bhí an fear bocht thiar insa tseómara agus gan éinn' ann ach é féin agus a' corp, agus dá bhfanadh sé ann ó choin, ar ndó, ní dhéanfadh sé a bhreithiúnas aithrí a chólíona.

I gceann tamaill, ba dh-é toil Dé gur eighrig an óigbhean aniar ar a huilinn insa leabain agus gur labhair sí leis:

" Cad é an réasún duit," adúirt sí, " ná déanfadh do bhreithiúnas aithrí a chólíona ? "

Well, do chólíon sé a bhreithiúnas aithrí léith' ansin, agus í beó; agus nuair a bhí a bhreithiúnas aithrí cólíonaithe aige, do fuair sí bás arís mar a bhí sí rimhe sin.

Do chuaig a' sagart siar, agus lig sé aniar eisean, agus má lig choíhint, níor iarr sé ar éinne a ghóil siar níos mó. Do d'imi leis ansin; agus fágamuid mar sin go fóill é.

I gceann trí rátha ón lá sin, do bhí maor a' maoirseacht insa pháirc a raibh an reilic ann, agus do bhí sé ar maidin amuh a' féachaint ar a chuid eallaig agus a' góil tríd a' bpáirc, agus má bhí choíhint, do d'airi sé an naoidheanán istig ar a' dtuama a' béicig. Do chais sé isteach ar a' dtuama, agus d'fhéach sé cad a bhí ann, agus fuair sé an naoidheanán ann.

" *By dad,*" adúirt sé, " is é Dia a chuir chúm tu ! "

Do riug sé ar a' naoidheanán, agus do thóg sé suas fé n-a chóta é, do bhaili sé isteach fé n-a oscail é, agus d'imi sé leis abhaile. Do rángaig ná raibh éinne chluinn' aige féin ná ag a bhean i ruith a' tsaeil riamh rimhe sin. Nuair a chua sé isteach go dí n-a bhean:

" Cad é an rud athá agut ? " adúirt a' bhean.

" Tá," adúirt sé, " leanabh a fuair me thíos ar a' dtuama ansin thíos. Agus tá sé có math dhuit luighe ar do leabain," adúirt sé, " agus cuirfimuid fios ar chuid 'osna córsain; agus abair gur leat féin a' leanabh; agus déanfa sé math dhúinn lá fada nú gairid ! "

Mar sin a bhí. Do dhineadar araon mar sin, agus ghlao sé ar na córsain—cuid acu—agus ní fhaca tú aon iongantas riamh mar a bhí orthu, go raibh cúram ar bhean có seannda léithi.

Bhí go math. Chathadar a' saol leóthu ansin go math; agus bhí an leanabh ag eighrí suas dóib. Ach ba do chreideamh an tSasanaig iad, agus do bhíodar a' tógaint a' linibh leóthu ar chreideamh a' tSasanaig.

Bhí mar sin nú go raibh an leanabh eighrithe suas i n-un dul ar scoil. Chuireadar a' leanabh ar scoil, agus do cheapadar é chuir ar scoil an tSasanaig nú go n-eighreódh sé suas chuig bheith i n-a mhinistir. Do bhí sé mar sin, agus iad siúráilte gur ar scoil a' tSasanaig a bhí sé. I n-ionad é dhul ar scoil a' tSasanaig do chuaig an leanabh ar scoil an áit a raibh sé a' foghlaim chuig bheith i n-a shagart; agus nuair a thagadh sae abhaile i gcónaí do féin ar a laethanta saoire do cheapaidís sin gur i n-a mhinistir a bhí sé. Níor inis sé dhóib nách ea ar chuairt aimsire nú go raibh *ordaining* déant' air i n-a shagart, agus do thaini sé abhaile ansin go dí an lánú—cuiream i gcás go mba dh-iad a athair agus a mháthair iad.

Well, bhíodar an-áibhéiseach go léir ansin, agus é ag bail' acu ar fiog beagán aimsire. Ach i gceann beagán laethanta t'réis é theacht abhaile, agus *ordaining* déant' air i n-a shagart, do cailleag an ministir a bhí insa ph'ráiste, agus do bhí an t-athair agus an mháthair a' dul go dí an socharaide, maidean, mar ba dh-é ceann a gcreidimh féin é, agus do d'iarradar ar a' mac a theacht leóthu. Dúirt a' mac go rai' sé tínn, agus ná rai' sé ábalta ar dhul leóthu. *Well*, níos túisce ná cuiridíst aon triobalóid níos sia ar a mac—do bhíodar ró-àireach air—níor chuireadar níos mó ceist air. Do d'fhain sé ag baile, agus d'imíodar féin, agus chuadar go dí socharaide an mhinistir.

Bhí go math, agus d'fhan mar sin ar chuairt laethanta eile go ceann tamaill; agus do bhí sé ag baile, agus é ag imeacht leis abhus a's tall do féin mar a bheadh a lithéid ar domhan. Do thit amach gur cailleag sagart óg a bhí insa ph'ráiste. Ar maidin, lá na socharaide, do chuir sé seo i gcóir é féin chuig dul go dí socharaid' a' tsagairt, agus d'eighrig stod agus fearag ar an athair agus ar a' máthair.

" Anois, má thá tu a' dul go dí socharaid' a' tsagairt inniubh," adúirt siad leis, " agus níor chua tú go dí socharaide ceann do chreidimh féin an lá heana nuair a bhí ár ministir dá chur ! "

" Ó, go bhféacha Dia oraib," adúirt an mac leóthu, " is mór d'úr gceann athá folamh ! "

Chuir sé a stil fae n-a mhuineál, agus do chua sé amach ar lár na páirce, agus do thug sé leis a mháthair, agus do dhin sé poll síos insa talamh le n-a sháil chlé.

" A mháthair," adúirt sé, " féach amach fém' ascail chlé anois, agus féach cad tá thíos insa pholl seo ! "

Do d'fhéach sí amach fé n-a ascail chlé, agus d'fhéach sí síos insa pholl sin.

" Ó, tabhair uaim é ! " adúirt sí. " Tabhair uaim é ! "

" Cad é a' rud a' d'fheiceann tú, a mháthair ? " adúirt sé.

" Ó, feicim a' ministir a cuireag a' lá heana, agus tá sé á straca thíos insa pholl ag a' méid deabhal athá i n-Ifireann ! " adúirt sí.

" *Well*, tá sin go math ! " adúirt sé.

Do thug sé leis ansin aríst í, agus do dhin sé poll aríst le n-a sháil deis, agus do chuir sé iallach uirthi féachaint síos insa pholl sin.

R

D'fhéach [sí] amach fé n-a ascail dheas, agus ansin d'fhéach sí síos.

"Cad é a' rud a d'fheiceann tú anois, a mháthair?" adúirt sé.

"Ó, lig dom go fóill!" adúirt sí. "Fág anseo me tamall anois!"

"Inis dom cad é a' rud a d'fheiceann tu!"

"Feicim a' sagart," adúirt sí, "athá dhá chur inniubh," adúirt sí. "Feicim go bhfuil ceólta, spórt, agus aingil na bhFlathas thíos dá úmpar leóthu i ngach uile shórt áit a bhfuil aon áilleacht ann thíos insa pholl seo!"

"Well, anois, a mháthair," adúirt sé, "a' bhfuil milleán agut orum-sa mar gheall ar dhul go dí socharaide an tsagairt sin agus nár dheagha mé go dí socharaide an mhinistir an lá a bhí sib-se a' dul ann?"

"Níl, a ghrá," adúirt sí, "ná aon phioc!"

"Well, anois, a mháthair," adúirt sé, "nuair a chuir sib-se mise ar scoil Sasanach is é an áit a ndeagha me ar scoil chuig bheith in mo shagart, agus in mo shagart athá me; agus má néann sib mo chóirle anois, tiocfa sib isteach liom féin—agus m'athair—agus baistfi me sib, agus úmpó me sib ar a' gcreideamh Caitliceach."

"Tá me lán-tsásta, a ghrá, agus déanfamuid é sin!"

Do thug sé leis isteach an bheirt acu, agus do bhaist sé iad, agus d'iúmpa sé iad ar a' gcreideamh Caitliceach.

Bhí go math ansin. Nuair a bhí sin déanta, do d'imi sé leis, agus dúirt sé go raghadh sé a' *try*áil a fhoirtiúin. Do d'imi sé leis tríd a' dtír, agus bhí sé ag imeàcht leis ar fhaid a' lae nú gur thaini sé ar bhruach ruibhéir. Do bhí sé a' féachaint amach ar a' ruibhéar; agus do bhí iascaire beag ag iascaireacht ar a' ruibhéar. Ba dh-í a chéird bheath' í gach uile lá i ruith a shaeil riamh, agus aon lá a bhí sé ann riamh rimhe sin níor mhara sé níos mó ná breac nú dhá bhreac, nú an lá is mó mharódh sae trí bhreac; ach dhá thúisc' ar leag sé seo a ucht ar a' gclaidhe thuas a' féachaint anuas air, do chrom sé ar a bheith a' góil éisc có dian agus b'fhéidir leis é a tharrainnt isteach i n-a churraihín nú go raibh an chùrrach ag imeacht ó n-a chosa le neart éisc.

"Well, is díreach glan," adúirt sé, "go bhfuil aingeal as na Flathais i n-áit eicínt thímpeall orum! Tá mé anso leis a' bhfaid seo aimsire, agus níor ghui' mé an oiread seo éisc."

Do tharrainn sé leis isteach a churraihín, agus d'fhéach sé thímpeall air i ngach uil' áit, a' féachaint cé raibh a' t-aingeal a chuir a' t-iasc i n-a líonta, agus do choinnic sé é seo i n-a sheasamh thuas ar a' gclaidhe, agus do dhruid sé leis i n-a choinne suas.

"Is díreach glan gur aingeal as na Flathais tu go suíte. Tá mise an fhaid seo aimsire ag iascaireacht ar an abhainn seo, agus níor mhara me aon lá dá rai' mé ag iascaireacht níos mó ná breac nú dhá bhreac nú trí bhreac, ach tá mo churraihín lán d'iasc agum, agus n'fhéadfainn níos mó a chur ínti."

"Well, tá sin go math," adúirt sé sin, "ach a' bhfuil aon áit lóistín agut a thabhairfeá dhúinn?"

"Tá agus fáilte," adúirt an t-iascaire beag, "mar athá sé agum héin, be sé agut-sa."

"Tá sin có math céanna," adúirt sé.

Do d'imíodar leóthu, an bheirt acu le chéile, go dteanadar isteach go teh an iascaire, agus ag teacht abhaile dhon iascaire le hí a shuipéir, do chuir sé trí bhreac ar a thrí mhéar á dtabhairt abhaile. Nuair a thaini sé abhaile dúirt sé leis a' mbean an t-iasc a chur i gcóir do le hí an tsuipéir. Má dhin choíhint, do d'eighrig a bhean suas, agus bhí sí a' glan' an éisc, agus nuair a bhí sí a' glan' an éisc, d'ascail sí ar cheann dosna bric, agus do thit eochair bheag amach as bholag an bhric.

"Ó, aidhe, a Sheáin," adúirt sí, "féach an eochair a thit amach as bholag a' bhric chúinn!"

D'fhéachadar ar an eochair le chéile, agus d'fhéach a' sagart uirthi.

"Cuir in do phóc' í," adúirt a' sagart, "agus b'fhé' go bhfaghfá gró lá eicínt di!"

Do chuir an t-iascaire beag an eochair i n-a phóca; agus d'uadar a suipéar go súch sách, agus bhíodar go han-tsásta nú go dtáinic a' mhaidean larnamháireach orthub.

"By dad," adúirt a' sagart leis an iascaire, "is dói liom go bhfanfa mé i n-éindí leat inniubh, agus go ragha mé amach ar an abhainn i n-éindí leat, agus gabhamuid ag iascaireacht [amáireach].

"Táim an-tsásta leis," adúirt an t-iascaire, "mar is gairid liom a d'fhainfi tu agum."

D'imíodar araon amach ar an abhainn ag iascaireacht, agus má d'imíodar choíhe, ní rabhadar i bhfad amach ar an abhainn nuair a d'eighrig a' teh pobail is breácha ar las gaoch ná grian riamh air reómpu amuh ar an abhainn.

" Ó," adúirt a' t-iascaire, " féach a' teh an phobail athá eighrithe reóinn insan abhainn! Ní fhaca me riamh rimhe sin é féin ná a lithéid ann."

" Tarrainn do churraihín suas go dí a' ndoras," adúirt a' sagart leis, " go raghamuid isteach go bhfeicemuid cad é a' rud athá ann istig! "

Do tharrainn an t-iascaire a churraihín suas go dí a' ndoras, agus do chuadar araon isteach go dí a' ndoras.

" 'Seáin an eochair," adúirt an sagart leis, " a fuair tú araeir insa bhreac."

Chuir sé lámh i n-a phóca, agus do tharrainn sé chuige an eochair, agus do thug sé dhon tsagart í. D'iúmpaig an sagart an eochair insa ghlas, agus d'ascail a' doras isteach. An teh pobail is breácha ar las gaoch ná grian riamh air ansin istig a bhí sé. Do chua sé féin isteach ansin, agus an t-iascaire i n-éindí leis, agus dúradar araon An Choróinn Mhuire istig i dteh an phobail.

" Teighre tus' amach anois," adúirt an sagart leis an iascaire, " agus nuair a reagha tu amach cuir an glas ar a' ndoras in do dhiaig, agus caith an eochair seo síos insa pholl is doimhne a gheó tu ar an abhainn! "

Bhí go math. Do bhuail an t-iascaire amach, agus d'fhág sé an sagart istig i dteh an phobail, agus nuair a thaini sé amach as teh an phobail, agus thug sé cúl a chínn do, ní fhaca sé ó choin é. Do thit [teh an phobail] síos mar a bhí sé riamh rimhe sin. Do bhí [an t-iascaire] dúch, brónach, agus níor mhaith leis i n-ao'chor é, ach b'ait leis a chóirle dhéana. Do riug sé ar an eochair, agus do chaith sé síos insa pholl is doimhne a bhí insan abhainn í.

Bhí go math. D'fhain sé ansin ar fiog seach' mbliana eile, agus é ag iascaireacht leis gach uile lá, nú gur cailleag a' Pápa a bhí insa Róimh. Nuair a cailleag a' Pápa a bhí insa Róimh, do phóinteáladar—na sagairt—Pápa óg a chuir ann, agus is é an Pápa a póinteálag an fear seo a chuaig isteach go teh an phobail—an sagart óg.

Do bhí go math. An fear seo a d'imig—a raibh iallach air— agus a chuaig go dí an mBuachaill Sliabh Luachara ar dtúis, is é an breithiúnas aithrí a [cuireag] air—nuair a d'aireódh sé Pápa óg a bheith insa Róimh, a dhul agus faoisidín a dhéana leis. D'airi sé go raibh an Pápa óg insa Róimh, agus ansin do d'imi sé leis.

Bhí go math ansin. Do bhí na seach' mbliana caite, agus do bhí sé seo insa teh [pobail] istig. Do cuireag fearaibh ar a thuairisc—triúr sagart óga eile—agus do thógadar a' bóthar céanna ag imeacht ar a thuairisc nú go dteanadar os ceann na háite a raibh an t-iascaire beag agus a churrachán. Do luigheadar anuas ar a' gclaidhe mar a lui seisean i gceann na seach' mbliana rimhe sin; agus do chrom an t-iascaire beag a bheith a' góil an éisc có dian céanna.

" Ara, go suíte glan," adúirt sé, " níl aon fhear thímpeall orum ach a' fear a thainic chúm seach' mblian' ó choin, agus is é athá anseo aríst agum ! "

Do tharrainn sé leis isteach a churracháinín, agus do dhin sé orthu.

" Ara, mhuise," adúirt sé, " ní dócha gur sib-se éinne—nú an duin' aguib an fear a bhí agum anseo seach' mbliana ó choin heana ? "

" Cé hé an fear a bhí agut anseo seach' mbliana ó choin heana ? " adúirt duin' 'osna sagairt leis.

" Tá," adúirt sé. " Do bhuail sagart óg an bóthar chúm anso tá seach' mbliana ó choin, agus do lui sé anuas ar a' gclaidhe insan áit a bhfuil sib-se anois, agus do bhí mé a' góil éisc díreach glan mar a bhí mé anois ó thaini sib-se ansin."

" 'Bhfuil aon tuairisc agut," adúirt duin' 'osna sagairt, " cér ghuibh a' fear sin ? "

" Tá cúntas math agum cér fhág me héin é," adúirt an t-iascaire beag leis.

" Well," adúirt sé, " raghamuid-ne leat anocht, agus 'neósa tú dhúinn amáireach cé an áit ar fhág tu é."

" Tá me sásta," adúirt sé.

Do thug sé an triúr sagart go dí an dteh mar a thug sé an sagart óg na seach' mbliana rimhe sin leis, agus a' dul abhaile dho thug sé trí bhreac eile leis ar a thrí mhéar. Nuair a bhí an bhean a' glan' an éisc le hí é chuir síos le hí a suipéir, do thit an eochair amach aríst as bholag an bhric chuici.

" A Sheáin," adúirt sí, " féach an eochair a fuaireamair an oíhe úd fadó do bhí an sagart anso aguinn: tá sí anocht aríst aguinn."

Do thóg Seán í, agus d'fhéach sé uirthi.

" Is í an eochair chéann' í ! " adúirt Seán.

" Cuir in do phóc' í," adúirt a' sagart, " go dí amáireach, agus raghamuid-ne ar a' ruibhéar leat aríst amach."

Chuir Seán an eochair i n-a phóca, agus d'fhain sé ansin go maidean, agus ar maidin larnamháireach, nuair a chuadar amach ar a' ruibhéar—an triúr acu—insa churracháinín i n-éindí leis an iascaire, ní rabhadar bàileach amuh nuair a d'eighrig teh an phobail aríst i n-a láthair suas.

" Tarrainn leat suas anois go dí teh an phobail," adúirt an sagart leis an iascaire, " go bhfeiceam cé an sórt athá ann."

Do tharrainn an t-iascaire suas go dí doras ti' an phobail mar a dhin sé rimhe sin.

" Tiseáin an eochair athá in do phóca ! " adúirt an sagart leis.

Do dhin, agus do d'oscail a' sagart a' doras, agus do chua sé isteach, é féin agus a' bheirt eile shagart, agus an t-iascaire i n-éindí leóthu.

Do bhí [an sagart óg] istig ar a dhá ghlúin ag an altóir, agus é a' paidireóireacht leis ansin, agus d'fhéach sé siar ar chúl a chínn orthu.

" Shíl mé gur 'úirt me leat," adúirt sé leis an iascaire, " an eochair a chath' insa pholl is doimhne a bhí insan abhainn, a's gan í fheiscint go brách aríst ! "

" Do dhin me é sin," adúirt an t-iascaire leis, " agus tá sé ann ó choin. Seach' mbliana," adúirt sé, " ó choinnic mé tusa heana nú go bhfaca me an triúr sagart seo aríst a' teacht ar do thuairisc, agus do thug mé araeir chuig a' tí iad mar a thug mé tusa ann an oíhe rimhe sin, agus do fuaireamair an eochair i mbolag bric aríst, agus do thánamair ar do thuairisc-se."

Well, do d'imig sé leóth' ansin, agus do thug an triúr sagart leóth' é, agus do phoínteáladar é chuig bheith i n-a Phápa insa Róimh.

D'airig an peàcach seo a chuaig go dí Buachaill Sliabh Luachara go raibh an Pápa óg insa Róimh, agus do d'imi sé chuige, agus do chua sé chuig faoisidín chuige. Do thug [an Pápa] leis isteach i seómara é, agus dhineadar faoisidín lé chéile, agus do thug sé asbalóid don pheàcach. Ar maidin larnamháireach, do bhí an doras dúint' acu, agus do chuaig duine ag oscailt a' dorais nuair ná raibh éinn' acu a' teacht as amach. Do bhíodar araon istig ansin, ach do bhí sórt piast istig insa tseómara. Bhí an méid fola agus feóla a bhí ar a gcrá[mha] ite ag an bpiast, agus do bhí dhá cholúr ghléigeala istig insa tseómara. Nuair a hoscalaíog a' doras d'eighríodar araon amach lé chéile, agus d'imíodar suas ar aer na bhFlathas. Míle glóire lé Dia, ba leis a' Deabhal an cholainn, agus do thug Dia an t-anam leis chuige féin !

55. MAC AN DEABHAIL

Do bhí anso fadó agus is fadó bhí 'o réir mar d'airíomair, fear math gustúil a bhí i n-a chónaí i n-aice teh an phobail. Do bhí cúna' math ag a' bhfear céanna—bhí triúr mac aige. Bhí beirt mhac aige a bhí a' déan a réir i ngach uile chuma dár iarr sé riamh orthu.

Bhí an tríú fear, agus níor dhin sé pioc dá chóirle ón lá d'eighri sé suas. Níl aon áit a mbeadh scoil oíhe, cártaí, ná aon ní eile a mbainfeadh sae píosa *divearsion* as, nach ann a bheadh sae go mbeadh an oíhe caite—bheadh sae a' teacht abhaile ar deire na h-oíhe siúireáilte gach n-oíhe.

Bhí go math. Oíhe dhá oíheanta do bhí an sean-fhear seo; agus bhíodh sé ana-ghráite a dhul amach go dí teh an phobail gach uile lá go n-abaraíodh sae *devotion* paidireacha. An lá seo bhí sé amuh, agus leag sé a phaidirín le n-a thaobh nuair a bhí sé réig le n-a *devotion* paidireacha, agus nuair a bhí sé a' fágaint teh an phobail níor chuíni sé ar a phaidirín a thabhairt leis. D'fhan mar sin nú go dtáinic an oíhe agus go rai' sé i n-am ag a' sean-fhear a dhul a cholla. Cheap sé *devotion* eile paidireacha a rá fé dtéadh sé a cholla, agus nuair a chua sé a' cuardach a phaidirín ní raibh aon bhlas dá phaidirín aige. Ansin a chuíni sé gur fhág sé amuh ag teh an phobail an paidirín.

Do ghlao sé ar a mhaic críonna. " Cogar," adúirt sé leis a' maic críonna, " do d'fhág me mo phaidirín amuh i dteh an phobail inniubh. Ba cheart duit a dhul amach agus é thabhairt isteach chúm."

" M'anam ná ragha me ann anois," adúirt a' mac, " tá sé déanach san oíhe, agus do bheadh uaigineas oram a dhul isteach go teh an phobail ! "

Bhí go math. Ghlao sé ar a' tarna mac, agus, má ghlaeig choíhint is é an freagra céanna a fuair sé ón tarna mac—ní ligfeadh a' t-uaigineas do a dhul isteach go teh an phobail—do bhí sé déanach san oíhe.

Le línn na caínte—agus b'annamh leis a bheith isteach luath—cé ráingeódh theacht fé'n ndoras ach mac a' mhí-á, agus d'airi sé an chaínt. D'fhiafra sé dhá athair: " 'Athair," adúirt sé, " cad athá ort ? "

" Ó, muise," adúirt an t-athair, " níl aon mhath dhom é ínseacht duit-se, mar ní dhéanfá mo chóirle, agus níor dhin tú aon bhlas dom' chóirle riamh."

" Ó, cé an díobháil ? " adúirt a' mac. " Inis dom cad athá ort anois."

" Tá," adúirt sé, " mo phaidirín a d'fhág me amuh i dteh an phobail inniubh, agus ní féidir liom mo phaidireacha a reá anois gan é; agus ní dóch go raghfá fé n-a dhéint dom."

" Is díreach go raghad," adúirt sé, " agus ní bheig uaigineas ar bith oram-sa ! "

Mar sin a bhí. Do 'nis a' t-athair don mhac cé an áit amuh i dteh a' phobail a raibh a phaidirín leacaith' aige. D'imi sé leis, agus chuaig isteach go teh an phobail, agus leag a lámh ar a' bpaidirín dá thúisc' a chua sé isteach. Thug sé leis amach abhaile go dí n-a athair é.

Do bhí sé a' déana 'der a' dá theh—'der teh an phobail agus teh a athar, agus ní rabhadar i bhfad ó chéile i n-ao'chor ach fíor-ghairid dá chéile—agus insa mbóthar a' teacht do d'airi sé a' lupadaíol i gcae an bhóthair rud eicínt, agus ní raibh fhios aige ce hucu muc nú madara a bhí ann, ach mar sin féin dhruid sé isteach agus d'fhéach sé cad a bhí ann. Cad a rángódh a bheith ann ach sean-tsinóir do chearthainín críonna liath do bhí bàcach, agus nárbh fhéidir leis siúl.

" Cad é an sórt tusa ? " adúirt a' fear a raibh a' paidirín i n-a dhoran aige.

" Ó," adúirt sé, " is duine críonna mise, agus níl me ábalta ar aon tsiúl a dhéana, agus thabhairfinn luach do shaothair go math dhuit á dtugthá go dí an dteh athá ansan thíos me."

" M'anam go díreach go dtabhairfead ! " adúirt a' buachaill eóg leis.

" Ní féidir liom a dhul leat nú go bhfága tú do phaidirín istig ag t'athair."

Bhí go math. Do tháinig an buachaill eóg isteach, agus d'fhág sé an paidirín—leag sé istig go dí an athair é, agus d'iúmpa sé ar a sháil agus amach leis aríst. Do bhuail sé an sean-chearthainín ar a dhroim, agus d'árda leis é nú go dtug sé anuas go dí an dteh é. Nuair a thug sé go dí an dteh é a bhí ceapaith' aige a dhul isteach ann, do bhíodar a' rá an *Rosary*.

" Á," adúirt sé, " ní féidir liom a dhul ansin, tá siad a' rá an *Rosary*," adúirt sé. " Tabhair síos go dí an dteh sin thíos me, agus tabhairfi mé an oiread céann' eile dhuit ! "

" Táim sásta," adúirt an fear a raibh sé ar a dhroim aige. Thug sé síos é. Bhíodar sin imith' i n-a gcolla, agus nuair a bhíodar imithe i n-a gcolla, do bhí uisce na gcos cait' amach acu.

" Á, ní féidir liom a dhul isteach ansin" adúirt sé, " mar tá uisce na gcos cait' amach acu; ach tabhair síos go dí an dtríú teh ansan thíos me, agus b'fhé' go bhféadfamuist tala' a dhéana ! "

" Táim sásta," adúirt a' buachaill óg.

Do thug sé leis anuas ansin é, agus nuair a thanadar i radharc— i n-éisteacht 'on teh—do bhí ansin lánú an tí, agus iad a' marú a chéile, a' bruíon agus ag aighneas agus ag acharann.

" Geómuid a dhul anso isteach," adúirt an sean-chearthainín. " Agus anois," adúirt sé, " nuair a ragha tus' isteach, sáig do mhùllach isteach i gcúinne na móna tu féin, agus seachain a' bhfeicfeadh éinne tu, agus fan ansin," adúirt sé, " nú go nglaofa mis' ar maidin ort ! "

Bhí go math. Chuadar isteach. Ba mhath an mhaise sin don tsean-fhear. Nuair a chua sé isteach, do shái sé isteach fén mbórd é féin, agus chath an buachaill óg a dh'iúmpair ar a dhroim é—chaith sé isteach i gcúinne na móna é féin i n-áit dhoracha. Do bhí an babht' ar bun. Do bhí an buachaill óg a bhí thuas a' féachaint ar ghach ní 'á raibh a' dul ar n-agha. Nuair a bhíodh an fear tuìrseach ó bheith a' buala na mrá shuíodh sí síos agus ghoileadh sí a dóchaint. *Well*, nuair a bhíodh a dóchaint goilt' aici ansin, do thagadh préacháinín amach ó bhun a' bhalla, agus luíodh sé anuas thiar ar bhais a dhá slinneán, agus chromadh sae ar bheith a' greada a sciathán anuas ar bhais a dhá slinneán nú go n-eighríodh sí aríst fé n-a coilice feirice, agus do bhuaileadh sí a leór-dóchaint ar a' bhfear insa chaoi go mbíodh sí tuirseach tnáite ó bheith a' góil air. Do shuíodh sí ansan síos aríst, agus do bhíodh a' fear tnáite marabh aici. Nuair ab am leis a' bpréachán aríst an babhta a chuir ar n-agha, do thagadh ceann eile ar a' dtaobh lastall amach ó bhun a' bhalla, agus do shuíodh sae ar dhroim an fhir, agus bhuaileadh sae lé n-a sciatháin drom an fhir. D'eighríodh a' fear, agus bhuaileadh agus mharaíodh sae a bhean aríst. Ach bhíodar mar sin amach ar fhaid na hoíhe go léir nú go rabhadar marabh tnáite ó bhe a' buala agus a' marú a chéile.

Nuair a bhí an fear tuirseach tnáite insan aighneas agus insan acharann do d'eighri sé i n-a sheasamh, agus do chua sé siar a cholla ar pé ar domhan sórt leapan a bhí thiar aige. Lé searús ar a' bhfear ní theigheadh a bhean siar chuig na leapan ná insa tsuan i n-ao'chor chuig collata i n-éindí leis. Do shocara sí sórt leapan di féin lé taobh na tine insa chistean, agus chua sí chuig suain. Nuair a bhí sí tamall ansin, do dhruid an cearthainín amach ón mbórd agus shui sé ar lár a' teallaig, agus chrom sé ar bheith a' bladar a's a' seanachas leis a' mbean.

" *Well*," adúirt sé, " má ligeann tú mise i n-éindí leat—tá *net* óir anso agam, féach anso agat í! Tabhairfi mé dhuit í, agus ní fheicfi tú aon lá bocht let shaol aríst! "

Ar mh'anam, gur chuir an *net* óir an ciméara ar a' mbean, gur thug sí toil ar a' sean-fhear a ligint i n-éindí léithi. Do chathadar an oíhe ansin, an sean-fhear agus a' bhean, nú go rai' sé i n-am ag a' sean-fhear—go mb'éigean do imeàcht.

Do bhí an buachaill eóg i gcónaí i gcúinne na móna, agus é a' féachaint ar ghach ní 'á raibh a' góil a' bóthar. D'imig an sean-fhear ansin, agus d'fhan bean a' tí ar a leabain. Bhí sí sásta i n-a haigine. Do bhí an *net* óir leacaithe fé n-a cluais aici.

Bhí go math. Do bhí an buachaill óg ag imeàcht ansin a' dul abhaile dho féin, agus casag a' sean-fhear leis.

" Anois," adúirt a' sean-fhear leis: " Tá cúig phúint déag agut uaim-s' anocht, agus níl aon aiféala orum, mar feicfi tú trí rátha ón oíhe athá anocht ann go mbeig mac óg ag a' mbean sin. Ní bheig aon lá aighnis ná acharainn eatarthu le n-a saol aríst. Nuair a bheig an mac sin i n-aois aimsire be sé i n-a shagart, agus nuair a bhe sé i n-a shagart, an chéad Airheann a léifi sé pé ar domhan méid daoine a gcrothfa sé an t-uisce coisireacan orthub is liom-s' iad! "

Bhí go math. D'imíodar ó chéile, agus ní fhacadar a chéile ó choin.

D'imig a' buachaill óg abhaile, agus do bhí a chúig phúint déag airigid i n-a phóca saothraithe t'réis na hoíhe. Dúirt sé leis féin ná fanfadh sae níos sia ag baile, go raibh sé i n-am aige a dhul a' *try*áil a fhoirtiúin.

Do d'imi sé leis, agus [ní fhacaig] a athair ná a mháthair ar fiog suím mhuar bliant' é. Tháinig an saol có mór i gcoinne a athar agus a mháthar agus a mbeirte mac a bhí ag baile a's gom éigean dóib imeàcht ó chéile—na driotháireacha—gan aon tuairisc.

Bhí go math. Do bhí an tsean-lánú a' coinneáilt a' tí chónaithe, agus ní raibh úntu ach go rabhadar ar gach taobh don tine i n-a suí.

Oíhe dosna hoíheanta dá rabhadar, do bhuail strainnséir isteach chucu, agus d'iarr sé lóistín orthu.

" Ara, a ghrá," adúirt a' sean-fhear, " thabhairfimuist agus fáilte, agus ba geal a' lá linn do chuideachta a bheith aguinn, mar is fada nár ghuibh éinne an bóthar chúinn; ach ar ndó, níl aon áit chollata ná aon chóir bhí' aguinn duit."

" Ó, pé ar domhan rud athá agaib," adúirt a' fear strainnséartha, " geó mise leis. Is measa liom díb héin é ná an méid a chathfa me héin de."

" Tá go math," adúirt a' sean-fhear, " mar sin, tá míle fáilt' agum-sa reót."

Do shuíodar síos, agus bhíodar i gcathamh na hoíhe a' caínt agus a' seanachas le chéile. D'fhiafra a' sean-fhear don strainnséir a' raibh aon scéal nua aige. Dúirt ná raibh aon scéal am fhiú aithrist. D'fhan mar sin.

" *Well,*" adúirt an sean-fhear, " tá scéal nó agus scéal mór agum-sa dhuit-s' anois," adúirt sé. " Tá sagart óg—*ordaining* déant' air—agus tá sé ag bail' ó araeir anso aguinn-ne—a' fear córsan. Be sé a' léamh an Airhinn amuh anseo amáireach, agus beig cóthalán mór daoine ag teh an phobail."

" Tá go math," adúirt an fear a bhí ag éisteacht leis, " is math é sin! Be mé ag an Airheann amáireach le cúna Dé."

Bhí go math. Ar maidin amáireach do chuaig an sagart isteach ar an ultóir, agus chuir sé culaith' an Airhinn air féin. Thaini sé amach, agus bheanna sé dabhach mhuar uisce. Bhí go math. Bheanna sé an t-uisce, agus nuair a bheanna sé an t-uisce bhí an isiréad i n-a láimh, agus chuir sé an isiréad síos insa dabhach uisce go gcraitheadh sé an t-uisce coisireacan ar a' bpobal. Le n-a línn sin, an fear a bhí i na sheasamh le n-a thaobh, do láimhsi sé an isiréad agus a' lámh, agus do bhuail sé buille dhoirin, dá láimh héin agus don isiréad, 'deir a dá shúil ar a' sagart. Is ar a sagart a thit a' chéad chuide dhon uisce—do bheanna sé é féin! D'imi sé i n-a chioth splannc amach trí mhùllach a' tí. Mar sin ba dh'é mac a' Deabhail é féin, agus sin a raibh le fáil ag a' nDeabhal - a mhac féin. Ba mhath a' mhaise sin do, agus ba mhath a' mhaise dho'n phobal le chéil' é, mar ba leis a' nDeabhal a' méid a bhí i dteh an phobail màrach a' fear a ghuibh a' bothar—b'é Dia a chuir ann é chuig na Críostaithe ar fad a shábháilt ó láimh a' Deabhail.

D'iúmpa sé thímpeall go dí an bpobal, agus do d'inis sé dhóib ó thúis go deire cad a thitfeadh amach màrach é féin.

56. FIANAISE AN TOR RAITHNÍ

Do bhí anso fadó fear agus a bhean, agus thit éad nú imireasc eicínt eatarthu. D'árda sé leis lá dhá laethant' í go dtug sé isteach ar pháirc uaigineach í, agus do bhí sé a' dul dá marú ansin. Ní raibh aon ní insa tsaol ag a' gcréatúir a dtógfadh sí fianais' air ach tor raithní a bhí le n-a taobh ar a' bpáirc.

" Tógaim-se fianais' ort," adúirt sí, " a thor raithní, go bhfuil sé 'om mharú mí-dhlistineach ! "

D'fhan mar sin. Do mhara sé an bhean, agus níor thug sé aon tor' uirthi féin ná ar a' dtor raithní.

Do bhí go math. Do chuir sé an bhean, agus thaini sé abhaile, agus bhí sé a' cathamh a shaeil leis ar chúrsa fad' aimsire nú gur phós sé aríst. Nuair a phós sé aríst, bhí sé a' cathamh a shaeil leis go fíor-mhath go dí lá bhí sé i n-a shuí chois na tine. Do tháinig cioth báistí—cioth muar—agus lé línn a' chioth báistí d'aistirig a' ghaoch insa doras a bhí ascailt' aige. Nuair a d'aistirig a' ghaoch insa doras a bhí ascailt' aige, do chuir Dia gais raithní isteach ar fhuaid an úrláir i mbéal na gaoithe.

Bhí go math. Bhí an fear, agus a chúl lé balla, i n-a shuí istig ag a' dtine, agus do dhin sé smioda gháire. Bhí an bhean ag obair ar fhuaid a' tí, agus chais sí ar a sáil:

" Cuid é an fáth," adúirt sí, " ar dhin tu an gáire sin anois ? "

" Is rud é ná dineann aon díobháil duit," adúirt fear a' tí, " agus ná déanfaig faid a mhairfi tu, agus ná bac anois leis! "

" Ní dhéanfa sé an gró ! " adúirt bean a' tí. " Ní chathfa me lá ná oíhe i n-éindí leat, ná ní gheó me leat i gcatha' do shaeil aríst, nú go bhfaighi me fios fáth do gháir' amach ! "

" *Well*, ní dhéanfa sé aon mhath dhuit," adúirt sé aríst, " agus b'fheárr 'uit gan a fhios a bheith agat! "

" Cathfa me a fhios a bheith agam! " adúirt sí.

" *Well*, tá sé chó math dhom é ínseacht duit mar sin! " adúirt fear a' tí.

" Bhí mise lá dhom shaol anso, agus bhí an bhean a bhí agam reót-sa—ní raibh me héin ná í féin i n-aon mhuíntir[theas] mhór le chéile, agus tuig me im aigine gu'bh fheárr liom breith uirthi agus í dh'ídiú. Do thug me liom í go gleann uaigineach, agus do bhí me a' dul dá marú. Ní raibh aon ghiob aici a dtógfadh sí fianais' air ach tor raithní a bhí a' fás ar a' bpáirc. Do thóg sí fianais' ar a' dtor raithní a bhí a' fás ar a' bpáirc, agus má thóg choíhint, dhin mise an droch-ní. Do thug me liom í, agus chuir mé í nuair a bhí sí marabh agam. Bhí mé ar súil ansin nuair a thaini me abhaile agus ag obair liom nú gur phós me aríst—tusa! "

" Ó," adúirt sí, " más mar sin [athá] a' scéal, ní fiú biorán é. Níl deifir ar bith insa scéal! "

D'fhan mar sin. Nuair a choinnic an fear go dtáinic an ghais raithní isteach ar an úrlár chuige, do bhí an scéal a' déana breis tinnis dó nú go dtéadh sé chuig faoisidín. Nuair a chua sé chuig faoisidín do dhin sé an rud nár dhin sé ag aon fhaoisidín rimhe sin ó thit a' scéal amach do. Do d'inis sé dhon tsagart gur mhara sé an chéad bhean a bhí aige.

" Is olc a dhin tú é sin! " adúirt a' sagart. " Agus anois," adúirt sé, " ar inis tú do dh'éinne riamh é nú gur inis tú dhó-sa é ? "

" Níor ínsíos," adúirt sé, " ach d'inis me dhon bhean athá póst' anois agam."

" Ó, is math a dhin tú é sin! " adúirt a' sagart. " *Well*, anois," adúirt sé, " cuirim-se mar bhreithiúnas aithrí ort teacht chúm a lithéide seo 'o lá," ag ainimniú lá dhon tseachtain do, " agus tabhair chúm do charaid agus do namhaid agus do lúcháir! "

Do d'imi sé leis, agus ní raibh fhios aige ar thalamh Dé an domhain cé an nós a bhfaigheadh sé é sin a dhéana, mar ná raibh fhios aige cé hé a charaid, agus ní raibh fhios aige cé hé a namhaid, agus, ach an oiread céanna, ní raibh fhios aige cé hé a lúcháir.

Do chua sé go dí sean-draoi a bhí insan áit gairid do, agus d'inis sé a scéal do.

" Ó," adúirt a' sean-draoi, " is fuirist duit é sin a dhéan' amach agus é thabhairt leat. An lá athá pointeáilt' agat a dhul fae n-a dhéint agus é fheiscint, buail chút do chapall, agus buail do dhiallait air, buail do bhean dtao' thiar díot ar do chúla, scaoil do mhadara rót amach ar a' mbóthar, agus téir go dí teh an tsagairt!"

Bhí sin go math. Do dhin fear a' tí cóirle an tsean-draoi. Do bhuail sé chuige a chapall, agus do chua sé ar marcaíocht air, do chuir sé a bhean ar a chúla, agus scaoil sé a mhadara rimh' amach.

" Cá ragha tú liom ? " adúirt bean a' tí.

" Cathfa me dul go dí teh an tsagairt inniubh. Tá cuir' againn," adúirt sé léithi.

" Tá sin go hana-mhath! " adúirt sí.

D'imíodar leóthu nú go ndeaghadar go dí teh an tsagairt, agus bhí an sagart amuh a' fánacht leóthu.

" A' bhfuil tú a' teacht ? " adúirt a' sagart.

" Táim anois," adúirt an fear leis.

" Ar thug tu chúm iad ? " adúirt [a' sagart].

" Thugas," adúirt a' fear.

" Ca'il do charaid ? " adúirt sé.

" Mo chapall athá 'om úmpar! " adúirt sé.

" Ca'il do lúcháir ? " adúirt sé.

" Tá sé reóm amach—mo mhadara! " adúirt sé.

" Agus ca'il do namhaid ? " adúirt a' sagart.

" Siod í thiar ar mo chúl í—mo bhean! "

" Tá tú dearag-bhréagach," adúirt a bhean. " Dá mbeinn-se mar namhaid agat, ní bheadh rún agam le fada riamh gur mhara tú do bhean, agus tá sí marabh leis a' bhfaid seo bliant' agat! "

Do thóg a' sagart suas ansin é, agus do chuir sé dhá dhaor' é, mar ná raibh aon fháil aige ar é ínseacht i n-a fhaoisidín, agus do chuir sé dhá dhaor' an fear, agus hídíog é mar gheall air.

57. BIA AGUS BÉAL

Insan áit seo fadó, insa tsean-aimsir, do bhí beirt driféar, agus do bhí gach nduin' acu pósta. Do bhí duin' acu, agus do bhí sí ana-bhocht, agus bhí an ceann eile, agus ní raibh fios a suibhiris aici.

An bhean a bhí bocht do bhí muirear muar páistí uirthi, agus do bhí páistí a' teacht uirthi gach uile bhliain mar ba cheart di. Agus an ceann a bhí suibhear níor gheall Dia páist' ar domhan di.

Do bhí go math agus ní raibh go holc. Do bhí searús mór ag a' mbean a bhí suibhear ar a' mbean bhocht a bheith a' tabhairt páistí chuig a' tsaeil agus gan aon ghiob aici dhóib ach boichtineacht. Ba dh-é toil Dé gur rugag leanabh don bhean a bhí bocht, agus do thainig a' driofúr a bhí suibhear dá féachaint, pé acu a dtug sí cuire chuici nú nár thug. Ach do thaini sí isteach, agus choinnic sí an leanabh:

"Sin é an béal anois," adúirt sí, "agus cá bhfuil a' bia a raghaig ann?"

Do bhí go math a's ní raibh go holc. As sin go ceann trí rátha do reángaig gur chuir Dia cúram uirthi féin agus gur chuir Dia leanabh chuig a' tsaeil chuici, agus nuair a rugav a' leanabh do bhí an leanabh gan aon bhéal.

"*Well*," adúirt a' driofúr léithi, "sin é an bia agus níl a' béal ann a ghlacfadh é!"

58. TOBAR BEANNAITHE GHLEANN AIGHNEACH

Tá baile i ndáil lé Bailí Bhocháin tímpeall míle nú dhó ar a' dtaobh thiar ó dheas de a nglaonn siad Gleann Aighneach air. Tá tobar beannaithe ann, agus tá eascú sa tobar beannaithe, nú bhí sí ann. Agus tá teh muair ann, agus thainic fear don chreideamh Gallda i n-a chónaí insa teh muair pé a' rud a chuir i n-a chónaí ann é, agus níor ghéill sé go mba tobar beannaithe é. Do chuir sé a sheiribhíseach go dí an dtobar fé dhéint uisce le hí úsáid an tí. Insa tsoitheach a bhí an seiribhíseach a thabhairt léithi do thóg sí an eascú a bhí insa tobar, agus do thug sí léithi insa tsoitheach í. Nuair a chua sí abhaile go dí fear a' tí níor ghéill sé gon eascú bheannaithe ná dh'aon tsórt ní eile dhá shórt ar [a] shon gur hínsíog do go raibh a lithéid amhla. Do fuair sé scian, agus do chuir sé trí ghearra treasna a droma insa chaoi gur dhin sé mara dhéarfá trí leath di trí n-a lár, agus do scaoil sé uaig ansin í. Do d'imig an eascú, agus ba dh-é toil Dé gur chreasa sí agus go ndeagha sí ar n-ais insa tobar aríst. Agus níl éinne a choinnic ó choin an eascú insa tobar ná facaig rian na trí ghearra treasna a droma i n-a trí stríoc dhúcha.

59. TOBAR DHAIGH BHRÍDE

Is é an áit a raibh Tobar Dhaigh Bhríde insa chéad iarracht ar a' dtaobh ó dheas do bhóthar thíos ar a' bpáirc; tá claidhe fós thert tímpeall ar an áit a raibh sé mar chuirfeá i gcomórtas áit chruach fhéir.

Do bhí bean gairid do insa tsean-tsaol, agus do ruith sí gairid i n-uisce le hagha a suipéir a bheiriú. Do ruith sí go dí an dtobar seo, agus níor chuir sí aon naith ann. Do thug sí léithi pé méid uisce do theastaig uaithi, agus do chuir sí a' beiriú fataí é. Do chroch sí na fataí agus a' t-uisce ar a' dtine, agus dá mbeadh na fataí agus a' t-uisce ar a' dtine ó choin ní théfadh a' t-uisce ná ní bheireódh na fataí.

Ba dh-é toil Dé ar maidin lárnamháireach insan áit a raibh a' tobar agus a dtug a' bhean a' t-uisc' as, go raibh sé traochta. Do bhí an tobar aistrithe ar a' dtaobh ó thuaig don bhóthar, agus tá ansoin ó choin.

60. AG TABHAIRT TURAISTÍ

Tá thímpeall lé leath-chéad blian ó choin, Satharain Domhnach Chrom Dubh, do bhíodh muíntir Chonnacht, gach uile shórt duin' acu, a' teacht go dí Tobar Dhaigh Bhríde a' tabhairt turaistí agus a' colla insan oíhe, mar bhíodh na turaistí geallta ar fhaid na blianan rimhe sin, agus b'ait leóthu a bheith suais le n-a bhfocal. Do bhídíst a' góil thurainn insna bóithre seo i n-a mheántaí le hasaile agus trucaillí, agus miúileanna agus trucaillí, agus capaille agus trucaillí, insa chaoi ná dineamuist aon ghiob ach a' féachaint ar na Connachtaig a' góil thurainn. Agus ansin, Dé Domhna 'ár gceann, nuair a bheidíst th'réis na hoíhe a cholla ag a' nDaigh, agus a dturas a thabhairt ar maidin, do bhídíst a' casa insa nós chéanna, agus ba bhreá leat a bheith ag éisteacht lé cuid acu a' góil soir dóib nuair a bheadh a' ghrian ag eighrí ar eighrí an lae, agus iad a' góil amhrán dóib héin go bunógach.

Tá an eascú i gcónaí insa tobar. Nuair a bhíonn siad a' glana a' tobair tóigeann siad an eascú aníos i mbóicéad, agus leagann siad ar leataoibh í nú go mbeig an tobar glan acu, agus ligeann siad an eascú insa tobar aríst; agus tá sí ansoin mar sin ó choin. Tá cuid hórm daoine a thagann ann, agus ní féidir leóthu í fheiscint i n-ao'chor, ach tá sé ráite duine ar domhan a thiocfaig a' tabhairt turais go Tobar Dhaigh Bhríde, má rángaíonn leis go bhfeicfi sé an eascú, go n-eighreóig a thuras leis.

An oíhe is guirí [.i. gairbhe], is fliucha, agus is fiaine a thainic insa saol riamh, Oíhe lé Bríde nú Oíhe Satharain Domhnach Chrom Dubh ag Tobar Dhaigh Bhríde, an méid a bhí thímpeall air (i.e. ar an dtobar beannaithe), insa choill, agus insna crainn. Do bhí gach uile bhrainnse ar na crainn agus coinneal lasta ag na strainnséirithe ann le honóir do Naomh Bríd—níor múchag coinneal le stoirim ná le gála riamh ann nú go mbeadh an choinneal dóite go dí an órlach.

61. AN BHEAN STRAINNSÉARTHA

Do bhí bean insa pharáiste seo gairid dúinn fadó, agus níl an-fhad aimsir' ó choin i n-ao'chor, agus do bhuail galar ar a súile. Níorbh fhéidir léithi pioc ar bith fháil a leigheasfadh í, agus do bhí sí anfhada go léir, agus ní muar ná 'rai' sí i n-a dall. Ach lá dosna laethanta, lá breá, do bhuail bean isteach chuici; agus ní fhaca sí an bhean roimis sin riamh ná ó choin; agus d'fhiafraig sí dhi cad a bhí á cathamh ar a súile. Do d'inis a' bhean a raibh na súile tinn' aici dhi cad a bhí a' cathamh uirthi agus cé a' nós, agus gach áit a ndeagha sí a' lorag leigheasanna dhóib, agus nárbh fhéidir léithi aon leigheas fháil.

" Well," adúirt an bhean strainnséartha a tháinic isteach léithi, " a' rai' tu ag a lithéide seo go thobar riamh leóthu ? "

" Ní rabhas ! " adúirt a' bhean tí.

" Well, teighre go dí an dtobar sin," adúirt sí, " agus tabhair trí turais ann, agus gach aon uair a thabhairfi tu turas ann, tabhair braon don uisce beannaithe athá insa tobar leat agus cuide dhon chúnach athá air. Cuir lét shúile an cúnach, agús nig dó shúile leis an uisce, agus bí siúráilte gach uile bhabhta a ragha tu go dí an dtobar, an t-uisce a thug tu leat inné nú inné rimhe sin a chuir ar n-ais aríst agus é fhágaint ann, agus tabhair ceann friseáilte leat ar fiog na trí turais ! "

s

Ba dh-é toil Dé nuair a bhí an tríú turas tabharth' aici go raibh a radharc có math aici agus a bhí riamh rimhe sin, agus ó choin anuas go bhfuair sí bás.

Ní fhaca sí an bhean sin ó choin riamh anuas agus níl fhios cé an sórt í.

FINSCÉALTA AR NA MAIRBH

62. AN FEAR CÉILE BÁITE

Do bhí—agus ní an-fhad aimsir' ó choin—triúr fear; agus do bhíodh pátrún i n-Árainn, istig i n-Ineas Meán insan am sin. Do chuaig an triúr fear ó Shráid na n-Iascairí isteach go dí pátrún Árainn. Nuair a bhíodar a' teacht abhaile tráthnóna, do bhí braonín ólt' acu, agus do d'iúmpaig a' cùrrach agus gan í i bhfad ó thír i n-ao'chor. Do shná[mha]ig beirt 'osna fearaibh isteach insan oileán aríst, ach bág duin' acu.

Well, nuair a thráig sé ansin amach aríst, do fuaireag an fear a bhí báite, agus do thugadar abhail' é Iarnamháireach amach go Bealach a' Laidhean. Nuair a thana sé amach cuireag tórramh air, agus cuireag é.

I gceann nae nú deich do dh'oíheanta t'réis é bheith curtha, do bhí a bhean agus a páistí i n-a gcolla ar a leabain; agus ní raibh aon tseómara insa teh, agus is é an áit a raibh an leaba acu thuas i n-éadan a' tí.

Do dh'airig an bhean siúl an fhir a' teacht gairid don ndoras, agus do tháini sé isteach, do bhuail sé a chúl thíos leis a' dtine, agus do bhí sé a' féachaint suas ar a' leabain agus orthu féin.

Ba mhath an mhaise sin don bhean; níor tháinic fuacht ná faitíos uirthi. Do d'eighri sí go léim as a' leabain, agus do riug sí fé n-a bhást' air. Dúirt sí leis ná scarfadh sí go brách arís leis, pé ar domhan nós a gheódh an saol ná Dia leóth' araon.

" Ní haon mhath dhuit,'' adúirt a fear léithi, " ad iarra me choinneáilt anois, ach 'neósa mise dhuit cad a dhéanfa tu, agus gheó tu a dhéana. Tá luibh a' fás thíos insan abhainn, agus bain amáireach í, agus cuir i gcóir í. Cuir cuide dhot sheana-mhaighistir agus math na gcearc, agus cuir trí n-a chéil' iad. Be mise agus a' math-shlua a' góil aniar a' bóthar Bealach a' Laidhean san oíh' umànathar. Bí reóm-sa thuas ag a' gCloch Gheárrtha, agus nuair a d'fheicfi tu me a' góil chút aniar—is me a bheig ar a' dtarna capall déanach a' teacht—buail idir a' dá shúil oram geach ní acu sin dá bhfuilim a' reá leat, agus titfi me anuas có sleamhain có slán agus bhí me riamh, agus be me agat aríst ! ''

Mar sin a bhí. D'imig a' fear leis an oíhe sin, agus níor fhain sé aici níos sia insan áit sin.

Well, do bhí sí i gcóir glan do ar maidin larnamháireach le hagha dhul a' baint a' luibh adúirt sé, agus a' cuir i gcóir a' méid adúirt sé léithi. Lé neart áibhéis bhuail sí amach go dí bean na córsan, agus adúirt sí:

" Beig Micí a' teacht chúm-sa san oíh' umànathar arís," adúirt sí, " le cúna Dé ! "

" Cé a' nós a bhfuair tu cúntas air sin ? " adúirt a' bhean chórsan léithi.

" Ó, fuaireas," adúirt sí. " Do bhí sé thíos ag a' dteh araeir agam, agus bhí me a' caínt leis, agus dúirt sé liom a dhul agus a' luibh a bhí thíos insan abhainn a bhaint agus í chuir i gcóir le math na gcearc agus a' seana-mhaighistir, agus é bhuala 'der a dhá shúil nuair a bhe sé a' góil aniar a' bóthar insan oíh' umànathar, agus go mbe sé agam go brách aríst."

" Nár lige Dia do dhrochghoil' agat, a óinsig bhradaig ! " adúirt bean na córsan. " Ní fheicfi tu let' shaol aríst é, agus dám áil leat do ghró a dhéana agus gan aon fhocal a labhairt do bheadh do ghró déanta go math agat; ach tá deir' agat leis anois ! "

Chua sí go dí an abhainn ar maidin larnamháireach go gcuireadh saí i gcóir an luibh, agus dá siúladh saí an abhainn ó thóin go ceann agus fé dhó le chéile ní fheicfeadh saí aon ghiob don luibh. Agus do bhí sí (i.e. an luibh) ann inné rimhe sin, agus do bhí sí larnamháireach ann, agus faid a mhair a' bhean i n-a dhiaig sin aríst go deó a' domhain, agus tá ó choin.

Fuair mé é sin ó iníon an fhir ar thit sé amach do. Ní cuín liom a' fea:, ach bhí aithint mhath agam ar an inín.

63. AN CAILÍN MARABH AGUS A LEANNÁN

Insa tsaol a cathag fadó anso 'o réir mar d'airi mise, do bhí lánú óg ann, agus do bhíodar go mór lé chéile; is dócha go raibh sruith-gheallúint eatarthu chuig pósa dhéana, agus ba mhaith leóthu é dhéana.

Insa tsean-tsaol sin do bhíodh fearaibh óga a' dul amach go Cúntae Luimine a' spailpínteacht, agus an fear óg a bhí go mór leis a' gcailín seo athá me a' reá do d'imi sé amach, agus do chua sé go Cúntae Luimine a' spailpínteacht. Ba dh-é toil Dé idir an fear a

dhul go Cúntae Luimine agus cas' abhaile aríst gur chuir Dia an bás
ar a' gcailín, agus go rai' sí curtha rimhe. Nuair a ránga leis teacht
abhaile ni rai' sí curtha ach ceathair nú a chúig do laethanta, agus ní
raibh aon ghiob dá chúntas aige.

A' teacht abhaile dho, ar nó, ar a' mbóthar do bhí an teh a raibh
an cailín—ba dh-é teh an chailín é, (agus) do chua sé isteach go
bhfeiceadh sé (í) fé dtagadh sae abhaile, agus go ndineadh sae a
chuairt léithi féin agus leis a' sean-lánú.

Nuair a bhí sé a' cas' isteach go dí an dteh, do bhí an cailín óg i
n-a seasamh amuh ag éadan a' tí. Ba lag leis a thabhairt lé rá go
gcathfadh sae suí síos ag éadan a' tí a' caínt léithi ná go bhfeicfeadh
éinn' é nú go labhairfeadh sae istig ag baile teh a hathar agus a
máthar léithi; do bhí sé ró-mheastúil uirthi.

Do thaini sé isteach go dí an dteh, agus nuair a thaini sé isteach
go dí an dteh, i n-inead fáiltiú rimhe is ul' a chrom a' tsean-lánú a
gceann, agus thosnaíodar ar chaoineachán agus ar ghol.

" Cuid é a' rud athá oraib ? " adúirt an buachaill óg.

" Á, mhuise," adúirt a' tseana-bhean, " tá, dá maireadh a lithéide
seo," adúirt sí, a' cuir ainim' ar a hinín, " do bheadh fáilte mhuar
aici reót ! "

Sin é an uair a thuig sé é féin, agus níor 'úirt sé dada. Ach do
chásana sé cad a bhain di leis a' seana-bhean, agus cé an uair a
fuair sí bás, agus d'insíodar gach cor dá raibh ar a' dtórramh agus
ar a' socharaide dho.

Bhí go math. Níor dhin sé aon mhoill mhuar eatarth' ansin, ach
dúirt sé go dtiocfadh sé abhaile mar ná raibh aon fhonn cuairt a
dhéan' air toisc go bhfaca sé amuh ag éadan a tí í. Nuair a bhí sé a'
góil amach aríst do bhí sí insan áit chéanna roimhe, ach má bhí níor
chuir sé aon tóir uirthi. Do d'imi sé leis, agus do thaini sé abhaile.

Mar sin a bhí. Gach tráthnóna nú oíhe dhá ngeódh sé amach as
sin amach suas níl aon áit 'á ngabhadh sé leis féin ná bíodh sí rimhe
agus do bhuail droch-mheisneach é, agus do thainic faitíos air.

Do dúirt sé leis féin go n-imeódh sé as an áit ar fad agus ná
fanfadh sae ann i n-ao'chor. Do d'imi sé leis, agus do chua sé go
hAmericeá.

Nuair a chua sé go hAmericeá ní raibh sé an-fhad' ar thalamh
nuair a casag leis aríst í. Do d'imi sé, agus do bhí sé a' cathamh leis,
ach ní bhíodh sae a' fanacht amuh déanach i n-ao'chor.

Do bhí sé lá a' buaint arúir, agus é thall i n-Americeá, é féin agus cuid eile fear i n-éindí leis. Do bhí comarádaí fir aige ann, agus d'inis sé an scéal do.

"Anois," adúirt a' fear a bhí i n-éindí leis, " nuair a bhe tu a' dul abhaile, má castar leat í, caith a' corrán léithi, agus má bhaineann a' corrán léithi ní fheicfi tu go brách aríst í!"

Do bhí go math. Do bhí sé a' teacht abhaile, agus do d'fhan sé cineál déanach amuh, agus do bhí an corrán ar úmpar aige. Do thaini sí roimhe, agus má thainic choíhe, do chaith sé an corrán léithi. Do bhuail a' corrán í, ach má bhuail féin níor dhin sin aon deifir.

Do bhí sé ar fiog tamaill mhaith ansin, agus níor casag leis i n-ao'chor í. Ach mar sin féin ní fhanfadh sae amuih déanach.

Do d'imi sé nuair a bhí an Fór déanta, agus do chua sé ag obair i gcoiléar. Nuair a bhí sé ag obair sa choiléar do thagadh sae abhaile luath tráthnóna, agus ní ghabhadh sae amach i n-ao'chor insan oíhe. Do ránga leis maidean fhuar a bhí sé ag imeacht a' dul ag obair go dí an gcoiléar go raibh *top coat* nó aige, agus do thug sé leis í agus do chuir sé thímpeall air í ag imeacht do. Nuair a bhreáthaig a' lá amach, agus do bhí sé insan obair, do leag sé an *top coat* le n-a thaobh insan obair nú go dtugadh sae leis abhaile tráthnón' é. Nuair a bhí sé a' teacht abhaile tráthnóna níor chuíni sé ar a' d*topcoat* nú go dtainic sé abhaile. Shin é an uair a chuíni sé air, agus ba bhocht leis é fhágaint i n-a dhiaig, mar do thug sé *price* muar air, agus do bhí sé nó aige. Do ghlao sé ar a' chomarádaí fir a bhí aige, agus d'fhiafra sé dhe a' dtiocfadh sae leis agus go mbeadh sae ana-bhaoch de nú go dtéadh sé ad iarr' an chóta mhuair. Do bhí fhios ag a' gcomarádaí go mbíodh an taibhse dhá fheiscint roimhe aige, agus d'eiti sé a dhuil leis, agus ní raghadh sae leis.

Mar sin féin chua sé féin ar fiontar a theacht leis agus an cóta muar a thabhairt leis. Do thaini sé go dí an gcoiléar ad iarra an *topcoat*, agus do casag leis í, agus nuair nár labhair sé léithi aon uair do fuaireag marabh ar maidin i n-éadan na hoibir' é.

D'airi me fear a bhí a' caínt leis agus a raibh aithint aige air dá reá sin a thainic abhaile ó Americeá é féin. Dob ainim don fhear a bhí dhá ínseacht dom—agus ní chuirfi mé bréag air—Seán Ó Multháin do bhí anso i n-a chónaí ar a' Lúch.

64. CÓRHA ÓN SAOL EILE

Do bhí bean i n-a suí ar bhruach na farraige i dteh a bhí ann, agus do bhí sí i n-a suí amuh ar a' bhfuinneóig, agus í a' fúáil. Níorbh fhada dhi nú gur leagav an chórha i n-a fianaise amach ón *hall-door*, agus nuair a leagav choíhe bhí sí ansin tamall—pé tamall a chaith sí (i.e. an chórha) ann. Tógav a' chórha aríst, agus d'imi sí go ndeagha sí thímpeall le leath-mhíle bóthair ó bhaile nú gur leagav os ceann tí eile córsan a bhí aici í.

I gceann cúpala lá do bhí an bhean tí do bhí insa teh córsan, bhí sí á cur, agus i gceann seachtain' i n-a dhia sin, an bhean a choinnic an chórha ar dtúis, do bhí sí dá cur có math céanna.

65. MAC DONNACHA NA CÉISE

Do bhí fear anso fadó do Chlainn Mhé Connacha agus do bhí sé i n-a shaighdiúir insan aram. Do bhí sé amuh a' bhácaeracht leis féin oíhe, agus d'eighrig rimhe taibhse—muc—agus chua sí ar n-agha le h-é a throid. Do throid sé féin agus í féin a chéile nú gur mhara sé an taibhse.

Tá a phátrún geárrtha ar a' lic go bhfuil sé curtha fúithi i roilig Chill Aighleach. Tá pátrún na muice geárrtha có math céanna ann. [Tá] an claíomh i n-a dhoran, agus is é an t-ainim a glaog air ó choin anuas—Donnacha na Céise.

66. OLLAPHIAST AG ITHE CORP

'O réir mar a d'airi mise, insa tsaol a cathag fadó, nuair a chuirtí corp i dteampall Chill Mhé' Crith, ar maidin lárnamháireach bhí sé tócaith' as agus é imithe. Do bhí ollaphiast amuh insa ruibhéar, agus do thagadh saí isteach gach uile oíhe, agus do thógadh saí an corp, agus do d'itheadh saí é, is dóch.

67. SLAM CEO A CHUAIGH SA ROILIC

Do bhí mise lá dhom laethanta, agus do bhí me im sheasamh thoir ag éadan mo thí féin, agus do bhí mé a' féachaint uaim ar fhaid na talún. Ba dh-é sin thímpeall leath-uair t'réis a dó nú as sin thímpeall a trí a' chlog. Do bhí an lá fliuch i gcathamh a' lae rimhe sin, agus, má bhí choíhint, b'éigean dom fànacht istig. Bhí me tuìrseach ó bheith istig, agus d'eighri me amach, agus bhí me a' féachaint thímpeall oram.

Choinnic me slam ceó a' góil chúm anoir an bóthar tamall math uaim agus a' teacht i gcoinne na gaoithe. D'fhan me a' féachaint air nú gur tháini sé níos goire dhom, agus do bhí sé a' méadú leis ar fiog na faidhle 'o réir mar a bhí sé a' déana gairid dom. Do thug sé an bóthar air féin isteach go dí Gort na Muice, as sin leis nú go dtáini sé anoir go dí An Lic, agus anoir ón Lic go dtáini sé isteach sa Lic Láir. Nuair a thaini sé isteach sa Lic Láir do d'imi sé nú go ndeagha sé treasna thuas an bhóthair agus isteach i n-áit a nglaonn siad Seana-Gheata na Marabh air. D'imi sé suas ar fuaid Páirc an Teampaill ansin nú go ndeagha sé suas go bun a' tulláin. Do chais sé siar ar a' dTeampall ansin, agus nuair a chais sé siar có fada leis a' dTeampall, níl aon tsórt smól deataig ná ceó a bhí ann nár imig isteach treasna na roilice. Ach 'o réir mar a bhí sé a' dul isteach insa roilic do bhí sé a' leagha ann síos nú go raibh a dheire istig, agus ní dheaghaig an oiread agus a thiocfadh as cos píopa dhe tao' thiar do chlaidhe na roilice amach, ná níor fhain sé tao' amu do chlaidhe na roilice thoir.

Sin é a choinnic mé insan am sin, agus sin a bhfaca mé dhá lithéide riamh roimhe sin.

68. SCÉAL SCÉALAÍ

Do bhí mise—me héin!—agus do bhí me a' teacht abhaile ó Inis Díomáin oíhe, agus bhí mo dhóchaint mhór ólta agam! Do bhí me a' góil a' bóthar i n-áit áirithe a raibh ainim na daoine maithe a bheith ann, agus do casag liom *crowd* muar daoine. Ní raibh a fhios agum ciocu beó nú marabh iad; agus nuair a bhí an t-ól déant' agum ba chuma liom ce hucu sin! Ach do dhin me amach tríothub có dian agus dob fhéidir liom é. Níor chuir éinn' aon tóir oram, agus do bhí slí mo dhóchaint agum chuig góil a' bóthar—agus ní raibh ach sin— nú go rai' me i ndáil le bheith amach tríd an gcóchalán. Níl fhios agum ciocu me héin a dhin an *mistake* nú duine a bhuail turraic ionam; ach leagag anuas ar thaobh a' bhóthair me, agus nuair a d'eighri me do d'eighri me dho léim, agus dúirt mé le duine acu úntó amach chúm agus go dtroidfinn é! Níor labhair éinne, agus níor chuir éinne aon tóir oram. Tháinig me abhail' ansin, agus b'fhada san oíhe é. Níl níos mó ann.

FINSCÉALTA SÍ

69. NA LIOSANNA

D'airi mé ag na seandaoine fadó anso nuair a bhí mé ag eighrí suas, go mbíodh seandaoine ann agus go gcreididíst go hana-mhuar go mbíodh na daoine matha a' maireachtáil insna sean-liosanna. Agus tá na daoine ar fad—go leór Éireann acu—a' géilliúint go bhfuil siad ann, agus gurab é a n-áit maireachtáil ann é, mar is mó duine a choinnic córthaíocht thímpeall na liosanna go mbídíst ann.

70. CUAILLE MHIC DUACH

Sa tseana-shaol—agus le déanaíocht anuas—nuair a gheódh sionnán gaoithe ther na sean-daoine dhéanaidíst amach gur síóga iad. Do chromaidíst síos, agus do bhainidíst dó nú trí 'o ghreamanna don fhéar ghlas amach don talamh, agus chathaidíst i n-a ndiaig é i n-ainim an Athar, a' Mhic, agus a' Spioraid Naoimh. Do thabhairfidíst air sin " Cuaille Mhic Duach " [agus deiridíst, á chathamh leis na síóga]: " Bua agus treise lib ! "

Cathann siad " Cuaille Mhic Duach " lé beó agus marabh, mar tá sé dhá dhéana amach ag na sean-daoine go mbíonn sonas muar ansin.

71. PÍOBAIRE SÍTHIÚIL

Tá roinnt blianta ó choin anso thíos i nDúilinn, do tháinig traibhiléirithe ann a raibh *show* mar mhaireachtáil acu, agus do bhíodh bheidhleadóir leóthu—agus ba dh-é a' rud é bheidhleadóir ar fónamh. Do rángaig go raibh me héin agus fear eile a' caínt le chéile agus muid istig insa mbosc' acu oíhe, agus do bhí a' leasmháthair a bhí ar a' bheidhleadóir, do bhí sí i n-a seasamh ag a' ndoras insa chaoi ná tiocfadh éinn' isteach gan díolaíocht. Do bhí mise agus a' fear eile—do bhíomair ar ghach taobh don doras, agus bhíomair a' caínt. Do bhí an bheidhleadóir a' rá poirt ar a' bheidhil, agus ba mhath a' port é, agus do thaithn a' port linn go math.

" Is breá an bheidhleadóir é ! " adúirt mise leis a' bhfear eile.

" Ní fhéadfadh sae bheith ann níb fheárr," adúirt a' fear eile am'
fhreagairt.

Do d'iúntaig a' tseana-bhean siar, agus do labhair sí liom:

" Ní fhéadfadh sae sin a bheith i n-a mhalairt do nós," adúirt sí,
" mar ba píobaire síthiúil a athair críonna."

72. " EACH A'S GATH DHÓ-SA ! "

[Bhí fear i n-a chónaí anseo ar] a' Lúch insa tsaol a cathag fadó,
agus do theastaig uaig a dhul go Gaillimh ar ghnó eicínt, agus, má
theastaig choíhint, ní raibh fhios aige cé a' nós a d'imeódh sé, mar
is é a' nós a n-imíodh na daoine insan am sin sa gcuid is mó go na
háiteanna sin a' siúl dá gcois, agus b'fhad' an aimsir agus a' bóthar
a dhul as so go Gaillimh.

Bhí go math. Do bhuail sé ansin féig thímpeall an áit a bhfuil
cuid *Johnny Flannagan* anois, agus do bhuail sé a chúl le claidhe fód
ann, agus má bhuail choíhint, bhí sé a' cuíneamh air féin cad é a'
nós a d'fhéadfadh sé imeàcht. Níorbh fhada gur airi sé an torann a'
góil chuige anuas Croic na gCapall. D'fhéach sé thímpeall air, agus
lé línn é féachaint tímpeall air, cad a reaghadh do léim amach ther
a' gclaidhe a raibh a chúl leis [ach màrcach].

" Each a's gath dhó-sa ! " adúirt an fear a ghuibh amach ar
marcaíocht ar a' gcapall.

Bhí go math. Thainic fear agus fear eile, agus iad ar marcaíocht
ar chapaille, agus dúradar a' rud céanna.

Nuair ba dhói leis a' bhfear a bhí i n-a sheasamh cois a' chlaidhe
a' féachaint orthu go rabhadar ar fad imìthe, do dhin sé sceairt
gáire, agus é a' féachaint i n-a ndiaig:

" Each a's gath dhó-sa ! " adúirt sé.

Cad a léimfeadh a' teacht i n-a dhiaig aniar ach *bame* céachta,
agus chais sé amach 'deir a dhá chois í féin, agus amach leis insan
aer i n-a ndiaig.

Away leis anúnn treasna na farraige go ndeagha sé go Conamara.
Soir leóthu, agus soir lé Seán i n-a ndiaig, nú go ndeaghadar amach
soir a' déan' ar Chroc Meá. Nuair a chuadar soir amach a' déan'
ar Chroc Meá, agus iad amach ó thuaig do Ghaillimh—ana-ghairid
do Ghaillimh—do bhí claidhe muar muar os coinne Sheáin amach,

agus, má bhí choíhint, do d'eighrig an tseana-*bhame* céachta a bhí
fé Sheán, agus do chua sí glan do léim ther a' gclaidhe.

" Muise, goirim do léim," adúirt an fear a bhí ar marcaíocht
uirthi, " a sheana-*bhame* céachta ! "

Le n-a línn sin do chaith sí anuas ar a' bpáirc é, agus d'fhág sí
ansin é. Do d'imi sí léithi uaig, agus ní fhaca sé feastaint í.

Do chais sé isteach anuas go Gaillimh, agus dhin sé a ghró, agus
do bhuail thert tímpeall a' bóthar go breá bog socair do féin. Níor
airi sé an bóthar go dtáini sé abhail' ar a' Lúch aríst, agus a ghró
déanta.

73. " HIE OVER TO ENGLAND ! "

Bhí fear i n-a chónaí anso ar na croic, an áit a dtugann siad
An Croc Uaithne air, thoir gairid dúinn, agus níl aon fhad aimsir' ó
choin i n-ao'chor. B'ainim do Seán do Long. Do bhí teh beag
deas, cuascuilithe, cluthair aige, agus choinníodh bean a' tí ana-
ghlan é. Do bhí na " daoine matha "—do bhídíst a' lonnú ann
anois a's aríst nuair a d'oilfeadh dóib bheith a' catha bí', agus iad a'
góil a' bóthar.

Oíhe 'osna hoíheanta, do bhíodar a' cuir i gcóir chuig dul anúnn
go Sasana a' robáilt *store* biotáille a bhí thall istig i Lúndain. Do
bhuaileadar a' bóthar go dí Seán ag imeàcht dóib go gcathaidíst bia.
Do bhíodar a' cath' an bhí' leóthu, ach má bhí choíhint, pe'r domhan
nós ar dhúisig Seán, agus é thiar ar a leabain, do d'airi sé an cúlódar
ar fhuaid a' tí. Do chrom sé ar bheith a' féachaint aniar orthu;
agus bhí sé lách, éifeachtach. Do chuíni sé go math cad é a' rud a
bhí ann.

Bhí go math. Do bhí sé a' féachaint orthu, agus nuair a bhí an
bia cait' acu, do bhí cupán leacaithe ar éadan a' bhúird, agus níl
aon tsórt fear acu, nuair a bhí sé a' góil amach, ná tagadh go dí an
gcupán agus ná tumadh a mhéar ann, agus ná habaraíodh:

" Each agus gath dhó-sa,
Agus *Hie over to England !* "

Do chimilíodh sé é ar chlár a éadain, pé ar domhan stuif a bhí
insa chupán. Bhí go math.

Bhí Seán thiar, agus bhí sé a' féachaint orthu ar fad, agus iad a' góil amach dá dhéana sin. Do d'eighri sé dho léim thiar as a leabain, agus ní raibh air ach a léine a' góil aniar do, agus do tháini sé go dí an gcupán, agus do thúm sé a mhéar ann.

> " Each a's gath dhó-sa,
> Agus *Hie over to England !* "

adúirt sé.

Amach trí mhùllach a' tí lé Seán mar ghuibh gach duin' eile, agus níor stop choíhint ach ag imeàcht i n-a ndiaig nú go ndeaghadar isteach anúnn go Cathair Lúndain. Chuadar isteach sa stór a bhíodar le hagha robáil, agus nár chua[ig] Seán i n-éindí leóthu! Bhí go math. Bhí gah éinne a' déana a ghnótha féin istig, agus do bhí Seán a' féachaint orthu a' góil abhus a's tall. Ach, ar ndó, do bhí dúil sa bhraon ag a' bhfear bocht. Do bhlais sé cuide dhon bhraon, agus nuair a bhlais sé é bhlais sé aríst agus aríst eil' é. Ach d'ól sé iomurca dhe, thit sé ar meisce, agus thit sé i n-a cholla cois bairille.

Ar maidin, nuair a thainic na fearaibh oibire isteach a' dul ag obair insa *store* aríst do fuaireadar an *store* robáilte. D'fhéachadar i ngach uile shórt áit, a's ní raibh fhios acu cé a' nós a dtáinic na bithiúnaig isteach a robáil é. Do bhíodar a' góil tríd a' dteh; ach casag leóthu Seán, agus é caite i mbun bairille i n-a cholla shuain le meisce. Do thógadar suas é, agus ní raibh fhios acu ar huain cé an sórt é. Do thugadar leóth' é. Do chuireadar dlí air, agus do thugadar leóth' isteach i bpríosún ansin é nú go dtáinic lá na cúirte. Nuair a tháinic lá na cúirte, bhí Seán i n-a léine agus é i n-a sheasamh thuas ar a' mbínse os coinn' an bhreithimh; agus ní raibh fhios ag a' mbreitheamh cad é an sórt é i n-ao'chor. Nuair a d'fhiafraíodh a' breitheamh ceist do Sheán, ní bhíodh fhios ag Seán é fhreagairt, agus ní raibh fhios aige cad a bhí sé a' reá; ach dá bhfreagaraíodh héin ní bheadh fhios ag a' mbreitheamh cad a bheadh Seán a' reá ach an oiread céanna.

Pé ar domhan súil a thug Seán thuas, do choinnic sé fear beag a' teacht anuas trí mhùllach a' tí agus a' seasamh thiar ar chúl a' bhreithimh, agus, má sheasaig choíhint, do dhin sé comhartha do Sheán:

> " Each a's gath dhó-sa,
> Agus *Hie over to Ireland !* "

adúirt [a' fear beag].

Chuíni Seán air féin:

" Each a's gath dhó-sa," adúirt sé, agus é i n-a sheasamh ar a' mbórd, " agus *Hie over to Ireland !* "

Amach le Seán trí mhùllach a' tí. Do thit a rai' i dteh na cúirte agus shíleadar gurab é an Fear Muar a bhí ann. Sin é a' nós mar a thit do Sheán amach. Bhí sé go luath tráthnóna larnamháireach thíos ag baile. Agus nuair a bhí sé a' góil isteach an móinéar i n-a léine chuig muíntir a' tí—chuige féin—ní raibh fhios aige ar thalamh a' domhain cé a' nós a chaith sé an lá agus an oíhe rimhe sin !

74. AN DRIOTHÁIR MARABH SA SLUA

Do bhí aithint agam ar fhear, agus do bhí aithint agam ar a thriúr driothár. *Well*, do cailleag an triúr, ach mhair driotháir dóib, agus, má mhair choíhint do bhíodar dá dhéan' amach gur bás dlistineach a fuair gah éinne dhon triúr driothár, mar cailleag le tinneas eicínt a ghuibh a' bóthar iad.

Lá dhá laethanta, agus ba dh-é a' rud é lá ceóch, do bhí an fear a mhair dosna driotháireacha, do bhí sé a' góilt tríd a' dtalamh, agus do casag leis a' driotháir críonna a bhí curtha. Do dhineadar féin caínt a chur ar a chéile, agus do d'fhiafraig a' driotháir a mhair de an i n-éineacht leis a bhí an triúr driothár. Dúirt sé go bhfuair duine dhá dhriotháireacha bás dlistineach ach go raibh duin' eil' acu i n-éindí leis féin.

Well, an fear a mhair ansin, do d'fhiafra sé dhe nuair a bhíodar a' scarúint lé chéile a' bhfeicfeadh sé le n-a shaol aríst é, agus is é an freagara a thug a' fear eile air a bhí curtha ná raibh fhios aige cé hucu sin mar go rai' sé le hí a dhul go Connacht, é féin agus An Slua, anois a' troid catha, agus ná raibh fhios aige a' gcasfadh sae nú ná déanfadh.

D'fhiafraig a' fear a bhí ag baile dhe a' bhfaigheadh sé córthaíocht ar domhan an lá a bheadh a' cath ann ce hucu an teacht nú imeàcht a dhéanfaidíst, agus dúirt a' driotháir leis a bhí a' dul insa chath, dá mbeadh an cath buait' acu i gConnacht a' lá sin go mbeadh a' lá ana-bhreá go léir, agus a' ghrian ann, ach mara mbuafaidíst a' cath a' lá sin go mbeadh a' lá fliuch agus é smúitiúil doracha.

Mar sin a bhí. Ní fhacaig an driotháir a mhair—ní fhaca sé ó
choin istig ná amuh i n-aon áit riamh é. Do thug sé aire mhath dhon
lá go mbeadh fhios aige ce hucu fliuch nú tirim a bhí sé, agus do bhí
an lá fliuch. Ach ní fhaca sé ó choin ná riamh i n-a dhiaig é.

75. AN LOINITHE BHRISTE

D'airi mise trácht ar fhear ná fuil an-fhad' ó choin; agus do bhí
beirt fhear ag obair i ngarraí a' saorthú a bpá dho dh'fheirimeóir
córsan a bhí acu; agus insa gharraí go rabhadar ag obair ann do bhí
lios istig le n-a dtaobh ann. Do bhíodar ag obair leóthu mar so, lá,
ach, má bhíodar choíhint, d'airíodar istig insa lios an chuigeann
dá déana.

"Tá an chuigeann dá déana," adúirt duin' 'osna fearaibh leis
a' nduin' eile.

"Tá," adúirt a' fear eile.

Ní raibh iomurca caínte déant' acu nuair a stop a' chuigeann.

"Ó, tá an loinithe brist' uirthi," adúirt duin' 'osna fearaibh aríst.

"Tá," adúirt an comarádaí a bhí ag obair leis, "agus dá gcuir-
eadh saí an loinithe amach chúm-sa agus córda le hagha é dheisiú,
agus go gcuirfeadh saí smuit 'ráin agus ime i n-éindí leis do dheiseóinn
an loinithe dhi!"

Bhí go math. Do chua sé, agus chríochna sé an smuit sin a bhí
sé a' rór, agus do chua sé agus do thosna sé ar smuit eile, agus nuair
a chais sé aníos aríst leis an smuit a bhí sé a' rór an babhta sin, do
bhí an loinithe leacaithe ar éadan an iomaire rimhe, an córda a
dheiseódh é agus an ceapaire 'ráin agus ime! Do shui sé síos agus
leag sé uaig a ramhainn agus do riug sé ar a' loinithe agus ar ghach
cóir 'ár oil do a bhí leacaithe le n-a thaobh, agus do dheisi sé an
loinithe. Nuair a bhí an loinithe deisith' aige d'ua sé a smuit 'ráin
agus ime, agus d'imig agus chuaig leis ag obair aríst. Nuair a bhí
sé a' cas' aríst le n-a smuit, dá reór leis, do bhí an chuigeann ar n-agha
istig insa lios, agus sheasaig a' chuigeann dá déana istig nú go raibh
an chuigeann críochnaithe, agus stop sí ansin.

Do bhí aithint mhath ag gach nduine 'á bhfuil anso—an chuid
is mó dhosna daoine 'á bhfuil ann—ar a' bhfear a rabhadar ag obair
do, agus ar a' mbeirt a bhí ann—am ainim do dhuin' acu Joe Kinneen,
agus an fear a dheisig a' loinithe b'ainim do Seán Ó Goláin.

T

76. GOID AN BHAINNE

Bhí fear thíos i gCathair a' Doire i n-a chónaí—agus níl i bhfad aimsir' ó choin i n-ao'chor ach beagán blianta—agus do d'óladh sé braon go hana-mhinic, agus do bhíodh sé déanach ar a' mbóthar.

Ach do ránga leis go rai' sé ar bhóthar a' Leachta a' teacht abhaile dho, Oíhe Bhealtaine, agus do bhí braon insa mbreis ólt' aige. Do shui sé chois a' chlaidhe, agus do thit sé i n-a cholla. Amach sa meán oíhe do dhúisig rud eicínt é, agus do d'airi sé an gleó thímpeall air, agus cad a bhí ann ach daoine, agus iad a' crú beithíg Shlatara, ach más ea, ba dh-é an sórt iad Daoine Matha, agus iad a' tabhairt an bhainne ar a ndíheallt. Pé ar domhan rud adúirt siad, agus a bhídíst a' reá—ní chuiním anois cad é a' rud é—ach d'airig " Bríste Bog " iad, agus má d'airig choíhint, do bhíodar ag imeacht:

" Sea," adúirt sé, " agus mo chuid féin dó-sa dhe ! "

Níor labhaireadar aon fhocal, agus níor labhair sé aon fhocal ní ba mhó. Nuair a chua sé abhaile ní raibh fhios aige pioc ar bith.

I gceann cúpala lá do bhí a bhean a' déana cuiginne, agus níorbh fhéidir léithi an baraille a úmpó—bhí sé lán d'ím.

Do sheasaig mar sin ar fiog a' tsaosúir di, agus níorbh fhéidir léithi aon chuigeann a dhéana, nuair a bhíodh an baraille líonta le hím i gcónaí. Do dhin sí an oiread ime an bhliain sin agus nár dhin sí i ruith a' tsaeil rimhe sin.

Níor fhan greim im' ag Slatara bocht. B'éigean do a chuid beithíg bhainne a dhíol, agus eallach óg a cheannach.

77. AN LUTHARADÁN

D'airi me trácht fadó ar fhear a d'fhan a' faire an Lutharadáin Oíhe Shamhn', agus do d'fhain sé chois na tine go rai' sé amach insan mean oíhe, mar do bhí sé ráite insan am sin go dtagadh a' Lutharadán agus go gcuireadh sae rian shál a choise insa luaith i ngach teh Oíhe Shamhn'.

Ach d'fhan a' fear seo a' tabhairt aire dho, mar bhí dúil mhuar i n-airigead aige, agus bhí sé ráite go mbíodh an Lutharadán ag iúmpar Sparán na Scillinne agus An t-Adhastar Buí, agus a' té a gheódh é sin a bhaint de go mbeadh airigead aige faid a mhairfeadh sé, agus *gift* i n-a fhochair nár dh-é a bhainfeadh sé as An Adhastar Buí.

D'fhain sé ansin a' tabhairt aire dho, ach mar soin féin, má d'fhan féin, anuas tríd a' siminé a tháinic an Lutharadán, agus é ar marc-aíocht ar chapaillín bheag bídeach.

Nuair a thainic a' Lutharadán thug [a' fear] araic air, agus rug sé air.

" Tá greim anois agut orum," adúirt a' Lutharadán, " agus lig uait me ! "

" Ní ligfead, mhuise," adúirt a' fear a riug air, " ná níl aon bhaol orum nú go dtuga tu Sparán na Scillinne dhom agus An t-Adhastar Buí ! "

" Á, ní fhéadfainn é sin a thabhairt duit," adúirt sé. " Ní bheadh aon mhaith ionam héin gan é ! "

" Cathfa me é fháil fé lige mise uaim tu ! "

" Is feárr 'uit gan dada a dhéan' orum agus me scaoile uait ! "

" Ní scaoilfi me uaim tu, agus níl aon fháil agut air, nú go bhfaighe mise An Sparán agus An t-Adhastar Buí uait ! "

Le n-a línn sin d'iúmpaig An Lutharadán siar, agus dhin sé franncach de féin, agus cheap sé breith ar láimh air. Níor lig a' fear uaig é. Do choinni sé ansin é.

Níorbh fhada gur dhin sé firéad de féin; ach ní raibh aon mhath dhó ann, do choinni sé é. Do bhí sé a' cuir ana-chúmthaí air féin go mbéarfadh sae agus go n-íosadh sae a lámh, ach choinni sé é.

Do dhin sé easóg de féin, agus do dhin sé gach ní de féin is mó a cheapfadh sé a dhéanfadh faitíos a chuir ar a' bhfear, ach níor scar a' fear leis riamh nú gur bhain sé Sparán na Scilline dhe agus An t-Adhastar Buí. D'imig An Lutharadán leis ansin, agus gan Sparán na Scilline ná An t-Adhastar Buí aige.

Do choinnig a' fear é, agus ní raibh aon easnamh [air] pé ar domhan faid a mhair sé. Níl fhios agum cé haige ar fhág sé i n-a dhiaig é, ach pé ar domhan duine ar fhág sé aig' é, bhí foirtiún math aige.

Tá sé ráite go dtagann an Lutharadán anuas tríd an tsimné Oíhe Shamhn', agus an té a d'oirfeadh é, tá sparán muar airgid aige agus d'fhéadfadh sé breith air agus an sparán a choinneáilt.

78. MARCACH AR GHABHAR

Bhí mise oíhe dhom oíheanta, agus ba Oíhe Shamhn' í, agus do bhí mé a' dul a' ragairne an áit a raibh rínc' agus spraoi lé bheith agam, me héin agus beirt nú triúr eile garsún a bhí mar chomarádaithe agam. Do bhí me ag baile, agus do bhí an ghealach ag eighrí go breá os mo cheann anáirde, agus é luath go math insan oíhe. Do bhí me a' cuir i gcóir chuig imeacht, agus, má bhíos choíhint, do bhí me a' fitheamh ar smut 'ráin a thabhairt liom a d'íosainn ar a' mbóthar ag imeacht dom.

[D'imi me liom] ansin, agus do bhí me ag imeacht liom, agus do bhí me a' ruith ar fhaid a' bhóithrín le hí ná beadh mo chomarádaí imithe uaim. Do bhí cúinne ar a' mbóithrín, agus cé bheadh a' teacht im choinne ach struis do bhuachaill mhath, agus é ar marcaíocht ar ghabhar! *Well*, do bhain a' gabhar geit asam-sa, agus do bhain mise geit as a' ngabhar. Do bhí abhainn a' ruith le taobh insan áit a rabhamair araon a' góil, agus nuair a choinnic a' gabhar mise d'eighri sé dho léim, agus do ghui' sé treasna na habhann, agus an màrcach ar marcaíocht ar a' ngabhar, agus níor leag sí é.

Ar mh'anam nár thit sí féin insan abhainn ach an oiread céanna, go rai' sí lán-ábalt' ar an abhainn a léime. Nuair a thúirlinn sí ar a' dtaobh thall do cheap me gurab é an lutharadán a bhí ann go suíte. Ar ndó, labhair an fear a bhí ar marcaíocht [ar an ngabhar] agus is é an focal adúirt sé: " Go sceana an Dial ort ! "

79. AN COILEACH FÉN gCARR

Tá fear insan áit seo, agus is faisean leis a dhul go Bail Í Bhocháin a' díol móna go hana-mhinic ar ghach uile mharaga insan Earrach nuair a bhíonn a' mhóin gann. Faigheann sé praghas mór uirthi; agus teigheann cuid mhath dhá urasa ón mbaile céann' ann.

Do líon sé *creel* mhóna tráthnóna roimh lá an mharaga, agus do shái sé isteach i ndoras teh an cháirr í ar nós ná beadh sé fliuch ar maidin nuair a bheadh sé ag imeacht.

Nuair a bhí sé ag imeacht, agus é i gcóir chuig imithe, do bhuail sé an trucaill ar a chapall, agus do d'imi sé leis. D'imi sé luath, ní b'éasca ná ba cheart do é, mar ní raibh clog ná *watch* insa teh aige san am sin.

Bhí go math. Do bhí sé ag imeacht leis tamall math, agus níor casag aon charraeraí leis, agus níor airi sé aon turcaill rimhe ná i n-a dhiaig.

" Tá siad ar fad imithe uaim, agus tá me déanach! "

Bhí go math. Nuair a chua sé amach tamall muar soir ó bhaile insan áit a bhí uaigineach, d'airi sé rud dá chrotha féin istig fén dturcaill. Bhain sé geit as, ach, má bhain féin, níor thug sé dada géille dho nú gur dhird sé soir beagán eile bóthair, agus cad a ghlaofadh istig fén dturcaill—agus cheap sé gur thíos ar a' mbóthar a ghlao sé—ach coileach. Do ghlaeig a' coileach aríst agus aríst eile, agus níor stop a' coileach ach a' glaoch mar ba cheart do é nú go raibh a cheacht déant' aige—sin dhá ghlao déag!

Do bhí an t-anam a' titim as a' bhfear a bhí ag imeacht le taobh a' chapaill, mar ní raibh fhios aige cé an nómant a thiocfadh rud eicínt air a mharódh é. D'fhain mar sin nú go dtáinig solas a' lae ar a' bhfear, agus bhí sé i ndáil le bheith marabh.

Do casag áit leis ar thaobh a' bhóthair, agus solas a' lae aige, a n-oilfeadh do deoch 'on uisce a thabhairt don chapall. D'iúmpa sé an capall isteach go dí an uisce, agus faid a bhí an capall ag ól an uisce do bhí sé a' góil thímpeall ar a' dturcaill agus a' féachaint air, agus ní raibh aon chuíneamh aige go gcasfaí aon ghiob leis, ach casag! D'fhéach sé isteach fén dturcaill, agus cad a bhí istig fé mhaid' ascail na trucaille ach a' coileach a bhí ag baile i n-a dhiaig aige féin! Chua sé suas ar ascail na turcaille nuair a bhí sé a' dul a cholla insan oíhe, agus d'fhain sé ann ar fiog na feidhle nú go rai' sé i n-am aige glaoch ar maidin. Do ghlao sé ansin, ach ní raibh fhios ag a' bhfear cad a bhí ann.

D'airi mise an scéal sin araeir, agus níor airi me go dí sin é, agus is rí-fhada ó thit sé amach.

80. AN FEAR STRAINNSÉARTHA

Do bhí fear insan áit seo tamall math aimsir' ó choin am ainim do Muiríortach Ó Dónaill. Is é an áit a raibh sé i n-a chónaí ag geata Dhúilinn; agus ba ghráthach go mbíodh muíntir na hÁrann a' lonnú aige mar do bhí daoine muíntera dhó ann. Do thainic an uair briste, agus bhí muíntir na hÁrann a' stopa ann ar fiog laethanta.

Do bhuail fear strainnséartha chuc' isteach lá, agus d'fhiafra sé dhíothub cad é an réasún iad a bheith anso leis na laethanta a bhíodar ann. Dúradar ná raibh aon leigheas acu air, go raibh an uair briste, agus nárbh fhéidir leóthu dhul ar farraige.

" Dá bhfaigheadh sib cúpala uair a' chloig tráthnóna," adúirt a' fear leóthu, " an dói lib go mbeadh sib ábalt' ar dhul abhaile ? "

" Ó, dá bhfaigheamuist," adúirt fearaibh na hÁrann, " do raghamuist abhaile ! "

Do chuaig an fear strainnséartha leóthu go dí an gclàdach, agus do d'imi na fearaibh agus do chuadar abhaile slán sábháilte. Ní fhacadar a' fear strainnséartha ó choin rimhe ná i n-a dhiaig, agus níl fhios acu cé an sórt é ná cé hé é féin.

81. AN MHURÚCH

D'airi me bean dá reá go raibh teh an Rí (sic) gairid don fharraige, agus gur ghabhadar an mhurúch, agus go rai' sí faid muar go léir aimsire insa teh acu. An oíhe seo do bhí spraoi age garsúin agus ag cailíní beag' óga insa teh. Do bhí ceól agus rínc' ann. Do bhí an mhurúch socair acu ar áit suas mar a bheadh sí ar bhárr dreisiúir leacaithe acu, agus ní fhaca tú aon spraoi riamh mar a bhí sí fháil insan oíhe.

Ar maidin, nuair a tháinic eighrí an lae, nú gairid do, do bhí cuid 'osna buachaillí amach ar fhuaid a' chladaig, agus do bhíodar mar a bheidíst a' cuardach raic' ann. Ach do casag rón muar leóthu insa chlàdach. Do thugadar leóth' abhail' é, agus thárrnaíodar isteach é. Nuair a d'airig [an mhurúch] an gleó, agus choinnic sí cé bhí ann, sin é an chéad fhocal a labhair sí leóthu:

" Vó, Vó ! nach deas an obair í seo ! " adúirt sí. " Síod é mo dhriotháir gofa anois acu ! "

Do d'eighri sí do léim as an áit a rai' sí, agus do d'imi sí féin agus an rón, agus ní fhacadar ó choin í.

SEANCHAS DIAMHRACHTA

82. AN RÓN A LABHAIR

Do bhí bád ann ar muir sa tseana-shaol, agus do bhí sí ag
iascaireacht líonta. Do bhí a cuid líonta amuh aici, agus í dá
dtarrainnt. Ar tharrainn[t] na líonta dhóib cad a ráingeódh i's na
líonta ach rón, agus labhair a' rón leóthu dó nú trí fhocaile:
" Ní Claínn Í Chonaíola ná Seóigeach me!
Ach is fada ó mo mhuíntir a seólag me!"
Níor thógadar [na líonta] níos sia ná sin suas.
Scaoileadar uathub ansin [a' rón].

83. AN CAT AG LORG BRÓG

Bhí fear anso insa pharáiste seo, tá roinnt mhath blianta ó choin,
agus do bhí sé le hagha a dhul go dí an maraga larnamháireach na
hoíhe seo. Bhí triúr nú creathar páistí aige, agus bhí an Geíre a'
teacht, agus bhí sé le hagha bróga a thabhairt go díos na páistí.
Má bhí choíhint, do bhí sé a' tógaint miosúr na bpáistí insan oíhe
fé n-imíodh sae ar maidin. Nuair a bhí miosúr na bpáistí tócaith'
aige, do bhí cuitín beag, sàlach, suarach, i n-a luighe istig insa luaith,
agus do d'eighri sé suas, agus do shui sé ar a riuball, agus do bhain sé
searra as féin.
" A Dhónaill," adúirt sé, " 'bhfuil tú le hagha bróg' ar bith a
thabhairt chúm-sa ? "
" Ó, táim!" adúirt Dónall; mar tháinic faitíos ag Dónall rimhe,
agus níor chodail sé iomurca an oíhe sin.
D'eighri sé ar maidin, agus do chuir sé i gcóir é féin, agus do d'imi
sé go hInis Díomáin go dí an maraga. Cheanna sé na bróga dhosna
páistí; agus do casag fear leis a raibh aithint aige air, agus do
choinníodh gadhair agus gunna, agus do bhíodh a' fiach go minic.
Do d'inis sé a scéal do gur labhair a' cat araeir leis agus cad é an
chaínt a dhin sé.
" Well," adúirt a' fear leis, " nuair a reagha tu abhail' anocht,
má d'fhiafraíonn sé dhíot cad é an réasún nár thug tú chuige na
bróga, abair leis ná féadfá aon bhróg a thabhairt chuige nú go dtugtá
isteach go hInis Díomáin é, agus go dtógadh a' gréasaí féin a mhiosúr
go ndineadh sé na bróga dho. Agus ansin," adúirt sé, " tabhair leat

amáireach an cat, agus cuir isteach i mál' é, agus be mise suas a'
bóthar in do choinne, tabhairfi mé na gadhair agus a' gunna liom,
agus déanfa mé obair ghairid don bhuachaill sin!"
Mar sin a bhí. Do tháinic Dónall Ó Deá—ba dh-é a ainim é—
tháini sé abhaile insan oíhe, agus do bhí sé a' *fit*áil na mbróga ar na
páistí nú go raibh na páistí *fit*áilt' aige, agus na bróg' orthu. Níor
throm suain leis a' mbuachaill a bhí insa chúinne. Do d'eighri sé,
agus do shui sé aríst ar a riuball:
"A Dhónaill," adúirt sé, " ca'il mo bhróga-sa?"
"Ó," adúirt Dónall, " ní fhéadfainn aon bhróg a thabhairt chút
inniubh mar d'inis me don ghréasaí é, agus ní fhéadfadh a' gréasaí
aon bhróg a dhéana dhuit nú go dtógadh sae do mhiosúr féin, agus
dúirt sé liom tu thabhairt síos amáireach go hInis Díomáin chuige
nú go dtógadh sae do mhiosúr."
"Ara, a Dhónaill," adúirt sé, " cad a dhéanfainn 'á gcastaí na
madaraí liom?"
"Ní baol duit iad," adúirt Dónall, " mar cuirfi mis' isteach i
mála tu, agus tabhairfi mé liom ar thosach na diallaite tu, agus ní
bhe fhios ag éinne cad a bheig agam."
Mar sin a bhí. Ar maidin amáireach nuair a d'eighrig Dónall,
do chuir sé i gcóir é féin, agus do bhuail sé a dhiallait ar a *jinnet*, agus
do bhuail sé an cat isteach i n-a mhála, agus d'imi sé leis, agus a' cat
ar thosach na diallaite aige istig i n-a mhála. Do bhí sé a' góil
amach síos bárr Dhroma na gCrann, agus do bhí an fear a bhí
geallta dho ó Inis Díomáin a' góil aníos i n-a choinne. Do bhí na
madaraí i n-éindí leis, agus d'airig [an cat] sceamh ó mhadara a'
góil aníos. Do bhuail sé a ionga i nDónall.
"Ara, a Dhónaill, a' n-airíonn tu an madara? Seachain mise!"
"Ó, ní baol duit!" adúirt Dónall. "Ní ligfi mise dh'aon
mhadara aon ghiob a dhéan' ort!"
Do dh'imi sé síos aríst, agus níorbh fhada dho nú go dtainic a'
fear eile suas treasna dho aníos.
"Dia dhuit, a Dhónaill!" adúirt sé.
"Dia 's Muire dhuit!" adúirt Dónall.
"Ara, a Dhónaill," adúirt sé, " níl aon lá, is dói liom, ná teigh-
eann tusa go hInis Díomáin."
"Ó, mhuise, ní theighim!" adúirt Dónall. "Choinnic me inné
ann tú!" adúirt sé.

"Do gheall me uainín caeireach do bhúistéir athá i n-Inis Díomáin, agus b'éigean dom a dhul síos inniubh aríst leis."

"Ar uan math é?" adúirt an fear a casag leis.

"Ní hea, muis," adúirt sé, "ach ruidín suarach."

"Ó, aidhe, a's cé an 'nó athá go rud suarach mar sin ag búistéir?"

"Well, is cuma liom ó gheall me dho é, tabhairfi me chuig' é!"

"A' dtiosáinfeá dhom é go bhfeicfi mé é?" adúirt an fear a raibh na madaraí aige.

Do bhuail a' cat prioc' i nDónall aríst, agus dúirt sé: "A Dhónaill, seachain a' dtiosáinfeá!"

"Ó, níl aon fháil agam ar é a thiosáint duit anois!" adúirt sé. "Dá liginn amach é, ní bhéarfadh ár ndíheallt aríst air, agus d'imeódh sé uaim!"

Do riug a' fear, agus do chuir sé a lámh suas, agus strac sé an mála anuas don jinnet, agus d'úmpa sé a bhéal fé, agus scaoil sé an cat amach, agus láimhsig na madaraí é. Nuair a bhí an cat i ndeir' an anama, agus é i ndáil le bheith marabh, do bhí fhios aige nárbh aon mhath dho a' caínt dá ndéarfadh sé [é].

"Ara, a Dhónaill, níor mhór 'uit!" adúirt sé. "Bheinn-se suas leat lá fada nú gairid!"

84. MAC MHÁIRE GAN BHRÉIG

Do bhí fear i n-a chónaí i n-Inis Díomáin insa tsean-tsaol a cathag fadó, agus is é an t-ainim a thugaidíst air—Mac Mháire gan Bhréig; fear do Chlaínn Mhé Conacha ba dh-é é. Do chua sé siar go paráiste Thuath Reanna chuig báire iomána, lá, agus do chaith sé an lá ann ag iomáint nú go rai' sé déanach tráthnóna, agus é i n-am aige a bheith a' teacht. Nuair a bhí sé a' teacht abhaile, agus é leath-thuìrseach tráthnóna, do bhí sé a' góil anúnn ther na dú[mh]cha gainí, anúnn tao' thall do Dhroihead a' Leachta; agus do bhí sé leath-dhéanach insa lá ar thitim na hoíhe. Do bhí cat mór i n-a shuí ar a' gclaidhe, agus é a' déan' air anúnn, agus nuair a bhí sé a' déan' ar a' gcat anúnn, do chuir sé cuma trad' air féin. Do bhí a chamán fé n-a ascail, agus má bhí choíhint, do dhird sé leis a' gcat, agus do chuadar insa troid, iad araon le chéile. Ach bhí sé a' góil ar a' gcat nú gur shíl sé gur fhág sé seana-mharabh sínt' é. D'imi sé leis ansin, agus cheap sé go raibh a ghnó déanta go math aige. Do bhí sé tamall muar ar a' mbóthar. Agus é a' déan' isteach ar shráid Inis Díomáin, tao' amuh dhon tsráid, do bhí an cat céanna i n-a shuí ar a' gclaidhe, agus bhí sé i bhfad ní ba mhó agus i bhfad ní ba mhilltí lé feiscint. Do dhin sé aríst ar Mhac Mháire, agus má dhin choíhint, do dhin Mac Mháir' air, agus do dh'iúsáid sé a chamán go math air, agus do bhí sé lán-ábalt' air. Do bhí sé ar siúl leis a' gcat nú gur cheap sé go raibh sé marabh aige. Nuair a cheap sé go raibh a' cat marabh aige, agus é a' góil don chamán air, do chuir an cat ionga isteach i n-a uilcinn, agus chuir sé scríob le n-a iongain air; agus má chuir choíhint, cheap sé nárbh fhiú biorán é sin.

Nuair do bhí an cat marabh aige, do d'imi sé leis abhaile, agus nuair a chua sé abhaile insan oíhe, agus chua sé ar a leabain, do chrom an gearra ar bheith ag oibiriú agus ag at nú gur thainic pian mhurdair air.

Do d'eighrig a mháthair—an bhean a dtugaidís Máire gan Bhréig uirthi—agus do chua sí fae dhéint an dochtúra am' ainim do *Doctor* Finiúcan, agus do thug sí chuig' é. Do dhin sé sin a dhíheallt don ngearra, ach ní raibh aon mhath ann go dí astoíhe larnamháireach, do bhí mac Mháire gan Bhréig—do bhí sé fé thórramh, slán gach áit a n-ínstear é!

85. AN GHLAS GHAIBHNEACH

D'airi mé trácht ar bhó a bhí anso fadó am' ainim di an Ghlas Ghaibhneach. Níl aon tsoitheach a chuaig fúithi riamh nár líon sí, is cuma cé an soitheach é, cuinneóg nú baraille, canna nú galún. *Well*, bhí sí ar súil riamh a' góil thríd a' dtír a' coinneáilt bainne do ghach nduine a chrúfadh í, nú fé dheire—ar ndó, tá na mrá go holc i gcónaí, agus is iad a mheilleann cuid mhór go'n tsaol! Do thug bean roilleán dá crú, agus chuir sí geall ná líonfadh sí an roilleán.

Do bhí an bhean a' crú na bó insa roilleán, agus bhí an roilleán a' ligint bainne na bó tríd. Nuair a choinnic a' bhó go raibh an bhean a' maga fúithi chó mór agus go dtug sí an roilleán dá crú mar shoitheach léithi, d'imi sí, agus ní fheacaig éinn' ó choin í.

Tá sruthán ann a' góil trí pháirt do Dhúilinn, deórainteach (*sic*)
i n-áit a nglaonn siad Croc a' Stualaire air, agus sin é an áit ar ól an
Ghlas Ghaibhneach a dóchaint uisce. Is ainim dó, agus tá sé glaeite
ó choin 'n-a diaig air—Áth na Gluise.

86. AIRIGEAD BHATHALAIM

Bhí fear insan áit seo fadó, agus taibhríog insan oíhe dho cé raibh
airigead Bhathalaim, agus, má taibhríog choíhint, do bhí fhios aige
dhá n-ínsíodh sae é dhon té a mba cheart do é ínseacht do go dtabh-
airfeadh sae a mhac féin leis; agus do bhí sé insa taibhreamh go
gcaillfaí duine gon triúr a raghadh fae n-a dhéint.

Mar sin a bhí. Ní rai' sé ag ínseacht d'éinne cé rai' sé. Do bhí
sé féin agus fear eile a' góil treasna na páirce insan áit ar cheap an
fear eile go raibh an t-airigead curtha, agus nuair a bhíodar a' caint
a' teacht:

" *Well*, anois," adúirt a' fear a bhí i n-éindí leis, " mara n-ínsí
tu dhom cá'il airigead Bhathalaim maró me leis a' ramhainn athá
in mo láimh tu ! "

" *Well*, ínseód," adúirt a' fear a dhin a' taibhreamh, " ach ná
'neósa tusa dhod mhac é."

" Ní 'neósad," adúirt sé, " agus ní thabhairfi mé liom é ! "

Mar sin a bhí. Do sháin sé dho carraig, ach níorbh é an áit
cheart é.

I gceann cúig nú sé laethant' eile bhí sé a' góil a' bóthar céanna,
agus do choinnic sé an charraig úntaithe agus cait' anáirde.

Do chuaig an triúr fear a' lorag an airigid, agus nuair a bhí dreas
oibire déant' acu, agus cuid mhath romhartha déant' acu, dob
éigint dóibh ruith, mar ní raibh aon éan ar an aer do dh'aon tsórt
ná raibh os a gceann anáirde a' liúirig, a's a' béicig, agus a' screadaig;
agus ruitheadar leóthu gan aon tsórt mathas a dhéana.

Nuair a ghuibh an fear an bóthar aríst agus do choinnic sé go
raibh an chloch úmpaithe—ach ní hé an áit cheart a thiosáin sé
dho—do bhí ana-bhaochas aige air féin tráth nár inis sé an áit
cheart do, mar bhí fhios aige go mbeadh a mhac féin insa chuideacht-
ain, agus gom fhéidir go ráingeódh leis a bheith caillte.

87. BEAG-ÁRAINN

Bhí bean insan áit seo—agus ní an-fhad aimsire ó choin—agus
b'ainim di Máire Cuineóin; go dtuga Dia na Flathais dá hanam
agus d'anam mairibh a' domhain! *Well*, do bhí sí a' maoirseacht
do dh'fhear a bhí tao' thíos di 'on tsliabh ar a' dtaobh ó dheas a
dtugaidís Michael Conole air; agus cailleag ceann dá chuid caoire
ar a' maoirseacht aici. D'eiri sí ar eirí an lae ar maidin, agus do
bhuail sí an chuíora thiar ar a droim—agus a' chuíora marabh—
agus do bhí sí á tabhairt abhaile go dí an maighistir. Nuair a bhí sí
a' gul i gcoinne na gcnoc do leag sí an cliabh ar a' gclaidhe, agus a'
chuíora, agus do bhí sí a' féachaint anúnn ar a' bhfarraige. Do
chonaic sí an baile muar is breácha a chonaic sí riamh—do bhi sé
eirithe amach ar Chuan na Gaillmhe ar agha C[h]arraig na Líge Buí.
D'airi me Síle Ní Churchúir dá reá chó math céanna go bhfaca
sí féin maidean é go doth.

88. "I mBEAG-ÁRAINN A BHEIG!"

Tá baile mór fé dhraíocht ansoin amach ar aghaig Carraig na
Líge Buí i gCuan na Gaillmhe agus ní feictar é ach go fíor-annamh.
Is é an t-ainim a thugtar air Beag-Árainn:

I mB'leá an Rí a bhí,
I nGaillimh athá,
Agus i mBeag-Árainn a bheig!

D'airi me beirt bhan a' reá go bhfacadar Beag-Árainn.

89. CILL STUITHÍN FÉ DHRAÍOCHT

Tá sé ráite ná raibh aon fháil fhuascailt ar Chill Stuithín choíhint
nú go bhfaightí an eochair athá insa loch athá i mbárr Sliabh Chollán,
agus ní feictar an loch ach uair i n-agha na seach' mbliana.

90. BALL DEARAG Ó DÓNAILL

D'airi me go raibh Ball Dearag Ó Dónaill sínte insan ua agus a
chlaíomh lé n-a thaobh, agus nach bhfuil aon fháil glana ar a léine
choíhint nú go ní sé féin i bhfuil a' tSasanaig í.

AN DRAÍOCHT

91. AN CHLOCH GHEÁRRTHA

Tá cloch insa chlaidhe thíos ag cúinne Shráid na n-Iascairí, agus is ainim di An Chloch Gheárrtha; bíonn na daoine a ghabhann siar go dí an gcúinne a' buala a ndroim léithi.

Ach bhí sean-fhear i n-a chónaí insa teh ba goire dhi ar a' dtaobh eile gon mbóthar, agus d'abaraíodh sé i gcónaí nach bhfuil aon fhear riamh a bhuail a dhroim léithi a raghadh go hAmericeá ná casfadh aríst go leagadh sae a dhroim léithi.

92. PLAOSC AN DUINE MHAIRIBH

Bhí sean-nath insa tír seo fadó, aon tsórt duine a ndéanfaí robáil air, ná aon ghiob a ghoid uaidh, b'é a' nath a bhí acu a dhul go dí an dteampall agus ceann duine mhairibh a thabhairt leóthu. Gach uile fhear thímpeall na gceanntair agus na córsainteacht a mbeadh fonn air é féin a ghlana os a gcóir do thiocfadh sé agus do dhearabhódh sé insa chás; agus is é a' nós a ndearabhódh sé ann póg a thabhairt do phlaosc a' duine mhairibh, agus do bhí sé glan ansin. Bhí sé ráite dá dtugthá póg do insan éitheach go gceangalódh an cloigeann díot, agus ansin chathfaidíst é thabhairt insa bhfírinne.

93. CUPÁN AS PHLAOSC DUINE MHAIRIBH

Insa tsean-tsaol fada fiannachta ó choin do bhí sé mar dhlí insan áit seo duin' ar bith a dhéanfadh aon rud as bóthar go raibh cupán acu a bhí déanta as phlaosc duine mhairibh, agus an té a mbeadh an choir déanta as bóthar aige, dhá mba mhaith leis é féin a ghlana, ní raibh lé déan' aige ach a dhul agus deoch ól as a' gcupán. Dá dtógadh sae bunoisciúnn é, agus ná beadh sae a' déana na fírinne, d'iúmpódh a bhéal siar ar chúl a chínn, nú d'iúmpódh a shúile cam i n-a cheann.

94. BLOINIC CHOIRP MHAIRIBH

D'airi me gur bloinic a bheadh i gcorp mharabh—a bhainfaí as— ná féadfadh aon tsolas eile fànacht lasta gan múcha ach é.

Is minic a d'airi me ag na sean-daoine gurab é sin an sórt solais do bhíodh ag na bithiúnaig, mar ná féadfadh éinne dhúiseacht a bheadh n-a cholla faid a bheadh sé sin lasta.

95. UISCE NA gCOS

Nuair a bheadh duine a' catha uisce na gcos amach ba cheart do é chatha tamall math amach ón ndoras, agus é chatha i leataoibh, agus gan ligint d'aon deor de titim ar lic na társaí dá bhféadadh sé é.

96. AN COILEACH MÁRTA

Bhíodh sae ráite insa tsean-tsaol anso fadó go raibh bua muar ag coileach Márta. Ach ní bheadh aon mhath ann a bheith i n-a choileach Mhárta é féin mara mbeadh a athair agus a shean-athair amhla. Ní raibh uair ar bith dá mbeadh na trí choileach rimhe n-a chéil' amach i n-a gcoileach Márta . . . do d'fhiachfadh sé an méid síofaraí a bhí rimhe agus i n-a dhiaig nuair a ghlaofadh sé.

97. CEALLACHAN BÁN

Do bhí fear anso fadó am ainim do Ceallachan Bán, agus, má bhí choíhint, do bhíodh sé ag imeacht leis na " daoine uaisle " gach oíhe a mbíodh gró acu dhe. Do bhí sé ar fiog coidhcíos, agus do bhí sé marabh ar a leabain: ní dhúiseódh sé i n-ao'chor, agus ar fiog coidhcíse is amhla a bhíodh sé imíthe. Do thagadh na daoine a mbíodh fonn orthu tehanna nócha a dhéana, agus ní dhéanfaidís na tehanna nú go leagfadh Ceallachan Bán amach áit a' tí dhóib. Do bhí go math. Do bhí sé imíthe leis " na daoine uaisle ", lá dhá laethanta, agus do bhí siad a' góil amach i bpasáiste dhóib héin, agus b'éigean dóibh a ghóil amach 'der a' dá dhoras i dteh a casag leóthu ar a' mbóthar. Do bhí cailín insa teh, agus do bhí sí a' scaga coirceán fataí, agus nuair a bhí Ceallachan a' góil ther na fataí, do sciob sé trí fhata i n-a dhoran leis; agus is sin ar ua sé 'o bhia ar fiog a' choidhcíos a bhí sé imithe.

U

Do d'inis sé an scéal sin nuair a thaini sé abhaile.
Bhí go math agus ní raibh go holc. Do bhí sé ag ínseacht iomurca scéalta ar na háiteanna a mbíodh sé a' góil! Chuaig muíntir a' tí go dí an Airheann ar maidin Dé Domhna, agus nuair a thanadar abhaile do bhí Ceallachan Bán crochta as a' mboímbéal ag "na daoine uaisle," agus níor inis sé aon scéal d'éinne ó choin!

98. NA MRÁ ALLTACHA [.i. ULTACHA]

Do bhíodh dream daoine a' góil a' bóthar anso fadó insa tseantsaol a nglaeidíst na "mrá Alltacha" orthu. Do bhídíst a' góil a' bóthar agus a' tabhairt feasa uathub, bíodh a' fios acu nú uathub! Do bhídíst a' bóisteáil go maith dhe, mar nuair a thiocfaidíst isteach go dí bean tí déarfadh [an bhean Alltach] go mbeadh a lithéide seo nú a lithéide siúd a' baint dóib. Thiocfadh faitíos ar a' mbean sin agus do thabhairfeadh sí luach saothair math [dhi] ach go dtabhairfeadh sí leigheas di. Bíodh an leigheas math nú olc, ghéillfeadh an bhean mhacánta go mbeadh an leigheas go math, agus pé rud a bheadh tínn aici, nuair a raghadh sé sin i bhfeabhas is ar a' mbean Alltach a bheadh a baochas!

" Màrach gur chuir Dia an bóthar chúm í sin, siúireáilte glan do bheadh mo leana' beag caillte. Níl scéal ar bith níos siúireáilte ná go raibh a' leigheas aici, mar ní raibh a cúl taoi' 'muh do dhoras nuair a bhí mo leanabh a' siúl a' tí!"

99. AN GARSÚN TINN AGUS BIDDY EARLY

Do bhí fear córsan anso aguinn-ne, agus do thit garsún leis tínn. Do bhí garraí aige a raibh lios istig ann a dtugaidíst Lisín na gCearc air. Do chua sé go dí bean a bhí insan áit a dtugaidíst Biddy Early uirthi, agus nuair a chua sé tao' isteach don doras is é an chéad fhocal adúirt sí leis:

" Tá fhios agam cá'il tu a' dul anois. Níl stró ar bith oram. Tá garsún leat tínn!"

Agus ansin thug sí buidéal do.

" Tá lios'," adúirt sí, " i gcúinne 'úr ngarraí, agus dá ngabhadh suib theiris sin agus gan baint leis bheadh suib i bhfad níb fheárr!"

Do fuair an garsún an buidéal lé n-ól, ach, má fuair féin, dhin sé math dho ar fiog tamaill, ach níor dhin sin aon ghró. Do d'imig a' garsún.

100. AN DROCH-SHÚIL

Satharain Domhnach Chrom Dubh do bhí bean ó Chonnacht a' dul siar go dí Tobar Dhaigh Bríde le hagha cholla insan oíhe ann, agus a turas a thabhairt ar maidin Dé Domhna. Do bhí sí ag iúmpar leanabh ar a droim, agus do ghlac sí tuirse ar a' mbóthar. Do shui sí síos chuig a scíth a dhéana. Do thóg sí an leanabh aniar dá drom, agus do chuir sí ar a bròllach é, agus do bhí sé ag ól na cín. Do d'fhéach sí ar a' leanabh, agus do bhí sé go math lé feiscint; ba dh-éard é leana' math, agus is dócha gur thaithin sé ró-mhuar léithi. Do thit amach di gur dhin sí an droch-shúil do. Do chrom an leanabh láithreach ar bheith ag oibiriú insna *fits*, slán gach áit a n-ínstear é! Do rith sí go dí an dteh ba ghoire di, agus uafás uirthi go raibh a' leanabh a' fáil bháis uirthi. Do thaini sí féin agus bean a' tí amach, agus do bhí sí a' déana gach uile chóir a d'fhéad sí chuig a' leanabh a thabhairt ar n-ais aríst, ach ní raibh fhios aici céard a bhain lé gró an linibh.

Do bhí sean-fhear insa teh a raibh tuiscint ann. Do d'eighri sé amach, agus d'fhéach sé ar a' leanabh insa nós a raibh sé ag oibiriú. "*By dad*, a bhean chroí," adúirt sé, " b'fhéidir gur thit amach duit héin gur tu a dhin a' droch-shúil do! Anois," adúirt sé, " caith trí sheile ar a' leanabh, agus cuir ' Bail ó Dhia!' trí huaire i ndia a chéile [air] agus be fhios aghut más tu féin a dhin aon anachain do, agus ná bíodh aon aiféal amáireach ort!"

Mar sin a bhí. Do dhin a' bhean mar adúirt sé léithi, agus do bhí an leanabh chó sleamhain chó slán agus bhí sé riamh ná rimhe sin ó rugav é. Do chua sí go dí an nDaigh, agus 'o réir mar ar airíomair, ní fhaca sí aon ghiob bun ois ciúnn ar a' leanabh ó choin.

101. PISIREÓGA

Bhíodh sé ráite anso insa sean-tsaol, agus ní han-fhad' ó choin go mbíodh mrá ann a mbíodh rínseáil pisireóg acu, agus mara mbeadh siad ana-bhaoch díot i n-ao'chor, nú 'á ndinteá aon ghiob as bóthar orthu do dhéanfaidís droch-shaothar ort. Dá mbeadh garraí math fataí aghut a' féachaint go math, nú aon chur, gheóidís uibheacha lofa nú fataí beirithe, agus do chuirfidíst tháll sna cínn-fhearain-neacha [iad]. Do chuirfidíst i gcúinne gon gharraí iad, agus mheith-fadh a' garraí, agus ní bheadh aon bhlas ann an bhliain sin; agus ba ghráthach ná beadh aon bhlas ann nú go ligteá amach i n-a pháirc aríst é. Na mrá seo a dhineadh na grótha seo do dhinidíst árd-easarlaíocht le pisireóga, agus níor mhór 'óib rud eicínt reómpa.

Éinn' acu seo ná déanfadh a' gró ceart ar aimsir na n-easarlaíocht seo a dhéana, mara mbeidís lán-ábalta ar an artha a chuir i n-a ceart, do d'iúmpódh sé orthu féin, agus is dóib féin a bheadh ana-chain, insa chaoi gur g'obair an-àireach í, go mbeadh sé dainnséarach. Ach mar sin féin leis an ana-mhian a bhíodh úntu, do theighidíst ar n-agha leis an obair, eighríodh leóthu nú gabhadh sé i n-a gcoinne!

102. NA DROCH-ARTHAINTEACHA

An sórt oibire seo a nglaeidíst na droch-arthainteacha orthu (*sic*) do bhíthí a' cuir insna garraithe agus insna háiteanna anso fadó—ní haon fhad' aimsir' é i n-ao'chor ó thit a lithéid do scéal amach.

Do bhí garraí ar fónamh istig sa pharáiste aghuinn, agus is cuín linn go léir é. Do chuir bean chórsan a raibh fios a gróth' aici, do chuir sí uibheacha i gcúinne an gharraí; uibheacha lofa ba dh-ea iad a bhí ceart le hí na hartha a dhéana, agus níor fhás aon fhata an bhliain sin ann ná an tarna bliain a thainic i n-a ceann. Ach bhí sé a' góil i gcoinne fear a' gharraí riamh nú gom éigint do an garraí a thabhairt suas agus é scaoile amach i n-a pháirc bháin.

103. AG MEALLADH MRÁ

Charlie Blood, bhí sé a' teacht ó Inis Díomáin; agus bhí sé i n-a fhear óg an uair sin. Casag cailín óg leis ar a' mbóthar. Do bhí sé ag ínseacht scéil di, agus leag sé lámh ar a gualainn. Níor dh-é a bóthar sin chuig theacht abhaile an bóthar a rai' seisean a' góil air—is amhla a bhí sí a' teacht i n-a coinne. Do thiomáin sé leis, a's thaini sé abhaile. D'iúmpa sí an bóthar i n-a dhiaig, agus chais sí.

Do lean sí é, agus níor stop sí nú go dtaini sí abhaile go dí n-a theh féin. Do dhineadar pósa, agus chathadar a saol go math a's go muínteara.

Tá sé ráite go bhfuil daoine ar a' saol a bhfuil arthainneacha acu, agus dineann siad cleasanna dhon tsórt sin le cailíní beaga!

FILÍ AGUS FILÍOCHT

104. TADHG GAELACH AGUS AN CAILÍN

Insa saol a cathag anseo fadó do bhí oileán uaigineach mar Oileán Bhealach a' Laidhean ann, agus do bhí tehanna dhá ndéana ann istig. Bhíodh go leór fearaibh oibire ag obair ann, ach ní raibh aon fháil acu a dhul isteach ná a theacht amach ach leis a' dtaoide trá i gcónaí. Ba dh-é an nós céann' ag na mrá é nuair a bhídíst a' dul ann lé bia, mara mbeidíst ann leis a' dtaoide trá chathfadh na fearaibh oibire déana gan a' bia go dtagadh a' tráthnón' orthu.

Do bhí na mrá a' dul isteach. Ach a' lá seo, do rángaig go raibh buachaill file ann gom ainim do Tadhg Gaelach, agus do bhí sé i n-a shuí ar a' dtúirlinn mar a bheadh sé thuas ag Teach Bhealach a' Laidhean, agus é i n-a shuí ar shail. Ní raibh dada lé déan' aigesin ach a' féachaint uaig. Do bhí na mrá ar fad imith' isteach leis a' ndínnéar go dí n-a gcuid fear. Ach do rángaig lé bean go rai' sí cineáilín déanach, agus, má bhí choíhint, nuair a bhí sí ar a' mbóthar bhí deabha uirthi, agus bhí sí ar sodar leis a' ndínnéar faitíos go mbeadh a' taoide a' casa.

Ghlaeig Tadhg Gaelach i n-a diaig:

" A chaile an tsodair, fan go socair
Agus déarfa me rann duit ! "

Bhí an deabha ar a' mbean, agus níorbh ait léithi rud ar bith a theacht treasna uirthi a bhainfeadh aon mhoíll aisti. D'fhéach sí i n-a diaig ar Thadhg, agus sin go searúsach, agus dúirt sí:

" A Thaidhg Ghaelaig bhuí mhaorcaig gharabh-gheanncaig !
Thá an taoid' a' boga, thá m'fhear i n-a throsca,
Agus b'fheárr liom breall ort ! "

105. SEÁN DE HÓR AGUS A INÍON

Bhí file insan áit seo am ainim do Seán de Hór. Do bhí iníon tabhartanais aige. Bhí sí á coinneáilt insa teh aige féin. Do bhí amhras aige nár dh-í a iníon féin í ar shon go rai' sí insa teh aige á coinneáilt.

Do chuir sé lá go dí an bportach í ad iarra cliabh móna. Nuair a d'imi sí dhúin sé an doras uirthi, agus d'fhain sé féin istig. Do

tháinig a' cailín go dí a' ndoras, agus chrang sí an doras. D'fhiafra
Seán:
" Cé hé sin ag a' ndoras ? "
D'fhreagair a' cailín é:
" Mise Máire Hór, an cailín córach deas.
Tá cliabh món' ar mo thóin, agus nár chóir
me ligint isteach ? "
" Ligfi mis' isteach tu," adúirt Seán, " mar go suíte is tú
Máire Hór ! "
Sin é an uair a bhí fhios aige go mba dh-í a iníon féin í, mar bhris
an fhilíocht tríthi.

106. FILE THUATH CLAE AGUS FILE CHIARRAÍ

Do bhí insan áit seo fadó file, agus ba dh-é an sórt é fíodóir.
Well, do bhí file eil' i gCiarraí, ach pé ar domhan nós a bhfuair a'
bheirt fhear eólas ar a chéile b'ait leóthu aithint a bheith acu ar a
chéile. An file a bhí thiar, do thaini sé aniar fae dhéint an fhir a bhí
abhus, agus nuair a tháinig, do reángaig gurb é maidean Dé Domhna
a ghui' sé aniar. Níl fhios agam héin cé an t-ainim a bhí ar a' bhfile
a bhí thiar, ach ba dh-é an t-ainim a bhí ar a' bhfear a bhí abhus
Liata an Smóil.
Bhí mar sin. Ar maidin Dé Domhna, rángaig d'fhile Chiarraí
theacht aniar. Do thug sé a agha soir ar theh a' phobail, agus má
thug choíhe, do bhí sé thall cuíosach luath, agus do bhí sé ann mórán
roimh éinne. Bhí an giolla i n-éindí leis, [mar do bhí file Chiarraí
i n-a dhall], agus bhí sé ar a ghlúine ag doras teh an phobail nuair a
ghui' Liata an Smóil theiris isteach—ba dh-shin é an file a bhí ag
bail' aguinn i dTuath Clae. Do thug an fear a bhí amuh ag a'
ndoras, ar a shon go rai' sé i n-a dhall, do thug sé gach uile chor a
bhí ag a' bhfear a bhí abhus fé ndeara, agus ansoin do thug (Liata 'n
Smóil) fé ndeara go rai' sé sin i n-a strainnséir rimhe, agus suíte glan
gur fé n-a dhéint féin a bhí sé a' teacht. Níor dhin sé aon mhoíll
t'réis an Airhinn ach a agha a thabhairt abhaile có dian agus
b'fhéidir leis é.
Math mar thárlaig gon fhear eile—níor dhin sé aon mhoíll ach
theacht i n-a dhiaig. Do thaini sé ar a' mbonn!

Bhí abhainn a' dul isteach go dí teh a' duine a bhí abhus. Bhí
clochán ar an abhainn, agus níorbh fhéidir leis a' strainnséir a
bhóthar a dhéan' isteach, agus b'éigean do a ghóilt tríd an abhainn,
agus chua sé go dí n-a dhá ghlúin insan abhainn; agus pé ar domhan
deabha a dhin sé isteach, do bhí an file istig i n-a theh féin, do bhí
corcán *stirabout* leacaithe ar chàthaoir aige, agus liach i n-a láimh,
agus é ag ithe *stirabout* ar a dhíheallt.

Nuair a thainig a' strainnséir isteach chuige, d'fhéach a' fear a
bhí ag ith' an *stirabout* suas ar a' ndoras agus choinnic sé é.

" Cé'r ghui' tu chúinn, a dhaíll ? " adúirt [Liata an Smóil].

" Isteach trí thaobh a' tí ! " adúirt a' dall.

" A' rai' tú i bhfad síos ? " adúirt sé.

" Go dí mo dhá ghlúin ! " adúirt a' dall.

" 'Bhfuil tú i bhfad dall ? "

" Ó chúl mo chínn aniar ! " (*sic*).

" 'Bhfuil tu dall riamh ? " adúirt sé.

" Níl me riamh i n-ao'chor ann ! " adúirt a' file ó Chiarraí.

" Ní móide gom fheárr tu bheith ! " adúirt a' fear a bhí abhus.

" Dám fheárr do bheinn ! " adúirt file Chiarraí.

" A' ndéarfá dán dom ? " adúirt [file Thuath Clae].

D'éist a' file strainnséartha tamaillín beag eile nú gur chuíni sé
air féin :

" Deirim-se, agus ní cheilim ort é, a Liata an Smóil.
Go bhfuil do leit' agat go deireanach, agus do liach
id láimh,
Agus do bhrealla-phuis ar bhrealla-chrith ag iarra
dáin ! "

D'fhág sé mar sin é, agus níor dheagha sé níos sia leis. Níor
bhe[ag] leis de. Bhí faitíos ar [fhile Thuath Clae] 'á dtéadh sé níos
sia leis go bhfaigheadh sé a' chuid eile gon teangain uaig.

107. NA FILÍ AGUS TEH AN ÓSTA

Insa tsean-tsaol a cathag fadó anso ní bhíodh aon chlár *license*
ar domhan thuas os ceann na dtehanna ósta. Is é an córthaí a
bhíodh os ceann teh an ósta—do bhíodh sceach ghlas a' fás ag éadan
a' tí i gcónaí, agus gah éinne a gheódh a' bóthar bhí cúntas air sin

aige, agus bhí sé sást' ar úntó isteach có math agus d'iúmpódh sae isteach anois nuair a d'fheicfeadh sae an clár thuas.
Bhí go math. Bhí fear a' góil anuas a' bóthar, lá, agus is dóch go raibh tart air. Do casag fear an ósta i n-a sheasamh sa doras leis: " Is bog agus is glas an sceach athá a' fás as cheann do thí ! " adúirt a' fear a ghuibh anuas.
" Tá," adúirt fear an ósta, " a' tabhairt cuir' isteach go gach n-aon dá ngeóig a' tslí ! "
" Is math mar thárla," adúirt a' fear eile, " tá coróinn im ghlaic, agus is math mar d'ólfad í ! "
Do bhuail sé isteach, agus d'ól sé a choróinn, agus ar a ghóil amach do bhí sé ar bhog-mheisce agus é a' titim ar na bóithre.

108. AN BHEIRT FHILE

Bhí bean i n-a cónaí thall ar a' mBaile Beag a dtugaidíst Máire Frainnc uirthi. Do bhuail fil' isteach chuici, tránthóna, agus d'iarr sé lóistín. Do thug sí an lóistín do, agus marach go ro' faitíos uirthi ní dócha go dtabhairfeadh. Mar sin a bhí. Nuair a fuair sé an lóistín fuair sé suipéar math, agus fuair sé bricfeast math, agus bhí sé gá thindeáil go ró-mhath. Ní raibh deabha ar bith ar a' bhfil' ag imeacht uaithi. Do bhí an fil' a' fanacht ag a' mbean bhocht ró-fhada.
Bhí fear muínteara aici thiar ar na Clocháin gom ainim do Eón Rua Ó Maoláin, agus do d'airi sé go raibh a' file a' fanacht ag Máire Frainnc. " Well," adúirt sé, " tá gró go hInis Tíomáin agum, agus ragha mé isteach a' góil soir dom go bhfeice mé ar fíor é."
Do bhí go math. Do bhuail Eón aniar ar maidin a' dul go hInis Tíomáin, agus má bhuail choíhe do bhuail isteach go dí Máire Frainnc. Nuair a tháini sé isteach do labhair sé breá stórtha láidir:
" Dia anso ! " adúirt sé.
" Dia 's Muire dhuit, a Eóin ! " adúirt Máire. " Labhair socair, má sé do thoil é, a Eóin ! " adúirt sí.
" Cé an réasún é seo ? " adúirt Eóin.
" Ó, tá fil' anso," adúirt sí, " agus mharódh sé sinn ! "
" Ó," adúirt Eón, " ar fil' é seo athá anseo ? "
" Is file," adúirt Máire Frainnc leis.

[Ansin dúirt Eón]:
" Is file gan áird é, agus a dhá sháil sa tine.
Muc' is madaraí 'n pharáiste, agus rí-rá acu i n-a leabain.
Máire Frainnc ar gárdain dá chimeád ar na cearca!
Agus gur mú gah aon tsrann leis ná géim bó i mbun aille! "
Do chrap a' fil' é féin insa tslí gur dhin sé corc de féin istig fén
bplainncéad, agus níor labhair focal.

Do bhí go math. D'imig Eón Rua, agus bhí sé a' dul go hInis
Tíomáin isteach sa bhaile mhuar.

" Glaofa mé chút aríst, a Mháire," adúirt sé, " a' góil anoir dom
go bhfeice mé cé an sórt é an file seo! "

Mar sin a bhí. Ar a chasa dho Eón chua sé isteach, ach do bhí
an fil' i bhfad uaig. Do bhí sé imithe uaig, agus ní raibh blas dá
thuairisc ó choin ag Eón Rua ná ag Máire, ná ní fheacadar ó choin é.

109. RANN LEAGTHA AR EÓN RUA Ó MAOLÁIN

Insan Earrach a bheireann a' chuíora.
Insa nGeíre a chríonaíonn a' tslat.
An faoileann ar a' bhfarraige choí[mh]theach.
Agus is geal í do phíob, a bhean!

110. SCÉAL AR SPAILPÍN

Do chuaig buachaill ó Chiarraí a' spailpínteacht go Cúntae
Luimini lá, agus do chaith sé cuid mhath gon bhliain ag obair ar a
dhíheallt ann. Do bhuail na mrá fé, agus níor fhágadar piginn dá phá
blian' aige. Thug aon bhean amháin uaig gach piginn de ar fad.
Nuair a chua sé abhaile ní raibh piginn aige a chathfadh sé le n-a
mhadara.

Well, d'fhiarhaig a mhuíntir de cad a bhí sé a dhéana ar fhaid na
blianan nár thug sé aon ghiob abhaile le hagha an Ghíre. Dúirt sé
gur casag bean leis i n-a lithéide sin do bhaile i gCúntae Luimini,
agus nár fhág sí piginn do thuarastal na blianan aige. D'fhiarhaig
a dhriotháir de, a bhí pósta ag baile, agus a bhean agus a chlann
féin aige, cad é an pháirt do Chúntae Luimini ar casag an ógbhean

leis. D'inis sé dho gach cor, mar bhí 'os aige go ró-mhath, agus bhí cúrsaí math' aige leis.

Bhí go math. Do chuir a' driotháir i gcóir é féin, agus do tháini sé ar a' mbóthar céanna ar 'úirt an t-amadán a chuaig abhaile leis é. Má dhin choíhint do bhí sé ar súil leis nú gur casag an bhean seo leis a bhfuair sé an córthaí sóirt uirthi. Do bhí sé a' bladar is a' bláirnis léithi nú go bhfuair sé deis go dtug sé cuid a dhriothár uaithi agus cuid mhuar eile nár dh-é. Nuair a bhí sé ansin lán sábháilte, agus a chuid airigid thíos i n-a phóca, agus é ag imeacht [dúirt sé]:

"Nuair a fuaireas an t-airigead thíos im' *phocket* gan gleó
    gan acharann,
Shocaraíos mo *bhaver hat* oram, mo bhata droighin éille a
    raibh faor 'n-a bharr' amu.
Is lúfar meanabrach a léimeas clathacha
A' déana go dúch ar dhúthaí m'athar siar.
Éirinn seasaig air, is ná bíodh eagal' ort!
Hóró! agus is leat me go deó!"

111. AN SPEALADÓIR NEAMH-SHÁSTA

Spealadóir a bhí ag obair do dhro-bhean tí. Ach a' breicfeast a thug sí do gruth is meidhg. Bhuail sé amach 'na dhiaig, agus níor thaithn a bhfuair sé leis; ach gah aon bhuille 'á dtugadh sae leis a' speil chasadh sae suas tiúin. Sidé an tiúin a bhíodh aige:

"*Curds* is *whey*, gruth is meidhg
Is obair dá réir go hoíhe!"

Chuala an bhean tí cad a bhí ar siúl aige, agus chuir sí prátaí agus feóil i dtaisce dho chun dínnéir. Nuair a chua sé isteach d'ith sé a leór-dhóthain díobh. Nuair a bhí sé ullamh bhuail sé amach, agus chaith sé siar síos a ghealasaí, agus d'fháisg sé thairis aniar iad. Do bheir sé ar a speil, agus deireadh sae ansan:

"*Potatoes and mate, potatoes and mate
And slash it away* ar do dhíheall!"

112. AN DÍLLEACHTAÍ

Do bhí fear anso fadó, agus do chuir sé a bhean. *Well*, d'fhan aon dílleachtaí beag amháin i ndia na mrá—cailín beag—agus do bhí sí ag eighrí suas. I gceann blianta ansin, nuair a choinnic a' fear go raibh sé i n-am aige pós' aríst, do phós sé an tarna bean. Agus nuair ba cheart di do rángaig go raibh leanabh eile iníne aici-sin. Do bhí na páistí ag eighrí suas le chéile nú go rabhadar i n-éifeacht; agus ní héifeacht mhuar a bhí insa pháiste ar mhair a máthair, agus bhíodh sí a' maighistearacht go muar ar a' ndílleachtaí. Do bhíodh gach uile rud lé déan' aici, agus ní raibh aon bhlas lé déan' ag [an tarna cailín] ach a méar a phoínteáil, agus chathfadh a' dílleachtaí a dhul agus a' *job* sin a dhéana. Mar sin a bhí. Nuair a bhíodh na géí lé cuir isteach insan oíhe, ní raibh lé déan' ag a' mbean ar mhair a máthair ach a méar a chuir suas.

Ach ba dh-é toil Dé gur chuir Dia an bás ar a' tarna bean, agus ansin bhí an bheirt i n-a ndílleachtaithe mar a chéile.

An oíhe t'réis na máthar a chuir, b'am leis a' gcailín a raibh a máthair beó rimhe sin an mhéar a chuir suas agus na géí a chuir isteach.

Do labhair an cailín beag críonna léithi:

" An brat a bhí fé Dhiníos araeir, tá Diníos fé anocht.
Is gairid ó inniubh go dí inné,
Agus is gairid a bhíonn a' léan a' teacht.
Eighrig tusa, a Ghiolla na Méire,
Agus cuir na géí isteach ! "

" An brat a bhí fé Dhiníos ": sin sórt pláinéid a bhí insan aer, agus bhí sí ag oibiriú léithi féin. Do bhí an brat fúithi araeir, agus do bhí sí fén mbrat anocht. Agus is é sin an míniú a bhí insa bhfocal sin !

113. AN SEIRIBHÍSEACH AGUS AN SPRID

Do bhí duin' uasal insan áit seo fadó, agus do bhí cuire dínnéir aige ar uaisle go leór, oíhe. Do bhí áit ann a raibh taibhse ag eighrí ann go dtugaidíst sprid uirthi insan am sin. Níl éinne a ghabhadh a' bóthar ar fiog a' méid sin bóthair, an áit a raibh gleann, ná bíodh marabh ar maidin, cé acu ag an sprid é nú le hathualtas—ní fhéadfainn a reá ciù hacu, ach do bhídíst marabh ann i gcónaí.

Ach an oíhe seo, do bhí dínnéar i dteh an duin' uasail; agus is é an dlí do bhíodh ag na daoin' uaisle seo insan am sin, duine ar domhan dá seiribhísig a d'eiteódh iad ar dhul i n-aon áit a n-iarrfaidíst orthu é, ní hamhla a chuiridíst uathub i n-ao'chor iad, ach bhainidíst a' ceann díob, agus chuiridíst ar spiara é.

Do ruith a' cócaire geairid ná raibh rud eicínt aici a theastaig ón ndínnéar uaithi, amach i bhfad anonn san oíhe, agus, má bhí choíhint, do d'inis sí dhon mhaighistireás é, agus d'imig an maighistireás agus d'inis sí dhon mhaighistir é. Ach do chua sé mar chrann ar a' mbuachaill seo go gcathfadh sé a dhul go dí an siopa fé dhéint pé ar domhan rud a theastaig uaithi le hagha na hoíhe. Do hiarrag air imeacht, agus níorbh fhéidir leis a reá ná go raghadh sé ann, mar dá n-eitíodh sé an maighistir do bhainfí an ceann de agus chrochfaí ar spiar' é; agus ba dh-é an scéal céanna dho é le góil an gleann seo, do bheadh sé marabh.

Bhuail sé a dhiallait ar a chapall, agus d'imi sé leis nú go ndeagha sé go dí an ngleann, an áit a mba cheart di seo a bheith. Do d'airi sé a' túirlint ar a' gcapall í.

Do labhair sí leis:

" Coinneal agus coínnleóir ann," adúirt sí,
" Agus cuir-se rann leis sin ! "
" Capall ag imeacht cois abhann," adúirt an màrcach,
" Marcach ar a dhrom agus é a' crith ! "

'' Coinneal agus coínnleóir ann," adúirt sí aríst,
" Agus cuir-se rann leis sin ! "
" Muileann a' meilt go teann," adúirt sé,
" Agus é a' scillige thall 's abhus ! "

" Coinneal agus coínnleóir ann," adúirt sí aríst,
" Agus cuir-se rann leis sin ! "
" B'fheárr 'uit na Flathais i n-am," adúirt sé,
" Ná a bheith id sprid neannta ansin ! "

Do d'imi sí léithi ansin, agus ní fhacaig éinne ansoin ó choin í, ná níor maraíog éinne ann.

114. AN RÉIC I N-A SCOLÁIRE

Do bhí socharaide fadó ag a' dteampall, agus do bhí cloch tuama
ann a raibh *print* uirthi, pé ar domhan sórt (í)—níorbh fhéidir le
héinn' a dhéan' amach cuid é an sórt í an *print*. Do bhíodh scoláirí
matha an pharáiste a' teacht ad iarra í a léamh, agus níorbh fhéidir
le héinn' acu í a léamh. Bhí mar sin go dtainic lá socharaide, agus
bhí na scoláirí a' féachaint i n-a diaig agus ad iarr' í léamh.

Do rángaig go raibh réic i n-a measc, agus dhird sé féin isteach
go bhféachadh sé uirthi. Bhí sé a' spriollac go han-dian uirthi insa
chaoi go dtug fear eicínt fé ndear' é.

" Is dói liom," adúirt a' fear a thug fé ndear é, " gur cosúil lé
fear tu a bheadh ábalt' ar í léamh."

" Is fuiriste í sin a léamh," adúirt a' spreill, " léafadh amadán
ar domhan í ! "

" Tá sé chó math dhuit í léamh dúinn mar sin, más é do thoil é,"
adúirt a' fear a bhí a' caínt leis.

Sheasa sé ag ceann na lice, agus chrom sé ar í léamh. Mar seo
a thosna sé:

Heirseácus, máthair Chathair chríonna
I dteannta 'n teampaill árdaibh lán do gharabh-líocach'
Is i dteannta mása ba gráthach an seana-phíopa
A bheadh manntach, beárnach, lán do thobac líonta.

Bhí píos' eile ansin i n-a dhiaig sin aniar:

Garabh ná mín níor síneag fúithe
Do bharrach ná líon dár snío[mh]ag as túirne
Ach mata i n-a smuit gan phluid gan súsa !

115. LÉAMH NA hAIMSIRE

Insa tsean-tsaol anso fadó do bhí fear ann, agus bhí sé a' braith
ar dhul a' baint m[h]úna. Bhí mitheal fhear bailith' aige, agus, má
bhí choíhint, ar maidin go doth nuair a d'eighrig a bhean go gcuir-
eadh sí i gcóir a mbricfeast don mhitheal do bhí ag obair aici, do
d'eighri sí amach a' féachaint cé an chor a bhí ar a' maidin. Nuair a
chua sí amach do choinnic sí an fhinneóigín liath amuh ar a' gclaidhe,

agus í gá crotha héin. D'fhéach sí sin ó dheas ar a' ngréin, agus do
bhí sí ag eighrí an-dearag, agus ba dh-shin córthaí ná beadh a' lá
go hana-mhath. Do chais sí isteach go dí n-a fear.

" Is dói liom," adúirt sí, " ná fuil ann duit ach dícéille a bheith
a' dul go dí an bpòrtach inniubh, mar choinnic me ansin amuh ar
a' gclaidhe anois an fhinneóigín liath, agus í dá crotha féin, agus tá
an ghrian ag eighrí an-doth! "
Níor thug a fear aon tor' uirthi. Do bhaili sé féin agus a chuid
[fear ag obair].

Nuair a bhí sé críochnaithe tréanthóna, sheasa sé ag éadan na
hoibre agus dúirt sé:
" Is mairig a thabhairfeadh tor' ar a' bhfinneóigín liath
Ná ar bhriathra bréagach na mrá,
Cioc' acu doth nú deireanach a' d'eighreóig a' ghrian
Is mar is toil lé Dia a bheig a' lá.

116. AN TRIÚR BAN AG AN MUILEANN

Bhí triúr ban fadó ann, agus rángaíodar go dí an muileann i
n-éineacht. Bhí trí mhála lé meilt acu, agus ní raibh fhios ag fear a'
mhuilinn ce hucu is éasca a chuirfeadh sae isteach chuig é mheilt.
Bhí bean gabha agus [bean fíodóra] agus bean sclábhaí ann; ach
bhíodar ag aighneas ce huc' acu a raghadh a mál' isteach ar dtúis.
" Ní chuirfi me mál' éinne isteach," adúirt a' muilleóir, " ach a'
bhean is feárr a dhéanfaig rann le n-a ceird féin! "

" Tá go math! " arsa bean an Fhíodóra:
" Níor airíos riamh ceól ba bhinne
Ná ceól a' smóil na húm a's na slinne,
Pota na feóla ar friuch' ar a' dtine
Agus túirne na bhfiteán a' dul lé buile."

" Fóill, fóill! " arsa bean a' Ghabha:
" Níor airíos-sa riamh ceól ba bhinne
Ná triúr gaibhne ag ull'ú greille
A lámh-órd féin i láimh gach nduine,
Agus iad a' buala buille ar bhuille."

" Fóill, fóill ! " adúirt bean a' Sclábhaí:
" Níor airíos riamh ceól ba bhinne
Ná seisireach m[h]all i ngleanntaibh coille.
An fear deir' á fhogairt ar a' bhfear tosaig
An caol-fhód do thógaint a's gan é mheille ! "

Mar sin a bhí. " Isteach led mhála, a bhean !" adúirt a' muilleóir.
" Is é do rann an rann is feárr ! "

117. FEAR A BHÍ RUITE BOCHT

Bhí sean-fhear insan áit seo, agus bhí sé ruite bocht agus bhí sé
críonna. Ní raibh éinne a' féachaint [i n-a dhiaig] agus ní raibh aon
mhuíntearas aige. Shui sé síos agus dúirt sé dó nú trí fhocaile, agus
is iad na focail adúirt sé:
" Tréigeann an fhéile, agus fuaraíonn a' grá.
Ní héifeacht éinne gan gustal i n-a láimh,
Agus níl gaol ag éinne le duine gan áird ! "

118. BEAN A BHÍ RUITE BOCHT

Bhí seana-bhean bhocht insa tír insa tsaol a cathag fadó, agus
bhí sí bocht agus í ruite bocht. Bhí go leór Éireann muíntearais
aici, ach bhí beagán caradais aici. Bhí an Nollaic a' teacht uirthi,
agus ní raibh aon áit aici a raghadh sí ar lóistín chuig na Nollac.
Ní raibh éinne a' cuir cuire chuici 'ár bhain léithi. Mar sin a bhí.
Shui sí síos di féin tráthnóna, agus ní raibh fhios aici cé ngeódh sí,
agus adúirt sí:
" Tá an Nollaic seo a' triall
Go fial farsain feólmhar.
Mo charaid—mo dhiachair !
Ní bhéarfaid siad leó me
Ar chuire Chínn Bhliana
Agus, a Dhia ghil, cé ngeó me ! "

119. TAIBHREAMH MHIC AMHLAOI'

D'airi me blúire dh'amhrán ó bhean mhuínteara dhom, am ainim di Brídeach Ní Bhriain, fadó riamh, agus ab ainim don amhrán " Taibhreamh Mhic Amhlaoi' ". Siod é an t-amhrán:

Is araeir gan bhréig trím shuan dom
Is ea do thaibhríos féin ar Éirinn,
Gur théarna sí a's gur sheasa sí
Agus cláirseach le n-a taoibh.
Bhíos liom héin gan éinn' 'om ghaolta,
Fiú mo bhean, mo mhíle creach !
Agus me ar leabain síos a's gan éinne beó lem thaoibh.
Thaibhríos féin gur sheasa sí
Ar chàthaoir gheal na machairí.
Ansúd is bínn mar labhair sí
Mar scríofad ar mo scéal.
Is í an Ghaeilge mhilis gan aon cháim—
Is í an chaínt í bhíos 'sna carracháin—
Ba bhinn' í ná na horagáin
Agus ná an bhean ba cliste ceól.

120. SEÁN DE BÚRC

Do bhí fear anso am ainim do Seán de Búrc, agus ba dh-é a chéird mhaireachtáil a bheith a' tráchtáil ar muir. Do bhí sé nuaphósta; agus do dhin sé féin agus driotháireacha a mhná páirt, agus chuadar ar soitheach lé chéile. Do d'imíodar ansin le lucht, agus chuadar don Spáinn. Do bhíodar a' teacht abhaile agus lucht tócaithe acu, agus do thóg Seán tinneas insa Spáinn, agus cailleag ar bórd a' tsoithig a' teacht é. Níor chuir a chomarádaithe aon chórthaíocht suas nú gur bhuaileadar cuan. Do bhí bean an Bhúrcaig agus a máthair a' fanacht leóthu ar a' gcuan; agus nuair a fuair sí marabh ansin é do chrom sí ar é chaoine:

" A Sheáin de Búrc, mo dhiomá léan tu !
Do shlinneán úr agus do mhuinéal gléigeal.
Tóg suas do cheann nú go n-ínsíod scéal duit,
Gur bean gan mac me, gan fear, gan céile.

Is é mo mhairig nach é Helix a fágag,
Nú Séamus Óg—ba dh-in é searc a mháthar—
Nú *Brian* ós é is mó do chráig me,
Agus go mbeadh Seán de Búrc a' teacht chúm i n-a shláinte."

An Mháthair:

" Eist, a iníon, agus ná tabhair mo náire!
Mar is fusa dhuit fear ná do thriúr driothár fháil,
Ar bharra na dtonn agus a' teacht ón Spáinn chúinn;
Agus céad glóire lé Muire gurb iad mo linibh-se a tháinig!"

An Bhean:

" Eist, a mháthair, agus táim-se cráite.
Mar níl fhios agat-sa cad a thugadh mo ghrá dhom,
Tá coileán dá chuain faoi mo lár,
Agus dlaoi dá ghruaig agam i gcimeád.

Dá mbeitheá agam-sa do chuirfinn chuig bia tu
Lé plúr mion muilinn a gheódh trí ársaí síoda,
Feóil bó buininn ba ghile ná an lítis,
Agus uisce beatha a chuirfeadh fuinneamh agus brí ionat!

Is minic a choinnic me ag doras do chúirte
Mathshlua a' dul suas agus mathshlua a' túirlint,
Búird á leaga agus solas a' siúl leó—
Agus is é mo mhairig tu bheith marabh, a Bhúrcaig!"

121. CAILÍN AG CAOINEADH A DRIOTHÁR

" Tá mé a' teacht i gcathamh na hoíhe—
Mo cheann oscailte, agus mo bhrollach scaoilte.—
Cois Abha Bige agus cois Abha Caoile,
Cois na Triopaillí agus me amuh insan oíhe.
Nuair nár airi me buill' úird dá bhual' i gceártain
B'fhuirist aithint dom gurab é mo dhriotháir a bhí fé chlár ann."

Nuair a bhí sí a' caoine ansin do bhí an sagart ann:

" Eist, eist "—adúirt a' sagart—" a phlobaire caille!"

" Eist féin "—adúirt sí—" a phlobaire sagairt !
Beir ar do leabhar, agus meabhraig a' phaidir !
Léig na liodáin má tháid agat,
Saorthaig do leath-choróin agus teighir abhaile,
Agus caoinfi mise féin mo dhriotháir go maidean ! "

122. CASAOID AN tSEANDUINE

Do bhí sean-fhear thoir i mBail' Í Bhucháin fudó nuair a bhí an saol go holc, agus bhí an mhóin an-daor. *Well,* ní ru sé i gcumas do móin a cheannach, agus do chathadh sae dhul cheirthe mhíle bóthair gach uile lá ad iarra cliabh móna, suas go dí portach na Binne Rua. Bhí go math. Bhí an fear bocht tursach, agus níl aon lá ná tugadh sae cliabh móna ó phortach na Binne Rua isteach síos go Bail' Í Bhucháin ar a dhroim.

Do bhí sé a' teacht, is cliabh món' air, tráthnóna, agus é tursach tráite, thíos i mbun Aill Bhéal na Tulach. Leag sé suas a' cliabh ar a' gclaidhe, agus bhí sé a' déana a scíthe. Cé gheódh theiris aníos ach fear do Chlainn Í Dhábhoireann anoir ó Bhoirinn, ar marcaíocht ar *shide-car.*

" Go mbeannaí Dia dhuit, a Sheáin ! " adúirt an fear a bhí ar a' *side-car* leis a' bhfear bocht a bhí in a sheasa cois a' chlaidhe.

" Dia's Muire dhuit ! " adúirt Seán.

" Cé an chor athá agat, a Sheáin, ar a' saol so ? " adúirt Dábhoireann leis.

" Muise," adúirt a' fear bocht a bhí cois a' chlaidhe, agus a chliabh món' aige :

" Tá mé anso," adúirt sé, " ar nós an asail.
Tá cliabh ar mo ghualainn, agus iris am thachta.
Tá muíntir na Bóirne a' góil theram go leathan,
Agus ní thócaidíst a' t-ualach díom i gcoinne na haille ! "

" Tá go math," adúirt Dábhoireann, " a Sheáin," adúirt sé, " téire soir chuig a' tí amáireach chúm-sa. Tá asal thoir, agus tabhair leat é, agus táirneó sé do dhóchaint móna chút ! "

Chueg Seán ad iarraig an asail ar maidin, agus níor chuir sé aon chliabh móna ar a dhroim ó choin. Tharain a' t-asal a' mhóin do faid a mhair sé féin.

LUCHT LÚITH AGUS GAISCE

123. CARRAIG NA LÍGE BUÍ

Insa tsean-tsaol fadó nuair a bhí na fearaibh láidire ar bun, do bhí gaiscíoch anseo abhus i gCúntae an Chláir, agus do bhí sé i n-a fhear an-láidir. Do bhí fear eile i gConamara a bhí á dhéan' amach go raibh sé féin chó láidir leis. Ach do bhí ionad coinne eatarthu chuig iad féin a thástáilt. Níorbh fhéidir leóthu iad féin a thástáilt mar thainig an uair briste, agus níorbh fhéidir leis a' bhfear abhus a ghóil anúnn, ná ní fhéadfadh a' fear a bhí thall a theacht. Do dhineadar córthaíocht dá chéile; an fear a bhí abhus do láimhsi sé carraig mhuar chreige, agus é thuas ar bhruach na farraige insan áit a nglaonn siad An Líog Bhuí air; agus tá sin ann fós ar aill Thír Dhóinín. Do bhí go math. Do chuir sé an charraig anúnn nú gur chuir sé anúnn ar a' dtalamh tirim treasna na farraige [í].

D'fhéach a' gaiscíoch a bhí thall ar a' gcarraig:
" M'anam héin," adúirt sé, " nách leanabh tu, ach gur fear tu a bhfuil sórt brí in do chrá[mha] ! "

Do bhí go math. D'iúmpa sé thímpeall, agus do fuair sé carraig a bhí i gcomórtas ar a bheith chó mór léithi, é féin, mar ba mhaith leis carraig ba mhó ná í a chuir anall. Do thug sé úta reatha, agus do chaith sé í, agus do chuir sé anall í—an tarna carraig—agus tá ceann thall agus ceann abhus. Is é an t-ainim a ghlaotar ar a' gcarraig athá abhus i gCúntae an Chláir aguinn féin i n-a suí thuas i dTír Dhóinín—agus tá sí fós lé feiscint ag a' saol ann—Carraig na Líge Buí. Shin é an t-ainim athá ó choin uirthi agus a bheig go brách.

Níl fhios agum héin a' bhfaca na gaiscíg a chéile ó choin, ach má choinnic féin, níor airi mise aon trácht air.

124. NEART AN MHARCAIG

Do bhí fear fadó ar marcaíocht ar chapall, agus do bhí sé a' góil trí shráid-bhaile. Is gráthach go mbíonn gabha agus ceárta aige i gcúinne 'on bhaile i gcónaí. Do bhí an fear so ar màrcaíocht ar chapall a' góil ther teh an ghabha. Do tharrainn sé suas go dí doras na ceártan. Do chrom sé é féin, agus d'fhéach sé isteach sa cheártain:
" Dá mba dh-é do thoil é," adúirt sé, " a' sínfeá splannc amach chúm do chuirfinn ar a' bpíopa ? "

Do d'fhéach a' gabha a bhí istig amach, agus choinnic sé an fear a bhí amuh ar a' ndiallait. Do riug sí ar a' splannc, agus leag sé ar an inneóin í, agus riug sé ar a' gcorra-chiop lé n-a láimh, agus do shín sé amach go dí an bhfear a bhí amuh í. Do riug a' fear a bhí amuh ar chorra-chiop na hinneónach insa nós chéanna, agus do d'iúmpa sé anáird' í, agus leag sé an splannc ar cheann a' phíopa, do dhearag sé an píopa leis, agus do d'iúmpa sé an splannc agus an inneóin nú gur shín sé isteach go dí an ngabha aríst í.

D'imig fear a' phíopa, agus a' píopa dearag aige, agus do ghui' sé a bhaochas leis a' ngabha nuair a d'imi sé.

"M'anam héin," adúirt a' gabha, "nách bàrrach athá i riosta an fhir atá suas ar a' gcapall ag imeàcht!"

125. DÓNALL Ó DULÁINE AGUS SEÓN Ó HUAITHNÍN

Do bhí anso insa tsean-tsaol lé línn na bhfearaibh ar fónamh fear a dtugaidíst Dónall Ó Duláine air. Do bhí fear eile ann a dtugaidíst Seón Ó Huaithnín air. Do bhí [Dónall] ag [imeacht] i n-a bhuachaill bó, ar a theithe dho féin i nós ná haithneófaí é, mar bhí *reward* os a cheann. Fear ar bith a gheódh a cheann agus a thabhairfeadh go dí an ngárdain é, bhí dhá chéad púnt lé fáil aige.

Mar sin a bhí. Do bhí sé ag imeacht ar a theithe dho féin agus ad iarra a cheann a chimeád.

Bhí sé tráthnóna Domhnaig a' teacht agus a chuid beithíoch aige. Do bhí na buachaillí óga ar a' mbóthar roimhe, agus bhíodar insa tsean-nós ag catha cloch nirt. Nuair a bhí Dónall a' teacht fae n-a ndéint do dhin sé ar n-agha, agus do bhí an chloch ar a' mbóthar roimhe. Do labhair duine 'osna fearaibh óga leis:

"Caith ther n-ais an chloch sin chúinn, más é do thoil é, a Dhónaill!" adúirt sé.

Do riug [Dónall] ar an gcloch, agus do sheasa sé insa marc insan áit ar thúirlinn an chloch nuair a chaith an fear eile í. Do bhain sé faid a riuchair aisti, agus do chuir sé na mílte mara os a gceann anáirde amach ther an marc a d'fhág sí ar dtúis í.

Bhí mar sin. Do bhí an fear a bhí ag catha na cloiche i n-a coinne— ba dh'é Seón Ó Huaithnín é, agus adúirt sé:

" Níor dhin aon fhear riamh an chloch a chathamh insa nós sin ach Dónall Ó Duláine ! "

Nuair a chuaig Dónall abhaile leis na beithíg do bhí faitíos air go ndéanfaí amach é. D'imi sé ar a theithe aríst. Níor ránga leis a dhul i bhfad—an duine bocht—nuair a rángaig go húndúrach gur bhuail an fiabhras é. Chua sé isteach go bráca ar thaobh an bhóthair. Do bhí sé ansin nuair a tháinig Seón Ó Huaithnín i n-a dhiaig.

" An bhfuil tú ansin istig, a Dhónaill ? " adúirt sé.

" Táim anois ! " adúirt [Dónall].

" Tar anso amach agus bainfi me an ceann díot ! "

" Is féidir leat sin a dhéana anois a's araeir," adúirt Dónall, " ach dá dtagthá oram-sa tá uair a' chloig ó choin nú fanúint go ceann uair a' chloig eile, ní raibh aon fháil agut ar é dhéana ! "

Do bhain Seón Ó Huaithnín an ceann de, agus do thug sé leis ar ghad é, agus do tharrainn sé an *reward* mar bhí sé i n-a *choward!*

BÁ AGUS TARRTHÁIL

126. FEAR AG SIÚL I N-A CHODLADH

Do bhí fear insan áit seo, agus do bhí sé i n-a chónaí ar bruach locha. Níl aon oíhe ná heighríodh sé amach as a leabain, agus é i n-a cholla. Do shiúladh sé an loch anúnn agus anall, agus do chasadh sé aríst isteach i n-a leabain féin.

Do bhí a bhean ag àireachas air, agus d'eighri sí i n-a dhiaig agus choinnic sí a' góil anúnn treasna an loch' é, agus liú sí agus bhéic sí. "Bhó! bhó, a Sheáin," adúirt sí, "cas oram nú báfar tu!" Le n-a línn sin dhúisi sí an fear, agus nuair a dhúisig a' fear, do thit sé insa loch agus bág é. Dá bhfanadh a' bhean istig ag baile agus gan aon fhocal a labhairt, do chasfadh sé an oíhe sin mar gach uil' oíh' eile.

Ní raibh aon aitheantas agam-sa air, ach d'airi me na sean-daoine a' trácht air.

127. BEAN Á TARRTHÁIL ÓN bhFARRAIGE

Do bhí bean anso fadó am ainim di Gobanait Cíosóg, agus do bhí sí thíos ar a' dtrá. Thóg an fharraige amach léith' í, agus do bhí sí a' góil amach anúnn go hÁrainn ar bhárr na farraige i n-a suí síos nú go dtáinic cùrrach ó Bhealach a' Laidhean a thóg í agus a thug isteach slán sábháilte í.

128. BEAN AG TEACHT SLÁN ÓN bhFARRAIGE

Do bhí bean eile, agus do chua sí go dí an dtrá maidean Mhárta, agus is é an soitheach a bhí aici a' baint chnuasach trá ann naigín a bhí i n-a láimh aici, cuid 'osna seana-bhaill úirlis a bhí i gcuid 'osna tehanna ag na sean-daoine. Do thug sí léithi é sin i n-a láimh, agus má thug choíhint do bhí sí a' baint léithi; agus do bhí bairthlín garabh chanafáis ther a bráid aici, agus súgán fae n-a muinéal. Níor airi sí nú go dtáinic a' tonn fúithi agus gur thóg sí amach ar a' bhfarraig' í. Nuair a thóg sí amach ar a' bhfarraig' í, do bhí breis mhuar agus míle go leith bóthair d'fharraige le góil aici. Do d'imi sí ón áit a nglaonn siad An Dréimire Beag air, nú go ndeagha sí isteach ar a' dTrá Ghainí ar chúl a cínn sínte ar a' bhfarraige.

Do bhí sí tamall math istig ar a' dtrá fér tháini sí chuici féin; agus do choinni sí an naigín i n-a láimh i gcónaí nú go dtug sí léithi abhaile é. Nuair a bhí sí a' teacht abhaile, do bhí a fear a' brise chloch ar thin' aoil os ceann na farraige. Do choinnic sé an bhean bháite a' góil soir an fharraige, agus do cheap sé gur báite a bhí sí. Do choinnic sé istig ar a' dtrá thoir í, agus shíl sé go rai' sí báite— seana-bháite. Níorbh fhada go bhfaca sé ag eighrí thoir í agus a' góil chuige thímpeall anoir an bóthar. Nuair a choinnic sé a' teacht gairid do í do ruith sé ón dtin' aoil. An bóthar céanna a thug a' fear air a' ruith ón dtin' aoil do thug a' bhean bháit' uirthi é, agus níor stop sí riamh gur lean sí isteach i n-a theh féin é, agus chua sí isteach, agus is sin é an uair a d'aithníodar féin a chéile!

129. MÁIRE GHRÁISÍN

Do bhí bean insan áit seo fadó, agus do dhin sí rud eicínt as bóthar, agus do bhí na sagairt i n-a coinne, agus do dhin sagart a' pharáiste eascainí ar aon nduine d'fhágfadh istig í ná a thabhairfeadh lóistín oíhe dhi.

Do bhí an créatúir i ndroch-nós ansin, agus bhí trua ag na córsain di. Do thugadar leóthu ar bruach farraige í, an áit a raibh claidhe muar fonthúil, agus do dhineadar botháinín di a dtugaidíst bráca air. Do chuireadar ann isteach í go breá deas cúmpórtach, agus do thugadar tine dhi. Bhí sí ansin go math.

Do thainic oíhe stoirimeach agus gaoithe muaire agus farraige mhuar insa chaoi go ndeaghaig an fharraige ar fiog míle ar ghach taobh di isteach ar a' dtalamh. Níor airi sí an fharraige mhuar ná níor airi sí aon tsórt ní—stoirim ná gála—ach í féin agus a triúr páistí i n-a gcoll' istig fén mbráca beag sin. Do leag [an fharraige] an claidhe dúbailte a bhí i ngach uile shórt áit thímpeall uirthi insa chaoi gur leibhéal sé é có leibhéalta leis a' dtalamh ach amháin an méid a raibh a' bráca déanta fé, agus níor bhain aon tonn amháin do. Ar maidin nuair a choinnic na córsain é, agus d'airig a' sagart é, do bhí sí có meastúil le haon bhean a bhí insa pharáiste i ruith a' tsaeil riamh roimhe sin; agus do bhí a clann i n-a dhiaig amhla. Do bhí aithint agam ar a' gclainn, gah uile dhuin' acu.

AN GNÁTHSHAOL

130. BIA AGUS ÉADACH

Ní bhíodh aon ghiob dá cheannacht i siopaithe, agus bhí a chuid rian air—ní bhíodh aon tsiopaithe ann ach hucstaeirithe. Corrasheana-bhean a bhíodh a' dul go dí an siopa go dí an mbaile muar, agus (a) thabhairfeadh luach ceathair nú cúig 'o scillinní aráin léithi a dtugaidíst arán geal air. Do thugaidíst sin é sin leóthu chuig a' tí. Do dh'imídíst amach ar fhuaid na tuatha á dhíol sin leis na mrá tí. Sin é a' nós a mbíodh a' saol ag imeacht. B'fhé' go gceannódh bean únsa tae agus leath-phúint siúicire i n-éindí léithi sin ón ucstaeir mná a bheadh a' góil amach.

Ní bhíodh aon bhlas mórán i n-ao'chor dá cheannacht insna siopaithe (fadó). Do bhíodh bróinte anso acu a bhíodh a' meilt a gcuid arúir dóib héin. Do mheileadh bean tí an lá sin an oiread arúir agus dhéanfadh min choirce dhi ar fiog seachtaine. Do dhéanfadh sí lucht na seachtaine gah aon lá di féin, agus ní bheadh ann ach lá insa tseachtain aici dhá dhéana.

Do dhéanfadh sí sníochan, do dhéanfadh sí cárdáil, do dhéanfadh sí scallachán, agus do dhéanfadh sí gach ní a bhainfeadh leis an olainn, dathúchán bréide agus flainnín, agus gach uile shórt a d'oilfeadh di dhéana gon líon tí le hagha go ndéanfadh sí bairtleacha agus léinteacha anairte; insa chaoi ná beadh aon ghiob dá cheannacht insa tsiopa, ach iad ag obair ar a ngró féin i gcónaí.

Cuirfaí an líon. Is é an t-ainim a ghlaeitithí ar a' síol a bhíodh ar a' líon—ros. Do chuiridíst a' ros. D'fhásadh a' líon. Do bhainidíst é. Tháirrnídíst as a' [d]talamh é. Do dhinidíst punainne dhe, agus do thugaidíst leóthu ansin é, agus do chuiridíst síos i bpoll mór uisce é nú go lobhfadh an craiceann a bheadh air. Do choinneóidíst ansin é nuair a bheadh a' craiceann lofa, do scaraidíst amach ar a' bpáirc é, agus do dhéanfaidíst é bhléitseáil—é thuara—ar fiog cúig nú sé 'o sheachtainí nú go bhfágaidíst ansin amuh é droch-uair agus uair ar fónamh, agus gah aon áit go ngealfadh sé agus [go mbainfaí] dath a' pholl portaig don líon. Do thabhairfidíst leóthu ansin é, agus do thabhairfidíst tuairgíní leóthu—stúmpaí go bhataí muara—agus do bhrisidíst an líon nú go mbainidís a' colag de. Nuair a bheadh sé briste buailt' ansin acu agus a' colag baint' acu dhe, do gheóidíst aramáil a nglaeidíst scuits air nú go mbainidíst cuid eile gon choiag de a nglaeidíst bàrrach na scuitse air—clár mór fada a mbeadh scuits ar a thaobh, agus do bhaineadh sé sin a' colag amach de sin. Nuair a bheadh sí réig leis sin ansin aríst, do bhíodh nós eil' acu chuig é ghlana níb fheárr a dtugaidíst tlú garamaint air, agus do dhinidíst a' líon a gharamaint chuig é dhéana níos míne. Nuair a bhí sé sin déanta leis ansin bhíodh sae i gcóir nú go dteigheadh sae insa tsiostal.

Do bhíodh fear a' góil a' bóthar ansin a mba céird leis a bheith i n-a haicléir, agus ba dh-shin é a bhainfeadh amach le siostal é. Nuair a bhíodh sae réig leis a' siostal ansin, snítí leis a' dtúirne lín é, agus nuair a bhíodh sé sníofa leis a' dtúirne lín acu do dhinidíst cóir eil' a chuir air a ndinidíst é a dheilibh agus slabhra a dhéana dhe nú go gcuiridíst go dí an bhfíodóir é.

Nuair a bhíodh sae ansin réig leis a' bhfíodóir, agus é fite ag a' bhfíodóir, do thugaidíst leóth' abhail' é, agus do chuiridíst amach ar na páirceanna a' bléitseáil é nú go n-imíodh gach uile shórt giob don struisín a chuirfeadh a' fíodóir ann—go n-imíodh sae as. An rud a nglaeidíst a' struisín air is sin stuif a choinníodh an snách gan téamh a chuirfeadh sae ann le hagha go mbeadh a' píosa láidir lé seasamh i n-a choinne insa tseól.

Nuair a bhíodh gach ní acu sin déanta socair, do thugaidíst leóth' é, do dhinidíst léinteacha dhe; agus do bhíodh trí shórt, cheithre shórt, déanta gon líon aca, garabh agus mín, nú go gcuiridíst leóthu i ngah aon úsáid a d'oilfeadh don teh é.

A' nós céanna leis an olainn. Do dhéanfaidíst flainnín do chathadh na fearaibh ag obair, agus do dhéanfaidís bréid agus *tweed* a bhíodh ag na fearaibh dá catha i n-a chulaithe éadaig Dé Domhna. Do dhéanfaidíst *tweed* agus gach sórt eile a bhainfeadh le culaith' éadaig, insa chaoi ná beadh aon ghiob a' dul go dí an siopa nú aon sórt blas nú go gcuiridíst isteach go dí an dtáilliúir é agus go ndineadh an táilliúir an chulaithe dhe.

131. AN DROCH-SHAOL

Do bhí sé thíos insa Muí Mhuair an t-am a raibh Teh Muar na Muí Muaire i n-a theh *paupers*, agus do bhí fear *hire*áilte ceann ar n-agha ann le hí bheith a' tabhairt na ndaoine a gheódh bás go dí an roilic. Is é an rud a bhí déanta insa roilic aige trínse, agus ní

Y

dhúineach sé i n-ao'chor é, ná ní chuireadh sé na daoine a bheadh
marabh ann ach uair sa tseachtain, mar bhídíst a' fáil bháis don
ocras i n-a luighe ar thaobh a' bhóthair tao' amuh don ngeata a'
súil go bhfaighidís greim lé n-ithe. An té ná beadh marabh i
n-ao'chor ach a bheadh gairid do, d'iúntódh sé isteach sa mbarra é,
agus tabhairfeadh sé go dí an dtríns' é. Scaoileadh sé síos i measc
na marabh é agus aga a dhóchaint a thabhairt do chuig báis fháilt
ansin. Bhí sin amhla gan aon fhocal bréige.

Bhí sé sin ann go suíte! Do bhí fear insan áit seo insa Droch-
Shaol chéanna sin, agus chua sé a' goid turnap le hí a shuipéir.
Bhí sé ráite go dtáinic fear a' gharraí air, agus is dóch nár lig sé leis
a' turnap, agus fuaireag marabh ar maidin lárnamháireach é istig i
mbothán don chórsain.

Agus ba dh-shin é an fear agus an fear breá! Ní raibh aon aithint
agam féin air, ach is minic a d'airi me mo mháthair a' cuir síos air.

132. BRICFEAST BOCHT

Do bhí bean ar a' mbaile seo—agus d'airi mise mo mháthair—
is í a bhí dhá ínseacht dom, go dtáinic beirt fhear a' buaint arúir
ar maidin chuici. Ní raibh aon ghreim bricfeaist sa teh a thabhair-
feadh sí dhóib nú gur bhaineadar beart arúir. Do chua sí amach,
agus do cheangail sí an beart arúir, do thug sí isteach é, agus do
bhain sí a' t-arúr as le n-a tuairgín. Do bhuail sí é, agus do raighil
sí é. Do fuair sí buarán ansin, agus do ghlain sí an luachán de. Do
fuair sí coirceán ansin, agus chrua sí ar a' dtine an t-arúr. Nuair a
bhí an t-arúr cruait' aici, do fuair sí bró, agus leag sí ar a' mbórd é
(sic), agus do mheil sí a cuid mine, agus is sin é an bricfeast a bhí
aici le tabhairt lé n-ithe dhosna fearaibh.

133. SEAN-SCOILTE

Anso fadó ní bhíodh aon scoilte ann mar athá i n-ao'chor anois
ann, ach do bhíodh maighistrí scoile a' góil a' bóthar a bhíodh briste
as a mbeatha; agus insan áit a mbeadh a' scoil cheart i bhfad uathub
do dhéanfadh lucht a' bhaile suas botháinín tí, agus do bheadh scoil

ag imeàcht ansin tríd a' mbliain, agus na scoláirí a bheadh thímpeall gairid do a' teacht ar scoil chuige.

Is minic ná beadh an áit a bheadh ag an múinteóir ar fónamh, ach más ea féin, ní bhíodh aon áit [eile lé fáil] aige. Is é an chaoi mhaireachtáil a bhíodh aige féin ag imeàcht i n-éindí leis na scoláirí gach oíhe—oíhe anso agus oíhe ansúd i n-éindí le gach aon scoláire— á bheathú héin [mar sin] tríd a' mbliain. Ba dh-é a' rud iad so maighistrí scoile a bristí as a mbeatha, agus ná bíodh aon chaoi bheatha eil' acu ag imeacht tríd a' dtír leóthu féin.

Do bhí scoil ar a' Lúch, an áit a nglaonn siad " Lúch Páirc " air; agus do bhí scoil eil' acu thiar ar Bhínn a' Lúig. Do bhí scoil thíos i mBaile Choitín, agus a lán áiteanna mar sin a bhíodh cúil ar aeird, an áit a mbíodh páistí ag eighrí suas agus ná bíodh aon scoilte gairid dóib.

134. PÍOBAIRE NA PRAISÍ

Do ghuibh buachaill eile an bóthar anso chúinn tríd a' dtír am ainim do Píobaire na Praisí—agus go de[imh]in féin ba dh-é Píobaire na Praisí é—mar ní raibh aon mhath riamh chuig ceóil ann ach dranntán; bhíodh sae a' béicig ad iarra bheith a' baint cheóil as a' bpíob!

135. AN PÍOBAIRE AGUS A DHÁRÉAG MAC

Anso i mBail' Í Choileáin insa tsean-tsaol a cathag fadó do bhí píobaire ann, agus do bhí dháréag mac aige, agus do bhí an dáréag i n-a bpíobairí. Do bhídíst ag imeàcht ar fhuaid na tíre a' saotharú beatha dhóib héin a' chuid is mó dhá saol, agus nuair a thagaidíst abhaile go dí a n-athair, b'fhéidir uair sa mí, nú pé ar domhan am a mba mhaith leóthu theacht, do rángaídís ar fad lé chéile. Do bhí croc muar fé n-a mbun, agus nuair a thiocfadh tráthnóna breá do raghadh a' dáréag píobairí agus a n-athair amach, agus chuirfeadh na trí pearsanacha déag—do gheóidíst orthu suas a gcuid píobanna; agus níor airi tusa aon cheól sí riamh ní ba bhreácha ná na trí pearsanacha déag a' cuir díothub a' tabhairt ceóil uathub mar ba

leóthu ansin! Do thabhairfidíst "Gol na mBan san Ár" uathub
agus thabhairfidíst gach ceól uathub dá n-iarraidíst don tsean-cheól.
Ba dh-é ainim an dáréag píobaire agus a n-athair Muirfí—Muíntir
Mic Mhuracha.

Ní cuín liom héin go bhfaca me iad, ach is minic a d'airi me mo
mháthair a' cuir síos orthu.

136. SOCHARAID MHÁTHAIR AN PHÍOBAIRE

Bhí fear i nGaillimh fadó ab ainim do McDonagh. Ba dh-é a'
rud é píobaire. Pé rud a dhin sé as bóthar do dineag *boycottin'* air,
agus ní raibh éinne a' caínt leis, agus níorbh fhéidir leis an áit
fhágaint [mar] do bhí a mháthair i ngalar éag a' bháis.

Do cailleag a mháthair, agus ní raibh éinne a' teacht go dí
tórramh ná go dí socharaide chuige. Do bhí fhios aige cá raibh
dháréag píobairí, agus do scrí sé go dí gach nduin' acu teacht chuige
lá na socharaide. Do bhí duine don dáréag imith' as baile, agus ní
bhfuair sé an cúntas i n-am. Do tháinig a' t-éinne dhéag eile, agus
lá na socharaide, do bhí a gcuid píobaí ag gach fear acu, agus
bhuaileadar orthu suas iad. Do bhí sé féin ar a' tara fear déag, agus
do bhuail sé air a phíob. D'imíodar ar fad amach roimh a' socharaide,
agus ní raibh éinne ann a' fágaint a' tí dhóib ach iad féin agus a' corp.
Nuair a chuadar isteach i dtosach na sráide do bhíodar a' sinim
dánta an bháis. D'eighrig fear amach, agus d'fhéach sé i n-a ndiaig,
agus do bhíodar a' sinim leóth' amach roimh a' gcorp. Do lean sé
sin iad. Do bhí gach fear á leanúint tríd a' sráid a' góil thríd a'
mbaile beag nú go raibh gach nduine i sráid na Gaillimhe i n-a
ndiaig aniar.

Níor dheaghaig aon tsocharaide go dí an dteampall ó choin nú
roimhe sin amach ní ba mhó ná bhí ag an seana-bhean.

Nuair a bhí an tseana-bhean curtha ag a' bpíobaire, do bhí cead
aige imeàcht i n-aon áit ar fuaid na tíre. Do d'imi sé leis, agus do
casag leis an píobaire nár tháinig go dí an socharaide.

" Is mór an t-aiféala athá oram," adúirt sé [sin], " ná rai' me ag
baile nuair a chuir tú fios oram chuig dul chuig socharaide do
mháthar ! "

"Ó, tá sé co math céanna," adúirt an píobaire—McDonagh—
"bhí socharaid a dóchaint aici!"

"Well, a' bhfuair sí an sagart?" adúirt a' píobaire strainn-
séartha leis.

"Ní bhfuair," adúirt sé, "ach mara bhfuair, fuair sí rud i bhfad
ab fheárr ná é!"

"Cud é a' rud é sin?" adúirt a' píobaire leis.

"Do bhí dháréag píobaire a' sinim dánta an bháis ó d'fhág sí an
teh nú go ndeagha sí isteach go ceart-láir (sic) an teampaill, a's ní
raibh aon tsocharaid ag ao' bhean a' góil trí Ghaillimh riamh níb
fheárr ná bhí aici!"

Sin é an freagara a thug sé ar a' bpíobaire a bhí ar strae.

137. CLEAS NA LODAIRNE

Do bhíodh anso fadó ag cailíní agus ag buachaillí óga—do bhídíst
a' déana cleasanna, agus is é an cleas é, an buachaill óg nú an cailín
do raghadh suas i mbárr' na tiníolach agus do ligfeadh a' ceirtlín
snách anuas síos insa tiníl. Do labhradh sí anuas: " Cé hé sin thíos
ag ceann mo lodairne?"

Do d'fhreagródh a' fear a bheadh thíos í i ngabhal na tiníolach
ar a gcuirfeadh sí ainim air á mba dh-é a baitsiléir é, agus dhéarfadh
sé: " Tá mis' anseo, mo lithéide seo 'o dhuine!"

Ach do chua cailín ann uair amháin, agus do bhí sí féin agus beirt
chailíní eile a' déana cleas, agus ní bheadh aon fháil acu an cleas a
dhéana gan buachaill a bheith i n-éindí leóthu. Bhí driotháir don
chailín a bhí a' déana an chleas, agus do bhí sé a' faire orthu a' déana
an chleas, agus nuair a bhí fhios aige cé raghaidíst agus cad a bhí lé
rá acu do chua sé thíos ar bhárr na tiníolach, agus nuair a chaith
[an cailín] an snátha síos agus dúirt sí: " Cé hé sin thíos a' coinneáilt
ceann mo lodairne?"

"Tá mise," adúirt sé, "a lithéide seo dh'fhear!"—ag ainimiú
an bhaitsiléir.

Do d'aithin an cailín caínt an driothára, agus do ruith sí léithi
có dian a's b'fhéidir léithi!

138. CROC NA LÁRA[CH] BÁINE

Do bhí fear fadó insa tsean-tsaol, agus is fad' ó choin, i n-a chónaí thall ar thaobh Sliabh Collán. Do bhí láir bhán chapaill aige, agus má bhí féin, ní raibh aon áit aige di chuig á n-a beathaithe ná aon bhlas féir le fáil di ar chuairt leath-bhlianan. Do choinnic sé anall bhuaig croc, agus dúirt sé go raibh áit mhath féaraig ansin. Do bhuail sé i n-a drom, lá, agus do thiomáin sé leis í. Níor stop sé choíhe go dtaini sé análl go dí Croc na Láire Báine (sic) athá ansin thuas ar Shliabh a' Haicléara.

Bhí go math. D'fhág sé ansin í, agus dúirt sé go raibh féarach math aici.

Do bhí an láir tamall ansin pé acu fada nú gairid a bhí sí ann. Ach do bhí carraig mhuar gheal i n-a suí ar thaobh an chroic. Do bhí radharc ag a' bhfear a bhí i gCollán anall ar a' gcroc a bhí abhus. Níl aon lá ná heighríodh sae amach agus ná feicfeadh sae an charraig mhuar bhán, agus cheapadh sae gurb í an láir a bhí lé feiscint i gcónaí aige. 'Gheall lé leath-bhlianan nuair a thaini sé fé dhéin na lárach go bhfeiceadh sae cé an crothúnas a bhí uirthi, nú a' raibh sí a' dul i bhfeabhas go math, ní raibh an craiceann féin aige, ná ní raibh a' crámh le fáil aige; bhí sí ite ag na madaraí agus na préacháin; agus Carraig na Láire Báine, do bhí sí i n-a suí ansúd ó choin nú gur leag a' Sasanach í mar a leag sé go leór.

139. SEÁN Ó DUILLEÁIN

Do bhí sean-fhear as Glínn Mheáin a rugav agus a tógav i nGlínn Mheáin dá ínseacht dom, agus is fada an aimsir ó choin, gur amach do charraig i nGlínn Mheáin a tógav athair Sheáin Í Dhuilleáin i gcurrach—sin é athair an fhir a nglaomuist *Honest John Dillon* air—agus gur imi sé as sin go ndeagha sé ar bórd soithig, pé an áit ar imi sé d'imi sé i gculaithe sagairt. Agus do bhí sagart i mBailí Bhocháin a dtugaidíst *Father Ryder* air, agus is é a chulaithe sin a bhí air [go ndeagha] sé isteach ar ché New York, más ann a *land*áil sé.

VARIA

140. SAOIRE AN DOMHNAIG

" Ón dá uair dhéag i lár a' lae Dé Sathairn go dí an dá uair dhéag i lár a' lae Dé Domhnaig atá an tsaoire."

141. AN TEIRE

Tá teire ar thalamh a dhearaga an chéad Luan do bhliain ná an chéad lá gon bhliain, mar bhí sé déanta amach ag na sean-daoine dá mbeadh a' talamh dá dhearaga go mbeadh iomurca daoine dhá gcur an bhliain sin. Sin é an teire a bhí leis.

Ní ghlanann na daoine insa tír seo aon teh beithíoch an chéad lá gon Bhliain Nó le faitíos go mbeidís a' catha tairibhe a gcuid beithíoch amach sa tsráid.

142. LÁ 'LÉ MÁRTAIN

Níl sé lúáilte aon rothaí a chasa Lá 'lé Mártain. Tá teire ar chasachán [an lá sin]. D'airi me ag na sean-daoine gurb amhlaig a maraíog Naomh Mártain i muileann, agus gurb shin é an fáth go raibh an teire ar an gcasachán an lá sin.

Tá muileann i n-Inis Díomáin, agus blianta ó choin lig fear an mhuilinn ag obair í Lá 'lé Mártain. Níor dheagha sé i bhfad nuair a bhris a' roth, agus níor dhin aon obair Lá 'lé Mártain ó choin.

[Dúirt Seán Mac Mathúna a bhí i láthair, agus cluas air ag éisteacht le Stiofán, go raibh teire ar chniotáil—dar lé seana-mhrá—an lá sin].

Ní hé an teire ar fad a bhí ar na seana-mhrá ach neart leisce an obair a dhéana!

143. LÁ CROSTA NA BLIANAN

Tá lá insa mbliain a dtugann siad Lá Crosta na Blianan air, agus is sin é an ceithriú lá gon Nollaig. Ní bhíonn éinne sásta ar aon ghiob oibire [a dhéana] an lá sin i n-ao'chor, mar deir siad ná fuil sé rathúil, agus cathann siad a' lá sin díomhaoineach mar a bheadh lá saoire.

144. RÓINTE

D'airi mé fear dá reá go ndeagha sé siar i mbun Aillte an Mhothair lá, agus go ndeaghadar isteach i n-ua[mha]in mhuar a bhí ann, agus do bhí an ua[mha]in thiar—i ndeire na hua[mha]nach—do bhí sí lán suas le róinte ar fad. Má bhí choíhint, do cheap na fearaibh a chuaig isteach iad a lá[mha]ch lé clocha, agus iad a bhuala. Ach pé ar domhan deabha a bhí isteach orthu bhí a sheach' n-oiread amach orthu. Ní bhfuaireadar aon rúsca cloch ná aon bhuala riamh - nú gur chuireadar (i.e. na róinte) aniar a' faid a bhí ann insa chladach iad - mar a thug na róinte dhóib a' catha carraigreacha i n-a ndiaig aniar a' bóthar.

145. CAÍNT NA bhFAOILEANN

An Chéad Fhaoileann:
" Iasc! Iasc! Iasc! "
" Coinnig! Coinnig! Coinnig! " [adeireann a chomaráda].
An Chéad Fhaoileann:
" D'imig! D'imig! D'imig! "
" Lá léin ort! Lá léin ort! " [adeireann an ceann eile].

146. TRIALL NA gCEARC GO LOCHALAINN

Insa tír seo tá sé ráite go ndeireann na cearca lé chéile gach uile thréanthóna: " Cuireamuid i gcóir sinn féin anois i n-ainim Dé, agus bímuid i n-ár suí go doth ar maidin, mar cathfamuid a dhul abhaile go dí Críocha Lochalainn ! "

Go doth ar maidin, ar a' gcéad fháinne dho lá, eighreó siad agus cuirfi siad i gcóir chuig imithe. Tá sé i n-a gceann an uair sin.

Ach nuair a bhe siad ag imeàcht–agus ní ragha siad i bhfad ó n-a lóistín—ruithfi siad graisín bheag, agus cromfha ceann aca síos, agus déarfa sí:

" Priocamuid rud beag i gcóir a' lae mar tá an *journey* fada! "

Nuair a chromfa sí a ceann agus [nuair a bhuailfi sí a gob] ar thalamh na hÉireann, ní fhanfaig aon chuín' aici ar Chríocha

Lochalainn nú go dí an t-am céanna tráthnón' amáireach aríst. Agus
is é an chaínt chéanna insa nús céanna é—tá siad ar aigine a dhul
abhaile go Críocha Lochalainn i gcúnaí—na cearca—mar cuide dho
mhuíntir Chríocha Lochalainn isea iad—ach imíonn sé as a gceann
nuair a leagann siad a ngob ar thalamh na hÉireann.

147. BAOCHAS AN MHADA RUA

Do bhí fear fadó ann, agus do bhí sé amuh ar a' ngarraí. Do
choinnic sé chuige an mada rua a' déan' air, agus gan fé ach trí cosa.
Do bhí an ceithriú cos crapaithe leis. Do bhí an mada rua ar súil
nú go dtaini sé gairid do ar an iomaire. Nuair a thaini sé gairid
do ar an iomaire, do chroch sé suas an chos a bhí tínn mar a bheadh
sé dhá thiosáint do. Do dhruid a' fear leis, agus bhí faitíos air
breith ar a' gcois, faitíos go mbaineadh a' mada rua greim as. Do
bhí sé a' bladar leis agus a' druideam leis nú gur riug sé i n-a láimh
ar chois a' mhada rua, agus d'fhéach sé uirthi. Nuair a riug sé i n-a
láimh ar chois a' mhada rua do chrom a' mada rua síos, agus líric
sé a lámh anoir. D'aithin a' fear ansin ná raibh aon fhonn ar a'
mada rua breith air. Do riug sé ar shop féar glas, agus ghlan sé
bonn cois' a' mhada rua leis, agus do choinnic sé dealag istig i gcroí
na coise. Do tharrainn sé chuige biorán, agus do bhain sé an dealag
amach as a' gcois, agus tháinic braon muar amach i n-a dhiaig.

Do chrom a' mada rua a cheann agus a chluasa mar a bheadh sé
a' góil baochais leis. Do d'imi sé leis ansin.

Ar maidin Dé Sathairn i n-a dhia sin, do bhí gé reamhar leacaithe
treasn' an dorais ag a' bhfear. Níl aon mhaidean Sathairn, faid a
mhair an fear, ná raibh gé reamhar leacaithe ag béal a' dorais do
le hí a dhínnéir tráthnóna Dé Domhna.

148. "TRUPALL TRAPALL"

Trupall, trapall, seana-cheann capaill,
Cé an méid mac a bhí ag a' rí?
Mac istig agus mac amuh,
Agus dhá mhac déag i dtóin a' tí!
Imig agus tabhair na caoire buíocha leat!

Ca'il a' bainne buí a bhí anseo?
D'ól a' cat é!
Ca'il a' cat?
Siúd fén sop é!
Ca'il a' sop?
Dhóig a' tin' é!
Ca'il a' tine?
Mhúch an abhainn í!
Ca'il an abhainn?
D'ól a' t-each donn í.
Ca'il a' t-each donn?
Tá sé imithe go doras a' rí
Ad iarra máilín pís' a's pûire [.i. pónaire]
Dû-sa a's duit-se!

149. DHÁ THOMHAS

Firín beag bioraideach bídeach.
Agus firín ab aoirde ná é sin
Firín ná cuirfeadh tiarach ar chuíora,
Agus firín ab ísle ná é sin.

Freagra: Ar iarra. [Ní raibh a fhios ag Stiofán é.]

Scillinn agus piginn agus bonn,
Agus cé méid sin ar a' ngabhar!

Freagra: Dhá shine.

150. DHÁ PHAIDIR

An Ais-eighrí Bheag

An Ais-Eighrí Bheag is feárr a chualaig éinne riamh
. . . léamh a' leabhair go hÍosa Críost—
An Rí math úd a crochag Dé hAoine,
A fuair deoch nimh (*sic*) mar dhíolgas (*sic*),
Domalas aeí na nae ndragún cíor'ubh—
Céad glóire lé Dia go ndeagha sin díothub,
Gur scaoileag amach na cheithre linibh
A bhí istig ag na deabhail fae dhraíocht
Amach don chill úd soir
Mar a raibh acht ag Críost istig
Isteach go Parathas geal na soillse
Mar a raibh ceól, spórt, agus aoibhineas.

Ag dul a chodladh dhuit

Luigheamuid ar a' leabain seo mar a luighe Mac Dé
    ar a' gcrois.
Brat Muire mar scaball oram !
A Mhuire mhúirneach, mo mhíle grá tu !
Is tu mo dhochtúir leighis tinn agus slán dom !
Is tu mo bhean bhreá chumainneach ar uair mo bháis
Agus mo charaid anama i's na Flathais árda.
A Rí na hAoine a síneag ar a' gcrois,
Ar fhulainn tu féin na mílte lot,
Bronnaim m'anam ort ó anocht go bliain ó anocht
Agus anocht féin !

AGUISÍNI

BLÚIRÍ BREISE Ó STIOFÁN Ó hEALAOIRE

Níor cuireadh na sleachta seo A-R isteach i gcorp an leabhair. Bhí roinnt cúiseanna leis seo—tá cuid acu i mBéarla, níl ina thuilleadh ach blúirí beaga, agus níor thánathas ar a thuilleadh fós nó go raibh sé ró-dhéanach chun iad a chur isteach.

A

Bhí fear anseo fadó agus do bhí sé ina an-réic agus ina fhear ban— a b'ainim do Seán Ó Hanglamáin. Do bhí sé ana-ghráite dh'fhoighléireacht agus do dh'fhiach. Má bhí choíhint do bhí éastáit insan áit gairid do, agus níor dheaghaig foighléireacht ná fiach air ar fiog cúig nú sé dho bhlianta roimhe sin, agus do bhí naoscaig agus cearca fraoig ann có tiubh leis a' bhféar. D'imig leis, agus do scrí sé go dí an *lan'lord* a mba leis a' t-éastáit sin, agus d'iarr sé lá fiaig is foighléireacht air ann. Do fuair sé freagara ón bhfear sin agus cead dhá lá foighléireacht. Do chuir sé i gcóir a ghunna, a ghadhar, agus a bhuachaill, agus é féin, agus d'imíodar leothu an lá seo, agus do chuadar go dí an éastáit. Agus dá thúisce a chuadar tao' isteach do chlaidhe bhí naoscaig agus cearca fraoig ag eirí rómpu có tiubh agus dob' fhéidir leób púdar a thabhairt dóib. Do bhíodar a' leaga leothu, agus ag imeacht tríd a' sliabh nú gur dheaghadar ró-fhada 'steach insa tsliabh, agus do bhí an lá ana-ghairid—thímpeall na Nollac ba dh-ea é. Níor airíodar iad féin nú go dtáinic an oíhe ortha.

Nuair a tháinig an oíhe ortha agus do bhí sé a' titim anuas doracha do bhí ocaras ortha t'réis a' lae. Do bhí lón aca, agus leagadar chuc' é agus do bhíodar dhá ithe.

" Tá sé ró-dhéanach," adúirt Seán. " Cuirfear amú sinn nuair a bhemuid a' déan' ar a' mbóthar aríst. Cad a dhéanhamuid anocht ? "

" Níl fhios agam," adúirt a' buachaill leis.

" *By gob*," adúirt Seán, " dá bhfanamuis mar a bhfuileamuid go maidean ní aireómuist aon oíhe amháin, agus bheadh an lá amáireach aguinn ar fhoighléireacht a' déan' ar a' mbaile 'ríst, agus bheadh a' dhá lá baint' amach ansin aguinn ! "

"Táim sásta," adúirt a' buachaill.

Do luíodar siar ar a' móta tirim a rabhadar ina suí ann, agus do bhíodar a' cathamh tobac. *By dad*, má bhíodar choíhint, níorbh fhada a' mhoill nú go bhfaca siad tríd a' sliabh chucu a' teacht capall bán agus màrcach ina dhrom. Do tháinig a' capall suas ar a' móta céanna a rabhadar ann, agus do labhair an marcach leis: "Go mbeannaí Dia dhuit, a Sheáin Í Anglamáin," adúirt sé. "Dia's Muire dhuit," adúirt Seán. "Nach math athá's agat cé an t-ainim athá orm!"

"Ó, tá's," adúirt a' marcach, "mar is fada aithint agam ort!" "Ní rabh's é sin agam," adúirt Seán. "*Well*, is fada amach ar a' sliabh tu," adúirt an duine uasal leis.

"Ní raibh aon leigheas agam air," adúirt Seán, "mar do tháinic an oíhe oram agus níor airi me me héin a' dul isteach sa tsliabh, agus dá mbeinn a' dul abhail' aríst reaghainn amú tríd a' tsliabh.

"Tá an méid sin fíor agat," adúirt a' duine uasal, "ach tar liomsa 'nocht, a Sheáin," adúirt sé, "agus tabharha mé lóistín na hoíhe dhuit."

"Gura math agat! Faid saeil agat!" adúirt Seán. "Is fear math a dhéarhadh é!"

Bhí go math. D'imig Seán agus an duin' uasal in éindí lé chéile, an buachaill agus a' gadhar ina ndiaig aniar, agus ní dheaghadar i bhfad i n-ao'chor nuair a casag geata muar leothu. Agus d'imíodar isteach an áit a raibh *avenue*, agus níor dheaghadar i bhfad isteach ansoin nuair a casag lóistín do theh dheas leothu—rómpu. Do bhuail an duine uasal an doras muar, agus do tháinic pórtúir chuige agus d'oscail sé an doras dó. D'imíodar isteach tríd a' ndoras, agus isteach a' *hall* nú go ndeaghadar isteach insan áit a raibh cistean ann. Do shuíodar araon ansoin síos, agus nuair a shuíodar do *ring*eáil an duine uasal *bell* agus do ghlao sé.

Do tháinic chuige seiribhíseach, agus d'órda sé a shuipéar do Sheán Ó Hanglamáin. Do tháinic a shuipéar go dí Seán Ó Hanglamáin agus go dí an mbuachaill, agus d'órda sé an gadhar a thabhairt agus é a *fheed*áil. Do dineag gach rud mar adúirt sé. Do chaith sé— é féin agus Seán Ó Hanglamáin—an oíhe ansin go raibh sé amach in am collata a' caínt agus a' comhrá cois tine na cistean. Nuair a b'am leis an seanfhear ansin go rai' sé in am dul chuig leapan do ghlao sé ar sheiribhíseach eile agus do d'órda sé dhi a leaba a theasbáint do Sheán Ó Hanglamáin agus dá bhuachaill. Do d'imig sí agus do thug sí léithi Seán Ó Hanglamáin agus a' buachaill, agus do sháin sí seomara dhóib. Do bhí dhá leab' ann—leaba do Sheán agus leaba dhá bhuachaill. Do chuaig Seán chuig leapan agus do chuaig a' buachaill chuig leapan. Ní rabhadar i bhfad ar a leabain nuair a d'oscail óigbhean có breá agus las gaoch ná grian riamh anuas eirthi an doras isteach i seomara Sheáin, agus níor fhéach sí ar Sheán ná ar a' seomara ná ar a leabain. Chua sí tríd a' seomara, agus do d'imi sí go ndeagha sí isteach i seomara eile a bhí as a choinne isteach. Agus nuair a chua sí isteach níor dhúin sí doras a' tseomara ná pioc ach a coinneal a leag' ar a' mbórd lasta. Agus do bhí sí dá cur féin i gcóir chuig dul chuig leapan í féin. Do bhí Seán a' féachaint isteach eirthi agus í á cuir féin i gcóir chuig leapa, agus do bhí an bithiúnach bràdach a' cuir dúil a chroí ínti.

Bhí go math. Ní rai' sí i bhfad ar a leabain nuair a bhain Seán úndramháil as féin agus do chorra sé ina leabain féin amu. D'airig a' buachaill é:

" Cad athá tu a dhéan' anois," adúirt a' buachaill, " nú cad athá a' teacht ort ? "

" Níl fhios agam," adúirt Seán, " ní féidir liom aon tsuaineas a thabhairt dom héin ! "

" Cad é an réasún é sin ? " adúirt a' buachaill.

" Cathfa mé an bhean úd a chuaig isteach a leanacht. A' bhfaca tú í ? "

" Tá tu in áit strainnséartha anocht," adúirt a' buachaill, " agus bíoch oram go gcathfa tu dhul ar n-agha le do chuid gnótha ! "

" Níl aon leigheas agam air," adúirt sé. " Cathfa me í leanacht ! "

Le n-a línn sin d'eiri sé dho léim agus isteach leis insa tseomara go dí an bhean a bhí istig.

" Ara, 'Sheáin," adúirt a' bhean a bhí istig, " is fada 'mu tu ! Cad é an scéal nár thaini tu fadó ? "

" Níl fhios agam," adúirt Seán. " Bhí sórt náire oram, ach b'éigin dom theacht—ní fhéad fainn aon rud eil' a dhéana ! "

" Is math a dhin tu sin," adúirt sí.

Do chua Seán isteach insa leabain chuici, agus ar nó bhí sórt eicínt axarcise ar bun. Ach pé axarcise a bhí ar bun níorbh fhéidir le Seán aon talamh a dhéana, ach mar sin a bhí.

" Níl aon mhathas unat, a Sheáin," adúirt an óigbhean. " Fan go fóill," adúirt sí, " agus tabhair seans dó-sa! "

Bhí go math. Do riug sí ar Sheán go d'iúmparaíoch (?) sí é, agus pé an nós a raibh a' cúrsa fuair Seán luach a phiginne.

" Teighir amach anois, a Sheáin," adúirt sí. " Tá tu réig, agus fé mhaidin amáireach beig leanabh óg agat! "

" Dia le cabhair chúinn," adúirt Seán, " tá sin dúch ag mo lithéide-sa! "

Mar sin a bhí. Tháinig Seán amach agus bhí an scéal a' déana tinnis ró-mhóir do. Ní rai' sé i bhfad amu, agus é ar a leabain féin, nuair a bhuail greim é. Níorbh fhada go dtáinic greim agus greim eil' air, agus dhá ghreim, agus gur bhuail tinneas muar é. B'éigin do eirí amach as a' leabain, agus do riug sé ar phosta na leapan. Bhí sé féin sa leaba a' stróca ar fhuaid an tseomara i gcathamh na hoíhe. Ní raibh aon bhiseach dá fháil aige, ach breis tinnis a' teacht do Sheán.

" Cuma ná heiríonn tu," adúirt sé lena bhuachaill, " agus cúna a thabhairt dom i gcuma eicínt ? "

" Níl aon mhath ionam chuig aon chúna a thabhairt duit," adúirt a' buachaill, " agus go deimhin níl aon trua mhuar agam duit! "

Ach mar sin féin d'eirig a' buachaill:

" Cad athá le déana 'gum duit ? " adúirt a' buachaill leis.

" Ara, mhuise," adúirt sé, " cuir do lámh fúm," adúirt sé, " agus féach a' bhfuil dad' a' teacht! "

Le n-a línn sin do chuir a' buachaill a lámh fé Sheán, agus ar nó casag rud eicínt leis do bhí ar liobarnais le Seán:

" M'anam," adúirt a' buachaill, " go bhfuil a' cloigeann ar fáil! "

" Ara, mhuise," adúirt Seán, " beir air agus tarraing é! "

Do riug a' buachaill air agus do bhí sé a' tarraint agus a' tarraint, agus a' tarraint leis có dian agus b'fhéidir leis é. Níorbh fhéidir leis é hú há ná 'tharraingt. Bhí go math:

" Tá pian im lá'," adúirt a' buachaill, " agus ní féidir liom níos mó a dhéana! "

" Faigh beilt na ngadhar agus cuir ar a' muinéal é," adúirt Seán.

Do fuair a' buachaill beilt na ngadhar agus chuir sé air é. Do bhí sé a' tarraint Seáin agus na leapan, dá straca ar fhuaid a' tí i gcath-amh na hoíhe nú go rai' sé le línn glaoch a' choilig nuair a thit a'

z

méid a bhí i mbolag Sheáin—a cheap sé—siar síos tríd. Agus d'imig
a' tinneas de.

Nuair a d'imig a' tinneas do Sheán do chua sé suas ina leabain
agus do lui sé ann tuìrseach tráite marabh t'réis na hoíhe—é féin
agus a' buachaill. Do thit sé 'n-a cholla, agus nuair a dhúisi sé ar
maidin isé an áit a bhfuair sé é féin amu ar a' dtullán fraoig ar casag
leis an duine uasal é insan oíhe roimhe sin gan duine gan daoine gan
te' ná áras, ach é ansin amu tuìrseach tráite t'réis na hoíhe. Agus is
fad' insa lá gur dhúisi sé. Sin é mo scéal-sa, pé ar domhan scéal ag
Seán Ó Hanglamáin é!

B

" Conclusion of ' Baiste Fhinn.' This was as told at Xmas 1929."
Cf. lch 24 thuas.

Do chais sé abhaile go dí an sean-laoch an oíhe sin, agus má chas
choíhint, do d'fháiltig a' sean-laoch rimhe.

" Is fad' a cheanna mise tusa, a Fhínn," adúirt sé, " a' fànacht
leat ó cailleag t'athair go bhfuair mé tu bheith id rí ar a' bhFéinn
anois; agus, a Fhínn," adúirt sé, " is mise t'úncail, agus is é an
t-ainim a thugaidíst oram agus athá oram—An Tarabh Connra!"

Bhí go math ansin. Bhí gah aòn rud socair. Agus nuair a fuair
Fiúnn a bheith i n-a rí ar a' bhFéinn níor bhac sé liom-sa, agus níor
chuir sé aon tóir oram ó choin.

Ní bhfuair mé aon díolaíocht ná luach saothair, ach d'fhág sé
mar sin me.

C

" Another run from ' Conall Gulban '."
Cf. lch 31 thuas.

Thoi sé an lúng ab fheárr a bhí i n-a ché dho. Bhuail sé cic i
n-a cúl, thug sé [a] túis do mhuir agus [a] deire do thoínn. D'eighri
sé do hú, há, do neart a chrá[mh] nú go ndeagha sé do ghlan-léim

isteach i n-a cheart-láir. Thóg sé a sheólta boga miogóideacha
mbándearaga i mbarra na gcrann, mar a mbíodh lupadáin, lapadáin,
éisce, róinte, míolta móra, beithíg óga a' teacht ó mhéiríoltaibh na
farraige nú go dtáinic a' ghaoith bheag íseal, uasal a sheól isteach
i gcuan agus i gcalaithe Rí na Gréig' é.

D

" Stiofán Ó Helaoire has told the story ' Giolla Míol ' (AT 65B).
This is how he ended it:
Nuair a bhí sí thíos níorbh fhéidir léithi aon fhocal a labhairt.
Chuir sí a dhá láimh suas os ceann an uisce, agus bhí sí á cranga
thuas le n-a dhá húrdóig á marú ar a díheallt ! "

E

" Stiofán Ó Helaoire told me the usual version of An Bheóir
Lochlannach."

F

" Poor tailor kills 100 flies. Puts inscription—*fear mharafa na
gcéadta* on sword. Goes to Dublin to win mayor's daughter. Watch-
ing court which is knocked down each night. Sets giants fighting;
one kills the other. Same occurs on second night. Squeezing ' the
stone ' (*meidhg*). Wood from forest: tailor wishes to take the whole
forest with him. Taking *dabhach*—full of water from well: Tailor
proposes to take the well home. Eating contest of stirabout with
giant. Tailor throws giant's mother into *oighean* of water in which
she is going to boil him. ' Bhí an gleann a's a raibh ann aige ansin.'

Luch 5/9/32. Stiofán Ó Helaoire told the above tale AT 1640
and as he spoke I made above notes, intending to record tale later."

G

" A man called Dónall Ó Ruairc is sent for by a dying sister in Mayo. Unknown to his wife and neighbours, he goes off to see her. Some days later, the body of a man is found in a bog-hole, and is identified wrongly as being that of D., and is buried. D.'s widow marries ' Táilliúir na gCos.' D. returns from the dead and expels the tailor."

H

" Stiofán: 'Níor thainig Cromwell níos sia ná Drochad na Bannda.' He stopped there to get his horse shod. Smith made shoe out of an old gun which was put away ' ar chúl na gaibhle.' Shot in gun goes off (' d'imig a' t-riuchar ') and kills Cromwell.

Stiofán tells story of the widow bemoaning her husband. Cromwell meets the funeral and offers £5 to the widow for the corpse. She accepts. ' Dúirt C. ansoin go mbuafadh sae Éire lé hairigead.' "

I

" Tá cineál na nDanes insna Danachairí! "

" The traditional belief locally is that the Danagher family are of Danish origin. One of them, Jamsie Ó Duineachair, who lives beside the Careys at Lúch, was present when old Stiofán Ó Helaoire made the above remark—and he was not one bit pleased."

J

" Stiofán Ó Helaoire knew at one time the tale Rudaire an Gháire Ghil, but he cannot now remember it. All he recollects is the following:

' Chaill sé a lúth, a shúil, a ghlúin, a's a uille
Agus níor dhin sé aon gháire ar fiog bliain agus fihe!
Sin é an t-am a baisteag Rudaire an Gháire Dhuibh air nuair ná raibh sé a' déan' aon gháire.' "

K

" Stiofán has also forgotten a story which he once could tell. One of the characters had three names: *Crochaire an Táirne*, *Crochaire an Chleas Lomain*—but the third name he cannot now remember."

L

" Stiofán Ó Helaoire, 11 Jan. 1930, told me of old Séamus Doyle, of Ennistymon, who used to be making *scuab*s at his house long ago. He was a fine storyteller. He used to bring his sons, Patsy and Seán, with him. From Séamus Doyle Stiofán got the following verse:

'Tá balaithe an tím ort a bhí in mo chórha;
Tá drúcht na hoíhe ar do chúilín ómrach;
Níl aon fhear óg a gheódh radharc tráthnón' ort
Ná luifeadh a ghrá dhuit mar bhláth a' phóirhe."

M

" Riddle: A man without eyes saw apples on a tree. He took no apples off, and he left no apples on, and how could that be ? The man had only one eye. There were only two apples on the tree. He took one of these, and left the other."

N

" *Tobar Lonáin:* at Moymore. St. Austin's Well (*Águistín*) at Cille Seana. 28 August (i.e. *28 d'Fhór*). *Trá Ciaráin: turas* made there by Lúch people long ago. At Kinvara, Co. Galway. *Cill Mhainihín:* ' *i lár a' chorcaig* ' near Ennistymon. *Mainihín* patron saint (of parish). No well there."

O

" People long ago had no clocks and depended for time at night on the stars. Somebody would go out to see and if the *Stróillín* (the Pleiades) were far to the South. He'd come in and say: ' It's far out in the night and time for us to go home ! ' "

P

" *Píonán*: *Pianhán*: ' A bag made of tanned sheepskin, hung in kitchen to hold meal. People used to put a handful of meal from the *píonán* into a wooden vessel, called a *pigín*, go out into the bothán, milk the cow into the *pigín* and drink the mixture of milk and meal.'

An old woman called *Cailleach na bPigíní* used to come to Doolin district long ago from Connacht selling these wooden drinking vessels (*pigíní*).

In the story of Jack the Giant Killer, Jack makes a *pianhán* from a sheep-skin and puts it under his coat when engaged in the eating-contest with the giant.

The people who made the *pigíns* made spinning-wheels also which they used to bring to the markets to sell."

Q

" *Counting of Straw:*

Beart: 20 sheaves. For each *beart* one sheaf is put aside. That is, if there be 40 *bearts*, 40 sheaves are put aside and given to the purchaser who gets in all 42 *bearts*.

Síogán — ? *síogán móna:* a narrow rick of turf—mostly applied to turf, but could be applied to corn.

Stoda: a stook of corn.

Drios: band round *punann*.

24 or 25 sheaves—1 *stoda*."

R

SEANFHOCAIL

B'fhéidir nárbh fheárr umurca gon léann ná roinnt fé n-a bhun!
Ní hé gah éinne a mbíonn ádh na mban air!
Ní maith sábháilt a theigheann i bhfad!
Ní thagann an óige fé dhó choíhint,
Ach tagann a' brón fé dhó insan oíhe!

AGUISÍN 2

MÍNIÚCHÁN A THUG STIOFÁN Ó hEALAOIRE AR FHOCAIL

bé : *cuirim bé na húlaíochta ort,* bonds.

breasal : raddle.

caeiteachán : *caeiteachán báite,* a wet swampy place such as one often sees around or near a well.

coileach giúis : a large block of bogdeal such as that used on Christmas Eve and put aside for a Christmas log. *Sin é bhíodh ag muintir cheantair na farraige.*

clúimhíneach : the geese were plucked alive by him.

críonach : *tá sé i n-a chríonach dóite.* Said of a cake which has been burned.

croicín : *luibh—ar chlocha na trá a fhásann sé.*

cruinnín : local name in Leamhach for *crann aráin.*

dríscín feóla : *blúire beag feóla.*

fámóga caínte : *fear a bheadh a' leath-mhaga fút agus a' catha fámóga caínte chút.*

gaise : the necessities of the house. *Sin fear a bhfuil gaisí muara air.*

loráinthín : a child.

méar-shúgán : done with the fingers for making ropes for small cocks of hay—Leamhach.

scraith mhuíng : a soft place on the mountain.

sealbh : *a' tógaint sealún* = Kerry: *sealúchais.*

sliseóga giúis : bogdeal splinters for lights.

teire: *sin seanfhocal fiannaíochta—rud coiscthe, tréasan.*

tubhaois a' chléibh : *an áit a gcuirfeá do dhá láimh isteach ann chun é árdú ar dhuine nú ar asal chun iris an chléibh a chuir isteach ar a' sturain.*

MODH EAGARTHÓIREACHTA NA dTÉACSANNA

Ní miste a rá go mba eagarthóir fíorchoinsiasach fíorscrupallach é an tOllamh Ó Duilearga. Rinne sé seiceáil agus athsheiceáil ar litriú na bhfocal féin, ar a bhfuaimniú, agus ar an gcóras ortagrafaíochta trí chéile. Thuig sé go raibh géarghá le léargas chomh cruinn agus ab fhéidir a thabhairt ar chanúint a bhí i mbaol báis agus ar ríchosúil nach i bhfad eile a mhairfeadh sí. Don fhocal féin mar a chuala sé é ag teacht ó bhéal an scéalaí a bhraith Séamus Ó Duilearga go raibh a dhílseacht dlíte. Mar sin, rinne sé iarracht i gcónaí ar chloí go dlúth leis an rud a chuala sé. Fágann sin gur minic a d'úsáid sé bealaí éagsúla chun focal a scríobh, de réir mar a bhraith sé éagsúlacht san fhoghrú ó uair go chéile. Le hómós do chruinneas agus do chúram an Ollaimh Uí Dhuilearga agus don mhodh a chleacht sé chun an béaloideas a chur i scríbhinn, cloíodh lena bhreith agus fágadh an ghné seo den eagarthóireacht mar ba thoil leis féin.

Lean an Duileargach an nós céanna litrithe, tríd is tríd, sa chnuasach seo is a lean sé i *Leabhar Sheáin Í Chonaill* agus sna cnuasaigh eile a d'fhoilsigh sé. Chaith mé féin tamall fada i 1975 agus 1976 ag léamh na dtéacsanna in éineacht leis, agus bheartaíomar ar athrú beag a dhéanamh thall is abhus ar an gcóras litrithe. Ní féidir gach gné den fhoghraíocht a léiriú gan dul i mbun an aibítir idirnáisiúnta foghraíochta, ar ndóigh, agus ós rud é nár theastaigh ón Ollamh Ó Duilearga na téacsanna a chur ó aithint ar fad ar an léitheoir, tá cloíte le litriú a dhéanann iarracht ar an dá thrá a fhreastal. Is é sin, leagan de nua-litriú na Gaeilge a léiríonn deilbhíocht na canúna chomh cruinn agus is féidir sa litriú sin. Is iad seo na príomhthréithe suntasacha den litriú faoi leith atá sna téacsanna:

1. Ceangal agus dealú na bhfocal de réir an tsean-nóis réamhchaighdeáin.

2. Úsáidtear litreacha a léiríonn an fhoghraíocht a bhí ag an scéalaí ar idir ghutaí agus chonsain, viz.

   (i) Gutaí gairide curtha in iúl de réir na foghraíochta le ' a,' ' o,' ' u,' ' i,' ' e,' agus ' ea.' Maidir le doiléireacht cáilíochta na ngutaí ' u ' agus ' i ' sa chanúint, cf. Nils M. Holmer, *The Dialects of Co. Clare*, Cuid 1 (Dublin, 1962), lgh. 23-4.

333

(ii) Scríobhtar ' o,' ' u,' gairid caolaithe mar ' oi,' ' ui.'
Maidir lena bhfoghrú siúd go beacht, cf. Holmer,
passim.

(iii) Nuair a choinníonn an ' a ' gairid caolaithe an fhogh-
raíocht [a], scríobhtar é mar ' ai.' Nuair a athraíonn
an fhoghraíocht go leagan de [i] scríobhtar é mar ' ui.'

(iv) Nuair atá an fhoghraíocht [e] ar ' e ' gairid roimh
chonsan leathan, scríobhtar é mar ' e.' Nuair atá an
fhoghraíocht [a] air, scríobhtar é mar ' ea.'

(v) Scríobhtar gutaí cúnta mar ' a ' (leathan) agus ' i '
(caol).

(vi) Scríobhtar gutaí gairide balbha mar ' (e)a ' (leathan)
agus ' i ' (caol).

(vii) Gutaí fada curtha in iúl de réir na foghraíochta le
' á,' ' ó,' ' ú,' ' í,' ' é.'

(viii) Bhí srónaíl ag an gcainteoir go minic ar ' á,' ' ó,' 'ú '
roimh nó i ndiaidh chonsain shrónaigh. Ní chuirtear
seo in iúl ach amháin nuair a bhraith an bailitheoir
breis nirt sa tsrónaíl. Scríobhtar sna cásanna sin í
leis an tsiombail ' ˄.'

(ix) Cuirtear défhoghrú ar ghuta roimh na consain ' l,' ' n '
in iúl trí chonsan dúbailte a scríobh. Ciallaíonn ' ng,'
' m ' défhoghrú ar an nguta ar an dul céanna. De réir
ghnáthnós na Mumhan, ar ndóigh, ní thagann dé-
fhoghrú i gceist sna cásanna sin ach amháin le focal
aonsiollach nó siolla aiceanta a dtagann consan eile
ina dhiaidh. Buncháilíocht ghairid an ghuta a bhíonn
i gceist muran fréamh é an siolla, mura bhfuil sé
aiceanta nó má leanann guta é go díreach.

(x) Nuair a dhéantar défhoghrú ar ghutaí gairide i
gcásanna eile, cuirtear é sin in iúl trí 'bh,' ' mh,' a
scríobh i ndiaidh an ghuta nuair is défhoghar [→ u]
atá i gceist, agus trí ' dh,' ' gh ' a scríobh i ndiaidh an
ghuta nuair is défhoghar [→ i] atá i gceist.

(xi) Nuair is fadú seachas défhoghrú a bhíonn i gceist i
gcás (ix) nó (x) thuas, cuirtear sin in iúl le síneadh
fada ar an nguta foghraithe.

(xii) Tá cáilíochtaí na gconsan (leathan agus caol) ag an scéalaí curtha in iúl de réir ghnáthnós litrithe na Gaeilge.

(xiii) Ar mhaithe leis an tsoléiteacht, scríobhtar consain dhúbailte de réir nós an Chaighdeáin Oifigiúil, fiú nuair nach bhfuil aon difríocht idir iad agus consain shingile. Bhí ' nn,' ' ll,' caol foghraithe ar uaire mar [N'], [L'], ag an scéalaí, ach [n'], [l'], na foghair ba mhinicí aige de réir thuairisc an bhailitheora.

(xiv) Nuair a bhí an foghar [v] leis an deireadh ' dh ' den bhriathar saor aimsir chaite, scríobhtar sin mar ' v.'

3. Ní scríobhtar gutaí agus consain nach raibh foghraithe ag an scéalaí. Tá uaschamóg curtha in ionad ghutaí agus chonsan báite nuair a bheadh baol doléiteachta ann. Shíl an tOll. Ó Duilearga go raibh gá leis an litir bháite a chur ar ais idir lúibíní ar uaire ar mhaithe leis an léitheoir.

4. Tá ' dh,' ' gh,' deiridh fágtha ar lár sa litriú nuair nach raibh siad foghraithe ag an scéalaí. Maidir le ' bh,' ' mh ' deiridh neamhfhoghraithe, tá siad siúd scríofa mar uaschamóg.

5. Nuair atá an fhuaim [g] (leathan nó caol) le ' dh,' ' gh,' deiridh, scríobhtar iad mar ' g.'

6. Ciallaíonn an litriú ' adh ' mar dheireadh ar fhoirmeacha den Mhodh Coinníollach an fhuaim [əx].

7. Ba é [h'] an ghnáthfhoghraíocht a bhí ar ' ch ' caol i gcanúint an scéalaí. Scríobhtar an foghar sin mar ' h ' tríd síos.

8. An fhuaim [f] (leathan nó caol) ba ghnáthaí ag an scéalaí in infhilleadh an Mhodha Choinníollaigh agus na hAimsire Fáistiní. An fhuaim [h] a thuairiscigh an bailitheoir ar uaire, agus tá sin scríofa mar ' h.'

9. Ba rí-mhinic an ' r ' tosaigh foghraithe caol ag an scéalaí i leaganacha den fhocal ' roimh.' Tá sin scríofa mar ' rimh,' etc., anseo.

10. Bhí séimhiú ar uaire ag an scéalaí ar an ' g ' sna forainmneacha réamhfhoclacha le ' ag.' Is iad na fuaimeanna a chiallaíonn ' agham,' ' aghum,' ná ['aɣam] [ə'ɣom], agus mar sin de sna pearsana eile.

11. (i) I gcás na bhforainmneacha réamhfhoclacha le ' ag,' ba mhinicí an bhéim ar an dara siolla ag an scéalaí de

réir nós na Mumhan .i. [ə'gom]. Scríobhtar é sin mar
'agum.' Nuair a bhí an bhéim ar an gcéad shiolla,
scríobhtar é mar 'agam.' Mar an gcéanna síos trí na
pearsana. Leantar an nós céanna i gcás na bhfor-
ainmneacha réamhfhoclacha le 'ar,' viz. 'orum,'
'oram,' etc.; ach amháin 'orthu ' = [orə].

(ii) Cuirtear athrú béime san fhocal 'iomarca' in iúl ar
an gcuma chéanna, viz. 'iomurca' agus 'iomarca.'

(iii) I gcásanna suntasacha eile cuirtear an siolla a thagann
faoi bhéim in iúl leis an gcomhartha ' ` ' os a chionn.
Nuair a úsáidtear an comhartha sin uair amháin ar
fhocal, ciallaíonn sin gur amhlaidh do na samplaí eile
den fhocal a leanann go dlúth air mura gcuirtear a
mhalairt in iúl. Ach d'fhág an tOll. Ó Duilearga cuid
mhór cásanna gan marcáil. Fágtar amhlaidh anseo
na cásanna úd.

12. Bhí roinnt gnéithe den chanúint ar síleadh go mb'fhearr ó
thaobh soléiteachta gan iarracht a dhéanamh ar iad a chur
in iúl anseo:

(i) An foghar *ú* ar 'amh' de ghnáth; agus an focal
'deabhal' foghraithe mar [d'*ú*:l].

(ii) An focal 'níos' foghraithe mar [n'e:s] chomh minic
le [n'i:s].

(iii) Fuaim níos giorra do *h* ná do *x* ar an gcéad chonsan den
réamhfhocal 'chuig' agus de na forainmneacha
réamhfhoclacha a bhaineann leis.

(iv) An fhoghraíocht [N'] de ghnáth ar an 'n' sa chnuas-
ach 'in aon chor,' viz. [ə'N'e:xər]. Ach tuairiscíonn
an tOll. Ó Duilearga an leagan coitianta [ə'n'e:xər],
chomh maith.

(v) Giorrú de ghnáth ar an nguta aiceanta san fhocal
'tháinig' agus dá fhréamhaithe, viz. [han'əg'], etc.

(vi) Thuairiscigh an tOll. Ó Duilearga an foghrú [rauŋəg']
don fhocal 'rángaigh' ag Stiofán.

(vii) An foghrú [ri:N'ə] ar an leagan ginideach uatha den
fhocal 'rámhainn'—foghraithe [rû:n'] agus litrithe
mar 'ramhainn' anseo.

SUMMARY AND NOTES

SUMMARY AND NOTES

Scope of the edition

The 150 items in the main body of this book, items A-R in Appendix 1 (pp. 322-31), and the words and phrases in Appendix 2 (pp. 331-2), were all collected by the late Professor James Hamilton Delargy (Séamus Ó Duilearga) from one single outstanding story-teller: Stiofán Ó hEalaoire (1862-1944) of Ballycullaun in the parish of Killilagh, Co. Clare. Everything preserved from Professor Delargy's collections from this storyteller has been included.[1] The remainder of Professor Delargy's Clare collection (from various other storytellers)—corresponding roughly to two further volumes of this size—is scheduled to appear in An Chomhairle's series at a later stage. All papers relating to the Clare collection are now in safe-keeping in the Department of Irish Folklore, University College Dublin.

Principles employed in the linguistic editing

This is the first sizeable collection of tales and *seanchas* in Clare Irish to appear in print.[2] The dialect is now virtually extinct. The orthographical system which Professor Delargy devised was aimed at preserving the grammar and sound system of the dialect as faithfully as possible. His system has therefore been adhered to in all essentials. A description of this system is given above, p. 333-6.

[1] Some material referred to in notes to Nos. 1 and 6 below has been lost. In a note from January 1943, Professor Delargy also refers to some stories he took down then. No trace of these has been found, but it may be that these are the items in this collection for which no dates were given (cf. p. 340). Professor Delargy also directed Seán Mac Mathúna to collect lore from Stiofán for the Irish Folklore Commission between 1932 and 1939. For this material, which has not been included in this edition, see p. xvi, note 7 above. None of the folktales in this book occurs in other versions in Mac Mathúna's collection. Cf., however, notes to F below. Furthermore, Dr. Wilhelm Doegen recorded two short pieces from Stiofán; cf. p. xx, note 10 above.

[2] A small but valuable collection of Clare traditions is found in N. M. Holmer, *The Dialects of Co. Clare* 2. Some of the items in this collection have previously appeared in print in *Béaloideas* and elsewhere; cf. notes to individual texts below. Text No. 6 in *Béaloideas* 11, 152 (cf. 177) has been attributed to Stiofán in error and is consequently not included in this book.

Collecting methods employed

Most of the texts—including nearly all the longer items—were originally recorded on ediphone cylinders. These were transcribed by Professor Delargy, and were subsequently checked and counter-checked by him with the assistance of the storyteller himself and other native speakers in the district. Some items (Nos. 4, 12, 14, 19, 27, 29, 31, 33, 34, 35, 36, 39, 41, 42, 44, 46, 47, 48, 50, 51, 52, 53, 59, 61, 62, 64, 67, 70, 74, 75, 76, 77, 78, 80, 88, 89, 90, 92, 95, 98, 101, 103, 109, 111, 113, 114, 115, 123, 125, 126, 131, 132, 133, 135, 140, 141, 142, 143, 147, 149, 150) were written down directly from the recitation of the storyteller. Taking into account the meticulousness of the collector, we can safely assume that these texts also are verbatim renderings of what the storyteller said.

Time and place of collecting

Except for one short item (collected in 1943), the collecting took place at various dates between 1929 and 1937. During his visits to Clare, Professor Delargy kept a diary from which extensive quotations are given in the Introduction (pp. xiii-xxvi above). We are in a position to follow the growth of the collections in great detail and we also get valuable glimpses of the collecting situations. Since stories told on the same occasion, or on consecutive days, may be inter-related and influence each other in many ways, and since certain times or days of the year may also have called certain specific stories to mind, a list of the known collecting dates and the items collected on each is given here:

Dates	Item(s) No (s)	Dates	Item(s) No(s)
Christmas 1929	52, B	26/12 1930	67, 72, 76, 77, 78
3/1/1930	150(ii)	1/1 1931	23, 40, 41, 61, 64, 65,
8/1 1930	11		69, 74, 81, 86, 92,
11/1 1930	32, 56, 140, D, J, K,		94, 95, 96, 99, 127,
	L		128, 129, 137, 144
12/1 1930	3, 8, 22, 27, 42, 107,	4/1 1931	121
	114	4+6/1 1931	17
9/8 1930	55, 70, 85, 87, 122	6/1 1931	15, 33, 39, 45, 80, 84,
26/8 1930	5		136, 146
31/8 1930	51	7/1 1931	30, 75, 79
19/9 1930	43, 53, 54, 150(i)	8/1 1931	18
25/12 1930	35, 62, 68, 97, A	12/9 1931	131

Dates	Item(s) No(s)	Dates	Item(s) No(s)
29/3 1932	41, 120, 141, 142, R (i)	12/9 1932	12, 34, 36, 59, 105, 126, 131, 147, 149
2/4 1932	7, 26, 57, 143	19/9 1932	103
4/4 1932	148	27/11 1937	R (ii), (iv)
5/4 1932	9, 16, 25	2/12 1937	2 (part of), 10
5/9 1932	90, 132, 145, F	20 or 21/1	
11/9 1932	4, G, M, P	1943	H

Only the month and year of collecting are known for the following items:

Jan. 1930	2 (part of), 29, 44, 82, 106, 116, 117, 118	Sept. 1932	21, 58, 60, 101, 102, 112, 123, 130, 133, 135, 138
August 1930	88, 89, 109		
Sept. 1930	19, 28, 37, 38, 41, 48, 113	Nov. 1937	6, R (iii)
		Dec. 1937	91
April 1932	63		

The year of collecting only is known for the following:

1930	125, I
1932	1
1943	N

Between 1930-32 is the information given in Professor Delargy's notes about the following:

20, 49, 104, 108, 110, 111

No dates can be ascertained for the following:

13, 14, 24, 31, 46, 50, 66, 71, 73, 83, 93, 98, 100, 115, 119, 124, 134, 139, C, E, O, Q

It is for future folklorists who will enter upon detailed study of Stiofán's repertoire and storytelling technique to work out the full implications of the dates given above. It is immediately clear, however, that several of the sessions centred around specific themes. Thus all the stories told on 19th September 1930 are religious tales; and all items collected on 26th December 1930 deal with the supernatural, in particular the fairies. Part of the explanation for such clusters may be that Professor Delargy followed certain lines of enquiry on certain days, but there is little doubt that the storyteller's own preferences and the way in which he was accustomed to associate specific stories with each other has played a role.

Stiofán Ó hEalaoire's and Professor Delargy's common interest in the preservation of the old traditions brought the two men together in a close and lasting friendship. It was also highly beneficial to the task they had set themselves that the collecting took place in surroundings familiar to the storyteller and in company congenial to him.

Some of the material (Nos. 4, 12, 34, 36, 56, 59, 106, 126, 131, 147, 148 and 149) was taken down in the storyteller's own house. In a note to No. 59 from 12th September, 1932, Professor Delargy wrote:

> I am sitting at Stiofán's door with the MS. book on my knee writing. The day has been fine, but the wind has changed to the South and it is beginning to rain. " *Déanfaidh sé scráib mhaith báistí anois!* " *arsa Stiofán.*

On 4th April, 1932 Professor Delargy was also collecting in Stiofán's house, but this time he is sitting " beside the fire ".

Most of the storytelling sessions, however, took place in the house—or, to be more specific, in the kitchen—of Johnny Carey of Luogh. This was the house in which Professor Delargy stayed during all his visits to Co. Clare. It was ideal since Johnny was an excellent storyteller and " a beautiful Irish speaker " in his own right, and since his son John helped in seeking out many other good informants in the area. The description Professor Delargy gives in his diary of his first impression of Carey's house vividly depicts his enthusiasm and hopes for the fieldwork in Clare:

> The house was as clean as a new pin, very comfortable, and I could not help thinking that *this* was the place for me if I was to get my work done properly, with a storyteller in the corner, and an Irish speaker in every house in the townland.

And Stiofán Ó hEalaoire was to become the storyteller in that corner on many occasions. According to Professor Delargy's notes, he told Nos. 3, 5, 7, 8, 9, 11, 16, 17, 18, 22, 25, 26, 27, 32, 35, 42, 43, 47, 55, 57, 60, 62, 64, 65, 67, 68, 69, 70, 72, 76, 77, 78, 79, 81, 82, 85, 86, 95, 96, 97, 98, 107, 114, 143, 150 (i) there. A large local audience frequently gathered to listen to Stiofán. Thus on 26th August 1930, when Stiofán told the long hero tale Conall Gulban (No. 5), there were sixteen people present in Carey's kitchen. An audience of similar magnitude must have been attending on several other occasions since it is stated in a note to No. 8 that it was told " before the usual large audience ". It must be taken into consideration, of course, that the ediphone machine—a great novelty at the time—might have attracted some of the visitors. Nevertheless it is certain that the collecting occasions were on a par—in audience and in setting—with traditional storytelling nights in the area, such as they had been going on for centuries. This no doubt accounts for much of the vividness and excellence of Stiofán's narration.

How Stiofán learnt his stories

With very few exceptions Stiofán's traditions were inherited from older generations of Irish storytellers in North Clare. Stories in English were only rarely heard there, Stiofán told Professor Delargy. Nos. 7 and 12, however, Stiofán had heard in English. A printed source in English—probably a chapbook—is likely to have been the direct or indirect source of No. 38. The vast majority of Stiofán's stories and traditions stemmed from his home or his next door neighbours. His own father, Micheál Ó hEalaoire, was a noted teller of Fenian tales. This might have encouraged Stiofán to become a storyteller, but he could not have learned much from his father since he was only three years of age at the father's death. Stiofán's mother also told stories, and several of the religious tales may stem from her, though only Nos. 42 and 51 are expressly ascribed to her. Tellers of long heroic tales among his neighbours included Briartach Ó Flannagáin, Dáith Mac Mathúna and Seán Ó Maoldhomhnaigh. He also picked up tales and traditions of various kinds from Pádhraic Ó Danachair. Vivid recollections of these storytellers he heard in his early youth are found in No. 2, pp. 6-8 above.

The storytellers mentioned by Stiofán as sources for specific tales in this collection are:

MAC GIOLLA MHÁRTAIN, Seán (" Seán
    Críonna ") (b. ca. 1800)   4, 8, 15, 18, 36, 54, 147
    These items were learnt by Stiofán
    ca. 1880.

NÍ DHANACHAIR, Cáit (1818-1911)   42, 51
    Stiofán's mother. Stiofán learnt
    No. 42 ca. 1873, and No. 51 ca. 1879.

Ó CAOLLAÍ, Pádraig (Paddy Quayley)
(*ca.* 1822-1900)   3
A neighbour of Stiofán's.

Ó CONAOLA, TOMÁS (d. *ca.* 1900)   6
He came from Inisheer, Aran
Islands, and settled in Luogh, where
he died at a very advanced age. It
is of interest that all other recorded
versions of the tale he transmitted
to Stiofán are from the Aran Islands.

Ó CUILLEANÁIN, Micheál   7
He lived near Stiofán in the town-
land of Ballyvara.
He told the tale in English.

Ó DEÁ, Dónall   83
From Doolin. He told the story—
a migratory legend common every-
where in Ireland—as a personal
experience.

Ó DORCHAÍ, Pádraig (Patrick d'Arcy)
(*ca.* 1805-*ca.* 1900)   26
Stiofán commented upon his
advanced age, using the expression
Bhí aois chapall gah éinne aige.

Ó DÚILL, Séamas (Séamas Doyle)   L
From Ennistymon. He was an old
man; he told the story to Stiofán
many years before.

Ó FLANNAGÁIN, Pádraig
(*ca.* 1780-*ca.* 1870)   120
a neighbour of Stiofán's.

Ó GRÍOFA, Diarmaid   12
He lived in the townland of Bally-
vara. He told the story to Stiofán
in English *ca.* 1910.
(Not to be confused with the man of
the same name mentioned in Ack-
nowledgments above, p. xi.)

Ó hArachain, Pádhraic 5
He lived in a house opposite the old
castle in Doonagore. He was illiter-
ate. The story was told to him by an
old man named Seán Nester from
Fisherstreet.

Ó hUallaí, Conchúr (Corney Howley)
(b. *ca.* 1896) 10
A neighbour of Stiofán's. He told
the story to him *ca.* 1934.

Sherlock, Paddy (b. *ca.* 1800) 16
A thatcher from Ennistymon. He
told the story to Stiofán *ca.* 1870.
He was the grandfather of the story-
teller Paddy Sherlock from whom
Professor Delargy made extensive
collections (cf. above, p. xvii, note 8).

Order of texts

Since storytelling was a favourite pastime in the winter evenings
in North Clare in Stiofán's youth and early manhood, the oppor-
tunities for him to pick up stories were many. Nevertheless, Stiofán's
repertoire is amazing not only because of its size[3] but also because
of its variety. The task of arranging this disparate material into a
natural order would have proved a formidable one, were it not that
Professor Ó Duilearga had given general guidelines as to the lay-out
he had in mind shortly before his death. His monumental work
Leabhar Sheáin Í Chonaill[4] has also, to a great extent, served as
a model.

[3] We must not imagine of course that Professor Delargy's and Seán Mac
Mathúna's collections include the totality of Stiofán's repertoire. Most of his
longer tales are likely to have been preserved, however.

[4] First published in 1948; 3. ed. published by Comhairle Bhéaloideasa
Éireann in *Scríbhinní Béaloidis-Folklore Studies* 3 (Baile Átha Cliath, 1977);
in English translation *Seán Ó Conaill's Book* as No. 6 in the same series.

Arrangement of notes

If Professor Delargy had lived to see this work through the press, he would no doubt also have wished to adorn it with full notes on the individual tales and traditions, such as he gave in *Leabhar Shedin Í Chonaill*. It has been felt, however, that it would delay the publication unduly if a task of that magnitude were attempted. The aim of the notes below is therefore a more modest one: to enable folklorists and other interested readers without a knowledge of Irish to identify the stories and traditions contained in the volume through references to standard handbooks, or wherever these fall short, through supplying brief descriptions. In this task, preliminary notes by Professor Delargy have to a great extent been used. Additions have been made only where further significant information has been readily available.

Notes on individual tales and traditions

ABBREVIATIONS

The following abbreviations have been used in the notes. Other works referred to have been quoted by full titles.

AT = A. Aarne & S. Thompson, *The Types of the Folktale*. Second revision. Helsinki, 1973. (*FF Communications* 184).[5]

Béal. = *Béaloideas. The Journal of the Folklore of Ireland Society.* 1 ff., 1928 ff.

Bruford = A. Bruford, *Gaelic Folk-tales and Mediæval Romances. Béal.* 1966. Also published separately (Dublin, 1969).

Danaher = K. Danaher, *The Year in Ireland.* Cork, 1972.

HB = S. Ó Súilleabháin, *A Handbook of Irish Folklore*. 1. ed. Dublin, 1942; 3. ed., Detroit 1970.[6]

Holmer 2 = N. M. Holmer, *The Dialects of Co. Clare.* 2. Dublin, 1965 (Royal Irish Academy, *Todd Lecture Series.* 20).

Hull & Taylor = V. Hull & A. Taylor, *A Collection of Irish Riddles* (*Folklore Studies* 6, Berkeley & Los Angeles, 1955).

LSC = S. Ó Duilearga, *Leabhar Shedin Í Chonaill, Sgéalta agus Seanchas ó Íbh Ráthach.* 1 ed. Baile Átha Cliath, 1948; 3. ed. in *Scríbhinní Béaloidis*

---

[5] Corresponding numbers in TIF (see below) should also be consulted. In that work Irish versions of the relevant Type are listed.

[6] This work is based on material indexed in the collections of the Irish Folklore Commission (now the Department of Irish Folklore, University College Dublin). Consequently, a reference indicates that further versions of the relevant item are found in MSS. there.

Folklore Studies 3, issued by Comhairle Bhéaloideas Éireann, Baile Átha Cliath, 1977.

ML = R. Th. Christiansen, *The Migratory Legends.* Helsinki, 1958. (*FF Communications* 175) and K. M. Briggs, *A Dictionary of British Folktales,* Part B, *Folk Legends.* 1-2. London, 1971.[7]

Motif = S. Thompson, *Motif-index of Folk-literature.* Revised and enlarged ed. 1-6. Copenhagen, 1955-58.[8]

Ó Máille = T. S. Ó Máille, *Sean-fhocla Chonnacht.* 1-2. Baile Átha Cliath, 1948-52.

SC = S. Ó Súilleabháin, *Scéalta Cráibhtheacha. Béal.* 1951.

TIF = S. Ó Súilleabháin & R. Th. Christiansen, *The Types of the Irish Folktale.* Helsinki, 1963. (*FF Communications* 188).

Tubach = F. C. Tubach, *Index Exemplorum.* Helsinki, 1969. (*FF Communications* 204).

NOTES

1-2. THE BACKGROUND

1. Storyteller's account of his life and events he witnessed. More was recorded but the ediphone cylinders were paired in error before they had been transcribed.

2. Account of storytellers Stiofán knew and learned his tales from.

3-5. HERO TALES

3. How Fionn Mac Cumhaill got his name.
   LSC No. 51; Bruford 129; G. Murphy, "Introduction" in *Duanaire Finn, The Book of the Lays of Fionn* III (Dublin, 1953; *Irish Texts Society* XLIII), xxxiv ff. Irish versions also listed in TIF under Type 673, The White Serpent's Flesh. Cf. also Holmer 2, 217-8.

4. A fragmentary tale based on the romance *Cuireadh Mhaoil Uí Mhanannáin ar Fionn agus Fianna Éireann.* See *Lia Fáil* 3 (1930), 87-114; Bruford 6, 9, 50, 121.

5. Conall Gulban.

---

[7] See references in Index p. xxv ff. in Vol. B: 1. Numbers followed by an asterisk are found in Briggs' work only.

[8] References have been given only in special cases, and not where they are readily available elsewhere (e.g. in AT).

Previously published with notes and English summary in *Béal.* 12, 139-64. *LSC* No. 55; Bruford 72-9, 253-4; *Béal.* 31, 1-50; *Béal.* 42-44, 339-40.

6. Cinn Artúir.
   Bruford 161-3.
   The end is missing since the cylinder containing it was paired in error.

7-12. TALES OF MAGIC
   7. AT 400, The Man on a Quest for his Lost Wife.
   8. AT 500, The Name of the Helper.
   9. AT 566, The Three Magic Objects and the Wonderful Fruits (Fortunatus).
      Previously published in *Béal.* 28, 33-45.
   10. AT 613, The Two Travelers (Truth and Falsehood).
   11. AT 675, The Lazy Boy.
   12. AT 799, Tom Thumb.

13-16. ROMANTIC TALES (NOVELLE)
   13. AT 852, The Hero Forces the Princess to Say, " That is a Lie."
   14. AT 885A, The Seemingly Dead.
      Irish versions listed in TIF under Type 931, Oedipus.
      Cf. also Tubach 4462, Solomon and Marcolf.
   15. AT 888A*, The Basket-maker.
   16. 934B, The Youth to Die on his Wedding Day.
      Previously published with notes and English summary in *Béal.* 14, 113-29.
      Irish versions of this tale are listed in TIF under Type 333*.

17-19. TALES ABOUT THIEVES AND TRICKSTERS
   17. AT 1525, The Master Thief.
      Previously published in *Béal.* 28, 21-33.
   18. AT 1536A, The Woman in the Chest.
   19. Mother of three robbers advises her sons about how to carry out the robbery of a bullock.

20-40. HUMOROUS TALES AND ANECDOTES

  20. The Wishing Hour.
       Previously published in *Béal.* 11, 167.
       Irish versions of this tale are listed in TIF under Type 1186
       With his Whole Heart.

  21. AT 1305A, Workman Looks at Miser's Gold.
       " Seoirse an Óir " in the story is George Lysaght, who
       amassed great riches in Spain towards the end of the
       eighteenth century. Cf. R. Herbert, *Worthies of Thomond,*
       2nd Series (Limerick, 1944), 32 and E. MacLysaght,
       Changing Times (London, 1978), 14.

  22. A conglomerate of stories about stupid wives.
       AT 1384, The Husband Hunts Three Persons as Stupid
       as his Wife; AT 1540, The Student from Paradise (Paris);
       AT 1450, Clever Elsie; AT 1210, The Cow is Taken to the
       Roof to Graze.

  23. AT 1410, Four Men's Mistress.
       No other Irish versions of this tale have been noted.

  24. Motif H.411.7, Mantle as chastity test.
       Told in direct continuation of No. 93.

  25. Motif K1516.4, Adultress covers husband's eyes during
       incantation—meanwhile paramour escapes.

  26. AT 1526A, The Barn is Burning.

  27. Kennedy-Hayes asks poor scholar to translate *Bodach
       do-riartha gruama doifeallach* (" An obstreperous surly
       inhospitable churl ") into English. Scholar renders it
       with " Kennedy-Hayes ".

  28. AT 1698K, The Buyer and the Deaf Seller.

  29. Servant sent on an errand by Major MacNamara confuses
       the words with comical result.
       The MacNamara in question was probably Major William
       Nugent MacNamara (1775-1856) of Doolin, M.P. for Clare
       and close friend of Daniel O'Connell. See B. Burke,
       Landed Gentry of Ireland (London, 1912), 444-5; and
       M. MacDonagh, *Daniel O'Connell* (Dublin & Cork, 1929),
       79-84, 155.

30. Old Woman at Confession Breaks her Pipe.
Other Irish versions included in TIF under Type 1811, Jokes about Religious Vows.

31. Cf. AT 1832, The Sermon about the Rich Man.

32. Cf. AT 1832N, Lamb of God Becomes Sheep of God.

33. Man carries priest on his back across river. Confesses that he committed murder three times. " The devil is riding you ! " remarks the priest. " He won't for long," man replies and throws priest into river.
Other Irish versions included in TIF under Type 1811, Jokes about Religious Vows.
Cf. Tubach 4108, River, man dropped into.

34. Woman tricks police by pretending that a stolen pig is her child.

35. Woman borrows cooking-pot from neighbours but refuses loan of her own pot when she acquires one. Her own pot is burned and she is left helpless.
Previously published in *Béal*. 11, 171-2.

36. Steward knocking at door is answered by parrot within. He thinks it is a servant mocking him.

37. Cf. AT 921, The King and the Peasant's Son.

38. Cf. AT 1083, Duel with Long Poles or Cudgels and AT 1083A, The Duel: Bayonet and Pitchfork.
" Probably from a chapbook of George Buchanan " (SÓD).

39. Defendant tricks plaintiff into getting drunk so that he misses hearing in court.

40. Husband of drowned woman laments the loss of his harcourt, which she was wearing.

41-61. RELIGIOUS TALES

41. Curlew wipes out footprints of pursued Christ in order to protect Him. Ever since the curlew's nest is hidden from danger. Cf. *SC* Nos. 15-17.
Previously published in *Béal*. 13, 263.

42. Our Saviour, the Tinker and the Smith.
Irish versions of this tale have been listed under Type 750, Hospitality Blessed in TIF. *SC* No. 2.

43. Our Saviour teaches his Mother that it is wrong to comment upon physical blemishes.
SC No. 6.

44. Why a mother has seven times as much love for her son as for her. *SC* No. 3.

45. Motif B251.1.2.1, Cock crows, " Christus natus est."
Previously published in *Béal*. 10, 303.
See A. O'Connor, " Mac na hÓighe Slán " in *Sinsear* 2 (1980), 34-42.

46. Black chafer first creature to nibble at Christ's body in the tomb. This is why it is crushed underfoot whenever met with. *HB* 301; cf. *SC* No. 15.

47. Saint Peter instructs man to stand in field with lit candle as penance until candle burns out. He does not obey but leaves the candle on top of a rush. It goes on burning for a hundred years. Ever since the tops of the rushes have burn-marks.
Cf. AT 1187, Meleager; *SC* No. 36.

48. Man gains entrance into heaven by throwing in his hat and pretending to Saint Peter that he has been in heaven all the time.
Cf. AT 800-809, The Man in Heaven.

49. Origin of Pigs, Rats and Cats.
Previously published in *Béal*. 11, 163-4.
Irish versions of this tale have been listed in TIF under Type 1416, The Mouse in the Silver Jug.

50. Why the dogfish's mouth is twisted.
Cf. AT 250A, Flounder's Crooked Mouth; *SC* No. 77; *LSC* No. 3.

51. Man admitted to heaven on account of his charitable deeds.
Previously published in *Béal*. 17, 298-9.
SC No. 101; *LSC* No. 78.

52. Man granted whatever he might wish for merely requests that seven generations of his relatives be given access to heaven. He could have asked for heaven for us all.
Previously published in *Béal*. 2, 245.
HB p. 629, No. 3.

53. Woman in clump of bushes as penance after death can only be released if her daughter gives her her blessing.
54. AT 933, Gregory on the Stone.
Cf. AT 756B, The Devil's Contract and AT 736A, The Ring of Polycrates.
55. AT 764, The Devil's Son as Priest.
Previously published in *Béal.* 28, 45-9. See S. Ó Duilearga, " Nera and the Dead Man " in *Féil-sgríbhinn Eóin Mhic Néill* (Áth Cliath, 1940), 522-34.
56. Man murders his wife. She calls on fern shrub to bear witness to the crime. He re-marries, and his new wife asks why he laughs when a fern shrub is blown into the house. He tells her his secret. When he tells priest in confession, the priest asks him to bring his friend, his enemy and his joy. On advice of wife man brings his horse, his wife and his dog. The wife, resenting to be referred to as his enemy, reveals his secret. Priest, now released from the bonds of confession, hands him over to the law and he is executed.
Irish versions of the first part of this story have been listed in TIF under Type 780, The Singing Bone. For the latter part see AT 921B, Best Friend, Worst Enemy.
57. The Baby without a Mouth.
See K. Jackson in *Béal.* 39-41, 157-64; S. Ó Súilleabháin, *ibid.* 251-2 and in *Arv* 29-30, 36-7.
58. Account of holy well in Gleninagh. Eel in the well with three marks on its back as result of act of desecration by landlord's servant.
Cf. *HB* 278-9, 435; Máire MacNeill, *The Festival of Lughnasa* (London, 1962), 679-80 (Index: " Well ").
59. Account of holy well of Daigh Bhríde. Woman attempts in vain to boil water from this well; as a result, well moves across the road overnight.
See No. 58 and Holmer 2, 281-3.
60. Account of Connacht people's visits to the holy well of Daigh Bhríde on the Saturday before Crom Dubh Sunday. Account of mysterious eel in the well. Storms and gales

are reputed to be unable to quench candles on St. Bridget's Eve and on the Eve of Crom Dubh Sunday.
See references under No. 58.

61.   On the advice of a mysterious female stranger a woman who was threatened by blindness sought and obtained cure at a holy well.
See references under No. 58.

62-68.   LEGENDS OF THE DEAD

62.   Woman is visited by drowned husband who gives instructions as to how she can rescue him from the host of the dead by use of a concoction of urine, hens' excrement and a certain herb from the river. Since she tells the secret to a neighbour the herb cannot be found on the day when it is needed.
HB 245-7, 396. *LSC* No. 92, Motifs F375, Mortals as captives in fairyland; H1333.2.3, Quest for extraordinary herb; F241.1.0.1, Fairy cavalcade; C423.4, Tabu: uttering secrets heard from spirits.

63.   Dead girl returns to haunt lover. He soon dies.
HB 248-9; cf. Motif E310, Dead lover's friendly return.

64.   Ghostly coffin appears outside house as a presager of death.
Cf. *HB* 216, 491-2; cf. Motif D1322.12, Boards for coffin making mysteriously moved announces death.

65.   Soldier named MacDonagh kills ghostly pig—scene is depicted on his gravestone in Killilagh cemetery.
HB 483-4.
On a later occasion Stiofán told Professor Delargy that the soldier's name was Donncha Mac Dhonncha.

66.   Water-monster appears at night to devour each new body buried in Cill Mhac Creiche cemetery.
HB 504; *Revue Celtique* 4 (1879), 186.

67.   Narrator's account of strange cloud he saw entering graveyard. Cf. *HB* 236, 491; *LSC* No. 103.

68.   Narrator's account of a mysterious crowd he met on the road when returning one night from Ennistymon after a drinking bout. Previously published in *Béal.* 11, 162.

69-81. FAIRY LEGENDS

69. Fairies dwell in lisses.
HB 465-70.

70. Fairies travel in puffs of wind. People protected themselves by throwing fistfuls of green grass and making the sign of the cross.
Previously published in *Béal.* 16, 200.
HB 396; cf. Motifs E581.1, Whirlwind as ghost's vehicle; F411.1, Demons travel in whirlwind.

71. Accomplished piper said to be grandson of a piper who got his music from the fairies.
Motif F262.2, Fairies teach bagpipe-playing.

72. ML 5006*, The Ride with the Fairies.
See also Motif F282.2, Formulas for fairies' travel through air.

73. Another version of the preceding legend.

74. Man meets one of his three dead brothers, who informs him that he and one of the other brothers are with the fairy host. The host is going to battle in Connaught. If they win the day will be fine, if they lose it will be wet. The day turns out to be wet.
HB 462, 464-5; Motifs E326, Dead brother's friendly return; F252.3, Fairy army.

75. Fairies churning butter in liss. Man ploughing near by mends their churn-dash.
Previously published in *Béal.* 11, 158; English translation in I. M. Boberg, *Bjærgefolkenes bagning* (København, 1938, Danmarks Folkeminder 46) 84-5.

76. Man overhears neighbour's cows being milked on night of May Eve by fairies. He remarks that he wishes good fortune for himself. His wife has abundance of butter, while the neighbour has no luck and has to sell his cows and buy new ones.
HB 336-7; Danaher 109-19.

77. Inexhaustible purse extracted from leprechaun.
Irish versions are listed in TIF under Type 580*, The Inexhaustible Purse.

78. Narrator mistakes a boy riding on a goat on Hallowe'en for a leprechaun.

79. Local man frightened by his farmyard cock which has perched underneath his cart on a night journey to the market.

80. Mysterious stranger effects change of weather enabling Aran fishermen in Doolin to go safely home.

81. Mermaid caught and held captive in house. When a live seal is brought in she exclaims: " Now they have caught my brother too ! " and runs out into the sea, escaping with the seal.
    Previously published in *Béal*. 11, 159-60.
    LSC No. 122; *Revue Celtique* 4 (1879), 186; D. Thomson, *The People of the Sea* (3. ed., London, 1980), 122; cf. ML 4080, The Seal Woman.

82-90. MYSTERIOUS PHENOMENA

82. Seal caught in fishermen's nets speaks in verse. He is released.
    Cf. *HB* 296.

83. TIF 2412C, (The Cat Asks for Boots).

84. Man kills monster cat but dies from gash from its claw.
    Previously published in *Béal*. 11, 167-8.

85. Extraordinary cow, the " Glas Ghaibhneach ", fills any vessel when milked. A woman brings a sieve, through which the milk flows away. When the cow notices this, the animal leaves and nobody ever sees it again. A stream near Doolin is called " Áth na Glaise ", since the extraordinary cow drank water from it.
    Previously printed in *Béal*. 11, 172.

86. The burial place of Bathalam's money is discovered by a man through a dream. It is revealed to him that one of the three who set out to find the money will die. Neighbour later threatens to kill him if he refuses to tell the secret. He puts the condition on the neighbour that his son be not brought on the expedition, and then deceitfully specifies a certain rock as the spot. The three men who go to dig there are driven away by a fierce attack by birds.

Other traditions of Bathalam's treasure are found in *Béal.*
17, 175; Holmer 2, 219-21, 269-71.

Bathalam was Baothghalach Mac Fhlanncha or Boethius
McClancy of Knockfinn, who died in 1598. Having given
allegiance to the government of Elizabeth I, he was made
High Sheriff of Clare. He treacherously slaughtered men
of the Spanish Armada who were cast ashore in his area,
an incident long remembered in local lore. Cf. J. Frost,
The County of Clare (Dublin, 1893), 96-8, 271-2.

87. A sighting of the legendary island Beag-Árainn (" Little
Aran ") mystically arising in the sea off Galway.
Previously published in *Béal.* 2, 427 and 11, 160-1.
HB 505-6.

88. Another reference to Beag-Árainn containing a prophecy
in verse that the capital of Ireland will be there.
See references to No. 87 and—for the verse—Ó Máille
No. 263. Cf. also Holmer 2, 41.

89. Key in lake on top of Sliabh Chollán must be obtained in
order to disenchant the otherworld island of Cill Stuithín.
This lake is only seen once every seventh year.
Previously published in *Béal.* 3, 274.
See references to No. 87; cf. also T. J. Westropp, " Folklore
of Co. Clare " in *Folklore* 21 (1910), 485 and Holmer 2, 33-41.

90. " Balldearg " O'Donnell is lying in a cave with his sword
at his side. His shirt cannot be cleaned until he has
washed it in the blood of Englishmen.
The hero referred to is Aodh Ó Domhnaill (1650-1703).
Cf. D. Ó hÓgáin, " An É an tAm fós É ? " in *Béal.* 42-44,
213-308.

91-103. MAGIC
91. Stone in Fisherstreet brings good fortune to people who
touch it with their back. Anybody who has done this
before leaving for America will return to Ireland.

92. Oaths sworn on dead man's skull. Skull would stick to
those who swore false oaths.
Previously published in *Béal.* 3, 43.
HB 431.

93. Drink taken from skull of dead man as means of cleansing oneself from accusations. A guilty person's mouth would turn to the back of the head and his eyes would be turned inside out.
Continued directly by No. 24.
For reference see No. 92.

94. Candles made from corpse's lard cannot be quenched. Anybody who sleeps while such a candle is lit cannot wake up. Such candles were reputed to be used by robbers.
Previously published in *Béal.* 13, 237.
Cf. AT 958E*, Deep Sleep Brought on by a Robber.

95. When throwing out feet water people took care to ensure that it did not fall on threshold.
Previously published in *Béal.* 3, 256 and *Béal.* 10, 209.
Cf. *HB* 455, 463.

96. A " March cock " protects against spirits and fairies.
HB 41. Cf. also No. 45.

97. Man by the name of Ceallachan Bán reputed to go with the fairies. These were displeased when he divulged knowledge obtained from them to the neighbours. He was found hanged from the rafters of his house, and this was attributed to the fairies.
Cf. *HB* 385.

98. Travelling women known as " Ulsterwomen " reputed to possess supernatural healing powers.
HB 389.

99. Biddy Early, a wise woman, is visited by a man who seeks cure for his son. She is able to tell the reason for the visit before it has been communicated to her. The illness is attributed to the family's interference with a fairy liss.
For Biddy Early see N. Schmitz, " An Irish Wise Woman— Fact and Legend " in *Journal of the Folklore Institute* 14 (1977), 169-79; Meda Ryan, *Biddy Early* (Dublin and Cork, 1978). See also Holmer 2, 201.

100. Connaught woman on pilgrimage to the holy well of Daigh Bhríde inadvertently puts the evil eye on her own baby.

On advice of an old man she spits on the child three times, saying " God bless it " each time. Child is cured.
Cf. *HB* 389-90; Motif D2071, Evil eye. For Daigh Bhríde cf. Nos. 59, 60.

101. Rotten eggs, boiled potatoes, etc. placed in neighbours' fields to bereave them of good fortune.
HB 421-2.

102. Same beliefs as in No. 101.

103. Charlie Blood charms girl to follow him through magic.
HB 387; Motif D1900, Love induced by magic.
The tradition was possibly earlier attached to Colonel Thomas Blood (*c.* 1618-80), the adventurer, who probably was a native of Co. Clare. He was a celebrated daredevil, a master of plotting and disguise, and feigned to be a physician. Among his most famous exploits was the stealing of the Crown Jewels in 1671. After his death, his body was exhumed to ascertain that he was really dead.
Cf. R. Herbert, *Worthies of Thomond*, 2nd Series (Limerick, 1944), 7-8; A. Webb, *A Compendium of Irish Biography* (Dublin, 1878), 24-5.

102-121. POETS AND POETRY

104. Tadhg Gaelach Ó Súilleabháin addresses a woman in verse and is answered back in the same manner.
Previously published in *Béal.* 11, 151.
R. Ó Foghludha, *Tadhg Gaedhlach* (Baile Átha Cliath, 1929), 16.

105. Seán de hÓra accepts a girl as his natural daughter since she is able to answer him in verse.
Previously published in *Béal.* 17, 298.

106. Verse duel between Clare poet and Kerry poet.
For other versions of these verses see *LSC* No. 153 and R. Ó Foghludha, *Ar Bhruach na Coille Muaire* (Baile Átha Cliath, 1939), 21.

107. Two poets exchange verses in drinking-booth.
See R. Ó Foghludha, *Éigse na Máighe* (Baile Átha Cliath, 1952), 178-80.

108. Eoghan Rua Ó Maoláin banishes from a house a poet who
has overstayed his welcome, with a challenging verse.
Previously published in *Béal.* 11, 153-4.

109. Stanza attributed to Eoghan Rua Ó Maoláin.

110. Migratory labourer from Kerry is tricked out of his money
by a woman in Limerick. His brother goes to her and wins
the money back in a similar fashion. He composes a
mocking stanza about the event.
Previously published in *Béal.* 11, 170-1.
The stanza is based on the song An Ciarraíoch Mallaithe.
For this see e.g. R. Breathnach, *Ceól ár Sinsear* (Baile
Átha Cliath, 1923), 155-7.

111. Mower criticizes bad food in verse. The woman of the
house cooks him a good dinner, and he praises this in
another verse.
Previously published in *Béal.* 11, 155-6.

112. Girl maltreated by stepmother rejoices over her death in a
stanza in which she tells her stepsister that it is now time
for her to do the hard work.
This item is often included as an episode in a tale about
An Garlach Coileánach. Versions of this tale are included
in TIF under Type 921, The King and the Peasant's
Son.

113. Verse duel between poet and ghost.
LSC 154.

114. When various scholars have failed to read an inscription
on a tomb, a rake pretends to be able to do so and gives
his own versified reading.

115. Man ignores his wife's weather prognostication and states
in a verse that the weather is dependent on God's will.
SC No. 72

116. A weaver's wife, a smith's wife and a labourer's wife
arrive at a mill at the same time. At the miller's request
they each compose a stanza in praise of their husband's
livelihood. The miller declares the labourer's wife to be
the winner and admits her first to the mill.
Cf. Holmer 2, 239 (No. 19).

117. Man who has fallen into poverty complains of his fate
in verse.

118. Verse in which a poor woman laments her lot at Christmas time.

119. Fragment of song attributed to the prophet and soothsayer Mac Amhlaoibh.

On Maoilsheachlainn Mac Amhlaoibh see D. Ó hÓgáin, "Nótaí ar Chromail i mBéaloideas na hÉireann" in *Sinsear* 2 (1980), 73-83 and A. Ó Muimhneacháin, *Seanchas an Táilliúra* (Baile Átha Cliath agus Corcaigh, 1978), 146-8, 164-5.

120. Lament for Seán de Búrc, a sea-merchant who died at sea. Previously published in *Éigse* 1 (1939), 235-6.

121. A girl's lament for her brother.

D. Ó hÓgáin, *Duanaire Osraíoch* (Baile Átha Cliath, 1980), 56.

122. Poor man draws turf on his back. He complains in verse to neighbour, and as a result is presented with a donkey. Previously published in *Béal.* 3, 87-8.

123-125, STRONG MEN AND HEROIC DEEDS

123. Contest between strong man from Clare and strong man from Conamara who throw big rocks at each other. Origin of local rock: Carraig na Líge Buí.

HB 271; Holmer 2, 261.

124. Man on horseback lifts anvil with one arm in order to light his pipe from a spark on top of it.

HB 196, Motif H1562, Test of strength.

125. Fugitive named Dónall Ó Dubhshláine recognized through his stone-throwing feat by a man called Seán Ó hUaithnín. Ó hUaithnín murders him treacherously in order to collect the reward.

Seán Ó hUaithnín is not identical with the poet of the same name. Cf. E. Ó hAnluain, *Seon Ó hUaithnín* (Baile Átha Cliath, 1972), 25-8, where the story is discussed and this version published.

126-127. DROWNINGS AND RESCUES

126. Sleepwalker walking on the water on top of a lake is drowned when awaked by his wife.

HB 193.

127. Woman carried out into the sea by a wave is saved by the crew of a fishing boat.

128. Woman on beach is carried away by a wave for a distance of a mile and a half and thrown on to another beach. When she returns home her husband believes her to be a ghost.

129. Woman condemned and ostracized by priest takes her abode in hut on seashore. The hut is miraculously spared on a stormy night when the sea sweeps up on the land all around. Hearing this, the priest relents.

130-139. DAILY LIFE

130. Food and clothing in the narrator's youth.

131. Famine times.

132. A poor breakfast in olden times.

133. Old schools.

134. A useless piper.

135. A great piper by the name of Mac Mhurcaidh and his twelve sons—all pipers.

136. A boycotted piper in Galway by the name of Mac Donagh has nobody to attend his mother's funeral. He sends messages to twelve other pipers. Eleven of these receive the message and arrive. The funeral is headed by them and Mac Donagh playing the pipes. All the people of Galway join the cortège. The twelfth piper who has received the message too apologizes to Mac Donagh and is told that it was the finest funeral ever seen in Galway.

137. Courtship game played in limekiln. The girl put a strand of thread down into the kiln and the boy caught it. The girl would ask his name and the boy would answer. A brother tries to trick his sister by pretending to be another man, but she recognizes his voice and runs away.

138. Man put his white mare grazing on hillside. Every now and then he looked across to ensure that she was all right and was set at ease when he saw her standing in the distance. When he went to fetch the mare, however, he found out that she had been dead for a long time. What he had taken to be the mare was a white rock.

HB 271. Cf. An Gearrán Bán (" The White Mare ") as name of a rock in *LSC* p. 369. The motif of the hillside rock mistaken for an animal is found in a tenth century text, *Fingal Rónáin* (ed. D. Greene, Dublin, 1975), 5, 7, 8.

139. Account of John Dillon's escape.

John Blake Dillon (1814-66) was a leading member of the Young Ireland party. He went on the run after taking part in the Rising of 1848, sheltering in the Aran Islands and surrounding area, until he escaped to France and from there to America. See A. Webb, *A Compendium of Irish Biography* (Dublin, 1878), 151.

140-150. Varia

140. The sabbath stretches from noon on Saturday to noon on Sunday.

Previously published in *Béal.* 3, 73.

141. No soil should be turned on the first day of the year or on the first Monday of the year. There would be many deaths during the year unless this rule was obeyed. Neither should byres be swept on the first day of the year, since this would have a bad effect on the produce of the stock.

142. It is prohibited to do any work involving wheel-turning on St. Martin's day.

LSC No. 1; Holmer 2, 29-31; Danaher 230-2; S. Ó Súilleabháin, " The Feast of Saint Martin in Ireland " in *Studies in Folklore in Honour of Distinguished Service Professor Stith Thompson* (Bloomington, 1957), 252-61.

143. 4th December is referred to as *Lá Crosta na Blianan* (" The Forbidden Day of the Year "). No work should be undertaken this day.

144. Men attacking seals with stones in a cave under Cliffs of Moher put to flight by seals fighting back.

145. Words imitating the cry of sea-gulls: *Iasc! Iasc! Iasc!* (" Fish! Fish! Fish! ") etc.

146. Hens said to have been brought to Ireland by the Vikings. They plan to return to Scandinavia every night, but forget their decision in the morning.

Previously published in *Irish Travel*, March 1931.
HB 40.

147. AT 156, Thorn Removed from Lion's Paw (Androcles and the Lion).

148. A children's rhyme.
Cf. *LSC* p. 391, 452.

149. Two riddles.
For the first see Hull & Taylor, Nos 144a and b. The solution, which Stiofán did not know, is there "a fox". The second riddle is based on a pun on *sin'*, "teat", and *sin*, "that". The guesser is given the impression that a question is asked about the price of a goat, while the real question is: "How many teats has a goat?"

150. Two prayers.
For the first, entitled "The Little Resurrection", see Holmer 2, 287.
For other versions of the second see D. Ó Laoghaire, *Ár bPaidreacha Dúchais* (Baile Átha Cliath, 1975), Nos. 297-8.

APPENDIX 1

A. A "*narratio lubrica*". A man who slept on a fairy mound, had a dream experience, and imagined he was giving birth to a child.
Cf. *HB*, 468.

B. An alternative ending to No. 3.

C. A run from another version of No. 5.

D. Note to the effect that Stiofán knew AT 1365B, Cutting with the Knife or Scissors.
Only ending given.

E. Note to the effect that Stiofán knew TIF 2412E (Danish Heather Beer).
This story was probably not taken down from Stiofán by Professor Delargy.
Cf. B. Almqvist, "The Viking Ale and the Rhine Gold" in *Arv* 21 (1965) and works quoted there.

F. A summary of AT 1640, The Brave Tailor, cf. also AT 1060, Squeezing the (Supposed) Stone.

Professor Delargy intended to record this from Stiofán, but apparently never did so himself. A version collected from Stiofán by S. Mac Mathúna in IFC 40: 271-9.

G. A summary of AT 1792A, The Priest's Pig.
   The full text was probably not recorded.
   Holmer 2, 253-7. Cf. also AT 974, The Homecoming Husband.

H. Traditions about Cromwell.
   See references to No. 119 and S. Ó Súilleabháin, " Oliver Cromwell in Irish Oral Tradition " in *Folklore Today* (Bloomington, Indiana, 1976), 473-83.

I. The Danaher family reputed to be of Danish origin.

J. Verse from a tale entitled Rudaire an Gháire Ghil which Stiofán used to know but had forgotten.
   The tale is probably the one summarized in *HB* 600 (No. 3).

K. Reference to another story Stiofán once knew.

L. Verse.

M. A riddle in English.
   Hull & Taylor 674a.

N. Notes on holy wells visited by people in North Clare.

O. Telling time from the stars.

P. Use of sheepskin bags and wooden vessels. Spinning-wheels.

Q. Terminology connected with corn and turf.

R. Four proverbs.
   " Too much learning may be no better than somewhat less."—Ó Máille 2441.

   " Everybody is not lucky with women."

   " It is not a good thing to be saving for too long."

   " Youth never comes twice,
   But sorrow comes twice every night."—Ó Máille 3191; Holmer 2, 167 (No. 48), 289 (No. 9).

APPENDIX 2

Eighteen words and phrases explained by Stiofán.